여러분의 합격을 응원하

해커스공무원의 특별 혜택

FREE 공무원 국어 **동영상강의**

해커스공무원(gosi.Hackers.com) 접속 후 로그인 ▶ 상단의 [무료강좌] 클릭 ▶ [교재 무료특강] 클릭하여 이용

 해커스공무원 온라인 단과강의 **20% 할인쿠폰**

C3B7BB666735BEPV

해커스공무원(gosi.Hackers.com) 접속 후 로그인 ▶ 상단의 [나의 강의실] 클릭 ▶
좌측의 [쿠폰등록] 클릭 ▶ 위 쿠폰번호 입력 후 이용

* 등록 후 7일간 사용 가능(ID당 1회에 한해 등록 가능)

해커스 회독증강 콘텐츠 **5만원 할인쿠폰**

636DB4A4F2D9EE4T

해커스공무원(gosi.Hackers.com) 접속 후 로그인 ▶ 상단의 [나의 강의실] 클릭 ▶
좌측의 [쿠폰등록] 클릭 ▶ 위 쿠폰번호 입력 후 이용

* 등록 후 7일간 사용 가능(ID당 1회에 한해 등록 가능)
* 특별 할인상품 적용 불가
* 월간 학습지 회독증강 행정학/행정법총론 개별상품은 할인쿠폰 할인대상에서 제외

합격예측 **모의고사 응시권 + 해설강의 수강권**

987B9A8EEECF4UWE

해커스공무원(gosi.Hackers.com) 접속 후 로그인 ▶ 상단의 [나의 강의실] 클릭 ▶
좌측의 [쿠폰등록] 클릭 ▶ 위 쿠폰번호 입력 후 이용

* ID당 1회에 한해 등록 가능

해커스 매일국어 **어플 이용권**

57D2GUM6I3JA3RXR

구글 플레이스토어/애플 앱스토어에서 [해커스 매일국어] 검색 ▶
어플 다운로드 ▶ 어플 이용 시 노출되는 쿠폰 입력란 클릭 ▶ 쿠폰번호 입력 후 이용

▲ 매일국어 어플 바로가기

* 등록 후 30일간 사용 가능
* 해당 자료는 [해커스공무원 국어 기본서] 교재 내용으로 제공되는 자료로, 공무원 시험 대비에 도움이 되는 유용한 자료입니다.

쿠폰 이용 관련 문의 1588-4055

단기 합격을 위한
해커스 커리큘럼

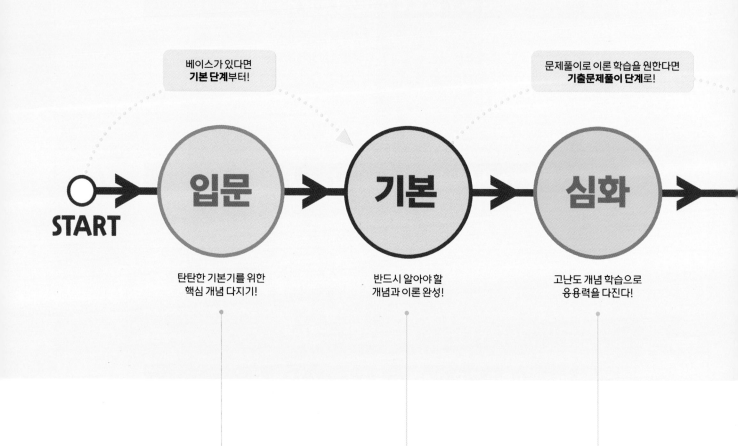

베이스가 있다면
기본 단계부터!

문제풀이로 이론 학습을 원한다면
기출문제풀이 단계로!

START

입문
탄탄한 기본기를 위한
핵심 개념 다지기!

기본
반드시 알아야 할
개념과 이론 완성!

심화
고난도 개념 학습으로
응용력을 다진다!

강의 **쌩기초 입문반**

이해하기 쉬운 개념 설명과 풍부한
연습문제 풀이로 부담 없이 기초를
다질 수 있는 강의

강의 **기본이론반**

반드시 알아야 할 기본 개념과 문제풀이
전략을 학습하여 핵심 개념 정리를
완성하는 강의

강의 **심화이론반**

심화이론과 중·상 난이도의 문제를
함께 학습하여 고득점을 위한 발판을
마련하는 강의

단계별 교재 확인 및
수강신청은 여기서!

gosi.Hackers.com

* 커리큘럼은 과목별·선생님별로 상이할 수 있으며, 자세한 내용은 해커스공무원 사이트에서 확인하세요.

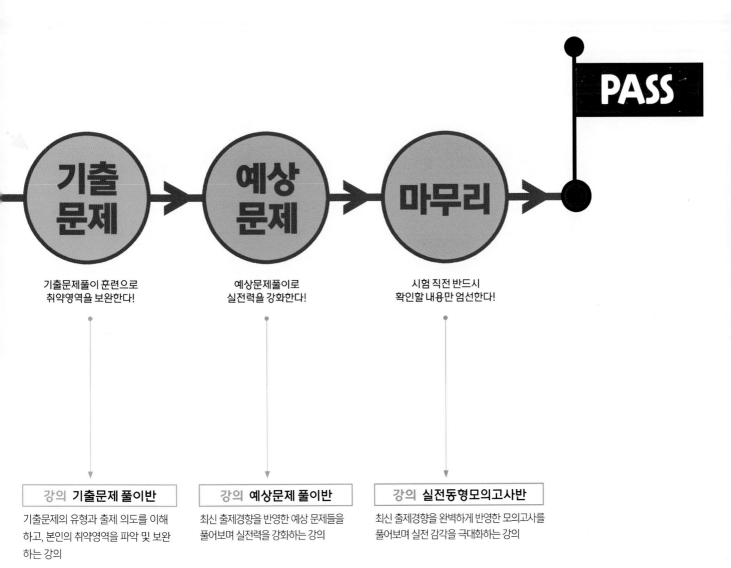

기출문제

기출문제풀이 훈련으로
취약영역을 보완한다!

예상문제

예상문제풀이로
실전력을 강화한다!

마무리

시험 직전 반드시
확인할 내용만 엄선한다!

PASS

강의 기출문제 풀이반

기출문제의 유형과 출제 의도를 이해
하고, 본인의 취약영역을 파악 및 보완
하는 강의

강의 예상문제 풀이반

최신 출제경향을 반영한 예상 문제들을
풀어보며 실전력을 강화하는 강의

강의 실전동형모의고사반

최신 출제경향을 완벽하게 반영한 모의고사를
풀어보며 실전 감각을 극대화하는 강의

강의 봉투모의고사반

시험 직전에 실제 시험과 동일한 형태의
모의고사를 풀어보며 실전력을 완성하는 강의

해커스공무원

혜원국어
기출정해 1000제

1권 비문학·문학

해커스공무원

"포기하는 이유는 경사면을 오르는 게 너무 힘들어서다.
하지만 경사면을 오르고 있다는 것은 정상에 가까워졌다는 뜻이기도 하다.
경사면을 오르느라 너무 힘이 든다는 것은,
정상으로 가는 길을 잃지 않았다는 뜻이기도 하다."

– 보도 섀퍼 《멘탈의 연금술 中》

《해커스공무원 혜원국어 기출정해 1000제》는 다음의 취지로 만들어졌다.

1. 공무원 수험 합격을 위한 수험 국어 최강 그리고 최적의 교재를 만들고자 하였다.

2. '추론형 및 이해형'을 지향하며 변화하는 공무원 수험 국어의 패러다임에 맞춰 실전 시험에 도움이 되는 유형만을
정련하여 전체 1,000제로 구성하였다.

구분	영역	문제 수
1권 비문학 · 문학	비문학	200
	문학	141
	고전 문법	34
2권 문법과 규범 · 어휘	국어 문법	205
	국어 규범	205
	어휘와 한자	120
	올바른 언어생활/화법과 작문	95
총 문제 수		1,000

3. 수험생의 학습 부담은 대폭 줄이고, 그 효과는 극대화하도록 하기 위하여 영역별로 시험에 꼭 필요하고 필수적인
문제만을 골라 순도 높은 문제로만 구성하였다.

4. 《해커스공무원 혜원국어 기출정해 1000제》를 사랑해 주시고 성원해 주시는 수험생들의 필요에 최대한 부합하기
위하여 최대한 '상세한 풀이'와 시험장에서 바로 응용할 수 있는 문제 풀이 'TIP'을 수록하여 시험장 실력 극대화를
위해 구성하였다.

5. 《해커스공무원 혜원국어 기출정해 1000제》를 자신의 상황에 계획하고, 알맞게 매일 꾸준히 복습을 실행하여,
공무원 시험 합격의 주인공이 되기를 강력히 응원한다.

2023년 10월

고혜원

목차

PART 3 고전 문법

이 책의 구성

STEP 1 이론 살펴보기

출제 유형

주제별로 출제 유형을 세분화하여 분석하였습니다. 어떤 유형의 문제인지를 명확하게 짚어주고, 반복적으로 확인하면서 출제 패턴을 자연스럽게 익힐 수 있습니다.

핵심정리

문제풀이에 필요한 가장 핵심적인 이론을 엄선하여 수록하였습니다. 본격적인 문제풀이 전 핵심만 빠르게 훑어보면서 중요한 개념을 정리할 수 있습니다.

심화 Plus

고득점을 위해 알아두어야 하는 심화 내용을 수록하였습니다. 자칫 헷갈릴 수 있는 개념까지 철저하게 학습함으로써 고난도 문제까지 쉽게 공략할 수 있습니다.

CHAPTER 3 속담

Unit 09 속담의 뜻풀이

📈 출제 유형

속담의 뜻풀이	· 속담의 뜻풀이가 바른지 묻는 유형 · 뜻풀이에 부합하는 속담을 찾는 유형
의미가 비슷한 속담	· 의미가 비슷한 속담끼리 연결하는 유형

📖 핵심정리

· 속담 뜻풀이 기술

(1) [20 군무원 7급]

남의 말이라면 쌍지팡이 짚고 나선다.	남의 허물에 대해서 시비하기를 좋아한다.
말 안 하면 귀신도 모른다.	마음속으로만 애태울 것이 아니라 시원스럽게 말을 하여야 한다.
말 같지 않은 말은 귀가 없다.	이치에 맞지 아니한 말은 못 들은 척한다.
남의 말도 석 달	소문은 시일이 지나면 흐지부지 없어지고 만다.

(2) [11 기상직 9급]

젖 떨어진 강아지 같다.	무슨 요구를 가지고 몹시 귀찮게 간청한다.
섣달이 둘이라도 시원치 않다.	섣달이 아무리 많아도 모자란다는 뜻으로, 시일을 아무리 늦추어도 일의 성공을 기약하기 어려운 경우를 비유적으로 이르는 말
주인 많은 나그네 밥 굶는다.	무슨 일이든 한 곬으로만 하라.
눈 먼 말 워낭 소리 따라 간다.	무식한 사람이 남이 일러 주는 대로 무비판적으로 따라 한다.

(3) [11 국가직 7급]

머리는 끝부터 가르고 말은 밑부터 한다.	말을 하려면 처음부터 차근차근 해야 한다.
눈 먹는 토끼 얼음 먹는 토끼 따로 있다.	사람이나 동물이나 살아 온 환경에 따라 능력이나 풍습이 다르다.
인정은 바리로 싣고 진상은 꼬치로 꿴다.	자기와 직접 관련이 있으면 한껏 베풀고 그렇지 않으면 인색하다.
내가 부를 노래를 사돈집에서 부른다.	내가 할 말을 도리어 상대방이 먼저 한다는 말

🔊 심화 Plus

· 한역 속담

아가사창(我歌査唱)	내가 부를 노래 사돈이 부른다.
구반상실(狗飯橡實)	개밥의 도토리
묘두현령(猫頭懸鈴)	고양이 목에 방울 달기 ≒ 묘항현령(猫項懸鈴)
오비이락(烏飛梨落)	까마귀 날자 배 떨어진다.

STEP 2 기출문제 풀어보기

속담의 뜻풀이	속담의 뜻풀이가 바른지 묻는 유형

043 ○○○ 2019 국회직 8급

'먹다'가 들어간 속담의 의미에 대한 설명으로 옳지 않은 것은?

① 꿩 구워 먹은 자리
  → 어떠한 일의 흔적이 전혀 없음을 비유적으로 이르는 말
② 소금 먹은 놈이 물켠다.
  → 무슨 일이든 반드시 그렇게 된 까닭이 있다는 말
③ 먹던 술도 떨어진다.
  → 매사에 조심하여 잘못이 없도록 하라는 말
④ 먹는 데는 감발이요 일에는 송곳이라.
  → 제 이익이 되는 일 특히 먹는 일에는 남보다 먼저 덤비나, 일할 때는 꽁무니만 뺀다는 말
⑤ 노루 때린 막대기 세 번이나 국 끓여 먹는다.
  → 어떤 일을 성공하기 위해서는 반복해야 한다는 것을 강조하는 말

난이도 ⓦ ○ ㉠

해설 '노루 때린 막대기 세 번이나 국 끓여 먹는다.'는 조금이라도 이용 가치가 있을까 하여 보잘것없는 것을 두고두고 되풀이하여 이용함을 비유적으로 이르는 말이다.

정답 ⑤

고득점 GO!
'반복'과 '성공'이 담긴 속담
① 열 번 찍어 안 넘어가는 나무 없다.
② 무쇠도 갈면 바늘 된다.
③ 천리 길도 한 걸음부터

044 ○○○ 2017 경찰 1차

다음 중 속담의 뜻풀이로 적절하지 않은 것은?

① 소경 머루 먹듯: 좋고 나쁜 것을 분별하지 못하고 아무것이나 취함.
② 재미난 끝에 범 난다: 즐거운 일을 찾아 계속하다 보면 큰 인물이 될 수 있음.
③ 갯물에도 씨가 있다: 아무리 하잖아 보이는 물건에도 제 속은 있음.
④ 가물에 돌 친다: 가물에 도랑을 미리 치워 물길을 낸다는 뜻으로 사전에 미리 준비해야 함.

난이도 ⓦ ○ ㉠

해설 '재미난 끝에 범 난다.'라는 속담은 '편하고 재미있다고 위험한 일이나 나쁜 일을 계속하면 나중에는 큰 화를 당하게 됨.'을, '지나치게 재미있으면 그 끝에 가서는 좋지 않은 일이 생김.'을 이르는 말이다.

오답분석 ③ '아무리 하잖아 보이는 물건에도 제 속은 있음.'이라는 뜻풀이는 북한식 해석이라는 의견도 있다. 표준국어대사전에 등록된 '갯물에도 씨가 있다'의 뜻풀이는 '언뜻 보면 없을 듯한 곳에도 자세히 살펴보면 혹 있을 수 있음을 비유적으로 이르는 말'이다.
※ 갯물: 기름을 짜고 남은 깨의 찌꺼기로, 흔히 낚시의 밑밥이나 논밭의 밑거름으로 쓰인다.

정답 ②

045 ○○○ 2016 경찰 2차

다음 중 속담의 뜻풀이로 적절하지 않은 것은?

① 기둥 치면 들보가 운다: 전혀 관계가 없는 일에 억울하게 배상을 하게 된다.
② 게도 구멍이 크면 죽는다: 분수에 지나치면 도리어 화를 당하게 된다.
③ 토끼 빚에 여우 걸린다: 처음 계획했던 것보다 의외로 더 큰 이익을 얻게 된다.
④ 소경이 개천 나무란다: 자기의 과실은 생각지 않고 상대만 원망한다.

난이도 ⓦ ○ ㉠

해설 속담 '기둥 치면 들보가 운다.'는 직접 맞대고 탓하지 않고 간접적으로 넌지시 말을 하여도 알아들을 수가 있음을 비유적으로 이르는 말, 주(主)가 되는 대상을 탓하거나 또는 그 대상에 일격을 가하거나 하면 그와 관련된 대상들이 자연히 영향을 입게 됨을 비유적으로 이르는 말이다. 따라서 "전혀 관계가 없는 일에 억울하게 배상을 하게 된다."라는 뜻풀이는 적절하지 않다.
※ 전혀 관계없는 일에 억울하게 배상하는 경우를 비유적으로 이르는 속담은 '봉사 기름값 물어 주기'이다.

정답 ①

기출문제
주제별로 반드시 풀어봐야 하는 중요 기출문제를 엄선하여 수록하였습니다. 1회독 할 때마다 체크박스에 표시를 할 수 있어 편리한 회독학습이 가능합니다.

정답과 해설
해설만 보아도 개념이 저절로 학습될 수 있도록, 정답의 근거뿐만 아니라 오답인 이유까지 상세하게 수록하였습니다. 선지를 세부적으로 분석함으로써 문제풀이 학습 효과를 극대화할 수 있습니다.

고득점 GO!
빠른 문제풀이 전략에 대한 선생님의 노하우를 통해 문제풀이 스킬을 쉽게 터득할 수 있습니다.

PART 1

비문학

출제 경향 한눈에 보기

구조도

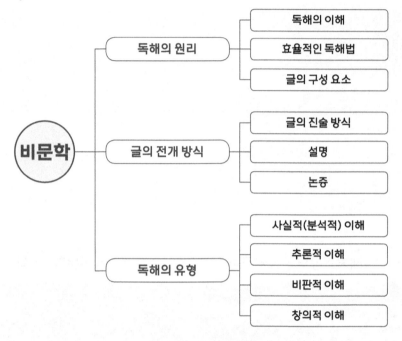

비문학
- 독해의 원리
  - 독해의 이해
  - 효율적인 독해법
  - 글의 구성 요소
- 글의 전개 방식
  - 글의 진술 방식
  - 설명
  - 논증
- 독해의 유형
  - 사실적(분석적) 이해
  - 추론적 이해
  - 비판적 이해
  - 창의적 이해

영역별 학습 목표

1. 글의 설명 및 전개 방식을 이해하고, 주어진 글에 사용된 방식을 찾을 수 있다.
2. 글의 중심 내용을 파악하여 중심 문장, 주제, 제목을 찾을 수 있다.
3. 추론의 유형을 익히고, 이를 활용하여 논리적으로 추론할 수 있다.
4. 여러 가지 유형의 글을 독해할 수 있다.

핵심 개념

진술 방식	동태적 전개 방식	① 서사 ② 과정 ③ 인과
	정태적 전개 방식	① 정의 ② 지정 ③ 비교 ④ 대조 ⑤ 예시 ⑥ 분류 ⑦ 분석 ⑧ 묘사 ⑨ 유추
추론		① 연역추론 ② 귀납추론 ③ 변증법 ④ 가설추리 ⑤ 유비추리
오류 유형	심리적 오류	① 인신공격의 오류 ② 역공격의 오류 ③ 정황에의 호소 ④ 동정에의 호소 ⑤ 공포에의 호소 ⑥ 쾌락·유머에의 호소 ⑦ 사적 관계에의 호소 ⑧ 아첨에의 호소 ⑨ 군중에의 호소 ⑩ 부적합한 권위에의 호소 ⑪ 원천봉쇄의 오류
	자료적 오류	① 우연과 원칙 혼동의 오류 ② 성급한 일반화의 오류 ③ 잘못된 유추의 오류 ④ 무지에의 호소 ⑤ 의도 확대의 오류 ⑥ 잘못된 인과 관계에 의한 오류 ⑦ 발생학적 오류 ⑧ 합성·분할의 오류 ⑨ 흑백 논리의 오류 ⑩ 복합 질문의 오류 ⑪ 순환 논증의 오류 ⑫ 논점 이탈의 오류
	언어적 오류	① 애매어의 오류 ② 모호한 문장의 오류 ③ 강조의 오류 ④ 은밀한 재정의의 오류 ⑤ 범주의 오류
	간접 추론에 관한 오류	① 전건 부정의 오류 ② 후건 긍정의 오류 ③ 선언지 긍정의 오류

연도별 주요 출제 문항

2023년	• 다음 글에서 추론한 내용으로 적절하지 않은 것은? • 다음 글을 이해한 내용으로 가장 적절한 것은? • 다음 글의 맥락을 고려할 때 빈칸에 들어갈 말로 가장 적절한 것은? • 다음 글의 중심내용으로 가장 적절한 것은? • (가)~(다)를 맥락에 따라 가장 자연스럽게 배열한 것은? • (가)와 (나)에 들어갈 말로 가장 적절한 것은? • 다음 글에 서술된 '나이브 아트'에 대한 설명으로 적절한 것만을 〈보기〉에서 모두 고르면? • ㉠에 대한 설명으로 적절한 것은?
2022년	• 글쓴이의 견해에 부합하는 것은? • 다음 글에 대한 이해로 적절하지 않은 것은? • 다음 글의 전개 순서로 가장 자연스러운 것은? • 다음 문장이 들어가기에 가장 적절한 곳을 ㉠~㉣에서 고르면?
2021년	• 다음 글의 내용과 부합하지 않는 것은? • 글쓴이의 견해에 부합하는 대응으로 가장 적절한 것은? • 다음 글의 내용과 부합하는 것은? • 다음 글의 결론으로 가장 적절한 것은? • 다음 글에 대한 이해로 적절한 것은? • 다음 글의 내용과 부합하지 않는 것은? • (가)~(라)에 들어갈 말로 가장 적절한 것은? • 다음 글에서 추론할 수 있는 것은? • 다음 글의 설명 방식으로 적절하지 않은 것은? • 하버마스의 주장에 부합하는 사례로 가장 적절한 것은? • ㉠~㉤의 전개 순서로 가장 자연스러운 것은? • 다음 글의 사례로 적절하지 않은 것은? • 다음 글의 주된 서술 방식은? • 다음 글에 대한 이해로 적절하지 않은 것은? • ㉠에 들어갈 말로 가장 적절한 것은? • 다음 글에서 추론한 내용으로 적절하지 않은 것은?
2020년	• 다음에서 제시한 글의 전개 방식의 예로 가장 적절한 것은? • ㉠에 들어갈 주장으로 가장 적절한 것은? • 다음 글에 대한 이해로 적절하지 않은 것은? • 다음 글을 바탕으로 ㉠을 이해할 때 가장 적절한 것은?
2019년	• 〈보기〉의 지문은 설명문의 일종이다. 두괄식 설명문으로 구성하고자 할 때 논리적 전개에 가장 부합하게 배열한 것은? • 〈보기〉의 설명에 활용된 방식과 가장 가까운 것은? • 〈보기〉의 내용을 이해한 것으로 가장 옳은 것은? • 다음 글에서 〈보기〉가 들어가기에 가장 적절한 것은? • (가)와 (나)를 통해서 추정하기 어려운 내용은? • 다음 글의 글쓰기 전략으로 볼 수 없는 것은? • (가)를 바탕으로 (나)에 담긴 글쓴이의 생각을 적절히 추론한 것은? • 윗글의 내용 전개 방식으로 가장 적절한 것은? • 〈보기〉를 읽고 보인 반응으로 적절하지 않은 것은?

Unit 01 글의 구성 원리 – 통일성, 완결성, 일관성

📈 출제 유형

- 글의 구성 원리를 잘 지키는지 판단하는 유형
- 글의 통일성을 깨는 문장을 찾는 유형

📖 핵심정리

· 글의 구성 원리

통일성	하나의 글(문단) 안에서 중심 내용은 하나여야 한다.
완결성	주제문을 뒷받침하는 구체적인 진술이 충분히 제시되어야 한다.
일관성	앞뒤의 내용이 논리적이고 긴밀하게 연결되어야 한다. (= 긴밀성)

📈 출제 유형

글의 구성 원리	글의 구성 원리를 잘 지키는지 판단하는 유형

001 ○○○　　　　　　　　　　　　2014 지방직 9급

다음 글에 대한 평가로 가장 적절한 것은?

> ⊙ 관용구는 어떤 표현이 습관적으로 굳어져 사용됨으로써 원래의 뜻을 잃어버린 언어 표현을 의미한다. ⓒ '내 코가 석 자', '배가 남산만 하다.'라는 말은 코의 길이나 배의 크기에 대한 내용을 담고 있는 것이 아니다. ⓒ 즉 이 표현들을 이루고 있는 단어들의 표면적인 뜻만 가지고는 그 의미를 알 수가 없는 것이다. ⓔ 이러한 관용어는 우리의 전통문화를 잘 보여 주고 있다는 점에서 큰 의의를 지닌다고 할 수 있다.

① ⊙은 정의의 형식을 갖추고 있으나 단락의 완결성을 해치므로 삭제하는 것이 좋다.

② ⓒ에 제시된 두 예는 원래의 뜻으로 해석될 수 있으므로 다른 예로 바꾸어야 한다.

③ ⓒ은 앞 문장과의 연결이 부자연스러워 긴밀성을 해친다.

④ ⓔ은 전체 제시문의 주제와 관련이 없으므로 단락의 통일성을 해친다.

난이도 상 ○ 하

TIP '통일성'은 하나의 글 안에 중심 내용이 하나여야 한다는 글 구성 원리이다.

해설 전체 제시문의 주제는 '관용구의 의미와 의미에서 비롯된 특징'이다. 한편, "관용어는 ~ 의의를 지닌다고 할 수 있다." 부분을 볼 때, ⓔ은 '관용구의 의의'를 드러난 문장이다. 그런데 이때의 '의의'는 '관용구의 의미와 의미에서 비롯된 특징'과 관련된 것이 아닌 '전통문화'와 관련된 것이다. 따라서 ⓔ이 주제와 관련이 없으므로 통일성을 해친다는 평가는 적절하다.

오답분석 ① "관용구는 ~ 의미한다." 부분을 볼 때 ⊙은 '관용구'가 무엇인지를 정의한 것이다. 따라서 '정의의 형식을 갖추고 있으나'까지는 바른 진술이다. 그런데 주제문을 뒷받침하는 구체적인 진술이 충분히 제시되어야 한다는 '완결성'을 해치는 문장은 아니므로, 삭제하는 것이 좋다는 평가는 적절하지 않다.

② ⓒ에 제시된 예는 관용구가 무엇인지를 뒷받침하는 예로 적절하다. 따라서 다른 예로 바꾸어야 한다는 평가는 적절하지 않다.

③ ⓒ은 ⓒ에 대한 상술이므로, 문장 ⓒ과의 연결은 자연스럽다. 따라서 앞 문장과의 연결이 부자연스럽다는 평가는 적절하지 않다.

정답 ④

주제문과 뒷받침 문장의 구성이 가장 잘 이루어진 것은?

① 한옥 지붕의 기본적인 모양은 맞배지붕, 우진각 지붕, 팔작지붕이다. 맞배지붕은 지붕의 앞면과 뒷면을 서로 맞댄 모양이다. 이에 반해 팔작지붕은 우진각 지붕의 형식에 다시 팔자(八字) 모양을 덧붙여 부챗살이 퍼지는 듯한 형상을 하고 있다.

② 언어의 중요한 특성으로 자의성과 사회성을 들 수 있다. 언어의 자의성은 음성 기호와 그것이 나타내는 의미의 관계가 필연적이 아니라 임의적이라는 것이며, 언어의 사회성은 이러한 기호와 의미 관계의 성립이 언중의 약속에 의해 이루어진다는 것이다. 그러므로 언어는 임의적 기호 체계이지만 반드시 사회적 약속을 획득해야만 한다.

③ 말은 듣는 이에게 다양한 심리적 반응을 일으킨다. 말하는 이가 잘못 쓴 말은 듣는 이에게 불쾌감, 소외감, 불신감 등의 부정적 결과를 초래하는 요인이 되므로, 말을 할 때는 항상 듣는 사람의 감정을 고려해서 말해야 한다. 대화를 이기적이고 자기중심적으로 진행하는 사람은 인간관계에서 문제를 일으킬 가능성이 많다.

④ 옛날 한국에서는 개울가 어디를 가나 쪼그리고 앉아 빨래하는 여인들을 볼 수 있었다. 빨래가 끝나면 홍두깨에 빨래를 감아 놓고, 곤봉 모양의 방망이로 홍두깨질을 하고, 햇볕에 널어서 말린다. 이런 과정을 거치면 흰 무명천도 희부연 공단처럼 눈부시게 하얀색이 된다.

난이도 ○ 중 하

[해설] 첫 번째 문장에서 언어의 중요한 특성으로 '자의성'과 '사회성'을 들고 있다. 두 번째 문장에서는 언어의 '자의성'과 '사회성'의 개념을 설명하고 있다. 마지막 문장에서는 두 번째 문장에서의 내용을 근거로 '언어의 특성'을 정리하고 있다. 따라서 ②는 주제문과 뒷받침 문장의 구성이 잘 이루어진 문장이라 볼 수 있다.

[오답분석]
① 첫 번째 문장에서 한옥 지붕의 기본적인 모양을 '맞배지붕, 우진각 지붕, 팔작지붕' 3개를 들었다. 글의 완결성을 위해서는 3가지 모양에 대해 모두 언급해야 한다. 그러나 두 번째 문장에서는 '맞배지붕'과 '팔작지붕' 2가지 모양에 대해서만 다루고 있을 뿐, '우진각 지붕'에서 대해서는 다루고 있지 않다. 따라서 주제문과 뒷받침 문장의 구성이 잘 이루어진 것으로 보기 어렵다.

③ 첫 번째 문장에서 말이 '듣는 이'에게 다양한 심리적 반응을 일으킨다고 하였다. 두 번째 문장에서는 '듣는 이'의 심리적 반응이 맞다. 그러나 대화를 이기적이고 자기중심적으로 진행하는 사람이 인간관계에서 문제를 일으킬 가능성이 많다는 세 번째 문장은 '듣는 이'의 심리적 반응으로 보기 어렵다. 따라서 주제문과 뒷받침 문장의 구성이 잘 이루어진 것으로 보기 어렵다.

④ 문장들을 통괄할 주제문이 없다. 각각의 문장들이 빨래의 과정을 보여 주는 동일한 층위의 문장들이다.

정답 ②

 출제 유형

글의 구성 원리	글의 통일성을 깨는 문장을 찾는 유형

'청소년 인터넷 중독의 현황과 문제 해결'에 대한 글을 작성하고자 한다. 글의 내용으로 포함하기에 적절하지 않은 것은?

① 국내 최대 게임 업체의 고객 개인 정보가 유출되어 청소년들에게 성인 광고 문자가 대량 발송된 사건을 예로 제시한다.

② 인터넷에 중독되는 청소년의 비율이 해마다 증가한다는 통계를 활용하여 해당 사안이 시급히 해결되어야 할 문제임을 강조한다.

③ 사회성 결여, 의사소통 장애, 집중력 저하 등 인터넷 중독이 야기할 수 있는 부정적 현상들을 열거하여 문제의 심각성을 환기한다.

④ 청소년 대상 인터넷 중독 상담 프로그램의 개발 및 운영을 위해 할당된 예산이 부족하다는 전문가의 의견을 인용하여 해당 문제에 대한 대처가 미온적임을 지적한다.

난이도 ○ 중 하

[해설] 글의 주제는 '청소년 인터넷 중독의 현황과 문제 해결'이다. 따라서 해당 글에는 '청소년 인터넷 중독의 현황' 그리고 '청소년 인터넷 중독 문제 상황과 그를 해결하기 위한 방안'이 들어가야 한다. 그런데 '개인 정보 유출'과 관련된 ①의 내용은 이와 관련이 없다. 따라서 제시된 글의 내용으로 포함하기에 적절하지 않다.

[오답분석]
② 인터넷에 중독되는 청소년의 비율이 증가한다는 통계는 '현황'과 관련이 있다. 따라서 글의 내용으로 포함하기에 적절하다.

③ 인터넷 중독이 야기할 수 있는 부정적 현상을 열거하는 것은 '문제 상황'과 관련이 있다. 따라서 글의 내용으로 포함하기에 적절하다.

④ 청소년 대상 인터넷 중독 상담 프로그램은 '문제 해결'과 관련이 있다. 청소년 인터넷 중독 문제를 해결할 수 있는 방안 중 하나인 청소년 인터넷 중독 상담 프로그램의 개발 및 운영을 위해 할당된 예산이 부족한 현실을 꼬집으면서, 보다 많은 예산 편성을 통해 청소년의 인터넷 중독 문제를 해결할 수 있다는 결론을 낼 수 있을 것이다. 따라서 글의 내용으로 포함하기에 적절하다.

정답 ①

PART 1 비문학 해커스공무원 해원국어 기출정해 1000제 1권 비문학·문학

〈보기〉를 근거로 판단할 때, ㉠~㉣ 중 적절하지 않은 것은?

---〈보기〉---

통일성은 글의 내용이 하나의 주제로 긴밀하게 관련되는 특성을 말한다. 초고의 적절성을 평가할 때에는 글의 내용이 하나의 주제를 드러낼 수 있도록 선정되었는지, 그리고 중심 내용에 부합하는 하위 내용들로 선정되었는지를 검토한다.

사람들은 대개 수학 과목이 어렵다고 한다. 하지만 나는 수학 시간이 재미있다. ㉠ 바로 수업을 재미있게 진행하시는 수학 선생님 덕분이다. 수학 선생님은 유머로 딱딱한 수학 시간을 웃음바다로 만들곤 한다. ㉡ 졸리는 오후 시간에 뜬금없이 외국으로 수학여행을 가자고 하여 분위기를 부드럽게 만든 후 어려운 수학 문제를 쉽게 설명한 적도 있다. 그래서 우리 학교에서는 수학 선생님의 인기가 시들 줄 모른다. ㉢ 그리고 수학 선생님의 아들이 수학을 굉장히 잘한다는 소문이 나 있다. ㉣ 내 수학 성적이 좋아진 것도 수학 선생님의 재미있는 수업 덕택이다.

① ㉠   ② ㉡   ③ ㉢   ④ ㉣

난이도 상 ○ 하

해설 〈보기〉는 글의 구성 원리 중 '통일성'에 대한 설명이다.

제시된 글은 '수학 선생님의 재미있는 수업'이 중심 내용이다. 그런데 ㉢은 중심 내용과 관련이 없는 수학 선생님의 아들이 수학을 잘한다는 소문에 관한 내용이다. 따라서 글의 내용이 하나의 주제로 긴밀하게 관련되는 특성인 '통일성'을 근거로 판단할 때, ㉢은 적절하지 않다.

정답 ③

글의 통일성을 고려할 때 빼야 할 문장으로 가장 적절한 것은?

군청에서는 관 위주 행정의 관행을 없애고 군민들이 불편하지 않도록 '감동 행정'을 펼치기 위한 사전 작업이 이뤄지고 있다. (가) 특히 군정에 변화의 새 바람을 일으키기 위해 군민과 공직자를 상대로 군민 행복을 위한 참신한 의견을 수렴하고 '공직자 변화 노력 선포식'을 열기로 하는 등 변화의 바람이 감지되고 있다. (나) 김 군수는 "공무원들의 변화만이 군민들에게 희망을 줄 수 있다."면서, '공무원들의 낡은 사고, 관 위주 행정의 낡은 관행을 우선 변화시켜야 할 대상으로 규정하고 전체 공직자가 자기 계발과 의식 전환을 위해 노력하도록 할 방침'이라고 밝혔다. (다) 다음 달 정례 조회 때 있을 공직자 변화 노력 선포식에서는 전체 공직자가 결의문을 채택해 자기 개혁에 적극 나서도록 분위기를 조성한다는 방침이다. (라) 특히 음주 운전자 차량에 동승하여 음주 운전을 적극 만류하지 못해 음주 운전에 이르게 한 공무원도 사안에 따라 문책할 방침이다.

① (가)   ② (나)   ③ (다)   ④ (라)

난이도 상 중 ○

해설 제시된 글의 중심 문장은 첫 번째 문장으로, 군청에서 관 위주의 행정 관행을 없애고 군민들의 편의를 위한 '감동 행정'을 펼치기로 했다는 것이다. (가)~(다)는 관 위주의 행정을 없애는 내용이다. 따라서 글의 통일성을 해치는 내용이 아니다. 그런데 (라)는 음주 운전을 적극 만류하지 못한 공무원을 사안에 따라 문책할 방침이라는 내용이다. 따라서 (라)는 군민들의 편의를 위한 '감동 행정'을 펼치기로 했다는 주제와 전혀 관련이 없는 문장이므로, (라)를 빼야 자연스러운 글이 된다.

정답 ④

CHAPTER 2 글의 전개 방식

Unit 02 글의 전개 방식(기본)

📊 출제 유형

- 글에 사용된 설명 방식을 묻는 유형
- 동일한 설명 방식이 쓰인 글을 찾는 유형

📖 핵심정리

- 글의 전개 방식
  - **(1) 동태적 전개 방식** ↗ 서사는 '무엇'에, 과정은 '어떻게'에 관심을 둔다는 측면에서 구별돼요!

서사	사건의 전개나 사물의 변화, 인물의 행동을 시간의 흐름에 따라 서술하는 방식
과정	어떤 특정한 결말이나 결과를 가져오게 하는 일련의 행동, 변화, 작용 등에 초점을 두는 서술 방식
인과	어떤 결과를 가져오게 한 영향 내지 힘, 또는 그러한 힘에 의해 결과적으로 초래된 현상을 중심으로 서술하는 방식

  - **(2) 정태적 전개 방식**

정의	어떤 대상 또는 사물의 범위를 규정짓거나 그 사물의 본질을 서술하는 방식 예 연필은 필기도구이다.
지정	사실을 확인하는 진술로 언어를 통해 어떤 의미나 상황을 가리켜 보이는 단순한 서술 방식 예 저분이 고혜원 선생님이야!
비교	같은 범주의 둘 이상의 사물을 공통되는 성질이나 유사성을 밝히는 방식
대조	같은 범주의 둘 이상의 사물을 차이점을 밝히는 방식
예시	어떤 대상에 대해 구체적인 예를 들어 알기 쉽게 설명하는 방식
분류	어떤 대상들을 비슷한 특성에 근거하여 구분하는 방식
분석	어떤 복잡한 것을 단순한 요소나 부분들로 나누어 설명하는 방식
묘사	대상의 형태, 색채, 감촉, 향기, 소리 등을 있는 그대로 그려 내는 방식
유추	어렵고 복잡한 개념을 설명하고자 할 때, 보다 친숙하고 단순한 개념과 비교해 나감으로써 좀 더 쉽게 이해할 수 있도록 하는 방식

↙ '비교'나 '대조'는 같은 범주를, '유추'는 '다른 범주'를!

비교	대조	유추
같은 범주		다른 범주
공통점	차이점	공통점
1 : 1		

```
┌─────┐
│ 비교 │
├─────┤
│ 대조 │
└─────┘
```
넓은 범주의 '비교'는 '대조'를 포함해요!

 심화 Plus

1. '비교'와 '비유'

비교	두 대상의 공통점과 차이점을 서로 견주어 보는 것
비유	두 대상의 공통점이나 유사점을 빌려 와서 그것으로 한 쪽 대상을 표현하는 것

2. 글의 종류에 따른 전개 방식의 차이

문학	주로 비유, 묘사, 서사 등의 전개 방식을 사용
설명문	주로 나열, 정의(진술)와 예시, 원인과 결과, 비교·대조, 문제와 해결, 개념과 부연 등의 전개 방식을 사용

3. '유추' 기출 예문 ⟶ 동일한 설명 방식이 쓰인 글을 찾는 유형은 '유추'가 자주 나왔어요.

(1) [18 국가직 9급]

[본문]	[선택지]
문학이 구축하는 세계는 실제 생활과 다르다. 즉 실제 생활은 허구의 세계를 구축하는 데 필요한 재료가 되지만 이 재료들이 일단 한 구조의 구성 분자가 되면 그 본래의 재료로서의 성질과 모습은 확연히 달라진다. 건축가가 집을 짓는 것을 떠올려 보자. 건축가는 어떤 완성된 구조를 생각하고 거기에 필요한 재료를 모아서 적절하게 집을 짓게 되는데, 이때 건물이라고 하는 하나의 구조를 완성하게 되면 이 완성된 구조의 구성 분자가 된 재료들은 본래의 재료와 전혀 다른 것이 된다.	목적을 지닌 인생은 의미 있다. 목적 없이 살아가는 사람은 험난한 인생의 노정을 완주하지 못한다. 목적을 갖고 뛰어야 마라톤에서 완주가 가능한 것처럼 우리의 인생에서도 목표를 가지고 꾸준히 노력하는 사람이 성공한다.

(2) [17 국가직 7급(10월)]

[본문]	[선택지]
기존의 틀을 벗어나려면 새로운 가치가 필요하다. 운동선수가 뜀틀을 넘으려면 도약대가 있어야 하듯, 낡은 사고, 인습, 그리고 변화에 저항하는 틀을 뛰어넘기 위해서는 믿고 따를 분명한 디딤판이 필요하다. 또한, 기존의 틀을 벗어나려면 운동선수가 뜀틀을 향해 달려가는 것처럼 변화하고자 하는 의지도 필요하다. 도전하려는 의지가 수반될 때에 뜀틀 너머의 새로운 사회를 만날 수 있다.	전선을 통한 전기의 흐름은 도관을 통한 물의 흐름과 유사하다. 지름이 큰 도관은 지름이 작은 도관에 비해 많은 양의 물을 전달할 수 있다. 따라서 큰 지름의 전선은 작은 지름의 전선보다 많은 양의 전기를 전달할 수 있을 것이다.

글의 전개 방식	글에 사용된 설명 방식을 묻는 유형

---

006 ○○○　　　　　　　　　2022 지방직 7급

다음 글의 주된 서술 방식으로 가장 적절한 것은?

> 배의 돛은 바람의 힘을 이용하여 배를 멀리까지 항해할 수 있게 한다. 별도의 동력에 의지하지 않고도 추진력을 얻는 것이다. 이와 마찬가지로 우주선도 별도의 동력 없이 먼 우주 공간까지 갈 수 있을 것이다. 우주 공간에도 태양에서 방출되는 입자들이 일으키는 바람이 있어서 '햇살 돛'을 만들면 그 태양풍의 힘으로 추진력을 얻을 수 있기 때문이다.

① 정의　　② 분류　　③ 서사　　④ 유추

난이도 상 ○ 하

해설 익숙한 사실인 '배'가 별도의 동력 없이 추진력을 얻는 것에 빗대어 '우주선'이 추진력을 얻을 수 있는 이유를 설명하고 있다. 따라서 제시된 글의 주된 서술 방식은 두 개의 사물이 여러 면에서 비슷하다는 것을 근거로 다른 속성도 유사할 것이라고 추론하는 '유추'이다.

정답 ④

---

007 ○○○　　　　　　　　　2022 군무원 9급

아래의 글에 나타나지 않는 설명 방식은?

> 텔레비전에서는 여러 종류의 자막이 쓰인다. 뉴스의 경우, 앵커가 기사를 소개할 때에는 앵커의 왼쪽 위에 기사 전체의 내용을 요약하거나 핵심을 추려 제목 자막을 쓴다. 보도 중간에는 화면의 하단에 기사의 제목이나 소제목을 자막으로 보여준다. 그리고 보도 내용을 이해하는 데 꼭 필요한 핵심적인 내용이나 세부 자료도 자막으로 보여준다.
>
> 관객이나 시청자가 읽을 수 있도록 화면에 보여 주는 글자라는 점에서 영화에서 쓰이는 자막도 텔레비전 자막과 비슷하게 활용된다. 그런데 영화의 자막은 타이틀과 엔딩 크레디트 그리고 번역 대사가 전부이다. 이는 모두 영화 제작과 관련된 정보를 알려주는 제한된 용도로만 사용된다. 번역 대사는 더빙하지 않은 외국영화의 대사를 보여주기 위한 수단으로 사용된다.
>
> 텔레비전에서는 영화에서 쓰는 자막을 모두 사용할 뿐 아니라 각종 제목과 요약 내용을 나타내기도 하고 시청자의 흥미를 돋우기 위해 말과 감탄사를 표현하기도 한다. 음성으로 전달할 수 없는 다양한 정보를 제작자의 의도에 맞게끔 자막을 활용하여 제공하는 것이다.

① 정의　　② 유추　　③ 예시　　④ 대조

난이도 상 ○ 하

해설 '유추'는 생소한 개념이나 매우 어렵고 복잡한 어떤 주제를 설명하고자 할 경우, 그 개념이나 주제를 보다 친숙하고 단순한 어떤 개념이나 주제와 하나씩 하나씩 비교해 나가는 방법이다. 그런데 제시된 글에서는 '유추'의 방법이 쓰이지 않았다.

오답 분석
① 2문단의 "관객이나 시청자가 읽을 수 있도록 화면에 보여 주는 글자"에서 '자막'의 개념을 정의하고 있다.
③ 1문단에서 '텔레비전'에서, 2문단에서는 '영화'에서 자막이 어떻게 쓰이는지 구체적으로 예시를 들고 있다.
④ '영화의 자막'과 '텔레비전의 자막'의 차이점을 보여주고 있다.

정답 ②

---

008 ○○○　　　　　　　　　2022 지역 인재 9급

다음 글의 주된 서술 방식은?

> 동물들은 여러 가지 수단으로 서로 의사를 전달한다. 가령 늑대 사회에서는 지위가 높아야만 꼬리를 세울 수 있다. 지위가 낮은 늑대는 항상 꼬리를 감아 말고 있어야 한다. 만약 힘이 센 늑대에게 힘이 약한 늑대가 꼬리를 바짝 세우고 있으면 힘이 센 늑대는 싸우자는 신호로 받아들일 수 있다.

① 분류　　② 서사　　③ 예시　　④ 정의

난이도 상 ○ 하

해설 동물이 서로에게 의사를 전달한다는 것을 보이기 위해 '늑대'가 어떻게 서로 의사 전달을 하는지 예를 들고 있다. 따라서 제시된 글의 주된 서술 방식은 '예시'이다.

정답 ③

---

009 ○○○　　　　　　　　　2022 지방직 9급

다음 글의 주된 서술 방식은?

> 이지러는 졌으나 보름을 가제 지난 달은 부드러운 빛을 흐붓이 홀리고 있다. 대화까지는 칠십 리의 밤길. 고개를 둘이나 넘고 개울을 하나 건너고, 벌판과 산길을 걸어야 된다. 길은 지금 긴 산허리에 걸려 있다. 밤중을 지난 무렵인지 죽은 듯이 고요한 속에서 짐승 같은 달의 숨소리가 손에 잡힐 듯이 들리며, 콩 포기와 옥수수 잎새가 한층 달에 푸르게 젖었다.

① 묘사　　② 설명　　③ 유추　　④ 분석

난이도 상 ○ 하

해설 '달밤'의 풍경을 그림 그리듯이 표현하고 있다는 점에서 주된 서술 방식은 '묘사'이다.

※ 제시된 글은 이효석의 소설 〈메밀꽃 필 무렵〉의 일부이다.

정답 ①

다음 글에 사용된 서술 방식으로 적절하지 않은 것은?

> 최근 3차 흡연에 대한 관심이 높아지고 있다. 3차 흡연이란 담배 연기를 직접 맡지 않고도 몸이나 옷, 카펫, 커튼 등에 묻은 담배 유해 물질을 통해 흡연 효과를 나타내는 것을 말하는데, 본인이 직접 담배를 피우지 않고도 흡연 효과를 갖는다는 점에서 2차 흡연과 같지만 흡연자에게 근접해 있어 담배 연기를 함께 맡는 2차 흡연과는 다르다.
>
> 3차 흡연도 심각한 피해를 낳는다. 3차 흡연 물질에 노출된 생쥐에게 비알코올성 지방간이 증가하고, 폐에서는 과도한 콜라겐이 생성되었으며, 사이토카인 염증 반응이 나타났다. 이런 증상은 간경변과 간암, 폐기종, 천식 등을 일으킨다. 또 3차 흡연 환경에 노출된 생쥐들의 경우 상처가 생겼을 때, 치유되는 시간이 더 오래 걸리고 과잉 행동 장애가 나타났다.

① 개념 정의 　　　　　② 인과
③ 열거 　　　　　　　④ 문제 해결

난이도 ⑧ ○ ⑨

[해설] 제시된 글에서는 '3차 흡연'으로 인한 문제만 제시하고 있을 뿐, 그에 대한 '해결책'을 따로 제시하지 않았다.

[오답분석] ① 1문단의 "3차 흡연이란 담배 연기를 직접 맡지 않고도 몸이나 옷, 카펫, 커튼 등에 묻은 담배 유해 물질을 통해 흡연 효과를 나타내는 것을 말하는데" 부분에서 '3차 흡연'의 개념을 정의하고 있다.

②, ③ 2문단에서 3차 흡연에 노출된 생쥐들에게 일어나는 변화를 '인과'의 방식으로 '열거'하고 있다.

[정답] ④

다음 글의 주된 서술 방식은?

> 변지의가 천 리 길을 마다하지 않고 나를 찾아왔다. 내가 그 뜻을 물었더니, 문장 공부를 하기 위해 나를 찾아왔다고 했다. 때마침 이날 우리 아이들이 나무를 심었기에 그 나무를 가리켜 이렇게 말해 주었다.
>
> "사람이 글을 쓰는 것은 나무에 꽃이 피는 것과 같다. 나무를 심는 사람은 가장 먼저 뿌리를 북돋우고 줄기를 바로잡는 일에 힘써야 한다. 〈중략〉 나무의 뿌리를 북돋아 주듯 진실한 마음으로 온갖 정성을 쏟고, 줄기를 바로잡듯 부지런히 실천하며 수양하고, 진액이 오르듯 독서에 힘쓰고, 가지와 잎이 돋아나듯 널리 보고 들으며 두루 돌아다녀야 한다. 그렇게 해서 깨달은 것을 헤아려 표현한다면 그것이 바로 좋은 글이요, 사람들이 칭찬을 아끼지 않는 훌륭한 문장이 된다. 이것이야말로 참다운 문장이라고 할 수 있다."

① 서사 　　② 분류 　　③ 비유 　　④ 대조

난이도 ⑧ ○ ⑨

[TIP] '~과 같다', '~듯'이 비유법(직유법)의 힌트이다.

[해설] 2문단의 첫 문장에서 "사람이 글을 쓰는 것은 나무에 꽃이 피는 것과 같다."라고 말을 하고, 그 다음 문장부터는 '글을 쓰는 과정'을 '나무에 꽃을 피우는 과정'에 빗대어 설명하고 있다. 상대적으로 친숙한 '나무에 꽃을 피우는 과정'과 '글을 쓰는 과정'을 빗대 독자가 좀 더 쉽게 이해할 수 있도록 하고 있다. 따라서 제시된 글의 주된 서술 방식은 '비유(유추)'이다.

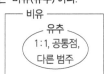

[오답분석] ① '변의지'가 '나'를 찾아왔고, '내'가 '그'에게 말해줬다는 내용에서 '서사'가 부분적으로 나타난다고 볼 수는 있다. 그러나 '변의지'가 나를 찾아온 첫 번째 문장보다는 '나'의 말인 두 번째 문장이 중심 내용인 것을 볼 때, 제시된 글의 주된 서술 방식은 '서사'가 아니라 '비유'이다.

②, ④ '분류'와 '대조'의 방식은 제시된 글에서 확인할 수 없다.

[정답] ③

다음 글에서 드러난 설명 방식이 아닌 것은?

(가) 최근 들어 '낚이다'라는 표현을 사람에게 쓰고는 한다. 물론 글자 그대로의 의미는 아니다. 가령 인터넷상에서 호기심이나 관심을 발동시키는 기사 제목을 보고 그 기사를 읽어 보았지만, 그럴 만한 내용이 없었을 때 이런 표현을 사용한다. 즉 '낚이다'라는 말은 기사 제목이 던지는 미끼에 현혹되어 그것을 물었지만 소득 없이 기만만 당하였다는 의미이다. '낚시질'은 특히 인터넷상에서 벌어지는 특징적인 현상이다.

(나) 캐나다의 매체 이론가인 마셜 맥루언은 "매체는 메시지이다."라고 하였다. 매체란 메시지를 전달하는 수단을 말하는데, 그것은 단순한 수단에 그치는 것이 아니라 메시지 자체라고 할 수 있을 만큼 메시지에 강력한 영향을 미친다. 그에 따르면 인간과 인간 사이에서 의사를 전달하는 언어는 물론이거니와 노동의 도구들조차 인간과 노동 대상 사이를 매개하는 물건이므로 매체에 속한다. 따라서 새로운 매체가 개발되면 그것을 통해 인간의 활동 영역이 훨씬 더 확대되므로 '매체는 인간의 확장'이라고 했다.

(다) 매체가 가지는 능동적인 힘을 인정한다면, 매체가 단순히 메시지를 담는 그릇에 불과하다거나 중립적일 수도 있다는 견해는 환상에 지나지 않게 된다. 매체가 중립적이지 않다면 매체를 통해 전달되는 메시지들도 자연 중립적일 수가 없다. 앞서 인터넷상에서 벌어지는 신문 기사 제목의 '낚시질'을 문제 삼았지만 인터넷 이전의 언론 매체들이라고 해서 모두 공정하고 객관적인 보도를 해 왔다고는 보기 어려울 것이다.

(라) 상업적이고 퇴폐적인 방송이나 기사, 자칫하면 국수주의로 흐를 수도 있는 스포츠 중계 등에 대한 우려가 지속되는 이유는 무엇일까? 이윤 동기에 지배당하는 매체 회사들에게 일차적인 책임을 물어야 하겠지만 손바닥도 혼자서는 소리를 낼 수 없는 법, 상업화로 균형 감각을 상실한 방송이나 기사를 흥미롭게 보는 수용자들에게도 책임이 있다. 남의 사생활을 몰래 들여다보고 싶어 하는 욕망, 불행한 사건·사고들을 수수방관하면서도 그 전말에 대해서는 시시콜콜히 알고 싶어 하는 호기심, 집단의 열광 속에 파묻혀 자신이 잃어버린 무엇인가를 보상받고 싶어 하는 수동적 삶의 태도 등은 황색 저널리즘과 '낚시질'이 성행하는 터전이 된다. 바로 '우리'가 그들의 숨은 동조자일 수 있다.

① 비교 　　② 예시 　　③ 정의 　　④ 인용

난이도 ⓘ ⓒ ⓗ

[해설] '비교'는 둘 이상의 사물(같은 범주)을 견주어 공통점 등을 찾는 설명 방식이다. 그런데 제시된 글에는 이러한 '비교'의 설명 방식을 쓰이지 않았다.

※ 다만, '낚다'라는 공통점을 둘 이상의 사물(다른 범주) '인터넷 낚시질'을 '낚시터 낚시질'에 견주어 설명하고 있다는 점에서 '유추'의 설명 방식은 사용되었다.

[오답분석]
② (가)에서 '가령'을 통해 '낚이다'의 예를 밝혔고, (라)에서 매체 '수용자'들에게도 책임이 있는 이유를 구체적인 예시 "남의 사생활을 몰래 들여다보고 싶어 하는 욕망, 불행한 사건·사고들을 수수방관하면서도 그 전말에 대해서는 시시콜콜히 알고 싶어 하는 호기심, 집단의 열광 속에 파묻혀 자신이 잃어버린 무엇인가를 보상받고 싶어 하는 수동적 삶의 태도"로 밝히고 있다.

※ 예시를 나열했다는 점에서 '나열(열거)'의 설명 방식도 쓰였다.

③ (가)에서 "'낚이다'라는 말은 기사 제목이 던지는 미끼에 현혹되어 그것을 물었지만 소득 없이 기만만 당하였다는 의미이다."라고 '낚이다'의 의미를 정의하였다.

④ (나)에서 캐나다의 매체 이론가인 마셜 맥루언의 말을 직접 인용하였다.

[정답] ①

다음 글의 서술 방식에 대한 설명으로 가장 적절한 것은?

> 자명종과 가지고 있는 의기를 보고 싶다 하여 누누이 청하니, 여러 번 칭탁하다가 사람을 불러 한 가지 것을 내어왔다. 나무로 집을 만들었는데 네모지고 길이는 두어 뼘이요, 안에 주석으로 만든 것이 있는데 자명종 모양이었다. 전면에 시각이 나누어진 숫자를 새기고 밖으로 유리를 붙여 문을 열지 아니하여도 속을 살필 수 있게 하였다.
>
> 밖으로 열쇠 같은 것을 걸어 놓았는데 송령이 그 열쇠를 가지고 구멍에 넣어 서너 번을 돌렸다. 손을 떼어 놓자 위에 달린 종이 울리는데 반향이 그치지 아니하여 그 수를 헤아리지 못하고매우 요란하였다. 이것은 이름이 '요종'인데, '요란한 자명종'이라는 말이다. 이것은 무슨 일이 있어 일어나고자 하는데, 혹 시각을 몰라 잠을 제때에 깨지 못할까 하여 저녁에 잘 때에 시각을 짐작하여 상 아래에 틀어 놓으면 제때를 당하여 고동이 열리고 요란한 종소리로 사람의 잠을 깨우게 하는 것이었다.

① 묘사와 논증의 글쓰기 방식이 혼용되고 있다.
② 분석과 설명의 글쓰기 방식이 혼용되고 있다.
③ 묘사와 비교의 글쓰기 방식이 혼용되고 있다.
④ 분석과 논증의 글쓰기 방식이 혼용되고 있다.
⑤ 묘사와 설명의 글쓰기 방식이 혼용되고 있다.

난이도 ⑧ ○ ⑨

해설   전반적으로 '자명종'의 모양을 그림 그리듯이 표현하고 있기 때문에 '묘사'의 글쓰기 방식이 쓰였다.

2문단에서는 '요종(요란한 자명종)'이 무엇인지를 설명하고 있기 때문에 '설명'의 글쓰기 방식이 쓰였다.

따라서 제시된 글에 '묘사'와 '설명'의 글쓰기 방식이 혼용되고 있다.

오답 분석		
논증	'논증'은 어떤 판단의 진리성의 이유를 분명히 하는 일이다. 그런데 제시된 글은 주장하는 글이 아니라 설명하는 글이다. 따라서 '논증'의 서술 방식은 쓰이지 않았다.	
분석	'분석'은 대상을 나눠 설명하는 방식이다. 그런데 제시된 글에 '분석'의 서술 방식은 쓰이지 않았다.	
비교	'비교'는 둘 이상의 사물을 견주어서 서로 간의 유사점, 차이점을 살피는 방식이다. 그런데 제시된 글에는 '비교'의 서술 방식은 쓰이지 않았다.	

정답 ⑤

다음 글에 대한 설명으로 가장 적절한 것은?

> 집단 사고는 강한 응집력을 보이는 집단의 의사 결정 과정에서 나타나는 비합리적인 사고방식이다. 이는 소수의 우월한 엘리트들이 모여서 무언가를 결정하는 과정에서 흔히 발생한다. 이것의 폐해는 반대 시각의 부재, 다시 말해 원활하지 못한 소통에서 비롯된다. 그 결과 '이건 아닌데…….' 하면서도 서로 아무말을 못 해서 일이 파국으로 치닫곤 한다.
>
> 요즘 각광받는 집단 지성은 집단 사고와 비슷한 것 같지만 전혀 다른 개념이다. 집단 지성이란 다수의 개체들이 협력하거나 경쟁함으로써 얻어지는 고도의 지적 능력을 말한다. 이는 1910년대 한 곤충학자가 개미의 사회적 행동을 관찰하면서 처음 제시한 개념인데, 사회학자 피에르 레비가 사이버 공간에서의 집단 지성의 개념을 제시한 이후 여러 분야에서 활발히 연구되고 있다. 위키피디아는 집단 지성의 대표적인 사례이다. 위키피디아는 참여자 모두에게 편집권이 있고, 다수에 의해 수정되며, 매일 업데이트되는 '살아 있는 백과사전'이다. 서로 이해와 입장이 다른 수많은 참여자가 콘텐츠를 생산하거나 수정하고 다시그것을 소비하면서 지식의 빈자리를 함께 메워 가는 소통의 과정 그 자체가 위키피디아의 본질이다. 이처럼 집단 지성은 참여와 소통의 수준 면에서 집단 사고와는 큰 차이가 있다.

① 대조를 통해 대상에 대한 이해를 높이고 있다.
② 논증을 통해 대상에 대한 통념을 비판하고 있다.
③ 묘사를 통해 대상이 지닌 특성을 드러내고 있다.
④ 서사를 통해 대상이 지닌 문제점을 규명하고 있다.

난이도 ⑧ ○ ⑨

해설   1문단에서는 '집단 사고'의 개념과 특징을, 2문단에서는 '집단 지성'의 개념과 특징을 설명하면서, '집단 사고'와 차이가 있음을 말하고 있다. 따라서 제시된 글은 같은 범주의 둘 이상의 사물을 차이점을 밝히는 방식인 '대조'의 설명 방법이 쓰였다.

오답
분석   '통념에 대한 비판(②)', '묘사(③)', '서사를 통한 문제점 규명(④)'은 제시되지 않았다.

정답 ①

글의 전개 방식	동일한 설명 방식이 쓰인 글을 찾는 유형

015 ○○○

'장미'를 소개하는 글을 쓰고자 한다. 아래의 ㄱ~ㄹ에 들어갈 글로 가장 적절하지 않은 것은?

- 묘사: 손잡이가 두 개 달려 있는 짙은 청록색의 투명한 화병에 빨간 장미 일곱 송이가 꽂혀 있다.
- 비교와 대조: _____ ㉠ _____
- 유추: _____ ㉡ _____
- 예시: _____ ㉢ _____
- 분류: _____ ㉣ _____
- 서사: 많은 생명체가 그러하듯이 장미 역시 오랜 인고의 시간 끝에 빨간 봉오리를 맺게 된다. 그리고 자신의 아름다움을 지키기 위해 줄기에 가시를 품고 있다.

① ㉠: 국화에 비하여 장미는 꽃잎의 크기가 크다. 그러나 꽃잎의 수는 국화의 그것보다 적다.

② ㉡: 장미는 어여쁜 색시의 은장도와 같다. 장미의 꽃잎은 어여쁘지만 그것을 보호하기 위한 가시가 줄기에 있다.

③ ㉢: 장미는 일상생활은 물론 문학 작품 속에서도 흔히 볼 수 있다. '어린왕자'의 경우에는 유리병 속의 장미가 나온다.

④ ㉣: 장미는 잎, 줄기, 뿌리로 구성되어 있다. 8개의 꽃잎과 가시가 달려 있는 줄기, 뿌리로 구성되어 있다.

난이도 ⓢ ○ ⓗ

해설 '장미는 잎, 줄기, 뿌리로 구성되어 있다. 8개의 꽃잎과 가시가 달려 있는 줄기, 뿌리로 구성되어 있다.'는 '장미'의 구성을 '분석'의 방법으로 설명한 것이다. 따라서 '분류'의 방법을 사용한 사례로 보기 어렵다.

오답분석
① '국화'와 '장미'의 차이점을 드러내고 있다는 점에서 '대조'의 방법을 사용한 경우이다.

② '장미'를 다른 범주의 '은장도'에 빗대어 그 특성을 드러내고 있다는 점에서 '유추'의 방법을 사용한 경우이다.

③ 문학 작품 속에 등장하는 '장미'의 사례로 '어린왕자'의 유리병 속의 장미를 들고 있다. 따라서 '예시'의 방법을 사용한 경우이다.

정답 ④

016 ○○○

다음에서 제시한 글의 전개 방식의 예로 가장 적절한 것은?

'인과'는 원인과 결과를 서술하는 전개 방식이다. 어떤 현상이나 결과가 나타나게 된 원인이나 힘을 제시하고 그로 말미암아 초래된 결과를 나타내는 서술 방식이다.

① 온실 효과로 지구의 기온이 상승할 때 가장 심각한 영향은 해수면이 상승이다. 이러한 현상은 바다와 육지의 비율을 변화시켜 엄청난 기후 변화를 유발하며, 게다가 섬나라나 저지대는 온통 물에 잠기게 된다.

② 이 사회의 경제는 모두가 제로섬 요소로 구성되어 있다. 제로섬(zero-sum)이란 어떤 수를 합해서 제로가 된다는 뜻이다. 어떤 운동 경기를 한다고 할 때 이기는 사람이 있으면 반드시 지는 사람이 있게 마련이다.

③ 다음날도 찬호는 학교 담을 따라 돌았다. 그리고 고무신을 벗어 한 손에 한 짝씩 쥐고는 고양이 걸음으로 보초의 뒤를 빠져 팽이처럼 교문 안으로 뛰어들었다.

④ 벼랑 아래는 빽빽한 소나무 숲에 가려 보이지 않았다. 새털 구름이 흩어진 하늘 아래 저 멀리 논과 밭, 강을 선물 세트처럼 끼고 들어앉은 소읍의 전경은 적막해 보였다.

난이도 ○ ⓢ ⓗ

TIP 문제는 항상 상대적으로 풀어야 한다.

해설 제시한 '인과'의 전개 방식이 쓰인 예는 ①이다. '온실 효과로 지구의 기온 상승(원인) → 해수면 상승(결과)', '해수면 상승(원인) → 바다와 육지의 비율을 변화시켜 기후 변화를 유발(결과1), 섬나라나 저지대의 침수(결과2)'의 방식으로 전개하고 있다.

※ 다만 제시된 발문은 중의적이어서 오류가 나타날 수 있다.(국립국어원에서도 이 문제의 발문의 중의성을 인정함.)
[다음에서 제시한 / 글의 전개 방식의 예]로 가장 적절한 것은?
[다음에서 제시한 글]의 전개 방식의 예로 가장 적절한 것은?

오답분석
② '제로섬'의 개념이 무엇인지 설명하고 있다. 넓은 범주의 '정의'의 방식이 쓰였다. 또한 경제와 운동 경기의 공통점을 언급하여 '유추(공통점, 1:1, 다른 범주)'의 방법도 사용하고 있다.

③ '시간의 흐름'에 따라 '인물'이 등장하여 전개되고 있다는 점에서 '서사'의 방식으로 볼 수 있다. 부분적으로 '묘사'와 '비유(직유, ~처럼)'의 방식도 나타난다.

④ 소읍의 전경을 '그림을 그리듯', '감각을 동원'하여 '묘사'하고 있다.

정답 ①

〈보기〉의 설명에 활용된 방식과 가장 가까운 것은?

――――――〈보기〉――――――

　　유학자들은 자신이 먼저 인격자가 될 것을 강조하지만 궁극적으로는 자신뿐 아니라 백성 또한 올바른 행동을 할 수 있도록 이끌어야 한다는 생각을 원칙으로 삼는다. 주희도 자신이 명덕(明德)을 밝힌 후에는 백성들도 그들이 지닌 명덕을 밝혀 새로운 사람이 될 수 있도록 가르쳐야 한다고 본다. 백성을 가르쳐 그들을 새롭게 만드는 것이 바로 신민(新民)이다. 주희는 대학을 새로 편찬하면서 고본(古本) 대학의 친민(親民)을 신민(新民)으로 고쳤다. '친(親)'보다는 '신(新)'이 백성을 새로운 사람으로 만든다는 취지를 더 잘 표현한다고 보았던 것이다. 반면 정약용은, 친민을 신민으로 고치는 것은 옳지 않다고 본다. 정약용은 친민을 백성들이 효(孝), 제(弟), 자(慈)의 덕목을 실천하도록 이끄는 것이라 해석한다. 즉 백성들로 하여금 자식이 어버이를 사랑하여 효도하고 어버이가 자식을 사랑하여 자애의 덕행을 실천하도록 이끄는 것이 친민이다. 백성들이 이전과 달리 효, 제, 자를 실천하게 되었다는 점에서 새롭다는 뜻은 있지만 본래 글자를 고쳐서는 안 된다고 보았다.

① 시는 서정시, 서사시, 극시로 나뉜다.

② 소는 식욕의 즐거움조차 냉대할 수 있는 지상 최대의 권태자다.

③ 언어는 사고를 반영한다는 말이 있는데, 그 예로 무지개 색깔을 가리키는 7가지 단어에 의지하여 무지개 색깔도 7가지라 판단한다는 것을 들 수 있다.

④ 곤충의 머리에는 겹눈과 홑눈, 더듬이 따위의 감각 기관과 입이 있고, 가슴에는 2쌍의 날개와 3쌍의 다리가 있으며, 배에는 끝에 생식기와 꼬리털이 있다.

난이도 상 ○ 하

해설　"유학자들은 자신이 먼저 인격자가 될 것을 강조하지만 궁극적으로는 자신뿐 아니라 백성 또한 올바른 행동을 할 수 있도록 이끌어야 한다는 생각을 원칙으로 삼는다."에서 언급한 '유학자의 생각'의 구체적인 예로 '주희'와 '정약용'을 들고 있다. 따라서 〈보기〉의 설명에 활용된 방식은 '예시'이다. ③에도 '예시'의 방식이 쓰였다. ③은 '언어가 사고를 반영'한다는 말에 대한 근거로, 무지개 색을 가리키는 단어가 7개인 경우, 7개로 색을 인식한다는 것을 예로 들고 있다.

　　※ 제시문에서는 '주희'의 '신민'과 반대의 견해를 갖는 '정약용'의 '친민'를 제시하였으므로 '대조'의 방법도 사용되었다. 다만, 선택지에는 '대조'의 방식을 확인할 수 없기 때문에 ③의 예시가 답이다.

오답분석　① '시'의 종류를 나누고 있기 때문에 '분류'의 방법이 쓰였다.

② '소'를 '권태자'에 빗대어 표현하고 있기 때문에 '비유'의 방법이 쓰였다.

　　※ '소'가 식욕을 '냉대한다'고 하여 마치 사람처럼 표현하였으므로 '의인'의 방법도 사용되었다.

④ '곤충'을 부위별로 나누고 있기 때문에 '분석'의 방법이 쓰였다. 또한 부위별로 '묘사'했다고 볼 수도 있다.

정답 ③

〈보기〉의 논리와 같은 방식이 사용된 문장은?

――――――〈보기〉――――――

　　내가 당신에게서 넥타이를 빌렸을 때, 그때 내가 당신 물건을 어떻게 다뤘었소? 소중하게 다루었소. 빌렸던 것이니까 소중하게 아꼈다가 되돌려 드렸지요. 이처럼 내가 이 세상에서 그대를 빌리는 동안에 아끼고 사랑하고 그랬다가 언젠가 이별의 시간이 되면 소중하게 되돌려 줄 것이오.

① 공부는 등산과는 다른 것이다. 공부는 머리로 하는 행위이고 등산은 몸으로 하는 행위이기 때문이다.

② '원숭이 엉덩이는 빨개, 빨가면 사과'라는 노랫말은 원숭이와 사과의 유사한 점을 바탕으로 한 것이다.

③ 우리말을 제대로 세우지 않고 영어를 들여오는 일은 우리 토종 물고기를 돌보지 않은 채 외래종 물고기를 들여온 우(愚)를 또다시 범하는 것이다.

④ 오늘날 고리타분한 전통에만 집착하는 것은 현대 문명의 편리하고 신속한 생활을 무시하는 것이나 마찬가지이다.

난이도 상 ○ 하

해설　익숙하고 친숙한 '넥타이'를 빌렸다가 돌려줬던 일에 빗대어 내가 생각하는 '사랑'의 개념을 표현하고 있다. 이처럼 생소하거나 어려운 개념을, 보다 익숙하고 친숙한 대상에 빗대어 설명하는 방식을 '유추'라고 한다. 〈보기〉처럼 '유추'의 방식이 쓰인 것은 ③이다. ③에서 익숙하고 친숙한 '외래종 물고기'가 '우리 토종 물고기'를 몰아냈던 것에 빗대어, '영어'가 '우리말'을 몰아낼 수 있음을 서술하고 있다.

오답분석　① '공부'와 '등산'의 차이점을 들어 설명하고 있다. 둘의 차이점을 중심으로 서술했다는 점에서 '대조'의 방식이 쓰였다.

② '원숭이 → 엉덩이 → 빨갛다 → 사과'처럼 꼬리에 꼬리는 무는 '연쇄법'이 쓰였다. 또한 두 대상의 공통점(빨간색)을 제시하였다는 점에서 '비교'의 방법이 쓰였다고 볼 수도 있다.

④ '전통의 집착'은 곧 '문명의 무시'라고 진술하였다. 이는 모든 문제를 흑과 백, 선과 악, 득과 실의 양 극단으로만 구분하고 중립적인 것을 인정하지 아니하려는 편중된 논리인 '흑백 논리'로 글을 전개한 것이다.

정답 ③

Unit 03 | 글의 전개 방식(심화)

출제 유형

- 글에 사용된 전개 방식을 찾는 유형
- 글에 사용되지 않은 전개 방식을 찾는 유형

> · 부분적으로 나타난 전개 방식을 물을 수도 있지만, 글 전체를 관통하는 전개 방식을 묻기도 해요.
> ① 부분적으로 나타난 전개 방식: 내용 일치나 불일치 문제처럼 지문을 읽으면서 옳지 않은 선지를 걸러내면 돼요.
> ② 글 전체를 관통하는 전개 방식: '주제'와 밀접한 관련이 있어요. '주제'를 가장 잘 드러내기 위한 표현법이 '서술 방식'이니까요. 그래서 후자의 경우에는 '주제' 확인이 중요하다는 점을 기억하고 있어야 해요.
> · 글의 빈양이 매 좁구 신거는 1개뿐!
> 따라서 지문을 관통하는 가장 큰 전개 방식을 지문에서 고르면 돼요!

핵심정리

· 문장 및 문단의 연결 관계

전제와 주지	주지 앞에서 주지를 이끌어 낼 논리를 미리 제시함. 앞 문장의 내용을 전제로 하여 뒤 문장에서 결론을 내리거나 중심 생각을 드러냄.
주지와 부연	일반적인 사실(주제문)을 좀 더 구체적으로 이해시키기 위해서 개별 정보를 보충하는 내용으로 구성함.
주지와 상세화	자세한 설명을 목적으로 하거나 논리적인 근거를 들어줌으로써 주제를 자세하게 뒷받침하며, 뒤에 예시 단락이 이어지기도 함.
열거 관계	논지에 적합한 내용을 대등하게 제시함. 성격, 상황, 의견, 처지, 속성 등이 서로 비슷한 위치에 있는 관계 즉, 대등 관계에 있는 문장들은 주로 비교의 방식 등으로 제시되는데, 제시된 공통점을 파악함으로써 알 수 있음.
인과 관계	어떤 사물이나 상황, 현상이 다른 사물이나 상황, 현상의 원인이나 결과가 되는 관계로, 과제를 해명함.
전환 관계	'그런데, 한편' 등이 주로 사용되면서 앞뒤 문장의 내용이 달라짐.
첨가 관계	앞의 내용과 대등하게 연결되며, 앞 문단에 새로운 내용을 보충하는 내용이 이어짐. '그리고, 또한' 등을 주로 사용함.
대조 관계	서로 상반되는 사례를 제시함.
비판 관계	일반적이거나 문제시되는 견해를 제시하고, 그것을 부정함.
해결 관계	문제를 제시한 후, 그에 대한 해결 방안을 제시함.

글의 전개 방식	글에 사용된 전개 방식을 찾는 유형

019 ○○○　　　　　　　　　　　　　　2022 법원직 9급

다음 글에 대한 설명으로 가장 적절한 것은?

기업은 다른 기업들과의 경쟁에서 이기고, 자신이 설정한 경영 목표를 달성하기 위해서 기업의 사업 내용과 목표 시장 범위를 결정하는데, 이를 기업전략이라고 한다. 즉 기업전략은 다양한 사업의 포트폴리오*를 전사적(全社的) 차원에서 어떻게 구성하고 조정할 것인가를 결정하는, 즉 참여할 사업을 결정하는 것이라고 할 수 있다.

기업전략의 구체적 예로 기업 다각화 전략을 들 수 있다. 기업 다각화 전략은 한 기업이 복수의 산업 또는 시장에서 복수의 사업을 영위하기 위한 전략으로, 제품 다각화 전략, 지리적 시장 다각화 전략, 제품 시장 다각화 전략으로 크게 구분된다. 이는 다시 제품이나 판매 지역 측면에서 관련된 사업에 종사하는 관련 다각화와 관련이 없는 사업에 종사하는 비관련 다각화로 구분된다. 리처드 러멜트는 미국의 다각화 기업을 구분하며, 관련 사업에서 70% 이상의 매출을 올리는 기업을 관련 다각화 기업, 70% 미만의 매출을 올리는 기업을 비관련 다각화 기업으로 명명했다.

기업 다각화는 범위의 경제성을 창출함으로써 수익 증대에 기여한다. 범위의 경제성이란 하나의 기업이 동시에 복수의 사업 활동을 하는 것이, 복수의 기업이 단일의 사업 활동을 하는 것보다 총비용이 적고 효율적이라는 이론이다. 범위의 경제성은 한 기업이 여러 제품을 동시에 생산할 때, 투입되는 요소 중 공통적으로 투입되는 생산요소가 존재하기 때문에 투입 요소 비용이 적게 발생한다는 사실을 통해 설명된다.

또한 다각화된 기업은 기업 내부 시장을 활용함으로써 새로운 가치를 창출할 수 있다. 여러 사업부에서 나오는 자금을 통합하여 활용할 수 있는 내부 자본시장을 갖추었을 뿐 아니라 여러 사업부에서 훈련된 인력을 전출하여 활용할 수 있는 내부 노동시장도 갖추었기 때문이다. 새로운 인력을 채용하여 교육시키는 데 많은 시간과 비용이 들어감을 고려하면, 다각화된 기업은 신규 기업에 비해 훨씬 우월한 위치에서 경쟁할 수 있다.

한편 다각화를 함으로써 기업은 사업 부문들의 경기 순환에서 오는 위험을 줄일 수 있다. 예를 들어 기업의 주력 사업이 반도체, 철강, 조선과 같이 불경기와 호경기가 반복적으로 순환되는 사업 분야일수록, 기업은 비관련 분야의 다각화를 함으로써 경기가 불안정할 때에도 자금 순환의 안정성을 비교적 확보할 수 있다.

* 포트폴리오: 다양한 투자 대상에 분산하여 자금을 투입하여 운용하는 일

① 특정 개념이 성립하게 된 배경을 설명한 후, 개념의 역사적 의의를 서술하고 있다.

② 특정 개념의 장단점을 소개한 후, 단점을 극복하는 방안들을 서술하고 있다.

③ 특정 개념의 구체적 예를 제시한 후, 예에 해당하는 내용을 상세하게 설명하고 있다.

④ 특정 개념을 바라보는 다양한 학자들의 견해를 비교하며 절충안을 도출하고 있다.

난이도 ❸ ○ ⓗ

[해설] 제시된 글에서는 '기업전략'의 구체적 예인 '기업 다각화 전략'을 제시한 후, 그것에 해당하는 내용을 상세하게 설명하고 있다.

[정답] ③

다음 글의 서술 방식에 대한 설명으로 적절한 것은?

> 그것은 알렉산드르 2세가 통치하던 최근의, 우리 시대의 일이었다. 그 시대는 문명과 진보의 시대이고, 제반 문제점들의 시대, 그리고 러시아의 부흥 등등의 시대였다. 또한 불패의 러시아 군대가 적군에게 내어준 세바스토폴에서 돌아오고, 전 러시아가 흑해 함대의 괴멸에 축전을 거행하고, 하얀 돌벽의 모스크바가 이 기쁜 사건을 맞이하여 이 함대 승무원들의 생존자들을 영접하고 경축하며, 그들에게 러시아의 좋은 보드카 술잔을 대령하며, 러시아의 훌륭한 풍습에 따라 빵과 소금을 대접하며 그들의 발 앞에 엎드려 절하던 때였다. 또한 그때는 형안의 신인 정치가와 같은 러시아가 소피아 사원에서 기도를 올리겠다는 꿈이 깨어짐에 슬퍼하고, 전쟁 중에 사망하여 조국의 가슴을 가장 미어지도록 아프게 한 위대한 두 인물(한 사람은 위에 언급된 사원에서 가능한 한 신속히 기도를 하고자 하는 열망에 불탔던 사람으로 발라히야 들판에서 전사했는데, 그 벌판에 두 기병중대를 남겼다. 다른 한 사람은 부상자들에게 차와 타인의 돈과 시트를 나누어주었지만 아무 것도 훔친 것은 없었던 훌륭한 사람이었다.)의 상실을 슬퍼하고 있을 때였다. 또한 그것은 위대한 인물들이, 이를테면 사령관들, 행정관들, 경제학자들, 작가들, 웅변가들, 그리고 특별한 사명이나 목적은 없지만 그래도 위대한 사람들이 사방에서, 인간 활동의 모든 분야에서 러시아에 버섯처럼 자라나고 있을 때였다. 또 모든 범죄자들을 응징하기 시작한 사회 여론이 모스크바의 배우를 기념하는 자리에서 축배사로 울려 퍼질 만큼 확고히 된 때이다. 페테르부르크에서 구성된 준엄한 위원회가 악덕 위원들을 잡아서 그들의 죄상을 폭로하고 처벌하기 위해 남쪽으로 달려가던 때이고, 모든 도시에서 세바스토폴의 영웅들에게 연설을 곁들여 오찬을 대접하고 팔과 다리를 잃은 그들을 다리 위나 거리에서 마주치면 코페이카 은화를 주곤 하던 때였다.
>
> - 톨스토이, 《데카브리스트들》

① 두 개의 특수한 대상에서 어떤 징표가 일치하고 있음을 드러내고 있다.

② 시대적 상황을 서술하기 위해 다양한 사건을 나열하고 있다.

③ 어떤 일이나 내용을 이해시키기 위해서 구체적 사례를 들고 있다.

④ 인물의 행동 변화 과정을 통해서 사건의 진행 과정을 이야기하고 있다.

⑤ 저자의 판단이 참임을 구체적 근거를 들어 논리적으로 보여주고 있다.

난이도 ⑧ ○ ⑩

[해설] "그것은 알렉산드르 2세가 통치하던 최근의, 우리 시대의 일이었다. 그 시대는 ~" 이후 모두 '그 시대'의 다양한 사건을 나열하고 있다. 따라서 제시된 글은 시대적 상황을 서술하기 위해 다양한 사건을 나열하고 있다고 할 수 있다.

[정답] ②

다음 글의 서술 전개 방식을 가장 적절하게 설명한 것은?

왼손잡이인지 오른손잡이인지 아이가 태어난 순간(또는 심지어 태어나기도 전에) 알아볼 수 있다고 상상해 보자. 관습적으로 왼손잡이 아기의 부모들은 아이에게 분홍색 옷을 입히고, 분홍색 담요를 덮이고, 아기방을 분홍빛으로 장식한다. 왼손잡이 아기의 젖병, 턱받이, 고무젖꼭지 그리고 큰 다음에는 컵, 접시, 도시락, 책가방까지 주로 분홍색이나 보라색이며 나비, 꽃, 요정으로 장식되어 있다. 부모들은 왼손잡이 아기의 머리카락을 기르게 하는 경향이 있으며, 머리카락이 너무 짧을 때에는 머리핀이나 리본을 사용하기도 한다.

반면에 오른손잡이 아기들은 분홍색 옷을 입을 일이 없다. 분홍색 장신구나 장난감을 가질 일도 없다. 오른손잡이 아기들에게는 파란색이 인기 있는 색상이지만, 아이들이 크면서 분홍색이나 보라색을 제외하고는 모든 색을 받아들일 수 있다. 오른손잡이 아이들의 옷이나 다른 물건들에는 보통 자동차, 스포츠 장비, 우주 로켓이 그려져 있고, 나비, 꽃, 요정은 결코 그려져 있지 않다. 오른손잡이들의 머리카락은 일반적으로 짧게 유지되고, 장신구로 예쁘게 꾸미는 일은 매우 드물다.

한 사회에서 아주 어린 아이들조차 금세 오른손잡이와 왼손잡이라는 두 부류의 사람들이 있다는 걸 배우고, 옷과 머리 모양과 같은 표시를 사용해 그 두 부류의 아이들과 어른들을 구분하는 데 금방 능숙해진다. 또한 이런 구분에 대해 너무나 호들갑을 떨고 강조하기 때문에 아이들은 오른손잡이냐 왼손잡이냐에 따라 무언가 근본적으로 중요한 것이 있다고 여기게 될 가능성이 크다. 아이들은 특정 손을 잘 쓰는 사람이 된다는 것이 무슨 뜻인지 알고 싶어 하고, 어느 한 손을 잘 쓰는 아이와 다른 손을 잘 쓰는 아이를 구분 짓는 것이 무엇인지 배우고 싶어 하게 된다.

우리는 정확히 이런 방식으로 항상 성에 딱지를 붙인다. 아이들 주변에서 시간을 보낸 사람이라면 옷이나 머리 모양, 장신구로 성 표기가 되지 않은 아기나 아이가 거의 없다는 것을 알게 된다. 또 어른들이 계속해서 '그, 그녀, 남자, 여자, 소년, 소녀' 같은 말로 성을 구분한다는 것을 안다. 이처럼 아이들은 옷, 외모, 언어, 색깔, 분리, 상징과 같은 관습으로 지속해서 성을 강조하는 세상에 태어났다. 아이 주변의 모든 것은 누가 남성이고 여성인지가 굉장히 중요한 일이라고 말한다. 그와 동시에 우리가 사회 구조와 언론 매체를 통해 '성이 어떤 의미인지, 성별에 따라 함께 나오는 것이 무엇인지'에 대해 아이들에게 제공하는 정보는 지금도 여전히 꽤 오래된 지침을 따르고 있다.

① 가상의 상황을 제시하여 현실적인 문제와 연결하고 있다.

② 두 가지 상황을 비교함으로써 얻을 수 있는 장단점을 나열하고 있다.

③ 문제가 발생하게 된 과정을 통시적으로 서술하여 구조적인 원인을 설명한다.

④ 문제의 원인을 선택적으로 제시하고 해결하기 위한 사회적인 대안을 제시한다.

[해설] 1문단에서 "~ 있다고 상상해 보자."라면서 가상의 상황을 제시하여 '성(性)'과 관련된 현실적인 문제와 연결하고 있다.

[오답분석]
② '남성'과 '여성'을 '오른손잡이'와 '왼손잡이'에 빗대 비교하고 있다고 볼 수는 있다. 그러나 비교를 통해 얻을 수 있는 장단점을 나열하고 있지는 않다.

③ 1문단과 3문단에서 '아이가 태어난 순간'부터 '자라는 상황'을 가정하고 있다. 여기에서 시간의 순서대로 내용을 제시하고 있다는 점에서 '통시적'으로 서술하고 있다고 볼 수 있기는 하다. 그러나 '문제가 발생하게 된 원인'을 다룬 내용은 아니다. 한편, '성 구분'과 관련된 구조적인 원인은 마지막 문단에서 설명하고 있기는 하다.

④ 문제의 원인을 해결하기 위한 사회적인 대안을 제시하고 있지는 않다.

[정답] ①

다음 글의 서술상 특징으로 가장 적절한 것은?

달에 갈 때는 편도 3일 정도 걸리지만, 화성에 갈 때는 편도 8개월 정도 걸린다. 또 달에서는 언제든지 돌아올 수 있지만, 화성의 경우에는 곧바로 지구로 귀환할 수 있는 것이 아니다. 긴 경우에는 500일이나 머물러야만 지구로 돌아올 수 있다. 그래서 화성유인 비행은 500일 내지 1,000일 정도가 걸린다.

이렇게 장기간에 걸친 우주 비행을 위해서는 물이나 식료품, 산소뿐 아니라 화성에서 사용할 기지, 화성에 이착륙하기 위한 로켓, 귀환용 우주선 등도 필요하다. 나사 탐사 시스템 부서의 더글러스 쿡에 따르면 그 무게의 합계는 470톤이나 된다. 나사의 우주 탐사 설계사인 게리 마틴은 "이 화물의 운반이 화성유인 비행에서 가장 큰 문제일 것이다."라고 말했다.

우선 지구 표면에서 지구 저궤도(지표에서 몇 백 킬로미터 상공의 궤도)로 화물을 올려 보내야 한다. 과거에 미국은 날에 인간을 보내기 위해 아폴로 계획에 총 250억 달러를 투자했다고 한다. 이 계획에 사용된 것은 인류 사상 최대의 로켓 '새턴 파이브(V)'이다. 새턴 파이브는 지구의 저궤도로 104톤의 화물을 운반할 수 있었다. 그러나 세월이 지난 현재, 그 같은 대형 로켓을 만들기는 어렵게 되었다. 막대한 자금을 투입해서, 다른 용도가 없고 지나치게 거대한 로켓을 만드는 시대는 이미 지났다는 뜻이다.

가장 현실적인 것은 이미 존재하는 로켓을 최대한 활용할 경우 어떤 임무(비행 계획)가 가장 효율적인지 검토하는 일이다. 기존 우주 왕복선의 부품을 활용할 수 있는지, 우주 왕복선의 부품과 다른 로켓의 부품을 조합할 수 있는지 등, 백지 상태에서 출발하지 않아도 되는 좋은 방법을 현재 검토하고 있다.

거대한 로켓을 만들 수 없기 때문에 470톤의 화물은 여러 번 나누어 운반된다. 그리고 지구 저궤도에서 조립한 뒤 화성으로 보내는데, 이때는 많은 양의 화물을 화성까지 운반하는 우주선의 엔진이 문제이다. 현재 사용되는 로켓의 엔진은 일부 예외를 제외하고는 거의 모두가 '화학 로켓'이다. 이것은 연료와 산화제를 연소시킨 가스를 분출함으로써 추진하는 로켓이다. 화학 로켓은 추진력은 크지만, 열로 에너지가 달아나므로 그만큼 연비가 낮아진다. 그래서 많은 양의 연료가 필요하다.

지구 저궤도상에 있는 1킬로그램의 화물을 화성의 표면에 내려놓았다가 다시 지구로 가져오기 위해서는 40킬로그램의 연료가 필요하다. 이것은 매우 큰 문제이다. 요컨대 현재의 기술로는 연비가 낮기 때문에 엄청난 양의 연료가 필요하게 되어 임무를 실현할 수 없다. 그래서 화성에 가기 위해서는 연비가 높은 엔진이 필요하다.

이를 위해 전기적인 추진 방식이 채용될 것으로 예상된다. 전기적인 추진 방식이란 태양 전지나 원자로를 사용해 발전한 전기적 에너지를 이용해 추진하는 방법이다. 이 방법으로는 에너지가 열로 달아나지 않으므로 그만큼 연비가 높아진다. 따라서 전기 추진을 이용하면 화학 로켓보다 연비가 월등히 높아진다. 연비가 높아지면 그만큼 연료가 적어도 된다. 전기 추진을 사용하면 연료를 대폭 감량할 수 있기 때문에 화물의 양이 절반으로 줄어들 것이다.

- 《뉴턴 코리아》, 2013년 7월

① 다양한 사례를 통해 주장을 강화하고 있다.

② 두 대상의 차이점을 중심으로 내용을 전개하고 있다.

③ 상반되는 두 가지 이론을 절충하여 대안을 제시하고 있다.

④ 특정 대상과 관련된 과학 이론의 문제점을 지적하고 있다.

난이도 (상) ○ (하)

해설 제시된 글의 끝부분에서 기존의 화학 로켓보다 연비가 월등히 높은 전기 추진 방식을 비교하면서 내용을 전개하고 있다.

오답 분석
① 앞으로 전기적인 추진 방식이 채용될 것이라 전망만 하고 있을 뿐, 다양한 사례를 통해 주장을 강화하고 있지는 않다.

③ 상반되는 이론을 절충하여 대안을 제시한 글이 아니다.

④ 특정 대상과 관련된 과학 이론의 문제점을 지적한 글이 아니다.

정답 ②

다음 글의 전개 방식에 대한 설명으로 적절한 것은?

부여의 정월 영고, 고구려의 10월 동맹, 동예의 10월 무천 등은 모두 하늘에 제사를 지내고, 나라 안 사람들이 모두 모여서 음주가무를 하였던 일종의 공동 의례였다. 이것은 상고시대 부족들의 종교·예술 생활이 담겨 있는 제정일치의 표현이라고 볼 수 있다. 제천행사는 힘든 농사일과 휴식의 관계 속에서 형성된 농경사회의 풍속이다. 씨뿌리기가 끝나는 5월과 추수가 끝난 10월에 각각 하늘에 제사를 지냈는데, 이때는 온 나라 사람이 춤추고 노래 부르며 즐겼다. 농사일로 쌓인 심신의 피로를 풀며 모든 사람들이 마음껏 즐겼던 일종의 공동체적 축제이자 동시에 풍년을 기원하고 추수를 감사하는 의식이었던 것이다.

이러한 고대의 축제는 국가적 공의(公儀)와 민간인들의 마을굿으로 나뉘어 전해 내려오게 되었다. 이것은 사졸들의 위령제였던 신라의 '팔관회'를 거쳐 고려조에서는 일종의 추수감사제 성격의 공동체 신앙으로 10월에 개최된 '팔관회'와, 새해 농사의 풍년을 기원하는 성격으로 정월 보름에 향촌 사회를 중심으로 향촌 구성원을 결속시켰던 '연등회'라는 두 개의 형식으로 구분되어서 전해 내려오게 되었다. 팔관회는 지배 계층의 결속을 강화하는 역할을 하였고, 연등회는 농경의례적인 성격의 종교집단행사였다고 볼 수 있다. 오늘날의 한가위 추석도 이런 제천의식에서 그 유래를 찾을 수 있다.

조선조에서는 연등회나 팔관회가 사라지고 중국의 영향을 받아 산대잡극이 성행했다. 즉 광대줄타기, 곡예, 재담, 음악 등이 연주되었다. 즉 공연자와 관람자가 분명히 구분되었고, 직접 연행을 벌이는 사람들의 사회적 지위는 그들을 관람하는 사람보다 낮은 것으로 평가되었다. 그러나 민간 차원에서는 마을굿이나 두레가 축제적 고유 성격을 유지하였다. 즉 도당굿, 별신굿, 단오굿, 동제 등이 지역민을 묶어주는 역할을 하였다는 것이다.

① 두 개념의 장단점을 비교하여 서술하고 있다.
② 시대별로 비판을 제시하며 대안을 서술하고 있다.
③ 다양한 사례를 제시하여 개념을 정당화하고 있다.
④ 두 개의 이론을 제시하고 새로운 이론을 도출하고 있다.
⑤ 시대별로 중심 화제의 성격 변화를 서술하고 있다.

난이도 상 ◐ 하

[해설] '고대국가 → 신라·고려 → 조선'으로 이어지는 시대별로 중심 화제의 성격 변화를 서술하고 있다.

[오답분석]
① 두 개념의 장단점을 비교하여 서술하고 있지 않다.
② 시대별로 중심 화제의 성격 변화를 서술하고 있을 뿐, 시대별로 비판을 제시하며 대안을 서술하고 있지 않다.
③ 각 문단에서 다양한 사례를 제시하고는 있다. 그러나 개념을 정당화하기 위함은 아니다.
④ 두 개의 이론을 제시하고 있지 않다. 새로운 이론을 도출하고 있지도 않다.

[정답] ⑤

다음 글의 서술상 특징에 대한 설명으로 가장 적절한 것은?

미생물은 오늘날 흔히 질병과 연관된 것으로 여겨진다. 1762년 마르쿠스 플렌치즈는 미생물이 체내에서 증식함으로써 질병을 일으키고, 이는 공기를 통해 전염될 수 있다고 주장했으며, 모든 질병은 각자 고유의 미생물을 갖고 있다고 말했다. 그러나 유감스럽게도 그 주장에 대한 증거가 없었으므로 플렌치즈는 외견상 하찮아 보이는 미생물들도 사실은 중요하다는 점을 다른 사람들에게 납득시킬 수가 없었다. 심지어 한 비평가는 그처럼 어처구니없는 가설에 반박하느라 시간을 허비할 생각이 없다고 대꾸했다.

그런데 19세기 중반 들어 프랑스의 화학자 루이 파스퇴르에 의해 상황이 바뀌기 시작했다. 파스퇴르는 세균이 술을 식초로 만들고 고기를 썩게 한다는 사실을 연달아 증명한 뒤 만약 세균이 발효와 부패의 주범이라면 질병도 일으킬 수 있을 것이라고 주장했다. 이러한 배종설은 오랫동안 이어져 내려온 자연발생설에 반박하는 이론으로서 플렌치즈 등에 의해 옹호되었지만 아직 논란이 많았다. 사람들은 흔히 썩어가는 물질이 내뿜는 나쁜 공기, 즉 독기가 질병을 일으킨다고 생각했다. 1865년 파스퇴르는 이런 생각이 틀렸음을 증명했다. 그는 미생물이 누에에게 두 가지 질병을 일으킨다는 사실을 입증한 뒤, 감염된 알을 분리하여 질병이 전염되는 것을 막음으로써 프랑스의 잠사업을 위기에서 구했다.

한편 독일에서는 로베르트 코흐라는 내과 의사가 지역농장의 사육동물을 휩쓸던 탄저병을 연구하고 있었다. 때마침 다른 과학자들이 동물의 시체에서 탄저균을 발견하자, 1876년 코흐는 이 미생물을 쥐에게 주입한 뒤 쥐가 죽은 것을 확인했다. 그는 이 암울한 과정을 스무 세대에 걸쳐 집요하게 반복하여 번번이 똑같은 현상이 반복되는 것을 확인했고, 마침내 세균이 탄저병을 일으킨다는 결론을 내렸다. 배종설이 옳았던 것이다.

파스퇴르와 코흐가 미생물을 효과적으로 재발견하자 미생물은 곧 죽음의 아바타로 캐스팅되어 전염병을 옮기는 주범으로 여겨지기 시작했다. 탄저병이 연구된 뒤 20년에 걸쳐 코흐를 비롯한 과학자들은 한센병, 임질, 장티푸스, 결핵 등의 질병 뒤에 도사리고 있는 세균들을 속속 발견했다. 이러한 발견을 견인한 것은 새로운 도구였다. 이전에 있었던 렌즈를 능가하는 렌즈가 나왔고, 젤리 비슷한 배양액이 깔린 접시에서 순수한 미생물을 배양하는 방법이 개발되었으며, 새로운 염색제가 등장하여 세균의 발견과 확인을 도왔다.

세균을 확인하자 과학자들은 거두절미하고 세균을 제거하는 작업에 착수했다. 조지프 리스터는 파스퇴르에게서 영감을 얻어 소독 기법을 실무에 도입했다. 그는 자신의 스태프들에게 손과 의료 장비와 수술실을 화학적으로 소독하라고 지시함으로써 수많은 환자들을 극심한 감염으로부터 구해냈다. 또, 다른 과학자들은 질병 치료, 위생 개선, 식품 보존이라는 명분으로 세균 차단 방법을 궁리했다. 그리고 세균학은 응용과학이 되어 미생물을 쫓아내거나 파괴하는 데 동원되었다. 과학자들은 미생물과의 전쟁을 선포하고, 병든 개인과 사회에서 미생물을 몰아내는 것을 목표로 삼은 것이다. 이렇게 미생물에 대한 인식이 형성되었으며 그 부정적 태도는 오늘날에도 지속되고 있다.

---

① 미생물과 관련한 탐구 및 실험 내용을 구체적으로 제시하고 있다.

② 미생물에 대한 상반된 두 이론을 대조하며 각각의 장단점을 제시하고 있다.

③ 미생물과 관련한 가설의 문제점을 밝히고, 이에 대한 해결 방안을 제시하고 있다.

④ 미생물의 종류를 나누어 분석하며 미생물에 대한 인식 변화 과정을 제시하고 있다.

난이도 ⑧ ◯ ⑨

해설 1문단에서는 '마르쿠스 플렌치즈'의, 2문단에서는 '루이 파스퇴르'의, 3문단에서는 '로베르트 코흐'의, 5문단에서는 '조지프 리스터'의 미생물과 관련한 탐구 및 실험 내용을 구체적으로 제시하고 있다.

오답 분석 ② 2문단에 '배종설'이 '자연발생설'을 반박하는 이론이라는 내용이 제시되어 있다. 차이가 있다는 점에서 두 이론을 대조했다고 볼 수는 있다. 그러나 각각의 장단점을 제시하고 있지는 않다.

③ 1문단의 "유감스럽게도 그 주장에 대한 증거가 없었으므로 플렌치즈는 외견상 하찮아 보이는 미생물들도 사실은 중요하다는 점을 다른 사람들에게 납득시킬 수가 없었다." 부분에서, 미생물과 관련한 '마르쿠스 플렌치즈'의 가설의 문제점을 밝히고 있다. 그러나 문제점에 대한 해결 방안은 제시하고 있지 않다.

④ 미생물에 대한 인식 변화 과정은 나타난다. 그러나 이는 '미생물의 종류를 나누어 분석하며' 제시한 것이 아니라, '통시적인 서술'을 통해서 제시한 것이다.

정답 ①

---

025 ◯◯◯ 2019 지방직 9급

다음 글의 글쓰기 방식에 대한 설명으로 적절한 것은?

멕시코의 환경 운동가로 유명한 가브리엘 과드리는 1960년대 이후 중앙아메리카 숲의 25% 이상이 목초지 조성을 위해 벌채되었으며 1970년대 말에는 중앙아메리카 전체 농토의 2/3가 축산 단지로 점유되었다고 주장했다. 실제로 1987년 이후로도 멕시코에만 1,497만 3,900ha의 열대 우림이 파괴되었는데, 이렇게 중앙아메리카의 열대림을 희생하면서까지 생산된 소고기는 주로 유럽과 미국으로 수출되었다. 그렇지만 이 소고기들은 지방분이 적고 미국인의 입맛에 그다지 맞지 않아 대부분 햄버거의 재료로 사용되었다.

① 통계 수치를 활용하여 논거의 타당성을 높이고 있다.

② 이론적 근거를 나열하여 주장의 전문성을 강화하고 있다.

③ 전문 용어의 뜻을 쉽게 풀이하여 독자의 이해를 돕고 있다.

④ 예측할 수 없는 결과를 나열하여 사태의 심각성을 알리고 있다.

난이도 ⑧ ◯ ⑨

해설 제시된 글에서는 소를 키우는 축산업을 위하여 희생된 중앙아메리카 열대림이 어마어마하다는 것을 '25%', '2/3', '1,497만 3,900ha' 등의 구체적인 통계 수치를 활용하여 보여주고 있다. 따라서 ①의 '통계 수치를 활용하여 논거의 타당성을 높이고 있다.'라는 설명은 옳다.

오답 분석 ② 이론적 근거를 나열하지 않았다. 따라서 이론적 근거를 나열하여 주장의 전문성을 강화하고 있다는 설명은 옳지 않다.

③ 제시된 글에 전문 용어의 뜻을 풀이하는 '정의'의 전개 방식이 쓰인 부분은 없다.

④ 제시된 글에서 통계 수치를 통하여 중앙아메리카의 열대림이 훼손된 현 사태의 심각성을 알리고 있다. 그러나 예측할 수 없는 결과를 나열하지는 않았다.

정답 ①

---

026 ◯◯◯ 2018 서울시 9급(6월)

〈보기〉에 대한 설명으로 가장 옳은 것은?

〈보기〉

화랑도(花郎道)란, 신라 때의 청소년들이 자신의 마음과 몸을 닦고 목숨을 바쳐 나라를 지키려는 우리 고유의 정신적 흐름을 말한다. 그리고 이를 실천하기 위하여 조직된 단체를 화랑도(花郎徒)라 한다. 그 사회의 중심인물이 되기 위하여 마음과 몸을 단련하고, 올바른 사회생활의 규범을 익히며, 나라가 어려운 시기에 처할 때 싸움터에서 목숨을 바치려는 기풍은 고구려나 백제에도 있었지만, 특히 신라에서 가장 활발하였다.

- 변태섭, 〈화랑도〉

① 용어 정의를 통해 독자의 이해를 돕고 있다.

② 자신의 체험담을 제시하여 독자의 이해를 돕고 있다.

③ 반론을 위한 전제를 제시하여 독자의 이해를 돕고 있다.

④ 통계적 사실이나 사례 제시를 통해 독자의 이해를 돕고 있다.

난이도 ⑧ ◯ ⑨

해설 〈보기〉에서는 '화랑도(花郎道, 신라 청소년의 국가를 위한 정신적 흐름)'와 '화랑도(花郎徒, 화랑의 무리)'라는 용어를 정의함으로써, 독자의 이해를 돕고 있다. 따라서 ①의 설명이 가장 적절하다.

오답 분석 ② 자신의 체험담(體驗談, 경험한 이야기)을 제시하고 있지 않다.

③ 반론(反論, 남의 논설이나 비난, 논평 따위에 대하여 반박함. 또는 그런 논설)을 위한 전제(前提, 어떠한 주장을 하기 위하여 먼저 내세우는 것)를 제시하고 있지 않다.

④ 통계적 사실이나 사례(事例, 실제 예시)를 제시하고 있지 않다.

정답 ①

다음 글의 논지 전개 방식으로 적절한 것은?

> 군산이 일본으로 쌀을 이출하는 전형적인 식민 도시였다면, 금강과 만경강 하구 사이에서 군산을 에워싸고 있는 옥구는 그 쌀을 생산하는 대표적인 식민 농촌이었다. 1903년 미야자키 농장을 시작으로 1910년 강점 이전에 이미 10개의 일본인 농장이 세워졌으며, 1930년 무렵에는 15~16개로 늘어났다. 1908년 한국인 지주들도 조선 최초의 수리 조합인 옥구 서부 수리 조합을 세우긴 했지만 일본인의 기세를 꺾지 못했다. 1930년 무렵 일본인은 전라북도 경지의 대략 1/4을 차지하였으며, 평야 지역인 옥구는 절반 이상이 일본인 땅이었다. 쌀을 군산으로 보내기 편한 철도 부근의 지역에서는 일본인 지주의 비중이 더 높았을 것이다. '이리부터 군산에 이르는 철도 연선의 만경강 쪽 평야는 90%가 일본인이 경영한다.'는 말이 허풍만은 아닐 거다. 일본인이 좋은 땅 다 차지하고 조선인은 '산비탈 흙구덩이'에 몰려 사는 처지라는 푸념 또한 과언이 아닐 거다.

① 인과적 연결을 통해 대상을 논증하고 있다.
② 반어적 수사를 동원하여 대상을 비판하고 있다.
③ 풍자와 해학을 동원하여 대상을 희화화하고 있다.
④ 구체적인 사실과 정보를 중심으로 대상을 설명하고 있다.

난이도 상 ○ 하

[해설] 제시된 글에서는 구체적인 연도와 수치, 지명 등을 통하여 군산을 에워싸고 있는 '옥구'가 대표적인 식민 농촌이었음을 설명하고 있다.

오답분석
① 제시된 글에 '군산'이 왜 식민 도시였는지, '옥구'가 왜 식민 농촌이었는지에 대한 내용은 나와 있지 않다. 따라서 인과적 연결을 통해 대상을 논증하고 있다는 설명은 적절하지 않다.
② 일본의 수탈 내용을 담았다는 점에서, 일본에 대한 글쓴이의 비판 의식은 엿볼 수도 있다. 그러나 제시된 글에 반어적 수사법은 쓰이지 않았다.
③ 대상을 희화화하는 방법으로 풍자와 해학이 자주 동원된다. 제시된 글의 대상은 식민 농촌이었던 '옥구'이다. 그런데 제시된 글에서 '옥구'를 희화화한 부분은 찾아볼 수 없다.

[정답] ④

출제 유형

글의 전개 방식	글에 사용되지 않은 전개 방식을 찾는 유형

고득점 GO!

부정 발문일 때는 내용 일치 유형 문제처럼 풀자!
내용 읽으면서 선지 걸러 내기!

다음 글에 대한 다음 설명 중 가장 적절하지 않은 것은?

> 프레임(frame)은 영화와 사진 등의 시각 매체에서 화면 영역과 화면 밖의 영역을 구분하는 경계로서의 틀을 말한다. 카메라로 대상을 포착하는 행위는 현실의 특정한 부분만을 떼어내 프레임에 담는 것으로, 찍은 사람의 의도와 메시지를 내포한다. 그런데 문, 창, 기둥, 거울 등 주로 사각형이나 원형의 형태를 갖는 물체들을 이용하여 프레임 안에 또 다른 프레임을 만드는 경우가 있다. 이런 기법을 '이중 프레이밍', 그리고 안에 있는 프레임을 '이차 프레임'이라 칭한다. 이차 프레임의 일반적인 기능은 크게 세 가지로 구분할 수 있다. 먼저, 화면 안의 인물이나 물체에 대한 시선 유도 기능이다. 대상을 틀로 에워싸기 때문에 시각적으로 강조하는 효과가 있으며, 대상이 작거나 구도의 중심에서 벗어나 있을 때도 존재감을 부각하기가 용이하다. 또한 프레임 내 프레임이 많을수록 화면이 다층적으로 되어, 자칫 밋밋해질 수 있는 화면에 깊이감과 입체감이 부여된다. 광고의 경우, 설득력을 높이기 위해 이차 프레임 안에 상품을 위치시켜 주목을 받게 하는 사례들이 있다.
>
> 다음으로, 이차 프레임은 작품의 주제나 내용을 암시하기도 한다. 이차 프레임은 시각적으로 내부의 대상을 외부와 분리하는데, 이는 곧잘 심리적 단절로 이어져 구속, 소외, 고립 따위를 환기한다. 그리고 이차 프레임 내부의 대상과 외부의 대상 사이에는 정서적 거리감이 조성되기도 한다. 어떤 영화들은 작중 인물을 문이나 창을 통해 반복적으로 보여 주면서, 그가 세상으로부터 격리된 상황을 암시하거나 불안감, 소외감 같은 인물의 내면을 시각화하기도 한다.
>
> 마지막으로, 이차 프레임은 '이야기 속 이야기'인 액자형 서사 구조를 지시하는 기능을 하기도 한다. 일례로, 어떤 영화는 작중 인물의 현실 이야기와 그의 상상에 따른 이야기로 구성되는데, 카메라는 이차 프레임으로 사용된 창을 비추어 한 이야기의 공간에서 다른 이야기의 공간으로 들어가거나 빠져 나온다. 그런데 현대에 이를수록 시각 매체의 작가들은 이차 프레임의 범례에서 벗어나는 시도들로 다양한 효과를 끌어내기도 한다. 가령 이차 프레임 내부 이미지의 형체를 식별하기 어렵게 함으로써 관객의 지각 행위를 방해하여, 강조의 기능을 무력한 것으로 만들거나 서사적 긴장을 유발하기도 한다. 또 문이나 창을 봉쇄함으로써 이차 프레임으로서의 기능을 상실시켜 공간이나 인물의 폐쇄성을 드러내기도 한다. 혹은 이차 프레임 내의 대상이 그 경계를 넘거나 파괴하도록 하여 호기심을 자극하고 대상의 운동성을 강조하는 효과를 낳는 사례도 있다.

① 이차 프레임의 기능을 병렬적으로 나열하고 있다.

② 이차 프레임이 사용되는 다양한 예시를 제시하고 있다.

③ 이차 프레임의 효과에 대한 전문가의 견해를 인용하고 있다.

④ 프레임, 이중 프레이밍, 이차 프레임의 개념을 정의하고 있다.

난이도 ⑧ ◯ ⑨

해설 이차 프레임의 효과에 대한 전문가의 견해를 인용하고 있지 않다.

오답 분석 ①, ② '이차 프레임'의 기능과 사용되는 예시를 각 문단별로 나열하고 있다.

④ 1문단에서 프레임, 이중 프레이밍, 이차 프레임의 개념을 정의하고 있다.

정답 ③

다음 글의 서술 방식에 대한 설명으로 적절하지 않은 것은?

사람과 상황이 서로 영향을 미치는 방식들을 몇 가지 소개해 보도록 하겠다.

첫째는 상황이 사람을 선택하는 경우다. 모든 사람이 자신이 원하는 상황에 놓일 수는 없다. 제한된 상황은 우리로 하여금 '무엇'을 할 수 있는 기회를 박탈하기도 한다. 예를 들어 아무것도 선택할 수 없는 경제적 어려움에 처해 있거나 부모의 학대로 인해 지속적인 피해를 입고 있는 상황처럼 자신의 의지나 책임이 아닌 절대적 상황이 그런 경우다. 이때 사람들은 상대적 박탈감이나 무력감을 경험하게 된다.

둘째는 사람이 상황을 선택하는 경우다. 이때는 자신의 욕망이나 목표에 맞는 기회를 제공하는 상황을 선택할 수 있다. 우리는 일상을 살아가면서 굉장히 합리적인 판단을 한다. 예를 들어 몸이 아프면 상황을 설명하고 조퇴를 할 수도 있다. 그런데 사회적 압력이나 압박들이 단순히 직장에서 일어나는 상황이 아니고 보다 더 본질적인 경우가 있다.

예를 들어 경제적 불균형처럼 자기가 가시고 있는 아주 왜곡된 관념들로 치닫기 시작하면 상황이 사람을 지배할 수도 있다. 자신의 자존감을 지키기 위해서는 타인에게 해를 가해서라도 그런 상황을 유지하려는 것이다. 그러나 대부분의 사람들은 스스로 상황을 지배해 나가기 때문에 범죄를 저지르지 않는다. 그래서 상황이 사람을 선택하느냐, 아니면 사람이 상황을 선택하느냐에 따라 결과는 엄청나게 달라진다.

상황에 따라 사람의 다른 측면이 점화되기도 한다. 사람들이 공통적으로 갖고 있는 공손함이나 공격성 등은 상황에 따라 점화되는 것이 다르다. 우리가 읽거나 들었던 단어 또는 정보가 우리의 생각이나 행동에 미묘한 변화를 일으킬 수 있고 이러한 현상을 '점화 효과'라고 한다.

① 설명하는 내용에 대한 예를 제시하고 있다.

② 서로 다른 내용을 대비하여 제시하고 있다.

③ 설명하는 내용에 대한 개념을 제시하고 있다.

④ 설명하는 내용을 병렬적 구조로 제시하고 있다.

⑤ 설명하는 내용에 대한 실험 결과를 제시하고 있다.

난이도 ⑧ ◯ ⑨

해설 제시문에서는 설명하는 내용에 대한 실험 결과를 제시하고 있지는 않다.

오답 분석 ① 2문단과 4문단에서 각각 설명하는 내용의 예를 제시하고 있다.

② 2문단과 3문단에서 서로 다른 내용으로 대비하여 제시하고 있다.

③ 마지막 문단에서 '점화 효과'의 개념을 제시하고 있다.

④ 사람과 상황이 서로 영향을 미치는 방식들을 병렬적으로 제시하고 있다.

정답 ⑤

다음 글에 대한 설명으로 가장 적절하지 않은 것은?

우리는 거짓이 사실을 압도하는 사회에서 살고 있다. 사실에 사회적 맥락이 더해진 진실도 자연스레 설 자리를 잃었다. 2016년에 옥스퍼드 사전은 세계의 단어로 '탈진실'을 선정하며 탈진실화가 국지적 현상이 아니라 세계적으로 나타나는 시대적 특성이라고 진단했다. 탈진실의 시대가 시작된 것을 반증하기라도 하듯 '가짜 뉴스'가 사회적 논란거리로 떠올랐다. 가짜 뉴스의 정의와 범위에 대해선 의견이 여러 갈래로 나뉜다. 언론사의 오보에서부터 인터넷 루머까지 가짜 뉴스는 넓은 스펙트럼 안에서 혼란스럽게 사용되고 있다. 전문가들은 가짜 뉴스의 기준을 정하고 범위를 좁히지 않으면 비생산적인 논란만 가중될 수밖에 없다고 지적한다. 2017년 2월 한국언론학회와 한국언론진흥재단이 주최한 세미나에서는 가짜 뉴스를 '정치적·경제적 이익을 위해 의도적으로 언론보도의 형식을 하고 유포된 거짓 정보'라고 정의하였다.

가짜 뉴스의 역사는 인류 커뮤니케이션의 역사만큼이나 길다. 백제 무왕이 지은 「서동요」는 선화 공주와 결혼하기 위해 그가 거짓 정보를 노래로 만든 가짜 뉴스였다. 1923년 관동 대지진이 났을 때 일본 내무성이 조선인에 대해 악의적으로 허위 정보를 퍼뜨린 일은 가짜 뉴스가 잔인한 학살로 이어진 사건이다. 이처럼 역사 속에서 늘 반복된 가짜 뉴스가 뜨거운 감자로 떠오른 것은 새삼스러운 것처럼 보이지만, 최근 일어나는 가짜 뉴스 현상을 돌아보면 이전의 사례와는 확연히 다른 점을 발견할 수 있다.

'21세기형 가짜 뉴스'의 특징은 논란의 중심에 글로벌 IT기업이 있다는 점이다. 가짜 뉴스는 더 이상 동요나 입소문을 통해 퍼지지 않는다. 누구나 쉽게 이용하는 매체에 '정식 기사'의 얼굴을 하고 나타난다. 감쪽같이 변장한 가짜 뉴스들은 대중이 뉴스를 접하는 채널이 신문·방송 같은 전통적 매체에서 포털, SNS 등의 디지털 매체로 옮겨 가면서 쉽게 유통되고 확산된다.

가짜 뉴스를 생산하는 이유는 '돈'이다. 뉴스와 관련된 돈은 대부분 광고에서 발생한다. 모든 광고는 광고 중개 서비스를 통하는데, 광고주가 중개 업체에 돈을 지불하면 중개 업체는 금액에 따라 광고를 배치한다. 높은 조회수가 나오는 사이트일수록 높은 금액의 광고를 배치하는 식이다. 뉴스가 범람하는 상황에서 이용자는 선택과 집중을 할 수밖에 없다. 그 때문에 눈길을 끄는 뉴스가 잘 팔리는 뉴스가 된다. 가짜 뉴스는 선택받을 수 있는 조건을 정확히 알고 대중을 치밀하게 속인다. 어떤 식으로든 눈에 띄고 선택받아 '돈'이 되기 위해 비윤리적이어도 개의치 않고 자극적인 요소들을 자연스럽게 포함한다. 과정이야 어떻든 이윤만 내면 성공이기 때문이다. 이런 이유로 가짜 뉴스는 혐오나 선동과 같은 자극적 요소를 담게 되고, 이렇게 만들어진 가짜 뉴스는 사회 구성원들의 통합을 방해하고 극단주의를 초래한다.

① 가짜 뉴스의 기준과 범위를 정하기 어려운 이유를 제시하고 있다.

② 전문성을 가진 단체가 주최한 세미나에서 정의한 가짜 뉴스의 개념을 제시하고 있다.

③ 가짜 뉴스가 논란거리로 떠오르게 된 시대의 특성을 제시하고 있다.

④ 사용 매체의 변화로 인해 발생한 가짜 뉴스의 특징을 제시하고 있다.

난이도 상 ○ 하

해설 제시된 글에서 가짜 뉴스의 기준과 범위를 정하기 어려운 이유에 대해서는 언급하고 있지 않다.

오답분석 ② 1문단의 "2017년 2월 한국언론학회와 한국언론진흥재단이 주최한 세미나에서는 가짜 뉴스를 '정치적·경제적 이익을 위해 의도적으로 언론 보도의 형식을 하고 유포된 거짓 정보'라고 정의하였다."를 통해 알 수 있다.

③ 1문단을 통해 알 수 있다.

④ 2문단을 통해 알 수 있다.

정답 ①

다음 글의 전개 방식에 대한 설명으로 가장 적절하지 않은 것은?

20세기의 두드러진 특징 중 하나는 세계 모든 나라에서 학교라 불리는 교육 기관들이 엄청나게 빠른 속도로 성장했으며, 각국의 학생들이 교육을 받기 위해 학교로 몰려들었다는 것이다. 예를 들어 한국의 대학생 수는 1945년 약 8,000명이었지만, 2010년 약 350만 명으로 증가했다. 무엇이 학교를 이토록 팽창하게 만들었을까? 학교 팽창의 원인은 학습 욕구 차원, 경제적 차원, 정치적 차원, 사회적 차원에서 설명될 수 있다.

먼저 학습 욕구 차원에서, 인간은 지적·인격적 성장을 위한 학습 욕구를 지니고 있다. 그리고 부모들은 자식의 지적·인격적 성장을 바라는 마음이 있다. 특히 한국인은 배움에 높은 가치를 부여하기 때문에, 한국 사회에서는 부모가 자식에게 최선의 배움의 기회를 제공하는 것이 부모가 자식에게 해 주어야 할 의무로 인식되는 경향이 있다. 이러한 학습에 대한 욕구가 학교를 팽창하게 만드는 요인 중 하나인 것이다.

다음으로 경제적 차원에서 학교는 산업 사회가 성장하는 데 있어서 필수적인 인력 양성 기관의 역할을 담당하였다. 전통적인 농경 사회에서는 특별한 기능이나 기술의 훈련이 필요하지 않았지만, 산업 사회에서는 훈련받은 인재가 필요하였다. 이러한 산업 사회의 과제를 해결하기 위한 기관이 학교였다. 산업 수준이 더욱 고도화됨에 따라 학교 교육의 기간도 장기화된다. 경제 규모의 확대와 산업 기술 수준의 향상은 학교를 팽창하게 만드는 요인 중 하나인 것이다.

다음으로 정치적 차원에서 학교는 국민통합을 이룰 수 있는 장치였다. 통일 국가에서는 언어, 역사의식, 가치관, 국가 이념 등을 모든 국가 구성원들에게 가르쳐야 했다. 그리고 국민통합 교육은 사교육에 맡겨둘 수 없었다. 이러한 맥락에서 학교에서의 의무교육제도는 국민통합 교육을 위한 국가적 필요에 의해 시작된 것으로 볼 수 있다. 국민통합의 필요는 학교를 팽창하게 만드는 요인 중 하나인 것이다.

마지막으로 사회적 차원에서 학교의 팽창은 현대 사회가 학력 사회로 변화된 데에 기인한다. 신분 제도가 무너진 뒤 그 자리를 채운 학력 제도에서, 학력은 각자의 능력을 판단하는 잣대로 활용되었다. 막스 베버는 그의 저서 《경제와 사회》에서 사회적으로 대접받고 높은 관직에 오르기 위해서 과거에는 명문가의 족보가 필요했지만, 오늘날에는 학력 증명이 있어야 한다고 주장했다. 나아가 그는 높은 학력을 가진 사람은 사회 경제적으로 높은 지위를 독점할 수 있다고 기술한 바 있다. 현대 사회의 학력 사회로의 변모는 학교가 팽창하게 되는 요인 중 하나인 것이다.

① 의문문을 활용하여 독자의 궁금증을 유발하고 있다.

② 특정 현상의 원인을 다양한 차원에서 병렬적으로 제시하고 있다.

③ 특정 현상을 대략적인 수치 자료를 예로 제시하며 설명하고 있다.

④ 특정 현상의 역사적 의의를 제시하며 현대 사회가 나아가야 할 방향을 제시하고 있다.

해설 제시된 글에서는 '학교 팽창'의 원인을 다양한 차원에서 제시하고 있을 뿐, 그것의 역사적 의의와 나아가야 할 방향을 제시하고 있지는 않다.

오답 분석
① 1문단에서 "무엇이 학교를 이토록 팽창하게 만들었을까?"라며 질문을 던지면서, 독자의 궁금증을 유발하고 있다.

② '학교 팽창'의 원인을 '학습 욕구 차원, 경제적 차원, 정치적 차원, 사회적 차원'으로 나누어 병렬적으로 제시하고 있다.

③ '학교 팽창'에 대해, 1문단에서 "예를 들어 한국의 대학생 수는 1945년 약 8,000명이었지만, 2010년 약 350만 명으로 증가했다."라고 하면서, 대략적인 수치 자료를 예로 제시하고 있다.

정답 ④

다음 글에 대한 설명으로 적절하지 않은 것은?

> 그렇다면 책은 어떻게 읽어야 할까? 목적에 맞으며 가치 있는 책을 선택하고 적절한 방법을 찾아 읽어야 한다. 독서의 목적이 다양하듯 독서의 방법도 일정할 수 없다. 흔히 정독과 다독을 두고 바른 독서의 방법을 묻곤 한다. 여기에 정해진 답은 없다. 정독할 책은 정독하고, 다독할 책은 다독하면 된다. 옛사람들은 정독을 위해 같은 책을 수십 번 수백 번 다독하는 방법을 택했다. 새겨 읽어야 할 책은 새겨서 읽고, 그때그때 필요한 정보는 필요할 때마다 꺼내 쓰면 된다. 일생을 함께해야 할 지혜를 소설책 읽듯이 흘려 읽을 수 없고, 깊은 사색이 필요한 주제를 만화책 보듯 해서도 안 된다. 소처럼 여러 차례 되새김질해서 하나하나 음미하며 읽어야 할 때가 있고, 고래가 큰 입을 벌려 물고기와 새우를 한꺼번에 삼켜 버리듯 해야 할 때도 있다. 모든 책을 처음부터 끝까지 읽을 필요가 없고 수없이 되풀이해 읽어서 한 부분만 손때가 묻은 책도 있어야 한다.

① 비슷한 구조를 지닌 문장을 활용하여 내용을 전달하고 있다.

② 다양한 책의 종류를 예시하여 독서의 목적과 가치를 강조하고 있다.

③ 질문을 던지고 그에 답하는 형식으로 독자의 호기심을 유발하고 있다.

④ 쉽고 생생한 비유로 책을 읽는 방법을 설명하며 독자의 이해를 돕고 있다.

난이도 ⑤ ◑ ㉥

[해설] 제시된 글에는 '예시'가 쓰이지 않았다.

[오답분석] ① "새겨 읽어야 할 책은 새겨서 읽고, 그때그때 필요한 정보는 필요할 때마다 꺼내 쓰면 된다. 일생을 함께해야 할 지혜를 소설책 읽듯이 흘려 읽을 수 없고, 깊은 사색이 필요한 주제를 만화책 보듯 해서도 안 된다." 부분에서 확인할 수 있다.

③ "그렇다면 책은 어떻게 읽어야 할까? 목적에 맞으며 가치 있는 책을 선택하고 적절한 방법을 찾아 읽어야 한다." 부분에서 확인할 수 있다.

④ "소처럼 여러 차례 되새김질해서 하나하나 음미하며 읽어야 할 때가 있고, 고래가 큰 입을 벌려 물고기와 새우를 한꺼번에 삼켜 버리듯 해야 할 때도 있다." 부분에서 확인할 수 있다.

[정답] ②

다음 글에 대한 설명으로 적절하지 않은 것은?

> 말똥구리는 스스로 말똥을 아껴 여룡(驪龍)의 여의주를 부러워하지 않는다. 여룡은 여의주가 있다고 하여 뽐내거나 교만하지 않고, 말똥을 보고 비웃지도 않는다.
>
> - 이덕무, 〈선귤당농소(蟬橘堂濃笑)〉

① 사물에 빗대어 진리를 설파한다.

② 사물의 가치에 우열을 두어야 한다고 주장한다.

③ 곤충과 신화적 동물을 비교하여 주장하는 바를 드러낸다.

④ 사소해 보인다고 해서 가치가 없는 것이 아니라고 말한다.

난이도 ⑤ ◑ ㉥

[해설] 제시된 글에서는 곤충 '말똥구리'와 신화적 동물 '여룡(驪龍)'을 비교하여 '각자 가치를 지닌다.'라는 주장을 하고 있다. 따라서 사물의 가치에 우열을 둬야 한다는 ②의 설명은 적절하지 않다.

[정답] ②

(가) ~ (마)에 대한 설명으로 적절하지 않은 것은?

> (가) '테라포밍'은 지구가 아닌 다른 외계의 천체 환경을 인간이 살 수 있도록 변화시키는 것을 말하는데 현재까지 최적의 후보로 꼽히는 행성은 바로 화성이다. 화성은 육안으로도 붉은 빛이 선명하기에 '火(불 화)' 자를 써서 화성(火星)이라고 부르며, 서양에서는 정열적인 전쟁의 신이기도 한 '마르스'와 함께 '레드 플래닛', 즉 '붉은 행성'으로도 일컬어진다. 화성이 이처럼 붉은 이유는 표면의 토양에 철과 산소의 화합물인 산화철이 많이 포함돼 있기 때문인데, 녹슨 쇠가 불그스름해지는 것과 같은 원리로 보면 된다. 그렇다면 이런 녹슨 행성인 화성을 왜 '테라포밍' 1순위로 선정했을까? 또한 어떤 과정을 통해서 이 화성을 인간이 살 수 있는 푸른 별로 바꿀 수 있을까?
>
> (나) 영화 〈레드 플래닛〉을 보면 이런 '테라포밍'의 계획이 잘 나타나 있다. 21세기 초, 자원 고갈과 생태계 오염 등으로 지구의 환경이 점점 악화되자, 화성을 새로운 인류의 터전으로 바꾸기 위해서 이끼 종자를 가득 담은 무인 로켓이 화성으로 발사된다. 이끼가 번식해 화성 표면을 덮으면 그들이 배출하는 산소가 모여 궁극적으로는 인간이 호흡할 수 있는 대기층이 형성되기 때문이다. 그로부터 50여 년 후, 마침내 화성에 도착한 선발대는 희박하기는 하지만 화성의 공기가 사람이 숨쉴 수 있을 정도로 바뀌었음을 알게 된다.
>
> (다) 그렇다면 영화가 아닌 현실에서 화성을 변화시키는 일은 가능할까? 시간이 걸리고 힘든 일이지만 가능성은 있다. 화성의 극지방에는 '극관'이라고 부르는 드라이아이스로 추정되는 하얀 막 같은 것이 존재하는데, 이것을 녹여 화성에 공기를 공급한다는 것이다. 극관에 검은 물질을 덮어 햇빛을 잘 흡수하게 만든 후 온도가 상승하면 극관이 자연스럽게 녹을 수 있도록 하는 방법인 것이다. 이 검은 물질을 자기 복제가 가능한 것으로 만들면 소량을 뿌려도 시간이 지나면서 극관 전체를 덮게 될 것이다.
>
> (라) 자기 복제가 가능한 검은 물질이 바로 〈레드 플래닛〉에 나오는 이끼이다. 유전 공학에 의해 화성처럼 혹독한 환경에서도 성공적으로 번식할 수 있는, 지의류 같은 이끼의 변종을 만들어 내어 화성의 극관 지역에 투하한다. 그들이 뿌리를 내리고 성공적으로 번식할 경우 서서히 태양광선 흡수량이 많아지고 극관은 점점 녹게 될 것이다. 그러나 이런 방법을 택하더라도 인간이 직접 호흡하며 돌아다니게 될 때까지는 최소 몇 백 년의 시간이 걸릴 것이다.
>
> (마) 지금은 거의 불가능하다고 여겨지는 일들이지만 인류는 언제나 불가능한 일들을 불굴의 의지로 해결해 왔다. 화성 탐사선이 발사되고 반세기가 안 된 오늘날 인류는 화성을 지구 환경으로 만들 꿈을 꾸고 있다. 최소 몇 백 년이 걸릴 수도 있는 이 '테라포밍'도 언젠가는 인류의 도전 앞에 무릎을 꿇게 될 것이 분명하다. 그래서 아주 먼 훗날 우리의 후손들은 화성을 볼 때, 붉게 빛나는 별이 아니라 지구와 같은 초록색으로 반짝이는 화성을 볼 수 있게 될지도 모른다. 그렇다면 그때에는 화성을 '녹성(綠星)' 또는 '초록별'이라 이름을 바꿔 부르게 되지 않을까?

① (가): 대상의 특성을 설명하고 화제를 제시하고 있다.

② (나): 예를 통해 화제에 대한 이해를 돕고 있다.

③ (다): 화제를 현실화할 수 있는 방법을 제시하고 있다.

④ (라): 귀납을 통해 화제의 실현 가능성을 증명하고 있다.

⑤ (마): 화제에 대한 긍정적 전망으로 글을 마무리하고 있다.

난이도 (상) ○ (하)

해설 '귀납'은 개별적인 특수한 사실이나 원리로부터 일반적이고 보편적인 명제 및 법칙을 유도해 내는 일이다. (라)의 경우 개별 사실로부터 일반적인 법칙을 유도해 내고 있지는 않다. 따라서 '귀납'을 통해 화제의 실현 가능성을 증명하고 있다는 설명은 적절하지 않다. 또한, '자기 복제가 가능한 검은 물질'로 '이끼'를 예를 들어 설명하고 있고, 이러한 이끼의 변종인 지의류가 번식하게 된다면 '테라포밍'이 실현될 수 있으나, 그것은 최소 몇 백 년이 걸리는 어려운 일이라고 말해 '실현 가능성을 증명하고 있다.'라고 보기는 더더욱 어렵다.

정답 ④

다음 글의 설명 방식으로 적절하지 않은 것은?

> 빛 공해란 인공조명의 과도한 빛이나 조명 영역 밖으로 누출되는 빛이 인간의 건강하고 쾌적한 생활을 방해하거나 환경에 피해를 주는 상태를 말한다. 국제 과학 저널인 《사이언스 어드밴스》의 '전 세계 빛 공해 지도'에 따르면, 우리나라는 빛 공해가 심각한 국가이다. 빛 공해는 멜라토닌 부족을 초래해 인간에게 수면 부족과 면역력 저하 등의 문제를 유발하고, 농작물의 생산량 저하, 생태계 교란 등의 문제를 일으킨다.

① 빛 공해의 정의를 제시하고 있다.

② 빛 공해의 주요 요인인 인공조명의 누출 원인을 제시하고 있다.

③ 자료를 인용하여 빛 공해가 심각한 국가로 우리나라를 제시하고 있다.

④ 사례를 들어 빛 공해의 악영향을 제시하고 있다.

난이도 (상) ○ (하)

해설 첫 번째 문장 "빛 공해란 인공조명의 과도한 빛이나 조명 영역 밖으로 누출되는 빛"을 통해, 빛 공해의 주요 원인이 '인공조명'의 '누출' 때문임을 알 수는 있다. 그러나 제시된 글에서 인공조명의 누출 원인을 따로 제시하고 있지는 않다.

오답 분석 ① "빛 공해란 인공조명의 과도한 빛이나 조명 영역 밖으로 누출되는 빛이 인간의 건강하고 쾌적한 생활을 방해하거나 환경에 피해를 주는 상태를 말한다." 부분에서 빛 공해를 정의하고 있다.

③ "국제 과학 저널인 《사이언스 어드밴스》의 '전 세계 빛 공해 지도'에 따르면, 우리나라는 빛 공해가 심각한 국가이다." 부분에서 자료를 인용하여 빛 공해가 심각한 국가로 우리나라를 제시하고 있다.

④ "빛 공해는 멜라토닌 부족을 초래해 인간에게 수면 부족과 면역력 저하 등의 문제를 유발하고, 농작물의 생산량 저하, 생태계 교란 등의 문제를 일으킨다." 부분에서 사례를 들어 빛 공해의 악영향을 제시하고 있다.

정답 ②

〈보기〉에 나타난 설명 방식으로 가장 옳지 않은 것은?

─〈보기〉─

필로티(pilotis) 문제가 아니라 왜 필로티 건축인가를 물어야 한다. 이는 주차 문제와 관련이 있다. 소형 주택·상가에서 법정 주차대수를 맞추려면 대지 내에 빼곡히 주차 면을 만들어야 한다. 반면에 상부 건물은 대지 경계선으로부터 띄워야 하므로 1층을 필로티로 하여 차가 삐죽 나오도록 하는 것은 논리적 귀결이다. 세월호 평형수가 저렴하도록 반(半)강제된 여객 운임과 관련이 있듯이 필로티에 대한 선호 또한 저렴 주택, 나아가 저렴 도시와 관련이 깊다. 다세대·다가구 주택은 단독 주택용 필지에 부피 늘림만 허용한 1970, 80년대 주택 공급 정책의 결과다. 공공에서 책임져야 할 주차·도로·녹지를 모두 개별 대지 안에서 해결하려니 설계는 퍼즐 풀기가 되었고, 이때 필로티는 모범답안이었다.

① 현상 이면의 구조적 문제를 파악하고 있다.

② 인과 관계를 통해 사회 현상을 설명한다.

③ 반복되는 사회적 문제를 환기한다.

④ 유추를 통해 해결 방안을 제시한다.

──────────────

난이도 ❸ ○ ❺

TIP '유추'는 생소하거나 어려운 개념이나 내용을, 보다 친숙하고 쉬운 개념이나 내용에 대응시켜 설명하는 방식이다.

해설 제시된 글에서는 소형 주택이나 상가 등이 필로티 건축 방식을 선호하는 이유를 세월호 평형수를 줄이는 방식을 택한 이유에 대응시켜 설명하고 있다는 점에서 '유추'의 전개 방식이 쓰였다. 그런데 '유추'의 방식을 통해 해결 방안을 제시하고 있지는 않다. 따라서 ④의 '유추를 통해 해결 방안을 제시한다.'는 〈보기〉에 나타난 설명 방식으로 옳지 않다.

오답분석 ① 첫 문장 "필로티(pilotis) 문제가 아니라 왜 필로티 건축인가를 물어야 한다. 이는 주차 문제와 관련이 있다." 부분에서 '필로티 건축'이라는 현상 이면의 구조적 문제로 '주차 문제'를 지적하고 있다. 따라서 〈보기〉에 나타난 설명 방식으로 옳다.

② '필로티 건축'이 선택될 수밖에 없었던 이유를 '1970, 80년대 주택 공급 정책 → 주차 부족 → 필로티 건축'으로 설명하고 있다. 원인과 결과가 제시되었다는 점에서, 〈보기〉에 나타난 설명 방식으로 옳다.

③ 저렴 주택, 저렴 도시, 필로티 문제, 세월호에 이르기까지 과거부터 반복되는 사회적 문제를 환기하고 있다.

정답 ④

다음 글의 글쓰기 전략으로 볼 수 없는 것은?

고전파 음악은 어떤 음악인가? 서양 음악의 뿌리는 종교 음악에서 비롯되었다. 바로크 시대까지는 음악이 종교에 예속되어 있었으며, 음악가들 또한 종교에 예속되어 있었다. 고전파는 이렇게 종교에 예속되었던 음악을, 음악을 위한 음악으로 정립하려는 예술 운동에서 출발하였다. 따라서 종래의 신을 위한 음악에서 탈피해 형식과 내용의 일체화를 꾀하고 균형 잡힌 절대 음악을 추구하였다. 즉 '신'보다는 '사람'을 위한 음악, '음악'을 위한 음악을 이루어 나가겠다는 굳은 결의를 보여 준 것이다.

또한 고전파 음악은 음악적 형식과 내용의 완숙을 이룬 음악이기도 하다. 이 시기에는 하이든, 모차르트, 베토벤 등 음악의 역사에서 가장 위대한 작곡가들이 배출되기도 하였다. 이때에는 성악이 아닌 기악만으로도 음악이 가능하게 되었으며, 교향곡의 기본을 이루는 소나타 형식이 완성되었다. 특히 옛 그리스나 로마 때처럼 보다 정돈된 형식을 가진 음악을 해 보자고 주장하였기에 '옛것에서 배우자는 의미의 고전'과 '청정하고 우아하며 흐림 없, 최고의 예술적 경지에 다다름으로서의 고전'을 모두 지향하게 되었다.

이렇듯 역사적으로 고전파 음악은 종교의 영역에서 음악 자체의 영역을 확보하였으며 최고 수준의 음악적 내용과 형식을 수립하였다. 고전파 음악이 서양 전통 음악 전체를 대표하게 된 것은 고전파 음악이 이룩한 역사적인 성과에서 비롯된 것일지도 모른다. 따라서 고전 음악의 개념을 이해하기 위해서는 고전파 음악의 성격과 특질에 대한 이해가 선행되어야 할 것이다.

① 고전파 음악이 지닌 음악사적 의의를 밝힌다.

② 고전파 음악의 음악가를 예시하여 이해를 돕는다.

③ 고전파 음악의 특징이 형식과 내용의 분리에 있음을 강조한다.

④ 질문을 통해 화제를 제시함으로써 호기심을 유발한다.

──────────────

난이도 ❸ ○ ❺

해설 1문단의 "종래의 신을 위한 음악에서 탈피해 형식과 내용의 일체화를 꾀하고 균형 잡힌 절대 음악을 추구하였다."를 통해 형식과 내용의 일체화가 고전파 음악의 특징임을 알 수 있다. 따라서 고전파 음악의 특징이 형식과 내용의 분리를 강조한다는 ③은 제시된 글의 글쓰기 전략으로 적절하지 않다.

오답분석 ① 3문단의 "고전파 음악은 종교의 영역에서 음악 자체의 영역을 확보하였으며 최고 수준의 음악적 내용과 형식을 수립하였다." 부분에서 고전파 음악이 지닌 음악사적 의의를 밝히고 있다. 따라서 제시된 글의 글쓰기 전략으로 적절하다.

② 2문단에서 고전파 음악가들로 '하이든, 모차르트, 베토벤' 등을 예시를 들어 독자의 이해를 돕고 있다. 따라서 제시된 글의 글쓰기 전략으로 적절하다.

④ 1문단에서 "고전파 음악은 어떤 음악인가?"라는 질문을 통해 '고전파 음악'이라는 화제를 제시함으로써 독자의 호기심을 유발하고 있다.

정답 ③

다음 글에 대한 설명으로 적절하지 않은 것은?

품질이 같은 두 상품의 값이 다르다면 그중에 저렴한 상품을 구매하는 것이 상식적이다. 이러한 소비자를 합리적 소비자라고 한다. 그러나 요즘에는 합리적 소비자와는 다른 윤리적 소비자가 생기기 시작했다.

윤리적 소비자란 상품을 선택하는 기준으로 가격과 품질뿐만 아니라 상품이 제조되는 과정을 고려하고, 건강·환경·사회까지 생각하는 소비자를 말한다. 윤리적 소비자는 이전 소비자와는 다른 관점에서 돈을 쓴다. 물건을 구매하는 것을 상품을 소유하거나 생활을 윤택하게 하는 수단으로 여기지 않고, 올바른 선택을 해야 하는 일종의 투표로 인식한다. 노동 착취로 저렴하게 생산된 옷을 구매하는 것은 노동 착취에 동의하는 행위이고, 친환경 제품을 구매하는 것은 환경 보호를 지지하는 행위라고 보는 것이다.

빈곤과 환경 문제는 전 세계가 처한 문제로, 이는 해가 갈수록 더욱 심각해지고 있다. 이러한 문제들을 장바구니에 담아 덜어 낼 수 있다면 세계를 더 좋게 만들 수 있을 것이다. 소비자는 자신의 장바구니에 무엇을 담을지 결정함으로써 세계를 지킬 수 있다.

윤리적 소비자가 증가하면 기업은 이들을 의식하고 이들의 힘을 두려워하게 된다. 그 결과 동아시아와 남아메리카에서 생산된 옷에는 그 옷을 생산하는 노동자가 생계를 유지하는 데 충분한 임금이 포함될 것이고, 축산물 생산자는 저렴한 축산물을 생산하면서도 동물 복지에 신경을 쓸 것이다. 소비자가 물건을 구매할 때 윤리적 문제를 고려하는 것은 이러한 파급을 불러일으키는 데 드는 비용을 저축하는 것이다.

현대 자본주의 사회의 소비자는 윤리적이어야 할 의무가 있다. 물건을 구매할 때 가격 외의 다른 요소들을 계산에 넣어야 한다. 기업이 생산과 유통 과정에서 환경을 오염시키거나 노동자를 착취하는지를 감시하고, 비윤리적 기업의 제품을 사지 않는 적극적인 소비자로 변해야 한다. 자유 무역이 아닌 공정 무역, 이기적 소비자가 아닌 이타적 소비자를 꿈꿔야 한다. 이러한 작은 시작이 큰 결과를 이끌어 낼 수 있다.

① 사례를 바탕으로 일반 원리를 이끌어 내고 있다.
② 문제를 해결하기 위한 방안을 제시하고 있다.
③ 정의의 방법을 활용하여 개념을 명료화하고 있다.
④ 대비되는 개념을 활용하여 핵심 개념을 설명하고 있다.

[해설] ※ 사례를 바탕으로 일반 원리를 이끌어 내는 방법을 '귀납법'이라 한다. 제시된 글에서는 사례를 바탕으로 일반 원리를 이끌어 내는 방법이 사용되지 않았다.

[오답분석]
② 빈곤과 환경 문제를 해결할 방안으로 '윤리적 소비자'가 될 것을 제시하고 있다.
③ 2문단에서 '윤리적 소비자'의 개념을 정의의 방법을 활용하여 명료화하고 있다.
④ 1문단의 "합리적 소비자와는 다른 윤리적 소비자가 생기기 시작했다."를 볼 때, '합리적 소비자'와 '윤리적 소비자'가 대비되는 개념임을 알 수 있다. 따라서 핵심 개념인 '윤리적 소비자'를, 대비되는 개념인 '합리적 소비자'를 활용하여 설명하고 있다는 설명은 옳다.

[정답] ①

Unit 04 글의 주제

'주제 찾기' 유형 완전 정복!
① 첫 문장에 주의를 기울여라!
② 각 단락의 첫 문장과 마지막 문장이 '핵심'이다!
③ 각 단락별로 중심 내용을 파악하면 정답을 쉽게 찾을 수 있다!
④ 2개 이상의 단락으로 구성된 글이라면, 모든 단락을 포괄할 수 있는 내용을 찾자!

출제 유형

• 글의 주제, 제목, 중심 내용, 주장, 의도를 묻는 유형

출제 유형

글의 주제	글의 주제, 제목, 중심 내용, 주장, 의도를 묻는 유형

고퀄 GO!

중심 내용을 묻는 문제는 중심 문장을 찾으면 쉽게 해결할 수 있어요!

039 ○○○   2023 지방직 9급

다음 글의 중심 내용으로 가장 적절한 것은?

> 교환가치는 거래를 통해 발생하는 가치이며, 사용가치는 어떤 상품을 사용할 때 느끼는 가치이다. 전자가 시장에서 결정된다는 점에서 객관적이라면, 후자는 개인에 따라 다르다는 점에서 주관적이다. 상품에는 사용가치와 교환가치가 섞여 있는데, 교환가치가 아무리 높아도 '나'에게 사용가치가 없다면 해당 상품을 구매하지 않을 것이다.
>
> 하지만 이 같은 상식이 통하지 않는 경우를 종종 볼 수 있다. 예를 들어 보자. 인터넷 커뮤니티에서 백만 원짜리 공연 티켓을 판매하는데, 어떤 사람이 "이 공연의 가치는 돈으로 환산할 수 없어요." 등의 댓글들을 보고서 애초에 관심도 없던 이 공연의 티켓을 샀다. 그에게 그 공연의 사용가치는 처음에는 없었으나 많은 댓글로 인해 사용가치가 있을 것으로 잘못 판단한 것이다. 안타깝게도, 그는 그 공연에서 조금도 만족하지 못했다.
>
> 이 사례에서 볼 때 건강한 소비를 위해서는 구매하려는 상품의 사용가치가 어떤 과정을 거쳐 결정된 것인지 곰곰이 생각해봐야 한다. '나'에게 얼마나 필요한가에 대한 고민 없이 다른 사람들의 말에 휩쓸려 어떤 상품의 사용가치가 결정될 때, 그 상품은 '나'에게 쓸모없는 골칫덩이가 될 수 있다.

① 사용가치보다 교환가치가 큰 상품을 구매해야 한다.

② 상품을 구매할 때 사용가치와 교환가치를 두루 고려해야 한다.

③ 상품에 대한 다른 사람들의 평가를 반영해서 상품을 구매해야 한다.

④ 상품을 구매할 때 사용가치가 자신의 필요에 의해 결정된 것인지 신중하게 따져야 한다.

난이도 ⑤ ○ ⑥

[해설] 2문단에 자신에게 사용가치가 없다고 생각했던 공연 티켓을, 자신의 필요(선호)가 아닌 다른 사람들의 말(댓글)로 인해 구입한 결과 만족스럽지 않았다는 사례가 나와 있다. 이 사례를 통해 3문단에서 '건강한 소비'를 위해서는 '사용가치'에 누구에 의해 결정된 것인지 곰곰이 생각해 봐야 한다고 말하고 있다. 따라서 제시된 글의 중심 내용은 '상품을 구매할 때 사용가치가 자신의 필요에 의해 결정된 것인지 신중하게 따져야 한다.'이다.

[정답] ④

다음 글을 읽고 '한국 정원의 특징'을 표현한 것으로 가장 적절한 말은?

중국의 4대 정원을 보면, 이화원과 피서산장은 정원이 아니라 거대한 공원이라는 표현이 더 맞다. 졸정원과 유원은 사가(私家)의 정원으로서 평평한 대지에 담을 치고 그 안에 자연을 인공적으로 재현한 것으로 특유의 웅장함과 기이함이 있다. 그러나 창덕궁 후원과 같은 그윽한 맛은 찾아볼 수 없다.

일본에서는 교토의 천황가에서 지은 가쓰라 이궁(桂離宮, 가쓰라리큐)과 지천회유식 정원인 천룡사(천룡사, 덴류지), 석정(石庭)으로 유명한 용안사(龍安寺, 료안지) 같은 사찰 정원이 명원으로 꼽힌다. 이곳들은 인공의 정교로움과 아기자기한 디테일을 자랑하고, 거기에다 무사도(武士道), 다도(茶道), 선(禪)의 이미지를 구현한 독특한 미학이 있다. 그러나 일본의 정원은 자연을 다듬어서 꾸민 조원(造園)으로 정원의 콘셉트 자체가 다르고 우리 같은 자연적인 맛이 없다.

중국과 일본의 정원도 자연과의 어우러짐을 중시했다. 그런 정원을 원림(園林)이라고 부른다. 원림을 경영하는 데에는 울타리 바깥의 자연 경관을 정원으로 끌어들이는 차경(借景)이 중요한 요소로 작용한다. 그러나 우리 원림에서는 자연 경관을 빌려오는 차경 정도가 아니라 자연 경관 자체가 정원의 뼈대를 이룬다. 인공적인 조원이 아니라 자연 경관을 경영하는 것이다. 산자락과 계곡이 즐비한 자연 지형에서 나온 우리만의 독특한 정원 형식이다.

한국의 이러한 전통 정원을 두고 우리나라의 한 건축학자는 "자연을 해석하고 적극적인 경관으로 건축화한 것"이라고 설명하였으며, 우리나라를 방문한 프랑스 건축가 협회 회장 로랑 살로몽은 "한국의 전통 건축물은 단순한 건축물이 아니라 자연이고 풍경이다. 인위적으로 세운 것이 아니라 자연 위에 그냥 얹혀 있는 느낌이다. 그런 점에서 한국의 전통 건축은 미학적 완성도가 아주 높다고 생각한다."라고 우리나라 전통 정원의 특징을 설명하였다.

① 자연과 인공의 조화(調和)

② 자연 경관의 경영(經營)

③ 자연의 차경(借景)

④ 자연의 재현(再現)

난이도 상 ○ 하

해설 4문단의 "한국의 전통 건축물은 단순한 건축물이 아니라 자연이고 풍경이다. 인위적으로 세운 것이 아니라 자연 위에 그냥 얹혀 있는 느낌이다."를 볼 때, 집을 지을 때 자연 경관을 함께 고려함을 알 수 있다. 따라서 한국 정원의 특징으로는 '자연 경관의 경영(經營)'이 가장 적절하다.

※ 경영(經營)
　1) 기업이나 사업 따위를 관리하고 운영함.
　2) 기초를 닦고 계획을 세워 어떤 일을 해 나감.
　3) 계획을 세워 집을 지음.

정답 ②

다음은 <보기>에 제시된 글의 핵심 내용을 정리한 것이다. 가장 잘 이해한 것은?

〈보기〉

'무엇인가', '어떠한 것인가'라는 물음에 대응하는 내용이 '질'이고 '어느 정도'라는 물음에 대응하는 내용이 '양'이다. '책상이란 무엇인가' 또는 '책상이 어떠한 것인가'를 알기 위해 사전에서 '책상'을 찾으면, "책을 읽거나 글을 쓰는 상"으로 나와 있다. 이것이 책상을 의자와 찬장 및 그 밖의 유사한 사물들과 구분해 주는 책상의 '질'이다. 예를 들어 "이 책상의 높이는 어느 정도인가?"라고 물으면 "70cm이다"라고 답한다. 이 때 말한 '70cm'가 바로 '양'이다. 그런데 책상의 높이는 70cm가 60cm로 되거나 40cm로 된다고 하더라도 그것이 책상임에는 변함이 없다. 성인용 책상에서 아동용 책상으로, 의자 달린 책상에서 앉은뱅이책상으로 바뀐다고 하더라도 그것이 '책을 읽거나 글을 쓰는 상'으로서의 기능은 수행할 수 있기 때문이다. 그러나 책상의 높이를 일정한 한도가 넘는 수준, 예컨대 70cm를 1cm로 낮추어 버리면 그 책상은 나무판에 가까운 것으로 변하여 책상의 기능을 수행할 수 없게 되어 더 이상 책상이라 할 수 없게 될 것이다.

① 양의 변화는 질의 변화를 초래하고 질의 변화는 양의 변화를 이끈다.

② 양의 변화가 누적되면 질의 변화가 일어나므로 양의 변화는 변화된 양만큼 질의 변화를 이끈다.

③ 양의 변화는 일정한 한도 내에서 질의 변화를 이끌지 못하지만 어느 한도를 넘으면 질의 변화를 초래한다.

④ 양의 변화든 질의 변화든 변화는 모두 본래의 상태로 환원되는 과정이기 때문에 두 변화는 본질적으로 동일하다.

난이도 상 ○ 하

해설 제시된 글에서는 책상의 높이를 어느 정도까지는 낮추더라도 책상이라고 부르지만, 1cm로 낮추어 버리면 책상의 기능을 수행할 수 없게 되어 더 이상 책상이라고 부를 수 없게 된다고 하였다. 이를 볼 때, ③의 '양의 변화는 일정한 한도 내에서 질의 변화를 이끌지 못하지만 어느 한도를 넘으면 질의 변화를 초래한다.'가 글의 핵심 내용이다.

정답 ③

다음 중 글의 제목으로 가장 적절한 것은?

2016년 3월을 생생히 기억한다. 알파고가 사람을 이겼다. '알파고가 뭔가 세상에 파란을 불러일으키지 않을까'라고 상상하고 있던 시기였다. 이른바 '알파고 모멘텀' 이후 에이아이(AI) 산업은 발전했지만, 기대만큼 성장했다고 보긴 어렵다. 킬러 애플리케이션(Killer Application)이 나오지 않았기 때문이다. 에이아이(AI) 챗봇이 상용화됐지만, 알파고가 줬던 놀라움만큼은 아니다.

2022년 11월 또 다른 모멘텀이 등장했다. 오픈에이아이(OpenAI)의 챗지피티(ChatGPT)다. 지금은 1억 명 이상이 챗지피티를 사용하고 있다. '챗지피티 모멘텀'이라고 불릴 만하다. 챗지피티가 알파고와 다른 점은 대중성이다. TV를 통해 알파고를 접했다면, 챗지피티는 내가 직접 체험할 수 있다.

많은 사람이 챗지피티는 모든 산업에 지각변동을 불러일으킬 것으로 기대한다. 챗지피티는 그 자체로 킬러 애플리케이션이다. 챗지피티는 알려진 바와 같이 2021년 9월까지 데이터만으로 학습했다. 그 이후 정보는 반영이 안 됐다. 챗지피티만으로는 우리가 원하는 답변을 얻기 힘들 수 있다. 오픈에이아이는 챗지피티를 왜 이렇게 만들었을까?

챗지피티는 '언어 모델'이다. '지식 모델'은 아니다. 챗지피티는 정보를 종합하고 추론하는 능력은 매우 우수하지만, 최신 지식은 부족하다. 세상 물정은 모르지만, 매우 똑똑한 친구다. 이 친구에게 나도 이해하기 어려운 최신 논문을 주고, 해석을 부탁해 볼 수 있지 않을까? 챗지피티에 최신 정보를 전달하고, 챗지피티가 제대로 답변하도록 지시하는 일은 중요하다. 다양한 산업에 챗지피티를 적용하기 위해서도 그렇다. 챗지피티가 추론할 정보를 찾아오는 시맨틱 검색(Semantic Search), 정확한 지시를 하는 프롬프트 엔지니어링(Prompt Engineering), 모든 과정을 조율하는 오케스트레이터(Orchestrator), 챗지피티와 같은 대형 언어 모델(Large Language Model)을 필요에 맞게 튜닝하는 일 등 서비스 영역에서 새로운 사업 기회를 찾을 수 있다.

챗지피티와 같은 대형 언어 모델 기반의 에이아이 산업 생태계는 크게 세 개다. 첫째, 오픈에이아이, 마이크로소프트, 구글과 같이 대형 언어 모델 자체를 제공하는 원천기술 기업, 둘째, 대형 언어 모델이 고객 요청에 맞게 작동하도록 개선하는 서비스기업, 셋째, 특정 도메인에서 애플리케이션을 제공하는 기업이다. 현재 대형 언어 모델을 만드는 빅테크 기업들이 주목받고 있지만, 실리콘밸리에서는 스케일에이아이(ScaleAI), 디스틸에이아이(Distyl AI), 퀀티파이(Quantiphi) 등 서비스기업들이 부상 중이다. 실제 업무에 활용하기엔 원천 기술만으로는 부족하기 때문이다. 엘지씨엔에스(LG CNS)도 서비스 기업이다. 우리나라에서도 많은 서비스 기업이 나와서 함께 국가 경쟁력을 높여 나가기를 기대해 본다.

① 챗지피티, 이제 서비스다
② 알파고 모멘텀, 그 끝은 어디인가?
③ 챗지피티야말로 킬러 애플리케이션이다
④ 대형 언어 모델 자체를 제공하는 빅테크기업에 주목하라

난이도 ⑧ ○ ⑨

[해설] 마지막 문단의 맨 끝 문장 "우리나라에서도 많은 서비스 기업이 나와서 함께 국가 경쟁력을 높여 나가기를 기대해 본다."를 볼 때, 제목으로 ①의 '챗지피티, 이제 서비스다'가 가장 적절하다.

[정답] ①

다음 글의 중심 내용으로 가장 적절한 것은?

과거 농경 사회에서는 한 사람이 태어나서 죽을 때까지 반경 10킬로미터를 벗어나지 않았다고 한다. 그렇다 보니 마을 사람들은 서로 다 아는 사이였다. 이런 작은 마을에서는 일거수일투족이 감시를 당하고 뉴스거리가 될 수 있다. 반면 지금의 도시민들은 어디를 가든 내가 모르고 나를 모르는 사람들에게 둘러싸여 있다. 그래서 우리가 해외여행을 가서 느끼는 그런 편안함이 일상 속에 있는 것이 사실이다. 누군가는 이런 모습을 '군중 속의 외로움'이라고 했지만, 사실 이는 '군중 속의 자유'이기도 하다. 1980년대에 우리가 아파트로 이사 갔던 큰 이유 중 하나는 문을 잠그고 외출하는 게 가능했기 때문이다. 이는 다른 말로 하면 내가 집에 있으나 없으나 무슨 일을 하든지 주변인들이 간섭하지 않는 자유를 가졌다는 뜻이다. 그게 우리의 도시 생활이다.

① 과거에 비해 현대인들은 더 넓은 반경의 공간을 경험하고 있다.
② 자유를 누리기 위해 살던 곳을 벗어나 해외여행을 떠나야 한다.
③ 현대인들은 주로 아파트에서 살고 있고 이웃에 대해 잘 알지 못한다.
④ 도시에 살게 되면서 익명성에 따른 자유를 누릴 수 있게 되었다.

난이도 ⑧ ○ ⑨

[해설] 제시된 글은 과거와 달리, 지금의 도시민들은 '군중 속의 자유'를 누린다는 내용이다. 따라서 제시된 글의 중심 내용으로 ④의 '도시에 살게 되면서 익명성에 따른 자유를 누릴 수 있게 되었다.'가 가장 적절하다.

[정답] ④

다음 중 글을 통해 파악할 수 있는 글쓴이의 성격으로 가장 적절한 것은?

인류는 우주의 중심이 아니라 가장자리에 있으며, 인류의 기적 같은 진화는 유대, 기독교, 이슬람이 전제하고 있는 바와 같이 초월자의 선택에 의해 결정됐거나 힌두, 불교가 주장하고 있는 것과는 달리 자연의 우연한 산물이다. 우주적인 관점에서 볼 때 인류의 가치는 동물의 가치와 근원적으로 차별되지 않으며, 그의 존엄성은 다른 동물의 존엄성과 근본적으로 차등 지을 수 없다. 자연은 한없이 아름답고 자비롭다. 미국 원주민이 대지를 '어머니'라고 부르는 것으로 알 수 있듯이 자연은 모든 생성의 원천이자 젖줄이다. 그것은 대자연, 즉 산천초목이보면 볼수록 느끼면 느낄수록 생각하면 생각할수록 신선하고 풍요하기 때문이다. 자연은 무한히 조용하면서도 생기에 넘치고, 무한히 소박하면서도 환상적으로 아름답고 장엄하고 거룩한 모든 것들의 모체이자 그것들 자체이다. 자연은 영혼을 가진 인류를 비롯한 유인원, 그 밖의 수많은 종류의 식물과 동물들 및 신비롭고 거룩한 모든 생명체의 고향이자 거처이며, 일터이자 휴식처이고, 행복의 둥지이며, 영혼을 가진 인간이 태어났던 땅이기 때문이다. 자연은 모든 존재의 터전인 동시에 그 원리이며 그러한 것들의 궁극적 의미이기도 하다. 자연은 생명 그 자체의 활기, 존재 자체의 아름다움의 표상이다. 또한 그것은 인간이 배워야 할 진리이며 모든 행동의 도덕적 및 실용적 규범이며 지침이며 길이다. 자연은 정복과 활용이 아니라 감사와 보존의 대상이다.

① 낭만주의자(浪漫主義者)

② 자연주의자(自然主義者)

③ 신비주의자(神祕主義者)

④ 실용주의자(實用主義者)

난이도 상 ○ 하

[해설] 제시된 글에서 가장 많이 반복되는 단어는 '자연'이다. 글쓴이의 주장은 마지막 문장 "자연은 정복과 활용이 아니라 감사와 보존의 대상이다."에 나와 있다. 따라서 제시된 글에 나타난 글쓴이의 성격은 '자연주의자'임을 알 수 있다.

정답 ②

다음 중 아래 글의 제목으로 가장 옳은 것은?

방정식이라는 단어는 '정치권의 통합 방정식', '경영에서의 성공 방정식', '영화의 흥행 방정식' 등 다양한 분야에서 애용된다. 수학의 방정식은 문자를 포함하는 등식에서 문자의 값에 따라 등식이 참이 되기도 하고 거짓이 되기도 하는 경우를 말한다. 통합 방정식의 경우, 통합을 하는 데 여러 변수가 있고 변수에 따라 통합이 성공하거나 실패할 수 있으므로 방정식이라는 표현은 대체로 적절하다.

그런데 방정식은 '변수가 많은 고차 방정식', '국내·국제·남북 관계의 3차 방정식'이란 표현에서 보듯이 차수와 함께 거론되기도 한다. 엄밀하게 따지면 변수의 개수와 방정식의 차수는 무관하다. 변수가 1개라도 고차 방정식이 될 수 있고 변수가 많아도 1차 방정식이 될 수 있다. 따라서 상황에 영향을 미치는 변수의 개수에 따라 m원 방정식으로, 상황의 복잡도에 따라 n차 방정식으로 구분할 필요가 있다. 또 4차 방정시까지는 근의 공식, 즉 일빈해가 존재하므로 해를 구할 수 없을 정도의 난맥상이라면 5차 방정식 이상이라는 표현이 안전하다.

① 수학 용어의 올바른 활용

② 실생활에서의 수학 공식의 적용

③ 방정식의 정의와 구성 요소

④ 수학 용어의 추상성과 엄밀성

난이도 상 ○ 하

[해설] 1문단에서 "통합 방정식의 경우, 통합을 하는 데 여러 변수가 있고 변수에 따라 통합이 성공하거나 실패할 수 있으므로 방정식이라는 표현은 대체로 적절하다."라고 하였다가, 2문단에서 "그런데 방정식은 '변수가 많은 고차 방정식', '국내·국제·남북 관계의 3차 방정식'이란 표현에서 보듯이 차수와 함께 거론되기도 한다. 엄밀하게 따지면 변수의 개수와 방정식의 차수는 무관하다."라고 하였다. 이를 볼 때, 제시된 글에서는 '방정식'의 용어를 활용할 때 옳은 경우와 그렇지 않은 경우를 함께 다루고 있다. 그러면서, "따라서 상황에 영향을 미치는 변수의 개수에 따라 m원 방정식으로, 상황의 복잡도에 따라 n차 방정식으로 구분할 필요가 있다. 또 4차 방정식까지는 근의 공식, 즉 일반해가 존재하므로 해를 구할 수 없을 정도의 난맥상이라면 5차 방정식 이상이라는 표현이 안전하다."라고 마무리를 짓고 있다. 따라서 제시된 글의 제목으로는 '수학 용어(방정식)의 올바른 활용'이 가장 적절하다.

오답분석
② '수학 공식'이 아닌 '수학 용어'의 활용에 대해 다룬 글이다.

③ '방정식의 정의와 구성 요소'를 다루고 있는 글이 아니다.

④ '수학 용어의 추상성과 엄밀성'을 다루고 있는 글이 아니다.

정답 ①

다음 글을 통해 주장할 수 있는 언어 순화의 방향으로 가장 적절한 것은?

일반 소비자들은 '다방'보다는 '커피숍'에 갈 때에, '커피숍'보다는 '카페'에 갈 때에 더 많은 금전 지출을 각오한다. 목장에서 소의 '젖'을 짜서 공장에 보내면 용기에 담아 넣고 '우유'라는 이름으로 시장에 내놓는다. 그리고 이것을 서비스 업소에서 고객에게 '밀크'로 제공하면서 계속 부가 가치가 높아져 간다. 가난한 사람은 '단칸방'에 세 들고 부자는 '원룸'에서 사는 것을 언어를 통하여 내면화하고 있는 것이 현실이다. 곧 토착어에서 한자어로, 또 서구 외래어로 변신할 때마다 당당히 이윤을 더 비싸게 붙일 수 있는 위력이 생긴다는 것이다. 이 사례는 외래어가 상품의 사용 가치보다는 교환 가치를 높이는 데에 이용된다는 것을 보여 준다.

① 경제적 가치를 반영하는 방향
② 소비자의 이익을 위하는 방향
③ 토착어의 순수성을 지키는 방향
④ 의사소통의 공통성을 강화하는 방향

난이도 ⓢ ◯ ⓗ

해설 "이 사례는 외래어가 상품의 사용 가치보다는 교환 가치를 높이는 데에 이용된다는 것을 보여 준다."를 볼 때, 글쓴이는 '상품의 사용 가치'보다는 '교환 가치'를 높이는 데 외래어가 이용되는 것을 부정적으로 바라보고 있음을 짐작할 수 있다. 이를 볼 때, 제시된 글을 통해 '상품의 사용 가치'를 높이는 쪽으로 언어 순화의 방향이 진행되어야 한다는 주장을 할 수 있을 것이다. '상품의 사용 가치'는 결국 '소비자의 이익'과 관련이 있기 때문에, 제시된 글을 통해 주장할 수 있는 언어 순화의 방향은 '소비자의 이익을 위하는 방향'일 것이다.

오답 분석 ① 글에 제시된 사례에 부합하는 내용이기 때문에, 적절하지 않다.

③, ④ 제시된 글의 내용과 관련이 없는 내용이기 때문에, 적절하지 않다.

정답 ②

다음 글의 제목으로 가장 적절한 것은?

경제 주체들은 시장을 통해 필요한 재화를 얻거나 제공하며, 재화가 자신들에게 유리하게 배분되도록 노력한다. 그러나 시장을 통한 재화의 배분이 어렵거나 시장 자체가 존재하지 않는 경우도 있다. 이때, 시장 제도를 적절히 설계하면 경제 주체들의 이익을 최대한 충족시키면서 재화를 효율적으로 배분할 수 있는데, 이를 '시장 설계'라고 한다. 시장설계의 방법은 양방향 매칭과 단방향 매칭이 있다. 양방향 매칭은 두 집합의 경제 주체들을 서로에 대해 갖고 있는 선호도를 최대한 배려하여 쌍으로 맺어주는 것이다. 그리고 단방향 매칭은 경제 주체들이 지니고 있는 재화를 재분배하여 더 선호하는 재화를 선택할 수 있는 방법을 찾는 것이다. 결국 양방향 매칭은 경제 주체들 간의 매칭을, 단방향 매칭은 경제 주체에게 재화를 배분하는 매칭을 찾는 것이라고 할 수 있다.

① 시장 설계와 방법
② 재화 배분과 방법
③ 매칭의 선택과 방법
④ 경제 주체와 매칭

난이도 ⓢ ◯ ⓗ

해설 제시된 글에서는 '시장 설계'의 개념을 정의하고, 시장 설계의 방법인 '양방향 매칭'과 '단방향 매칭'에 대해 설명하고 있다. 따라서 제시된 글의 제목으로는 '시장 설계와 방법'이 가장 적절하다.

정답 ①

다음 글의 제목으로 가장 적절한 것은?

> 당시 영국의 곡물법은 식량 가격의 인상을 유발하지 않으면서도 자국의 농업 생산을 장려하고자 하는 목적에서 제정된 것으로, 이 법에 따라 영국 정부는 수입 곡물에 대해 탄력적인 관세율을 적용하여 곡가(穀價)를 적정하게 유지하고자 하였다. 그런데 나폴레옹전쟁 이후 전시 수요는 크게 둔화된 반면, 대륙봉쇄가 풀리면서 곡물 수입이 활발해짐에 따라 식량 가격은 하락하기 시작했다. 이에 농부들은 수입 곡물에 대해 관세를 더욱 높일 것을 요구하였다. 아울러 이러한 요구는 국력의 유지와 국방의 측면을 위해서도 국내 농업생산 보호가 필요하다는 지주들의 주장에 의해 뒷받침되었다. 이와는 달리, 공장주들은 수입 곡물에 대한 관세 인상을 반대하였다. 관세가 인상되면 곡가가 오르고 임금도 오르게 되며, 그렇게 되면 이윤이 감소하고 제조품의 수출도 감소하여 마침내 제조업의 파멸을 초래하게 된다는 것이었다. 이에 공장주들은 영국의 미래는 농업이 아니라 공업의 확장에 달려 있다고 주장하면서 곡물법의 즉각적인 철폐를 요구하기에 이르렀다.

① 영국 곡물법의 개념
② 영국 곡물법의 철폐
③ 영국 곡물법에 대한 의견
④ 영국 곡물법의 제정과 변화

난이도 상 ○ 하

해설 "나폴레옹전쟁 이후 전시 수요는 크게 둔화된 반면, 대륙봉쇄가 풀리면서 곡물 수입이 활발해짐에 따라 식량 가격은 하락하기 시작했다." 이후에 '영국 곡물법'에 대한 '농부들'의 입장과 '공장주들'의 입장을 제시하고 있다. 따라서 제시된 글의 제목으로는 '영국 곡물법에 대한 의견'이 가장 적절하다.

정답 ③

다음 중 버크의 견해로 가장 적절한 것은?

> 18세기 영국의 사상가 버크는 프랑스 혁명의 과정을 지켜보면서, 국민 대중에 대하여 회의를 갖게 되었다. 일반 국민이란 무지하고 교육을 받지 못한 다수를 의미하기 때문에 그다지 신뢰할 만하지 않다는 이유에서이다. 그래서 그는 계약에 의해 선출된 능력 있는 대표자가 국민을 대신하여 지도자로서 국가를 운영케 하는 방식의 대의제를 생각해 냈다. 재산이 풍족하여 교육을 충분히 받아 사리에 밝은 사람들이 그렇지 못한 다수 사람들의 이익을 위해 행동하는 편이 훨씬 효율적이라고 생각한 것이다. 그가 말하는 대의제란 지도자가 성숙한 판단과 계몽된 의식을 가지고 국민을 대신하여 일하는 것을 요체로 한다. 여기서 대의제의 본질은 국민을 대표하기보다 국민을 대신한다는 의미에 가깝다. 즉 버크는 대중이 그들 자신을 위한 유·불리의 이해관계를 알지 못한다는 가정을 전제로, 분별력 있는 지도자가 독립적 판단을 통해 국가를 이끌어가야 한다고 했던 것이다. 버크에 따르면 국민은 지도자와 상호 '신의 계약'을 체결했다기보다는 '신탁 계약'을 했다는 것이다. 그러므로 지도자에게는 개별 국민들의 요구와 입장을 성실하게 경청해야 할 의무 대신에, 국민 전체의 이익이 무엇인가를 스스로 판단해서 대신할 의무가 있다. 그는 만약 지도자가 국민의 의견을 좇아 자신의 판단을 단념한다면 그것은 국민에게 봉사하는 것이 아니라 국민을 배신하는 것이라고 했다.

① 지도자는 국민 다수의 의견을 따라야 한다.
② 국민은 지도자에게 자신의 모든 권리를 위임한다.
③ 성공적인 대의제를 위해서는 탁월한 지도자를 선택하는 국민의 자질이 중요하다.
④ 국민은 지도자를 선택한 이후에도 다수결을 통해 지도자의 결정에 대한 수용과 비판의 지속적인 태도를 보여 주어야 한다.

난이도 상 ○ 하

해설 "버크에 따르면 국민은 지도자와 상호 '신의 계약'을 체결했다기보다는 '신탁 계약'을 했다는 것이다."를 볼 때, 국민은 지도자에게 자신의 모든 권리를 위임함을 짐작할 수 있다.

오답분석 ① "그는 만약 지도자가 국민의 의견을 좇아 자신의 판단을 단념한다면 그것은 국민에게 봉사하는 것이 아니라 국민을 배신하는 것이라고 했다."를 볼 때, 버크의 견해로 보기 어렵다.

③, ④ 버크는 국민 대중에 대해 신뢰할 만하지 않다고 하며, 회의적 시각을 가진 인물이다. 따라서 국민의 자질이 중요하다거나 국민의 태도에 대한 것은 버크의 견해로 보기 어렵다.

정답 ②

글쓴이의 견해에 부합하는 것은?

> 문화란 공동체의 구성원들이 공유하는 생각과 행동 양식의 총체라고 할 수 있다. 문화를 연구하는 사람들의 주된 관심사는 특정 생각과 행동 양식이 하나의 공동체 안에서 전파되는 기제이다.
>
> 이에 대한 견해 중 하나는 문화를 생각의 전염이라는 각도에서 바라보는 것이다. 예컨대, 리처드 도킨스는 '밈(meme)'이라는 개념을 통해 생각의 전염 과정을 설명하고자 했다. 그에 따르면 문화는 복수의 밈으로 이루어져 있는데, 유전자에 저장된 생명체의 주요 정보가 번식을 통해 복제되어 개체군 내에서 확산되듯이, 밈 역시 유전자와 마찬가지로 공동체 내에서 복제를 통해 확산된다.
>
> 그러나 문화 전파의 기제를 설명하는 이론으로는 밈 이론보다 의사소통 이론이 더 적절해 보인다. 일례로 요크셔 지역에 내려오는 독특한 푸딩 요리법은 누군가가 푸딩 만드는 것을 지켜본 후 그것을 그대로 따라 하는 방식으로 전파되었다기보다는 요크셔 푸딩 요리법에 대한 부모와 친척, 친구들의 설명을 통해 입에서 입으로 전파되고 공유되었을 가능성이 크다.
>
> 생명체의 경우와 달리 문화는 완벽하게 동일한 형태로 전파되지 않는다. 전파된 문화와 그것을 수용한 결과는 큰 틀에서는 비슷하더라도 세부적으로는 다를 수밖에 없다. 다시 말해 요크셔 지방의 푸딩 요리법은 다른 지방의 푸딩 요리법과 변별되는 특색을 지니는 동시에 요크셔 지방 내부에서도 가정이나 개인에 따라 약간씩의 차이를 보인다. 이는 푸딩 요리법의 수신자가 발신자가 전해 준 정보에다 자신의 생각을 덧붙였기 때문인데, 복제의 관점에서 문화의 전파를 설명하는 이론으로는 이와 같은 현상을 설명하기 어렵다. 반면, 의사소통 이론으로는 설명 가능하다. 이에 따르면 사람들은 자신이 들은 이야기를 남에게 전달할 때 들은 이야기에다 자신의 생각을 더해서 그 이야기를 전달하기 때문이다.

① 문화의 전파 기제는 밈 이론보다는 의사소통 이론으로 설명하는 것이 적절하다.

② 의사소통 이론에 따르면 문화의 수용 과정에는 수용 주체의 주관이 개입하지 않는다.

③ 의사소통 이론에 따르면 특정 공동체의 문화는 다른 공동체로 복제를 통해 전파될 수 있다.

④ 요크셔 푸딩 요리법이 요크셔 지방의 가정이나 개인에 따라 세부적인 차이를 보이는 현상은 밈 이론에 의해 설명할 수 있다.

난이도 상 ○ 하

[해설] 3문단에서 "그러나 문화 전파의 기제를 설명하는 이론으로는 밈 이론보다 의사소통 이론이 더 적절해 보인다."라고 글쓴이는 자신의 견해를 밝히고 있다.

[오답분석]

② 4문단의 "의사소통 이론으로는 설명 가능하다. 이에 따르면 사람들은 자신이 들은 이야기를 남에게 전달할 때 들은 이야기에다 '자신의 생각을 더해서' 그 이야기를 전달하기 때문이다."를 볼 때, '주관'이 개입하지 않는다는 것은 글쓴이의 견해에 부합하지 않는다.

③ 2문단의 "밈 역시 유전자와 마찬가지로 공동체 내에서 복제를 통해 확산된다."를 볼 때, 복제를 통해 전파되는 것은 '의사소통 이론'이 아닌 '밈 이론'에 따른 것이다.

④ '요크셔 푸딩 요리법'은 3문단의 "문화 전파의 기제를 설명하는 이론으로는 밈 이론보다 의사소통 이론이 더 적절해 보인다."라는 글쓴이의 견해에 대한 예시이다. 따라서 '밈 이론'에 의해 설명할 수 있다는 이해는 적절하지 않다.

정답 ①

다음 글의 논지와 가까운 것은?

> 괴테는 인간의 목표가 각자의 개성과 존엄성을 통해 보편성에 이르는 데 있다고 보았다. 즉 그는 자연이라는 근원에서 나온 개체에 대해서는 자연과 동일한 권리를 부여하였지만, 개체와 근원 사이에 존재하는 중간 단계에 대해서는 상대적으로 관심이 적었다. 그리하여 나폴레옹이 그의 조국을 점령하였을 때에 그는 피히테만큼 열성적으로 활동하지는 않았다. 물론 그도 자기 민족의 자유를 원했고 조국에 대해 깊은 애정을 표시했지만, 그의 마음을 더욱 사로잡은 것은 인간성이나 인류와 같은 관념이었다. 이런 점에서 볼 때, 괴테는 집단의식보다는 개인의 존엄성을 더 중시했다고 할 수 있다.
>
> 그런데 이전보다 훨씬 다양한 집단에 속한 채 살아야 하는 현대인에게는 개인과 집단의 관계를 어떻게 설정하느냐 하는 문제가 더욱 중요하게 떠오른다. 이러한 문제가 발생할 때 다수의 논리를 내세워 개인의 의지를 배제한다면 그것은 바람직한 해결책이라 할 수 없다. 현대사회가 추구하는 효율성의 원칙만을 내세워 집단을 개인의 우위에 두면 '진정한 인간성'이 계발되기 어렵다. 그러므로 우리는 개인이 조직 사회에 종속됨으로써 정신적 독립성을 잃게 되는 위험성을 항상 경계해야 한다.
>
> 오늘날 우리는 괴테의 의미를 새롭게 발견한다. 그는 현대의 공기를 마셔 보지 않았지만 대단히 현대적인 시각에서 우리에게 충고를 하고 있다. 지금 진행되고 있는 이 무서운 드라마를 끝내기 위해서는 모든 사람이 다 함께 '진정한 인간성'을 추구해야 한다. 물질적 편리함을 위해 정신적 고귀함을 간단히 양보해 버리고, 집단의 목적을 위해 개인의 순수성을 쉽게 배제해 버리는 세태 속에서 우리는 자신의 혼을 가진 인간으로 살기 위해 노력해야 한다. 이런 점에서, 순수하고 고결한 인간성을 부르짖는 괴테의 외침은 사람 자체를 존중하는 마음이 사라져 가는 오늘날의 심각한 병폐를 함께 치유하자는 세계사적 선서의 의미를 지닌다. 모든 사람들이 각자 '진정한 인간성'을 행동으로 실천한다면, 현대 사회의 비인간화 현상은 극복될 수 있을 것이다.

① 개인과 집단 사이에는 갈등이 있을 수 없다. 집단의 이익이 개인의 이익이며, 개인의 이익이 집단의 이익이다.

② 개인이 집단의 목적에 맹목적으로 따르는 것은 민주 시민의 올바른 자세가 아니다. 비판이 없는 집단은 자기 발전이 없다.

③ 개인의 존엄성은 상대적인 것이다. 따라서 개인도 자기 목소리만을 높일 것이 아니라 집단의 목표에 부합하도록 노력해야 한다.

④ 진정한 인간성은 이기주의와는 다르다. 개인의 독립성을 지나치게 주장하여 운영에 차질을 주면 그것도 바람직하지 않다.

⑤ 다수의 논리를 내세워 개인의 의지를 꺾는 것도 잘못이지만, 개인의 의지가 다수의 논리를 무시하는 것은 더 큰 문제이다.

난이도 (상) ○ (하)

TIP 명백한 글의 논지를 제시하지 않아서, 수험생을 함정에 빠트리려는 의도가 있는 문제이다. 이럴 때는 답으로부터 거리가 먼 선택지를 '소거'하며 문제를 푼다!

해설 글쓴이는 "집단의 목적을 위해 개인의 순수성을 쉽게 배제해 버리는 세태 속에서 우리는 자신의 혼을 가진 인간으로 살기 위해 노력해야 한다."라고 주장하고 있다. 즉 집단의 목적에 맹목적으로 따르는 것이 올바른 자세가 아니라는 것이다. 그 노력으로 "모든 사람들이 각자 '진정한 인간성'을 행동으로 실천한다면, 현대 사회의 비인간화 현상은 극복될 수 있을 것이다."라고 생각하고 있다. 집단의 목적을 위해 '개인의 순수성'을 배제할 것이 아니라 자신의 혼을 가진, 즉 자신의 생각을 말할 수 있는 궁극적으로 비판을 자유롭게 이야기 할 때에라야(= '진정한 인간성'의 실천) 집단도 발전하고 개인도 발전하게 된다는 것이 이 글의 논지이다. 따라서 글의 논지에 가장 가까운 것은 ②이다.

오답 분석
① 집단 간의 '이익과 갈등'은 글의 논지로부터 거리가 멀다.

③ '개인의 존엄성'이 상대적이라는 것은 글의 논지가 아니다.

④ '진정한 인간성'이라는 단어를 언급한 함정이다. '진정한 인간성'과 '이기주의'의 차이점이 제시된 글의 논지가 아니다.

⑤ '소수 개인의 의지'나 '다수의 논리' 간의 관계가 글의 초점이 아니다.

정답 ②

PART 1 비문학 해커스공무원 해원국어 기출정해 1000제 1권 비문학·문학

다음 글의 주제로 가장 적절한 것은?

> 예전에 '혐오'는 대중에게 관심을 끄는 말이 아니었지만, 요즘에는 익숙하게 듣는 말이 되었다. 이는 과거에 혐오가 존재하지 않았다는 말이 아니다. 단지 최근 몇 년 사이에 이 문제가 폭발하듯 가시화되었다는 뜻이다. 혐오 현상은 외계에서 뚝 떨어진 괴물이 만들어 낸 것이 아니라, 거기엔 자체의 역사와 사회적 배경이 반드시 선행한다.
>
> 이 문제를 바라볼 때 주의 사항이 있다. 혐오나 증오라는 특정 감정에 집착해선 안 된다는 것이다. 혐오가 주제인데 거기에 집중하지 말라니, 얼핏 이율배반처럼 들리지만 이는 매우 중요한 포인트다. 왜 혐오가 나쁘냐고 물어보면 많은 사람들은 이렇게 답한다. "나쁜 감정이니까 나쁘다.", "약자와 소수자를 차별하게 만드니까 나쁘다." 이 대답들은 분명 선량한 마음에서 나온 것이다. 하지만 문제의 성격을 오인하게 만들 수 있다. 혐오나 증오라는 감정에 집중할수록 우린 '달을 가리키는 손가락만 바라보는' 잘못을 범하기 쉬워진다.
>
> 인과관계를 혼동하면 곤란하다. 우리가 문제시하고 있는 각종 혐오는 자연 발생한 게 아니라 사회적으로 형성된 감정이다. 사회문제의 기원이나 원인이 아니라, 발현이며 결과다. 더 정확히 말하자면 혐오는 증상이다. 증상을 관찰하는 일은 중요하지만 거기에만 매몰되면 곤란하다. 우리는 혐오나 증오 그 자체를 사회악으로 지목해 도덕적으로 지탄하는 데서 그치지 말아야 한다.

① 혐오 현상에는 인과관계가 존재하지 않는다.
② 혐오 현상은 선량한 마음으로 바라보아야 한다.
③ 혐오 현상을 만들어 내는 근본 원인을 찾아야 한다.
④ 혐오라는 감정에 집중할수록 사회문제는 잘 보인다.

난이도 ㊊ ○ ㊦

TIP 문단이 3개이다. 문단이 늘어날 때는 첫 문단과 마지막 문단을 잘 보아야 한다. 제시된 글은 마지막 문단이 관건이다.

해설 3문단에서 글쓴이는 "인과 관계를 혼동하면 곤란하다."라고 명시하고 있다. 즉 "증상을 관찰하는 일은 중요하지만 거기에만 매몰되면 곤란하다. 우리는 혐오나 증오 그 자체를 사회악으로 지목해 도덕적으로 지탄하는 데서 그치지 말아야 한다."라는 의미는 '혐오'라는 감정 그 자체보다 그것을 만들어 내는 '근본 원인'을 찾을 필요가 있다는 것이다. 따라서 제시된 글의 주제는 ③이다.

정답 ③

〈보기〉에서 말하고자 하는 바로 가장 적절한 것은?

> ───── 〈보기〉 ─────
>
> 기존의 대부분의 일제 시기 근대화 문제에 관한 연구는 다양한 입장 차이에도 불구하고 대단히 대립적인 두 가지 주장으로 정리될 수 있다. 즉 일제가 조선을 지배하지 않았다면 조선에서는 근대적 변혁이 제대로 이루어지지 않았을 것이라는 주장과, 일제의 조선 지배는 한국 근대화를 압살하였기 때문에 결국 근대는 해방 이후부터 시작될 수밖에 없었다는 주장이 그것이다. 두 주장 모두 일제의 조선 지배에도 불구하고 조선인들이 주체적으로 대응했던 역사가 탈락되어 있다. 일제 시기의 역사가 한국 역사의 일부가 되기 위해서는 민족 해방 운동 같은 적극적인 항일 운동뿐만 아니라, 지배의 억압 속에서도 치열하게 삶을 영위해 가면서 자기 발전을 도모해 나간 조선인의 역사도 정당하게 평가되지 않으면 안 된다.

① 일제의 조선 지배는 한국에게서 근대화의 기회를 빼앗았다.
② 일제의 지배에 주체적으로 대응한 조선인의 역사도 정당하게 평가되어야 한다.
③ 일제가 조선을 지배하지 않았다면 조선에서는 근대화가 이루어지지 않았을 것이다.
④ 조선인들은 일제하에서도 적극적인 항일 운동으로 역사에 주체적으로 대응해 나갔다.

난이도 ㊊ ○ ㊦

TIP 문단이 하나일 때는 주제문이 어디에 있는지 첫 문장, 마지막 문장을 확인해야 한다!
다만 제시된 문제는 난도를 높이기 위해 마지막에 주제문을 제시하고, 여기에 부연을 추가한 경우이다.

해설 글쓴이는 〈보기〉의 "두 주장 모두 일제의 조선 지배에도 불구하고 조선인들이 주체적으로 대응했던 역사가 탈락되어 있다."에 글의 논지를 제시하고 있다. 더불어 마지막 문장에서 주체적으로 탈락된 내용과 함께 이들을 정당하게 평가해야 함을 부연하여 밝히고 있다. 따라서 이를 가장 잘 정리한 ②가 답이다.

오답분석 ① '일제의 조선 지배는 한국에게서 근대화의 기회를 빼앗았다.'라는 주장에 대해 글쓴이는 조선인들이 주체적으로 대응했던 역사가 탈락되어 있다고 생각하고 있다. 따라서 글쓴이의 주장은 아니다.

③ '일제가 조선을 지배하지 않았다면 조선에서는 근대화가 이루어지지 않았을 것이다.'라는 주장에 대해 글쓴이는 조선인들이 주체적으로 대응했던 역사가 탈락되어 있다고 생각하고 있다. 따라서 글쓴이의 주장은 아니다.

④ '조선인들은 일제하에서도 적극적인 항일 운동으로 역사에 주체적으로 대응해 나갔다.'라는 진술 자체는 사실이지만, 그 자체가 글쓴이의 주장은 아니다.

정답 ②

054 ○○○ 2021 지방직 9급

다음 글의 결론으로 가장 적절한 것은?

인공지능(AI)은 비즈니스 패러다임을 획기적으로 바꾸고 있다. 인공지능은 생물학 분야에도 광범위하게 영향을 미칠 것이며, 애완동물이 인공지능(AI)으로 대체될 수도 있을 것이다. 인공지능(AI)은 스스로 수학도 풀고 글도 쓰고 바둑을 두며 사람을 이길 수도 있다. 어느 영화에서처럼 실제로 인간관계를 대신할 수도 있다. 인공지능(AI)은 배우면서 성장할 수도 있다. 인공지능(AI)이 사람보다 똑똑해질 수 있을지도 모른다.

인공지능(AI)이 사람보다 똑똑해질 수 있는지는 차치하고, 인공지능(AI)이 사람을 게으르게 만들 수도 있지 않을까? 이 게으름은 우리의 건강과 행복, 그리고 일상생활의 패턴을 바꿔 놓을 수도 있다.

인공지능(AI)이 앱을 통해 좀 더 편리한 삶을 제공하여 사람의 뇌를 어떻게 바꾸는지를 일상에서 보여 주는 대표적 사례가 바로 GPS다. 불과 몇 년 전만 해도 지도를 보고 스스로 거리를 가늠하고 도착 시간을 계산했던 운전자들이 내비게이션의 등장으로 어디에서 어떻게 가라는 기계속 음성에 전적으로 의존하기 시작했다. 예전의 방식으로도 충분히 잘 찾아가던 길에서조차 습관적으로 내비게이션을 켠다. 이것이 없으면 자주 다니던 길도 제대로 찾지 못하고 멀쩡한 어른도 길을 잃는다.

이와 같이 기계에 의존해서 인간이 살아가는 사례는 오늘날 우리의 두뇌가 게을러진 것을 보여 주는 여러 사례 가운데 하나일 뿐이다. 삶을 더 편하게 해 준다며 지름길을 제시하는 도구들이 도리어 우리의 기억력과 창조력을 퇴보시키고 있다. 인간을 태만하고 나태하게 만들어 뇌의 가장 뛰어난 영역인 상상력을 활용하지 않도록 만드는 것이다.

① 인간의 인공지능(AI)에 대한 독립성은 지속적으로 증가하게 될 것이다.

② 인공지능(AI)으로 인해 인간의 두뇌가 게을러지는 부작용이 발생하게 될 것이다.

③ 인공지능(AI)은 인간을 능가하는 사고력을 가질 것이다.

④ 인공지능(AI)은 궁극적으로 상상력을 가지게 될 것이다.

난이도 ○ 중 하

[해설] 사람들이 인공지능(AI)에 의존할수록 우리의 두뇌가 게을러질 수 있다는 것을 '내비게이션'을 사례로 들어 이야기하고 있다. 따라서 글쓴이는 결국 '인공지능(AI)으로 인해 인간의 두뇌가 게을러지는 부작용이 발생하게 될 것이다.'라는 결론을 내리고 있다.

[오답분석] ① 내비게이션의 사례만 보더라도, 글쓴이는 인공지능에 점점 더 '의존'하게 되는 것을 경계하고 있다. 따라서 독립성이 지속적으로 증가하게 될 것이라는 것은 글의 결론으로 적절하지 않다.

③ 1문단에서 "인공지능(AI)이 사람보다 똑똑해질 수 있을지도 모른다." 부분을 볼 때, 글쓴이는 인공지능(AI)이 인간을 능가하는 사고력을 가질 것이라고 인정하고 있다. 그런데 2문단에서 "인공지능(AI)이 사람보다 똑똑해질 수 있는지는 차치하고"라고 하였다. 이를 볼 때, '인공지능(AI)은 인간을 능가하는 사고력을 가질 것이다.'는 제시된 글의 중심 내용은 아니다. 따라서 제시된 글의 결론으로 적절하지 않다.

④ 제시된 글에서 글쓴이는 인간이 상상력을 활용하지 않도록 만드는 것에 대해 경계하고 있다. 따라서 '인공지능(AI)은 궁극적으로 상상력을 가지게 될 것이다.'는 제시된 글의 결론으로 적절하지 않다.

정답 ②

055 ○○○ 2021 국회직 8급

다음 글의 제목으로 적절한 것은?

철로 옆으로 이사를 가면 처음 며칠 밤은 기차가 지나갈 때마다 잠에서 깨지만 시간이 흘러 기차 소리에 친숙해지면 그러지 않는다. 왜 그럴까? 귀에서 포착한 소리 정보가 뇌에 전달되는 과정에서 물리학적인 음파의 속성은 서서히 의미를 가진 정보로 바뀐다. 이 과정에서 감정을 담당하는 변연계에도 정보가 전달되어 모든 소리는 의식적이든 무의식적이든 감정을 유발한다. 또 소리 정보 전달 과정은 기억 중추에도 연결되어 있어서 현재 들리는 모든 소리는 기억된 소리와 비교된다. 친숙하며 해가 없는 것으로 기억되어 있는 소리는 우리의 의식에 거의 도달하지 않는다. 그래서 이미 익숙해진 기차 소음은 뇌에 전달은 되지만 의미 없는 자극으로 무시된다. 동물들은 생존하려면 자기에게 중요한 소리를 들을 수 있어야 한다. 특히 즉각적인 반응을 보여야 하는 경우에는 더욱 그렇다. 그래서 동물들은 자신의 천적이나 먹이 또는 짝짓기 상대방이 내는 소리는 매우 잘 듣는다. 사람도 같은 방식으로 반응한다. 아무리 시끄러운 소리에도 잠에서 깨지 않는 사람이라도 자기 아기의 울음소리에는 금방 깬다. 이는 인간이 소리를 듣는다는 것은 외부의 소리가 귀에 전달되는 것을 그대로 듣는 수동적인 과정이 아니라 소리가 뇌에서 재해석되는 과정임을 의미한다. 자기 집을 청소할 때 들리는 청소기의 소음은 견디지만 옆집 청소기 소음은 참기 어려운 것도 그 때문이다.

① 소리의 선택적 지각

② 소리 자극의 이동 경로

③ 소리의 감정 유발 기능

④ 인간의 뇌와 소리와의 관계

⑤ 동물과 인간의 소리 인식 과정 비교

난이도 ○ 중 하

[해설] "친숙하며 해가 없는 것으로 기억되어 있는 소리는 우리의 의식에 거의 도달하지 않는다. 그래서 이미 익숙해진 기차 소음은 뇌에 전달은 되지만 의미 없는 자극으로 무시된다. 동물들은 생존하려면 자기에게 중요한 소리를 들을 수 있어야 한다." 부분을 볼 때, 제시된 글에서는 결국 우리가 소리를 선택적으로 지각한다는 것이다. 따라서 제시된 글의 제목으로는 '소리의 선택적 지각'이 가장 적절하다.

정답 ①

다음 글의 주장으로 가장 적절한 것은?

> 우리에게 친숙한 동물들의 사소한 행동을 살펴보면 그들이 자신의 환경을 개조한다는 것을 알 수 있다. 가장 단순한 생명체는 먹이가 그들에게 헤엄쳐 오게 만들고, 고등동물은 먹이를 구하기 위해 땅을 파거나 포획 대상을 추적하기도 한다. 이처럼 동물들은 자신의 목적을 위해 행동함으로써 환경을 변형시킨다. 이러한 생존 방식을 흔히 환경에 적응하는 것으로 설명한다. 그러나 이러한 설명은 생명체들이 그들의 환경 개변(改變)에 능동적으로 행동한다는 중요한 사실을 놓치고 있다.
>
> 가장 고등한 동물인 인간도 다른 생명체와 마찬가지로 생존이나 적응을 넘어서 환경에 대해 적극성을 보인다. 이는 인간의 세 가지 충동—사는 것, 잘 사는 것, 더 잘 사는 것—으로 인하여 가능하다. 잘 살기 위한 노력은 순응적이기보다는 능동적인 모습으로 나타나게 된다. 인간도 생명체이다. 더 잘 살기 위해서는 환경에 순응할 수만은 없다.

① 인간은 환경에 적응해 왔다.
② 삶의 기술은 생존을 위한 것이다.
③ 생명체는 환경을 능동적으로 변형한다.
④ 인간은 잘 사는 것을 삶의 목표로 한다.

난이도 ⓒ ⑧ ⑨

[해설] 1문단의 "이러한 생존 방식을 흔히 환경에 적응하는 것으로 설명한다. 그러나 ~ 환경 개변(改變)에 능동적으로 행동한다는 중요한 사실을 놓치고 있다."에 글쓴이의 중심 생각이 제시되어 있다. 제시된 글의 1문단과 2문단에서 동물과 인간은 자신의 목적을 위해 능동적으로 환경을 개조·변형시킨다는 내용이 반복되고 있다. 즉 단순히 환경에 적응하는 게 아니라 능동적으로 행동하는 것이 글쓴이의 주장이다.

[오답분석]
① "이러한 생존 방식을 흔히 환경에 적응하는 것으로 설명한다. 그러나 ~ 환경 개변(改變)에 능동적으로 행동한다는 중요한 사실을 놓치고 있다." 부분을 볼 때 글쓴이의 생각과 일치하지 않는다.
② 2문단에서 "인간도 다른 생명체와 마찬가지로 생존이나 적응을 넘어서 환경에 대해 적극성을 보인다."라고 하였다. 따라서 '생존'을 위한 것이라는 것은 글쓴이의 주장이 되기 어렵다.
④ 인간이 환경에 적극성을 보이는 이유가 인간의 충동인 '잘 사는 것' 때문이라고 말하고 있다. 따라서 잘 사는 것 자체가 목표라는 것은 제시된 글의 주장으로 보기 어렵다.

정답 ③

다음 글의 주장으로 가장 적절한 것은?

> 예술 작품의 복제 기술이 좋아지고 있음에도 불구하고 원본을 보러 가는 이유는 무엇인가? 예술 작품의 특성상 원본 고유의 예술적 속성을 복제본에서는 느낄 수 없다고 생각하는 경향이 강하기 때문이다. 사진은 원본인지 복제본인지 중요하지 않지만, 회화는 붓 자국 하나하나가 중요하기 때문에 복제본이 원본을 대체할 수 없다고 생각하는 사람들이 많다.
>
> 그러나 이러한 생각은 잘못이다. 회화와 달리 사진의 경우, 보통은 '그 작품'이라고 지칭되는 사례들이 여러 개 있을 수 있다. 20세기 위대한 사진작가 빌 브란트가 마음만 먹었다면, 런던에 전시화 인화본의 조도를 더 낮추는 방식으로 다른 곳에 전시한 것과 다른 예술적 속성을 갖게 할 수 있었을 것이다. 이것은 사진의 경우, 작가가 재현적 특질을 선택하고 변형할 수 있는 방법이 다양함을 의미한다.

① 복제본의 예술적 가치는 원본을 뛰어넘을 수 없다.
② 복제 기술 덕분에 예술의 매체적 특성이 비슷해졌다.
③ 복제본의 재현적 특질을 변형하는 방법은 제한적이다.
④ 복제본도 원본과는 다른 별개의 예술적 특성을 담보할 수 있다.

난이도 ⓒ ⑧ ⑨

[해설] 1문단의 "복제본이 원본을 대체할 수 없다고 생각하는 사람들이 많다."에 대해서, 2문단에서 "그러나 이러한 생각은 잘못이다."라고 하면서, "~ 다른 곳에 전시한 것과 다른 예술적 속성을 갖게 할 수 있었을 것이다." 라고 하였다. 즉 제시된 글의 글쓴이는 복제본도 별개의 예술적 속성을 가진다고 생각하고 있다. 따라서 제시된 글의 주장으로 가장 적절한 것은 ④이다.

[오답분석]
① 1문단의 "복제본이 원본을 대체할 수 없다고 생각하는 사람들이 많다."에 대해서, 2문단에서 "그러나 이러한 생각은 잘못이다."라고 하였다. 따라서 복제본의 예술적 가치는 원본을 뛰어넘을 수 없다는 글쓴이의 주장이 아니다.
② 1문단의 "예술 작품의 복제 기술이 좋아지고" 부분을 통해 복제 기술이 좋아졌음은 알 수 있다. 그러나 그 덕분에 예술의 매체적 특성이 비슷해졌다는 내용은 제시된 글을 통해 알 수 없다.
③ 2문단의 "작가가 재현적 특질을 선택하고 변형할 수 있는 방법이 다양함을 의미한다."를 볼 때, 복제본의 재현적 특질을 변형하는 방법은 제한적이라는 진술은 제시된 글의 주장과 상반된다.

정답 ④

다음 글의 제목으로 가장 적절한 것은?

> 계몽주의 사상가들은 명백히 모순되는 두 개의 견해를 취했다. 그들은 인간의 위치를 자연계 안에서 해명하려고 애썼다. 역사의 법칙이란 것을 자연의 법칙과 동일한 것으로 여겼다. 다른 한편, 그들은 진보를 믿었다. 그렇다면 그들이 자연을 진보하는 것으로, 다시 말해 끊임없이 어떤 목적을 향해서 전진하는 것으로 받아들인 데에는 어떤 근거가 있었던가? 헤겔은 역사는 진보하는 것이고 자연은 진보하지 않는 것이라고 뚜렷이 구분했다. 반면, 다윈은 진화와 진보를 동일한 것으로 주장함으로써 모든 혼란을 정리한 듯했다. 자연도 역사와 마찬가지로 진보하는 것으로 본 것이다. 그러나 이것은 진화의 원천인 생물학적인 유전(biological inheritance)을 역사에서의 진보의 원천인 사회적인 획득(social acquisition)과 혼동함으로써 훨씬 더 심각한 오해에 이를 수 있는 길을 열어 놓았다. 오늘날 그 둘이 분명히 구별된다는 것은 익히 알려진 것이다.

① 자연의 진보에 대한 증거

② 인간 유전의 사회적 의미

③ 역사의 법칙과 자연의 법칙

④ 진보와 진화에 관한 견해들

난이도 ㊂ ○ ㊅

해설 제시된 글에서는 계몽주의 사상가, '헤겔', '다윈'이 '진보'와 '진화'에 대해 취했던 각각의 견해를 설명하고 있다. 따라서 제시된 글의 제목으로 ④의 '진보와 진화에 관한 견해들'이 가장 적절하다.

오답 분석
① 제시된 글에서는 '진보'와 '진화'에 대한 입장 차이만을 다루고 있을 뿐, 자연의 진보에 대한 증거에 대한 언급은 하고 있지 않다. 따라서 제목으로 적절하지 않다.

② 생물학적 유전과 사회적인 획득을 혼동할 수 있다는 내용에서 '유전'에 대해 언급하고는 있다. 그러나 제시된 글에서 유전의 사회적인 의미가 중심 내용은 아니므로 제목으로 적절하지 않다.

③ 제시된 글에 역사의 법칙과 자연의 법칙에 관한 사상가들의 견해가 나타나 있다. 그런데 '역사의 법칙과 자연의 법칙'은 지나치게 넓은 범위이다. 따라서 제목으로 적절하지 않다.

정답 ④

TIP 상반된 견해가 나오면 표를 그리며 생각해 본다!

사상가 \ 구분	역사	자연
계몽주의 사상가	진보	진보
헤겔	진보(O)	진보(X)
다윈	진보	진화(=진보)

다음 글의 중심 내용으로 가장 적절한 것은?

'언문'은 실용 범위에 제약이 있었는데, 이런 현실은 '언간'에도 적용된다. '언간' 사용의 제약은 무엇보다 이것을 주고받은 사람의 성별(性別)에서 뚜렷이 드러난다. 15세기 후반 이래로 숱한 언간이 현전하지만 남성 간에 주고받은 언간은 찾아보기 어렵다. 이는 남성 간에는 한문 간찰이 오간 때문이나 남성이 공적인 영역을 독점했던 당시의 현실을 감안하면 '언문'이 공식성을 인정받지 못했던 사실과 상통한다. 결국 조선 시대에는 언간의 발신자나 수신자 어느 한쪽으로 반드시 여성이 관여하는 특징을 보인다고 할 수 있다.

이러한 사용자의 성별 특징으로 인하여 종래 '언간'은 '내간'으로 일컬어지기도 하였다. 그러나 이러한 명칭 때문에 내간이 부녀자만을 상대로 하거나 부녀자끼리만 주고받은 편지로 오해되어서는 안 된다. 16, 17세기의 것만 하더라도 수신자는 왕이나 사대부를 비롯하여 한글 해독 능력이 있는 하층민에 이르기까지 거의 전 계층의 남성이 될 수 있었기 때문이다. 한문 간찰이 사대부 계층 이상 남성만의 전유물이었다면 언간은 특정 계층에 관계없이 남녀 모두의 공유물이었다고 할 수 있다.

① '언문'과 마찬가지로 '언간'의 실용 범위에는 제약이 있었다.

② 사용자의 성별 특징으로 인해 '언간'은 '내간'으로 일컬어졌다.

③ 언간은 특정 계층과 성별에 관계없이 이용된 의사소통 수단이었다.

④ 조선 시대에는 언간의 발신자나 수신자 어느 한쪽으로 반드시 여성이 관여하는 특징을 보인다.

────────────────────────────

난이도 (상) ○ (하)

TIP '그러나'가 나온다면, 중심 내용은 '그러나' 뒤에 올 가능성이 아주 높다. 제시된 글도 마찬가지이다.

해설 제시된 글은 2개의 문단으로 이루어져 있다. 각 문단을 중심으로 제시된 글을 요약하면 다음과 같다.

1문단	조선 시대에는 언간의 발신자나 수신자 어느 한쪽으로 반드시 여성이 관여하는 특징을 보인다고 할 수 있다.
2문단	그러나 부녀자만을 상대로 하거나 부녀자끼리만 주고받은 편지로 오해되어서는 안 된다. 수신자는 왕부터 하층민에 이르기까지 전 계층의 남성이 될 수 있었기 때문이다. 따라서 언간은 특정 계층에 관계없이 남녀 모두의 공유물이었다고 할 수 있다.

제시된 글의 중심 내용은 '그러나'가 있는 2문단에서 내린 결론인 '언간은 특정 계층에 관계없이 남녀 모두의 공유물이었다고 할 수 있다.'이다. 따라서 제시된 글의 중심 내용은 ③의 '언간은 특정 계층과 성별에 관계없이 이용된 의사소통 수단이었다.'이다.

고득점 GO!

'그러나'가 나오면 무조건 별표!
'그러나' 다음에 오는 내용이 글쓴이가 하고자 하는 말일 가능성이 커요!

오답 분석

① 1문단의 "'언문'은 실용 범위에 제약이 있었는데, 이런 현실은 '언간'에도 적용된다." 부분을 통해 '언문'처럼 '언간'의 실용 범위에도 제약이 있었음을 알 수 있다. 그런데 제시된 글에서 이러한 제약을 중심으로 글을 전개하고 있지 않기 때문에 "'언문'과 마찬가지로 '언간'의 실용 범위에는 제약이 있었다."는 중심 내용으로 적절하지 않다.

② 2문단의 "사용자의 성별 특징으로 인하여 종래 '언간'은 '내간'으로 일컬어지기도 하였다." 부분을 통해 사용자의 성별 특징으로 '내간'으로도 일컬어졌음을 알 수 있다. 그런데 바로 다음 문장 '그러나~'의 내용을 볼 때, 중심 내용으로 적절하지 않다.

④ 1문단의 마지막 문장에서 발신자나 수신자 어느 한쪽에 반드시 여성이 관여하는 특징을 보인다고 했다. 중심 내용이 되려면 2문단의 '그러나~' 이후의 내용이 없어야 한다. 따라서 '조선 시대에는 언간의 발신자나 수신자 어느 한쪽으로 반드시 여성이 관여하는 특징을 보인다.'는 중심 내용으로 적절하지 않다.

정답 ③

다음 글에서 이끌어 낼 수 있는 주장과 가장 가까운 것은?

> 우리 시대에 가장 두드러진 성향 하나는 시장과 시장 친화적 사고가 시장과는 거리가 먼 기준의 지배를 받던 전통적 삶의 영역까지 파고든다는 점이다. 이를테면 국가가 병역이나 죄수 심문을 민간 도급업체나 별도 인력을 고용해 맡길 때, 부모가 개발도상국가 사람들에게 돈을 주고 임신과 출산을 의뢰할 때, 콩팥을 공개 시장에서 사고팔 때 어떤 도덕적 문제들이 생기는지 앞에서 살펴본 바 있다. 이런 예는 많다. 학업 성취도가 부진한 학교에 다니는 학생들이 표준화된 시험에서 좋은 성적을 낼 경우 상금으로 포상해야 하는가? 학생들의 성적이 올라갔다면 교사가 보너스를 받아야 하는가? 국가는 이익을 추구하는 기업에 재소자 수용을 맡겨야 하는가?
>
> 이는 공리의 합의만을 묻는 게 아니다. 그것은 군 복무, 출산, 가르침과 배움, 범죄자 처벌 등을 받아들이는 일 같은 중요한 사회적 행위의 가치를 측정하는 올바른 방법에 관한 물음이기도 하다. 사회적 행위를 시장에 맡기면 그 행위를 규정하는 규범이 타락하거나 질이 떨어질 수 있기에, 시장이 침입하지 못하도록 보호하고 싶은 비시장 규범이 무엇인지 물을 필요가 있다.

① 시장 친화적 사고는 비도덕적이다.

② 사회적 행위는 올바른 규범이 전제되어야 하기 때문에 시장의 가치에 맡기는 것에 대해 고민할 필요가 있다.

③ 전통적인 삶의 영역으로 시장 친화적 사고가 침투하는 이유는 국가가 공리를 추구하기 때문이다.

④ 군 복무나 출산, 가르침과 배움 등은 시장과 시장 친화적 원리가 적용되기에 적합한 것들이다.

난이도 ⑧ ○ ⑨

해설   1문단의 여러 예와 2문단의 군 복무, 출산, 가르침과 배움, 범죄자 처벌 등의 예를 2문단에서 '사회적 행위'라는 용어로 표현하고 있다. 제시된 글의 글쓴이는 2문단의 마지막 문장에서 이러한 '사회적 행위'를 시장에 맡기면 규범이 타락하거나 질이 떨어질 수 있다고 말하면서 보호해야 할 영역이 무엇인지 고민해 볼 필요가 있다고 했다.

이를 바꾸어 말하면, '사회적 행위'를 시장에 맡기려면, '규범'을 바로 세울 필요가 있고 이에 대한 고민이 필요하다는 의미이다. 따라서 제시된 글을 통해 ②의 '사회적 행위는 올바른 규범이 전제되어야 하기 때문에 시장의 가치에 맡기는 것에 대해 고민할 필요가 있다.'라는 주장을 이끌어 낼 수 있다.

오답분석 ① 제시된 글은 시장 친화적 사고 자체가 비도덕적이라는 내용이 아니다. 글쓴이가 우려하고 있는 부분은 시장 친화적 사고와 거리가 먼 '전통적 삶의 영역(사회적 행위)'까지도 시장 친화적 사고의 침입을 받고 있는 상황이다. 따라서 제시된 글을 통해 이끌어 낼 수 있는 주장으로 적절하지 않다.

③ 2문단의 "이는 공리의 합의만을 묻는 게 아니다." 부분을 볼 때, 전통적인 삶의 영역까지 시장 친화적 사고가 침투하는 이유가 국가가 공리를 추구하기 때문이 아님을 알 수 있다. 따라서 제시된 글을 통해 이끌어 낼 수 있는 주장으로 적절하지 않다.

④ 2문단의 마지막 문장을 볼 때, 글쓴이는 군 복무나 출산, 가르침과 배움 등의 '사회적 행위'는 시장 친화적 원리가 적용되기에는 적합하지 않다고 보고 있다. 따라서 제시된 글을 통해 이끌어 낼 수 있는 주장으로 적절하지 않다.

정답 ②

글의 내용 확인·추론

'내용 확인' 유형 완전 정복
1. 문단마다 읽고 바로 선지 찾아 O, X 표시하며 문제 풀기!
2. 지문에 없는 내용은 절대 답이 아니에요!
3. 비약적 추론도 절대 답이 아니에요!

긍정 발문일 때는 옳은 선지는 1개뿐!
따라서 절대 선지 먼저 읽으면 안 돼요!
지문을 읽고 선지에서 찾아 O, X를 표시하며 문제를 풀어야 해요!

출제 유형

• 글의 내용과 일치하는 것을 찾는 유형
• 사례, 대응, 의미를 파악하는 유형
• 글의 내용과 일치하지 않는 것을 찾는 유형

출제 유형

글의 내용 확인·추론	글의 내용과 일치하는 것을 찾는 유형

061 ○○○

· 2023 국회직 8급

다음 글에 대한 이해로 적절한 것은?

환경 보호는 정도의 차이는 있을지라도 모든 사람의 이익에 도움이 되는 일이라고 주장하는 사람도 있다. 초창기 환경 운동의 목표는 전통적인 자연 보호, 곧 특정 습지의 특정 조류를 보호하려는 좁은 생각을 극복하는 것이었다. 그렇지만 특정 종의 동물이나 식물에 대한 사랑에서는 열정적 투쟁 욕구가 생겨나는 반면, 대상을 특정하지 않은 자연 사랑은 어딘지 모르게 산만한 게 사실이다. 바로 그래서 생겨나는 것이 올슨 패러독스이다. 이것은 특별한 공동 이해관계로 묶인 소규모 그룹이 얼굴을 맞대고 단호히 일을 추진할 때, 대단히 애매한 일반적 이해를 가진 익명의 대규모 집단보다 훨씬 더 뛰어난 추진력을 보인다는 것이다. 이런 역설대로 소규모 그룹에는 로비할 좋은 기회가 주어지며, 마찬가지로 특정 사안을 반대하는 지역 저항 운동이 성공을 거둔다. 그렇기 때문에 포괄적 의미에서 환경 정책이 아주 까다로워진다.

무조건적인 타당성을 갖는 환경법을 요구하는 환경 정책은 애초부터 좌절될 수밖에 없다. 비록 나라와 문화마다 정도가 매우 다르기는 하지만, 현대화 과정에서 족벌에 대한 충성심을 넘어서서 다른 가치를 더욱 중시하는 충성심이 발달했다. 환경 정책은 이 과정에서 중요한 기회를 얻는다. 이기적 이해관계를 넘어서서 환경 전체를 바라보는 안목이 현대화 과정에서 발달했기 때문이다. 동시에 물론 자신의 직접적인 생활환경을 지키려는 각오도 환경 정책에 결정적 영향을 미친다. 이처럼 환경 운동은 완전히 보편적 방향으로 발달하기는 힘들다. 우선 자신의 이해관계부터 생각하는 인간의 본성 탓에 근본적 긴장은 항상 사라지지 않기 때문이다.

① 현대화 과정에서 부각된 인간의 이기적 이해관계는 인간이 가진 자연 지배권에 대한 인식과 함께 발달하게 되었다.

② 환경 운동은 특정 생물 집단의 번식과 지속성을 보전하는 것에서 시작하여 궁극적으로 자연 경관의 보호를 목적으로 한다.

③ 환경 운동에서 발생하는 올슨 패러독스는 근본적으로 해소되기 어렵다.

④ 환경 운동은 대규모 집단의 이해관계가 소규모 집단의 이해관계와 일치할 때 이루어지는 과정이라고 할 수 있다.

⑤ 환경 운동은 생물학적 다양성을 위한 공리주의 원칙에 따라 진행되어야 하며, 이 과정에서 개인의 이기심은 환경 운동을 위한 직접적인 동기로 작용하지 않는다.

난이도 상 ◎ 하

해설 2문단의 "이처럼 환경 운동은 완전히 보편적 방향으로 발달하기는 힘들다. 우선 자신의 이해관계부터 생각하는 인간의 본성 탓에 근본적 긴장은 항상 사라지지 않기 때문이다." 부분을 볼 때, 적절한 이해이다.

정답 ③

다음 글을 이해한 내용으로 가장 적절한 것은?

> 전 세계를 대표하는 항공기인 보잉과 에어버스의 중요한 차이점은 자동조종시스템의 활용 정도에 있다. 보잉의 경우, 조종사가 대개 항공기를 조종간으로 직접 통제한다. 조종간은 비행기의 날개와 물리적으로 연결되어 있어서 어떤 상황에서도 조종사가 조작한 대로 반응한다. 이와 다르게 에어버스는 조종간 대신 사이드스틱을 설치하여 컴퓨터가 조종사의 행동을 제한하거나 조종에 개입할 수 있게 설계되었다. 보잉에서는 조종사가 항공기를 통제할 수 있는 전권을 가지지만 에어버스에서는 컴퓨터가 조종사의 조작을 감시하고 제한한다.
>
> 보잉과 에어버스의 이러한 차이는 기계를 다루는 인간을 바라보는 관점이 서로 다른 데서 비롯된다. 보잉사를 창립한 윌리엄 보잉의 철학은 "비행기를 통제하는 최종 권한은 언제나 조종사에게 있다."이다. 시스템은 불안정하고 완벽하지 않기 때문에 컴퓨터가 조종사의 판단보다 우선시될 수 없다는 것이다. 반면 에어버스의 아버지라고 불리는 베테유는 "인간은 실수할 수 있는 존재"라고 전제한다. 베테유는 이런 자신의 신념을 토대로 에어버스를 설계함으로써 조종사의 모든 조작을 컴퓨터가 모니터링하고 제한하게 만든 것이다.

① 보잉은 시스템의 불완전성을, 에어버스는 인간의 실수 가능성을 고려하여 설계되었다.

② 베테유는 인간이 실수할 수 있는 존재라고 보지만 윌리엄 보잉은 그렇지 않다고 본다.

③ 에어버스의 조종사는 항공기 운항에서 자동조종시스템을 통제하고 조작한다.

④ 보잉의 조종사는 자동조종시스템을 사용하지 않고 항공기를 조종한다.

난이도 상 ◯ 하

해설 제시된 글의 내용을 정리하면 다음과 같다.

구분	보잉	에어버스
자동조정시스템의 활용 정도	조종사가 항공기를 직접 통제	컴퓨터가 조종사의 조작을 감시하고 제한
기계를 다루는 인간을 바라보는 관점	윌리엄 보잉: 시스템은 불안전하고 완벽하지 않다.	베테유: 인간은 실수할 수 있는 존재이다.

정리한 내용을 볼 때, 글을 이해한 내용으로 가장 적절한 것은 ① 이다.

오답분석 ② 베테유가 인간이 실수할 수 있는 존재라고 본 것은 맞다. 그러나 보잉이 그렇지 않다고 봤는지는 알 수가 없다.

③ 에어버스의 '조종사'가 아닌 '컴퓨터'가 항공기 운항에서 자동조종시스템을 통제하고 조작한다.

④ 자동조종시스템의 활용 정도에서 차이가 있을 뿐, 보잉의 조종사도 자동조종시스템을 사용하여 항공기를 조정한다.

정답 ①

다음 글에서 추론한 내용으로 가장 적절한 것은?

> 공포의 상태와 불안의 상태를 구분하는 것은 쉽지 않다. 왜냐하면 두 감정을 함께 느끼거나 한 감정이 다른 감정을 유발할 때가 많기 때문이다. 가령, 무시무시한 전염병을 목도하고 공포에 빠진 사람은 자신도 언젠가 그 병에 걸릴지 모른다는 불안 상태에 빠지게 된다. 이처럼 두 감정은 서로 밀접하게 얽혀 있다는 점에서 혼동하기 쉽다. 하지만 두 감정을 야기한 원인을 따져 보면 두 감정을 명확하게 구분할 수 있다. 공포는 실재하는 객관적 위협에 의해 야기된 상태를 의미하고, 불안은 현재 발생하지 않았으며 미래에 일어날지 모르는 불명확한 위협에 의해 야기된 상태를 의미한다. 공포와 불안의 감정은 둘 다 자아와 관련되어 있지만 여기에서도 차이를 찾을 수 있다. 공포를 느끼는 것은 '나 자신'이 위험한 상황에 놓여 있다는 사실을 아는 것이고, 불안의 경험은 '나 자신'이 위해를 입을까 봐 걱정하는 것이다.

① 자신이 처한 위험한 상황을 정확히 인식하는 경우에는 공포감에 비해 불안감이 더 크다.

② 전기 · 가스 사고가 날까 두려워 외출하지 못하는 사람은 불안한 상태에 있는 것이다.

③ 시험에 불합격할 수 있다는 생각에 사로잡힌 사람은 공포감에 빠져 있는 것이다.

④ 과거에 큰 교통사고를 경험한 사람은 공포감은 크지만 불안감은 작다.

난이도 상 ◯ 하

해설 제시된 글의 내용을 정리하면 다음과 같다.

구분	공포의 상태	불안의 상태
감정을 야기하는 원인	실재하는 객관적 위협에 의해 야기된 상태	현재 발생하지 않았으며 미래에 일어날지 모르는 불명확한 위협에 의해 야기된 상태 → 현재 발생 × ∧ 불명확한 위협
자아와의 관련	'나 자신'이 위험한 상황에 놓여 있다는 사실을 아는 것	'나 자신'이 위해를 입을까 봐 걱정하는 것

전기 · 가스 사고가 날까 두려워 외출을 하지 못하는 것은 '현재 발생하지 않았으며 미래에 일어날지 모르는 불명확한 위협'에 해당한다. 따라서 '불안'에 해당한다.

오답분석 ① 자신이 처한 위험한 상황을 정확히 인식하는 것은 '공포'에 해당한다. 따라서 공포감에 비해 불안감이 더 크다는 추론은 적절하지 않다.

③ 시험에 불합격할 수 있다는 생각은 현재 발생하지 않았으며 불명확한 위협에 해당하므로 '불안'에 해당한다. 따라서 공포감에 빠져 있는 것이라는 추론은 적절하지 않다.

④ 과거에 큰 교통사고를 경험한 사람 입장에서 '교통사고'는 현재는 발생하지 않았지만 미래에 일어날지도 모르는 일이라고 생각할 수 있다. 따라서 이 사람이 불안감이 작다는 추론은 적절하지 않다.

정답 ②

다음 글을 이해한 내용으로 가장 적절한 것은?

『삼국사기』는 본기 28권, 지 9권, 표 3권, 열전 10권의 체제로 되어 있다. 이 중 열전은 전체 분량의 5분의 1을 차지하며, 수록된 인물은 86명으로, 신라인이 가장 많고, 백제인이 가장 적다. 수록 인물의 배치에는 원칙이 있는데, 앞부분에는 명장, 명신, 학자 등을 수록했고, 다음으로 관직에 있지는 않았으나 기릴 만한 사람을 실었다.

반신(叛臣)의 경우 열전의 끝부분에 배치되어 있다. 이들을 수록한 까닭은 왕을 죽인 부정적 행적을 드러내어 반면교사로 삼는 데에 있었으나, 그 목적에 부합하지 않는 내용이 있어 흥미롭다. 가령 고구려의 연개소문은 반신이지만, 당나라에 당당히 대적한 민족적 영웅의 모습도 포함되어 있다. 흔히 『삼국사기』에 대해, 신라 정통론에 기반해 있으며, 유교적 사관에 따라 당시의 지배 질서를 공고히 하고자 했다고 평가한다. 하지만 연개소문의 사례에서 볼 수 있듯 『삼국사기』는 기존 평가와 달리 다면적이고 중층적인 역사 텍스트라고 할 수 있다.

① 『삼국사기』 열전에 고구려인과 백제인도 수록되었다는 점은 이 책이 신라 정통론을 계승하지 않았다는 것을 보여준다.

② 『삼국사기』 열전에 수록된 반신 중에는 이 책에 대한 기존 평가를 다르게 할 수 있는 사례가 있다.

③ 『삼국사기』 열전에는 기릴 만한 업적이 있더라도 관직에 오르지 못한 사람은 수록되지 않았다.

④ 『삼국사기』의 체제 중에서 열전이 가장 많은 권수를 차지한다.

난이도 ⑨ ○ ⑩

해설 2문단의 "연개소문의 사례에서 볼 수 있듯 『삼국사기』는 기존 평가와 달리 다면적이고 중층적인 역사 텍스트라고 할 수 있다." 부분을 볼 때, 적절한 이해는 ②이다.

오답 분석
① 2문단의 "흔히 『삼국사기』에 대해, 신라 정통론에 기반해 있으며" 부분을 볼 때, 적절하지 않은 이해이다.

③ 1문단의 "관직에 있지는 않았으나 기릴 만한 사람을 실었다." 부분을 볼 때, 적절하지 않은 이해이다.

④ 1문단의 "『삼국사기』는 본기 28권, 지 9권, 표 3권, 열전 10권의 체제로 되어 있다." 부분을 볼 때, 가장 많은 권수를 차지하는 것은 '본기'이다.

정답 ②

다음 글을 이해한 내용으로 가장 적절한 것은?

루카치는 그리스 세계를 신과 인간의 결합 정도를 가리키는 '총체성' 개념을 기준으로 세 시대로 구분하였다. 첫 번째 시대에서 후대로 갈수록 총체성의 정도는 낮아진다. 첫째는 총체성이 완전히 구현되어 있는 '서사시의 시대'이다. 호메로스의 『일리아드』와 『오디세이아』에서는 신과 인간의 세계가 하나로 얽혀 있다. 인간들이 그리스와 트로이 두 패로 나뉘어 전쟁을 벌일 때 신들도 인간의 모습을 하고 두 패로 나뉘어 전쟁에 참여했다. 둘째는 '비극의 시대'이다. 소포클레스나 에우리피데스의 비극에서는 총체성이 흔들려 신과 인간의 세계가 분리된다. 하지만 두 세계가 완전히 분리되지는 않고 신탁이라는 약한 통로로 이어져 있다. 비극에서 신은 인간의 행위에 직접 개입하지 않고 신탁을 통해서 자신의 뜻을 그저 전달하는 존재로 바뀐다. 셋째는 플라톤으로 대표되는 '철학의 시대'이다. 이 시대는 이미 계몽된 세계여서 신탁 같은 것은 신뢰할 수 없게 되었다. 신과 인간의 세계가 완전히 분리됨으로써 신의 세계는 인격적 성격을 상실하여 '이데아'라는 추상성의 세계로 바뀐다. 신의 세계와 인간의 세계는 그 사이에 어떤 통로도 존재할 수 없는, 절대적으로 분리된 세계가 되었다.

① 계몽사상은 서사시의 시대에서 철학의 시대로의 전환을 이끌었다.

② 플라톤의 이데아는 신탁이 사라진 시대의 비극적 세계를 표현한다.

③ 루카치는 각기 다른 기준에 따라 그리스 세계를 세 시대로 구분하였다.

④ 에우리피데스의 비극에 비해 『오디세이아』에서는 신과 인간의 결합 정도가 높다.

난이도 ⑨ ○ ⑩

해설 신과 인간의 결합 정도가 '총체성'인데, "첫 번째 시대에서 후대로 갈수록 총체성의 정도는 낮아진다."라고 하였다. '에우리피데스의 비극'은 두 번째 '비극의 시대'이고, 『오디세이아』는 첫 번째 '서사시의 시대'이다. 따라서 『오디세이아』에서 신과 인간의 결합 정도, 즉 '총체성'의 정도가 더 높다는 이해는 적절하다.

오답 분석
① "셋째는 플라톤으로 대표되는 '철학의 시대'이다. 이 시대는 이미 계몽된 세계여서"를 볼 때, 계몽사상이 철학의 시대로 전환을 이끌었다는 이해는 적절하지 않다.

② '철학의 시대'에 와서는 신과 인간의 세계가 완전히 분리되어 신의 세계는 '이데아'라는 추상성의 세계로 바뀐다고 하였다. 따라서 플라톤의 이데아가 신탁이 사라진 시대의 비극적 세계를 표현한 것이라는 이해는 적절하지 않다.

③ 루카치는 '총체성의 정도'라는 하나의 기준에 따라 세 시대로 구분하였다.

정답 ④

다음 글을 이해한 내용으로 적절한 것은?

> 디지털 트윈은 현실 세계와 똑같은 가상의 세계이다. 최근 주목받고 있는 메타버스와 개념은 유사하지만 활용 목적의 측면에서 구별된다. 메타버스는 가상 세계와 현실 세계가 융합된 플랫폼으로 이용자들에게 새로운 경제·사회·문화적 경험을 제공하는 데 목적을 둔다. 반면 디지털 트윈은 현실 세계에 존재하는 사물, 공간, 환경, 공정 등을 컴퓨터상에 디지털 데이터 모델로 표현하여 똑같이 복제하고 실시간으로 서로 반응할 수 있도록 한다. 그래서 디지털 트윈의 이용자는 가상 세계에서의 시뮬레이션을 통해 미래 상황을 예측할 수 있게 된다. 디지털 트윈에 대한 수요가 증가하면서 관련 시장도 확대되고 있으며, 국내외의 글로벌 기업들은 여러 산업 분야에서 디지털 트윈을 도입하여 사전에 위험 요소를 제거하고 수익 모델의 효율성을 높이고 있다. 디지털 트윈이 이렇게 주목받는 이유는 안정성과 경제성 때문인데 현실 세계를 그대로 옮겨 놓은 가상 세계에 데이터를 전송, 취합, 분석, 이해, 실행하는 과정은 실제 실험보다 매우 빠르고 정밀하며 안전할 뿐 아니라 비용도 적게 든다.

① 디지털 트윈을 활용함에 따라 글로벌 기업들의 고용률이 향상되었다.

② 디지털 트윈의 데이터 모델은 현실 세계의 각종 실험 모델보다 경제성이 낮다.

③ 디지털 트윈에서의 시뮬레이션으로 현실 세계의 위험 요소를 찾아내고 방지할 수 있다.

④ 디지털 트윈은 현실 세계의 이용자에게 새로운 문화적 경험을 제공하는 데 목적이 있다.

난이도 ⓢ ○ ⓗ

해설 "디지털 트윈의 이용자는 가상 세계에서의 시뮬레이션을 통해 미래 상황을 예측할 수 있게 된다.", "디지털 트윈을 도입하여 사전에 위험 요소를 제거하고"를 통해 알 수 있다.

오답분석 ①, ② "디지털 트윈이 이렇게 주목받는 이유는 안정성과 경제성 때문인데 ~ 비용도 적게 든다."를 볼 때 적절하지 않은 이해이다.

④ "메타버스는 ~ 이용자들에게 새로운 경제·사회·문화적 경험을 제공하는 데 목적을 둔다."를 볼 때, 현실 세계의 이용자에게 새로운 문화적 경험을 제공하는 데 목적이 있는 것은 '디지털 트윈'이 아닐 '메타버스'이다.

정답 ③

다음 글에 대한 이해로 적절한 것은?

현대에 들어서 성격에 대한 체계적인 접근은 프로이트를 중심으로 하는 정신역동학에서 이루어졌다. 지그문트 프로이트는 인간 행동에 미치는 무의식의 영향을 강조하면서 무의식이 억압된 욕구에 의해 형성된다고 주장했는데 개인이 스스로의 욕구를 조절하는 방식을 성격이라고 보았다. 어려서부터 자신의 욕구가 좌절되고 충족되는 과정을 통해 성격이 형성되고 그중에서 충족될 수 없는 욕구와 그를 둘러싼 갈등이 무의식으로 억압된다는 것이다. 그런데 정신역동학은 성격의 형성 과정과 성격이 개인행동에 미치는 영향에는 관심이 있었지만, 성격을 유형화하려는 시도는 하지 않았다.

융은 다른 정신역동학자와 달리 오랫동안 역사와 문화를 공유한 집단의 구성원들에게 존재하는 무의식을 강조했다. 이 때문에 융은 부모와 아이의 상호작용이라는 개인적 요인보다는 집단 무의식 수준의 보편적 원리들이 작동하여 성격이 형성된다고 보았다. 특히 융은 인간의 정신이 대립원리에 의해 작동한다고 주장했는데, 대립원리란 개인 내에 존재하는 대립 혹은 양극적인 힘이 갈등을 야기하고, 이 갈등이 정신 에너지를 생성한다는 것을 의미한다. 이 같은 융의 주장을 근거로 1940년대 MBTI와 같은 유형론적 성격 이론이 만들어지기도 하였다.

1980년대 이후 유전학과 뇌과학 등 생물학적 방법론이 크게 발전하면서 성격에 대한 접근은 새로운 전기를 마련한다. 부모의 양육 방식 등 환경을 강조한 정신역동학에 비해 유전적으로 타고나는 기질의 중요성을 뒷받침하는 증거들이 발견되기 시작한 것이다. 특히 내향성과 외향성은 성격 형성에 대한 기질의 영향을 잘 보여 주는 특성이다. 이처럼 인간의 행동에 영향을 미치는 보편적인 특성을 발견하려는 노력이 이어졌고 그 결과 성격 5요인 모델과 같은 특성론적 성격 이론이 확립되었다.

① 프로이트는 개인이 자신의 욕구를 적절한 방법으로 해결하는 데 관심을 두고, 이를 조절하는 방식을 유형화하였다.

② 생물학적 방법론은 정신역동학이 전제하는 욕구의 억압 조절 문제에 관심을 가지며 부모의 양육 태도를 강조했다.

③ 융 이전의 정신역동학자들은 집단의 구성원들에게 존재하는 무의식 수준의 보편적인 원리가 성격 형성에 영향을 미친다고 보았다.

④ 유전학의 발전에 따른 일련의 발견들은 인간이 지닌 보편적 특성들을 통해 개인의 성격을 설명하고자 하는 이론으로 발전하였다.

⑤ 외향성과 내향성은 서로 대립하며 정신적 에너지를 창출하는 일종의 정신 작용으로 받아들여지며, 유형론적 성격 이론이 해체되는 계기를 가져왔다.

난이도 (상) ◐ (하)

해설 3문단의 "1980년대 이후 유전학과 뇌과학 등 생물학적 방법론이 크게 발전하면서 성격에 대한 접근은 새로운 전기를 마련한다.", "이처럼 인간의 행동에 영향을 미치는 보편적인 특성을 발견하려는 노력이 이어졌고" 부분을 볼 때, 유전학의 발전에 따른 일련의 발견들은 인간이 지닌 보편적 특성들을 통해 개인의 성격을 설명하고자 하는 이론으로 발전하였음을 알 수 있다.

오답분석
① 1문단에서 프로이트가 성격을 유형화하려는 시도는 하지 않았다고 하였다.

② 부모의 양육 방식 등 환경을 강조한 것은 '정신역동학'이다.

③ 집단 무의식 수준의 보편적 원리들이 작동하여 성격이 형성된다고 본 것은 '융'이다.

⑤ 2문단의 "대립원리란 개인 내에 존재하는 대립 혹은 양극적인 힘이 갈등을 야기하고, 이 갈등이 정신 에너지를 생성한다는 것을 의미한다. 이 같은 융의 주장을 근거로 1940년대 MBTI와 같은 유형론적 성격 이론이 만들어지기도 하였다."를 볼 때, 유형론적 성격 이론이 해체되는 계기를 가져왔다는 이해는 적절하지 않다.

정답 ④

다음 글에 대한 이해로 적절한 것은?

표현적 글쓰기는 왜 그렇게 효과가 있을까? 우리가 흔히 경시하는 고통스러운 감정을 마주해야 되기 때문이다. 우리는 자수성가를 칭송하고 강인한 사람을 미화하는 세상에 살고 있다. 이 문화적 메시지와 그것이 우리에게 가하는 모든 압박 때문에 우리는 우리의 욕구를 간과하도록 배운다. 심지어 나약하다는 느낌을 갖거나 힘든 감정을 품었다고 스스로를 혐오하기도 한다. 표현적 글쓰기는 종일 꾹꾹 참고 발설하지 않은 취약한 측면을 찾아내고 그것에 대해 경청할 기회를 주기 때문에 효과가 있는 것이다.

또한 글쓰기 과정이 다른 사람을 염두에 두지 않았다는 점도 매우 중요하다. 우리는 보통 타인이 볼 글을 쓸 때, 스스로 검열하고 글이 충분히 좋은지에 관심을 두게 된다. 그러나 표현적 글쓰기는 그렇지 않다. 두서없고, 누가 읽기에도 적합하지 않은 글을 쓴 후 버리면 된다. 이것은 자신이 가진 모든 감정과 교감하는 데 도움을 줄 수 있다.

① 표현적 글쓰기는 고통스러운 감정을 피하는 데 효과가 있다.
② 표현적 글쓰기는 자수성가를 칭송하고 강인한 사람을 미화하는 데 필요하다.
③ 표현적 글쓰기는 타인을 의식하여 스스로 검열하는 특징을 지닌다.
④ 표현적 글쓰기는 참고 발설하지 않은 것에 대해 경청할 기회를 준다.
⑤ 표현적 글쓰기는 두서없이 편하게 써서 간직하도록 고안되었다.

난이도 (상) ○ (하)

[해설] 1문단의 "표현적 글쓰기는 종일 꾹꾹 참고 발설하지 않은 취약한 측면을 찾아내고 그것에 대해 경청할 기회를 주기 때문에 효과가 있는 것이다." 부분을 볼 때, 적절한 이해이다.

오답분석
① "표현적 글쓰기는 왜 그렇게 효과가 있을까? 우리가 흔히 경시하는 고통스러운 감정을 마주해야 되기 때문이다." 부분을 볼 때, 적절하지 않은 이해이다.
② "우리는 자수성가를 칭송하고 강인한 사람을 미화하는 세상에 살고 있다."를 볼 때, 우리가 그러한 세상에 살고 있다는 의미이지, 그것이 필요하다는 의미는 아니다.
③ 2문단의 "글쓰기 과정이 다른 사람을 염두에 두지 않았다는 점도 매우 중요하다. 우리는 보통 타인이 볼 글을 쓸 때, 스스로 검열하고 글이 충분히 좋은지에 관심을 두게 된다. 그러나 표현적 글쓰기는 그렇지 않다." 부분을 볼 때, 적절하지 않은 이해이다.
⑤ 2문단의 "두서없고, 누가 읽기에도 적합하지 않은 글을 쓴 후 버리면 된다." 부분을 볼 때, 두서없이 편하게 쓰는 것은 맞다. 그러나 버려도 된다고 했기 때문에, 간직하도록 고안되었다는 이해는 적절하지 않다.

정답 ④

다음 글에 서술된 '나이브 아트'에 대한 설명으로 적절한 것만을 <보기>에서 모두 고르면?

정규 미술 교육을 받지 않고, 어떤 화파에도 영향을 받지 않은 예술 경향을 나이브 아트라고 한다. 우리말로 소박파라고도 불리지만 특정한 유파를 가리키기보다 작가의 경향을 가리키는 말이다.

나이브 아트는 개인적인 즐거움을 주제로 형식에 얽매이지 않는 특징을 보인다. 우리에게 잘 알려진 나이브 아트 예술가로는 앙리 루소, 앙드레 보샹, 모리스 허쉬필드, 루이 비뱅, 그랜마 모지스 등이 있다. 이들은 서양 미술의 기본 규칙인 원근법, 명암법, 구도 등에 구속되지 않는 평면적 화면, 단순하지만 강렬한 색채, 자세한 묘사 등을 특징으로 보여 준다.

전업 화가가 아닌 본업이 따로 있어 낮은 취급을 받던 아웃사이더 예술이었지만, 독일 출신의 컬렉터이자 비평가 빌헬름 우데가 루소, 보샹 등의 화가들을 발굴하여 하나의 예술 영역으로 자리 잡는다. 이후 나이브 아트는 피카소와 같은 기존 미술의 권위와 전통에 반하는 그림을 그리려는 화가들의 주목을 받으며 현대미술의 탄생에도 적지 않은 영향을 끼쳤다.

〈보기〉
ㄱ. 나이브 아트에 속하는 화가로 루소, 보샹 등이 있다.
ㄴ. 나이브 아트는 특정한 유파를 가리킨다.
ㄷ. 나이브 아트 작가들은 서양 미술의 기본 규칙을 따르고자 한다.
ㄹ. 현대미술은 나이브 아트의 탄생에 결정적인 영향을 끼쳤다.

① ㄱ   ② ㄷ   ③ ㄱ, ㄴ
④ ㄴ, ㄷ   ⑤ ㄱ, ㄷ, ㄹ

난이도 (상) ○ (하)

[해설]
ㄱ. 2문단의 "우리에게 잘 알려진 나이브 아트 예술가로는 앙리 루소, 앙드레 보샹, 모리스 허쉬필드, 루이 비뱅, 그랜마 모지스 등이 있다." 부분을 통해 알 수 있다.

오답분석
ㄴ. 1문단의 "특정한 유파를 가리키기보다 작가의 경향을 가리키는 말이다." 부분을 볼 때, 적절하지 않은 설명이다.
ㄷ. 2문단의 "이들은 서양 미술의 기본 규칙인 원근법, 명암법, 구도 등에 구속되지 않는 평면적 화면, 단순하지만 강렬한 색채, 자세한 묘사 등을 특징으로 보여 준다." 부분을 볼 때, 적절하지 않은 설명이다.
ㄹ. 3문단의 "이후 나이브 아트는 피카소와 같은 기존 미술의 권위와 전통에 반하는 그림을 그리려는 화가들의 주목을 받으며 현대미술의 탄생에도 적지 않은 영향을 끼쳤다." 부분을 볼 때, '나이브 아트'가 '현대미술'의 탄생에 영향을 준 것이다.

정답 ①

㉠에 대한 설명으로 적절한 것은?

일본 문학의 세계가 여자들에게 열려 있긴 했어도 ㉠ 헤이안 시대의 여성들은 그 시대 대부분의 책에서는 자신들의 목소리를 발견할 수 없었을 것이다. 그리하여 한편으로는 읽을거리를 늘리기 위해, 그리고 다른 한편으로는 그들만의 독특한 취향에 상응하는 읽을거리를 손에 넣기 위해 여성들은 그들만의 고유한 문학을 창조해 냈다. 그 문학을 기록하기 위해 여성들은 그들에게 허용된 언어를 음성으로 옮긴 가나분카쿠를 개발하기에 이르렀는데, 이 언어는 한자 구조가 거의 배제된 것이 특징이다. 이는 여성들에게만 국한되어 쓰이면서 '여성들의 글자'로 알려지게 되었다.

발터 벤야민은 "책을 획득하는 방법 중에서도 책을 직접 쓰는 것이야말로 가장 칭송할 만한 방법으로 평가받을 수 있다"라고 논평했던 적이 있다. 헤이안 시대의 여자들도 깨달았듯이 어떤 경우에는 책을 직접 쓰는 방법만이 유일한 길일 수가 있다. 헤이안 시대의 여자들은 그들만의 새로운 언어로 일본 문학사에서, 아마도 전 시대를 통틀어 가장 중요한 작품 몇 편을 남겼다. 무라사키 부인이 쓴 『겐지 이야기』와 작가 세이 쇼나곤의 『마쿠라노소시』가 그 예이다.

『겐지 이야기』, 『마쿠라노소시』 같은 책에서는 남자와 여자의 문화적·사회적 삶이 소상하게 나타나지만, 그 당시 궁정의 남자 관리들이 대부분 시간을 할애했던 정치적 술책에 대해서는 거의 관심을 보이지 않는다. 언어와 정치 현장으로부터 유리되어 있었기 때문에 세이 쇼나곤과 무라사키 부인조차도 이런 활동에 대해서는 풍문 이상으로 묘사할 수 없었다. 어떤 예이든 이런 여성들은 근본적으로 그들 자신을 위해 글을 쓰고 있었다. 다시 말해 그들 자신의 삶을 향해 거울을 받쳐 들고 있었던 셈이다.

① 읽을거리에 대한 열망을 문학 창작의 동력으로 삼았다.

② 창작 국면에서 자신들의 언어를 작품에 그대로 담아내지 못했다.

③ 궁정에서 일어나는 정치적 행위에 대하여 치밀하게 묘사하였다.

④ 한문학에 대한 지식을 바탕으로 문학 창작에 참여하였다.

⑤ 문필 활동은 남성의 전유물이었기 때문에 남성적 취향의 문학 독서를 수행하였다.

난이도 ⑧ ○ ⑥

[해설] 1문단의 "그리하여 한편으로는 읽을거리를 늘리기 위해, 그리고 다른 한편으로는 그들만의 독특한 취향에 상응하는 읽을거리를 손에 넣기 위해 여성들은 그들만의 고유한 문학을 창조해 냈다." 부분을 통해 알 수 있다.

[오답분석]
② 2문단의 "헤이안 시대의 여자들은 그들만의 새로운 언어로 일본 문학사에서, 아마도 전 시대를 통틀어 가장 중요한 작품 몇 편을 남겼다." 부분을 볼 때, 적절하지 않은 이해이다.

③ 3문단의 "그 당시 궁정의 남자 관리들이 대부분 시간을 할애했던 정치적 술책에 대해서는 거의 관심을 보이지 않는다." 부분을 볼 때, 적절하지 않은 이해이다.

④ 1문단의 "이 언어는 한자 구조가 거의 배제된 것이 특징이다." 부분을 볼 때, 적절하지 않은 이해이다.

⑤ 1문단의 "그들만의 독특한 취향에 상응하는 읽을거리를 손에 넣기 위해 여성들은 그들만의 고유한 문학을 창조해 냈다." 부분을 볼 때, 적절하지 않은 이해이다.

[정답] ①

다음 글의 주된 논지는?

당신이 미국 중앙 정부국의 직원인데, 어느 날 테러 용의자를 체포했다고 가정하자. 이 사람은 뉴욕 맨해튼 중심가에 대규모 시한폭탄을 설치한 혐의를 받고 있다. 시한폭탄이 터질 시각은 다가오는데 용의자는 입을 열지 않고 있다. 당신은 고문을 해서라도 폭탄이 설치된 곳을 알아내겠는가, 아니면 고문은 원칙적으로 옳지 않으므로 고문을 하지 않겠는가? 공리주의자들은 고문을 해서라도 폭탄이 설치된 곳을 알아내어, 무고한 다수 시민의 생명을 구해야 한다고 주장할 것이다. 공리주의는 최대 다수의 최대 행복을 추구하기 때문이다. 이 경우에는 이 주장이 일리가 있을 수 있다. 그러나 공리주의가 모든 경우에 항상 올바른 해답을 줄 수 있는 것은 아니다. 구명보트를 타고 바다를 표류하던 4명의 선원이 그들 중 한 사람을 죽여서 그 사람의 고기를 먹으면 나머지 세 사람이 살 수 있다. 실제로 이런 일이 일어났고, 살아남은 세 사람은 재판을 받았다. 당신은 이 경우에도 다수의 생명을 구하기 위해 한 사람의 목숨을 희생한 행위가 정당했다고 주장하겠는가? 뉴욕의 시한폭탄 문제도 그리 간단치만은 않다. 폭탄이 설치된 곳이 한적한 곳이라 희생자가 몇 명 안 될 것으로 예상되는 경우에도 당신은 고문에 찬성하겠는가? 체포된 사람이 테러리스트 자신이 아니라 그의 어린 딸이라도, 그 딸이 폭탄의 위치를 알고 있다면 당신은 고문에 찬성하겠는가?

① 다수의 행복을 위해서 소수의 희생이 필요할 때가 있다.

② 인간의 생명은 어떤 경우에도 존중되어야 한다.

③ 고문이 정당화되는 경우도 있을 수 있다.

④ 공리주의가 절대선일 수 없는 것은 소수의 이익이라 하더라도 무시할 수 없는 것도 있기 때문이다.

난이도 ⑧ ○ ⑥

[해설] 제시된 글의 중심 문장은 "그러나 공리주의가 모든 경우에 항상 올바른 해답을 줄 수 있는 것은 아니다."이다. 이어지는 문장에서 예를 들어 주장에 대한 근거를 보충하고 있는데, 근거로 든 예들은 모두 다수의 이익을 위하더라도 소수의 희생이 정당하지 않다는 내용이다. 따라서 제시된 글의 주된 논지로 ④가 가장 적절하다.

[오답분석]
①, ③ 최대 다수의 최대 행복 추구라는 '공리주의'에 부합하는 입장이다. 따라서 제시된 글의 논지와는 상충된다.

② 일반적으로 옳다고 여겨지는 문장이다. 그러나 제시된 글의 주된 논지와 직접적인 관련은 없다.

[정답] ④

다음 글에서 추론한 내용으로 가장 적절한 것은?

> 논리실증주의자들에 따르면, 만약 어떤 것이 과학일 경우 거기에서 사용되는 문장은 유의미하다. 그들은 유의미한 문장의 기준으로 소위 '검증 원리'라고 불리는 것을 제안했다. 검증 원리란, 경험을 통해 참이나 거짓을 검증할 수 있는 문장은 유의미하고 그렇지 않은 문장은 유의미하지 않다는 것이다. 다음 두 문장을 예로 생각해 보자.
>
> > (가) 달의 다른 쪽 표면에 산이 있다.
> > (나) 절대자는 진화와 진보에 관계하지만, 그 자체는 진화하거나 진보하지 않는다.
>
> 위 두 문장 중 경험을 통해 검증할 수 있는 것은 무엇인가? 비록 현실적으로 큰 비용이 들기는 하지만 (가)는 분명히 경험을 통해 진위를 밝힐 수 있다. 즉 우리는 (가)의 진위를 확정하기 위해서 무엇을 경험해야 하는지 알고 있다는 것이다. 이런 점에 근거하여 논리실증주의자들은 (가)는 검증할 수 있고, 유의미한 문장이라고 판단한다. 그럼 (나)는 어떠한가? 우리는 무엇을 경험해야 (나)의 진위를 확정할 수 있는가? 논리실증주의자들은 그런 것은 없다고 주장하고, 이에 (나)는 검증할 수 없고 과학에서 사용될 수 없는 무의미한 문장이라고 말한다.

① 논리실증주의자들에 따르면 무의미한 문장을 사용하는 것은 과학이 아니다.

② 논리실증주의자들에 따르면 과학의 문장들만이 유의미하다.

③ 검증 원리에 따르면 아직까지 경험되지 않은 것을 언급한 문장은 무의미하다.

④ 검증 원리에 따르면 거짓인 문장은 무의미하다.

난이도 상 ○ 하

[해설] 1문단에서 "논리실증주의자들에 따르면, 만약 어떤 것이 과학일 경우 거기에서 사용되는 문장은 유의미하다."라고 하였다. 여기에서 '어떤 것이 과학이라면(p) 거기에 사용되는 문장은 유의미하다(q).'라는 명제를 확인할 수 있다. 명제와 그 명제의 '대우'는 참, 거짓을 함께한다. 해당 명제의 '대우'는 '문장이 유의미하지 않다면(~q), 과학이 아니다(~p).'이다. 문장이 유의미하지 않다는 것은 결국 무의미하다는 것이다. 따라서 ①의 내용을 추론할 수 있다.

[오답분석]
② 제시된 글을 통해 '과학의 문장'이 유의미하다는 것은 확인할 수 있다. 그러나 오직 '과학의 문장'만이 유의미한지는 추론할 수 없다.

③ '달의 다른 쪽 표면에 산이 있다.'는 문장은 아직 경험하지 않은 것임에도 '유의미한 문장'이라고 판단하고 있다. 따라서 무의미하다는 추론은 적절하지 않다.

④ 1문단에서 "검증 원리란, 경험을 통해 참이나 거짓을 검증할 수 있는 문장은 유의미하고 그렇지 않은 문장은 유의미하지 않다는 것이다."라고 하였다. 따라서 '거짓'을 검증할 수 있는 문장은 유의미하다고 봐야 한다.

[정답] ①

다음 글에서 추론할 수 있는 것만을 〈보기〉에서 모두 고르면?

> 컴퓨터에는 자유의지가 있을까? 나아가 컴퓨터에 도덕적 의무를 귀속시킬 수 있을까? 컴퓨터는 다양한 전기회로로 구성되어 있고, 물리법칙, 프로그래밍 방식, 하드웨어의 속성 등에 따라 필연적으로 특정한 초기 상태로부터 다음 상태로 넘어간다. 마찬가지로 두 번째 상태에서 세 번째 상태로 이동하고, 이러한 과정이 계속해서 이어진다. 즉 컴퓨터는 결정론적 법칙의 지배를 받는 시스템이라는 것이다. 그럼 이러한 시스템에는 자유의지가 있을까?
>
> 결정론적 법칙의 지배를 받는 시스템의 중요한 특징은 주어진 조건에 따라 결과가 하나로 고정된다는 점이다. 다시 말해, 이러한 시스템에는 항상 하나의 선택지만 있을 뿐이다. 그런 뜻에서 결정론적 지배를 받는다는 것과 자유의지를 가진다는 것은 양립할 수 없음이 분명하다. 어떤 선택을 할 때 그것과 다른 선택을 할 수도 있다는 것은 자유의지의 필요조건이기 때문이다. 결국 결정론적 법칙의 지배를 받는 시스템은 자유의지를 가지지 않는다. 또한 자유의지를 가지지 않는 시스템에 도덕적 의무를 귀속시킬 수 없음은 당연하다.

〈보기〉

ㄱ. 컴퓨터는 자유의지를 가지지 않으며 도덕적 의무의 귀속 대상일 수도 없다.

ㄴ. 도덕적 의무를 귀속시킬 수 있는 시스템은 결정론적 법칙의 지배를 받지 않는다.

ㄷ. 어떤 선택을 할 때 그것과 다른 선택을 할 수 없는 시스템은 자유의지를 가지지 않는다.

① ㄱ, ㄴ　　② ㄱ, ㄷ　　③ ㄴ, ㄷ　　④ ㄱ, ㄴ, ㄷ

난이도 상 ○ 하

[해설]
ㄱ. 2문단의 "자유의지를 가지지 않는 시스템에 도덕적 의무를 귀속시킬 수 없음은 당연하다."를 볼 때, 적절한 추론이다.

ㄴ. ㄴ이 옳은 추론이라면, 그 '대우'도 옳다. ㄴ '도덕적 의무를 귀속시킬 수 있는 시스템은(p) 결정론적 법칙의 지배를 받지 않는다(q).'의 '대우'는 '결정론적 법칙의 지배를 받으면(~q) 도덕적 의무를 귀속시킬 수 없다(~p).'가 된다. 2문단에서 "결정론적 법칙의 지배를 받는 시스템은 자유의지를 가지지 않는다. 또한 자유의지를 가지지 않는 시스템은 도덕적 의무를 귀속시킬 수 없음은 당연하다."라고 하였다. 이는 ㄴ의 '대우'와 부합하는 내용이므로, ㄴ은 옳은 추론이다.

ㄷ. p → q가 참일 때, p는 q이기 위한 충분조건이라 하고 q는 p이기 위한 필요조건이라 한다. 2문단에서 "어떤 선택을 할 때 그것과 다른 선택을 할 수도 있다는 것은 자유의지의 필요조건이기 때문이다."라고 하였다. 즉 '자유의지가 있으면(p), 어떤 선택을 할 때 그것과 다른 선택을 할 수 있다(q).'는 명제가 성립된다. 명제가 참이면, 그 명제의 '대우'도 참이 된다. 즉 '어떤 선택을 할 때 그것과 다른 선택을 할 수 없으면(~q), 자유의지가 없다(~p).'도 참이 된다. 따라서 ㄷ은 적절한 추론이다.

[정답] ④

다음 글에 대한 이해로 적절한 것은?

> 지금 우리나라의 시문(詩文)은 자기 말을 버려두고 다른 나라의 말을 배워서 표현하므로, 설령 아주 비슷하다 하더라도 이는 단지 앵무새가 사람의 말을 하는 것에 불과하다. 민간의 나무하는 아이들이나 물 긷는 아낙네들이 소리 내어 서로 주고받는 노래가 비록 속되고 촌스럽다 할지라도, 그 참과 거짓을 논한다면, 정녕 공부하는 선비들의 이른바 시부(詩賦)라고 하는 것과는 비교가 되지 않는다.
>
>   - 김만중, 「서포만필」

① 나무하는 아이들이 부르는 노래의 가치를 인정하고 있다.

② 민간의 노래가 속되고 촌스럽다고 보는 견해를 부정하고 있다.

③ 아낙네들의 노래는 앵무새의 노래와 유사하다고 주장하고 있다.

④ 공부하는 선비의 시부가 민간의 노래보다 참되다는 점을 강조하고 있다.

난이도 ⑧ ◎ ⑨

[해설] "민간의 나무하는 아이들이나 ~ 노래가 비록 속되고 촌스럽다 할지라도, 그 참과 거짓을 논한다면, 정녕 공부하는 선비들의 이른바 시부(詩賦)라고 하는 것과는 비교가 되지 않는다."를 볼 때, 글쓴이는 나무하는 아이들이 부르는 노래의 가치를 인정하고 있음을 알 수 있다.

[오답분석] ② "민간의 ~ 노래가 비록 속되고 촌스럽다 할지라도"를 볼 때, 그 견해를 '부정'이 아닌 '인정'하고 있다.

③ "지금 우리나라의 시문(詩文)은 자기 말을 버려두고 다른 나라의 말을 배워서 표현하므로, 설령 아주 비슷하다 하더라도 이는 단지 앵무새가 사람의 말을 하는 것에 불과하다."를 볼 때, 앵무새의 노래와 유사하다고 생각하는 것은 '아낙네의 노래'가 아닌 지금 우리나라의 '시문'이다.

④ "민간의 ~ 노래가 비록 속되고 촌스럽다 할지라도, 그 참과 거짓을 논한다면, 정녕 공부하는 선비들의 이른바 시부(詩賦)라고 하는 것과는 비교가 되지 않는다."는 '민간의 노래'가 더 참되다는 의미이다.

정답 ①

다음 글에 대한 이해로 적절한 것은?

> 우리나라는 독서율이 8.4%로 경제협력개발기구(OECD) 가입 국가의 평균이 20.2%인 것에 비교할 때 턱없이 낮은 편이다. 독서가 인간의 삶과 국가 경쟁력에 미치는 영향력이 크다는 점에서 독서문화진흥에 관한 정책들을 시급히 마련할 필요가 있다.
>
> 이에 따라 우리나라는 범정부적으로 독서문화진흥을 위한 정책을 추진하기 위하여 모두가 보편적으로 누리는 '포용적 독서복지 실현'이라는 추진 전략을 수립하였다. 이 전략은 「독서문화진흥법」 제2조에 명시된 독서 소외인, 즉, 시각 장애, 노령화 등의 신체적 장애 또는 경제적·사회적·지리적 제약 등으로 독서문화에서 소외되어 있거나 독서 자료의 이용이 어려운 자를 위한 독서복지 체계를 마련하는 데에 목적이 있다.
>
> 포용적 독서복지를 실현하기 위하여 정부는 초등 저학년 대상의 책 꾸러미 프로그램과 함께 독서 소외인의 실태를 고려한 맞춤형의 프로그램을 제공할 계획이다. 구체적으로는 취약 지역의 작은 도서관 설치, 순회 독서활동가의 파견, 점자 및 수화영상 도서 보급, 병영 도서관 확충, 교정 시설에 대한 독서 치유 프로그램 운영 등을 들 수 있다.

① 우리나라의 독서율은 경제협력개발기구 가입 국가의 평균 독서율과 차이가 없다.

② 초등학교 저학년은 한글 해득을 완전히 숙달하지 못해 독서 자료의 이용이 어려운 자에 속하므로 독서 소외인에 해당한다.

③ 「독서문화진흥법」 제2조에 따르면 신체적 장애로 인해 독서 자료의 이용이 어려운 사람은 독서 소외인에 해당한다.

④ 군 장병의 독서 소외를 해소하기 위한 맞춤형 프로그램으로 독서 치유 프로그램이 있다.

난이도 ⑧ ◎ ⑨

[해설] 2문단의 "「독서문화진흥법」 제2조에 명시된 독서 소외인, 즉, 시각 장애, 노령화 등의 신체적 장애 또는 경제적·사회적·지리적 제약 등으로 독서문화에서 소외되어 있거나 독서 자료의 이용이 어려운 자" 부분을 볼 때, 적절한 이해이다.

[오답분석] ① 1문단의 "우리나라는 독서율이 8.4 %로 경제협력개발기구(OECD) 가입 국가의 평균이 20.2 %인 것에 비교할 때 턱없이 낮은 편이다." 부분을 볼 때, 적절하지 않은 이해이다.

② 2문단을 볼 때, '독서 소외인'은 '시각 장애, 노령화 등의 신체적 장애 또는 경제적·사회적·지리적 제약 등으로 독서문화에서 소외되어 있거나 독서 자료의 이용이 어려운 자'이다. 초등학교 저학년은 이에 해당하지 않기 때문에 적절하지 않은 이해이다.

④ 3문단의 '교정 시설에 대한 독서 치유 프로그램 운영'을 볼 때, 독서 치유 프로그램은 '군 장병'이 아닌 '교정 시설의 수감자'가 대상이다.

정답 ③

---

076 ○○○

다음 글의 내용과 부합하는 것은?

> 사적인 필요가 사적 건축을 낳는다면, 공적인 필요는 다수를 위한 공공 건축을 낳는다. 공공 건축은 정부나 지방자치 단체가 주도하면서 사적 자본이 생산해 낼 수 없는 공간을 생산해 내어야 한다. 이곳은 자본의 논리에서 소외된 영역을 보살피는 공적인 영역이다. 따라서 공공 건축은 국민의 삶의 질을 한 단계 높이는 데 기여할 수 있어야 한다. 그리고 특정 개인의 취향이 반영된 것이 아니라 보다 큰 다수가 누릴 수 있는 것을 배려하는 보편성을 갖추어야 한다. 그러면서도 사적 건축으로는 하기 어려운 지역의 정체성과 문화적 전통도 보존해야 한다. 이렇게 공공 건축은 공적인 소통의 장이 되어야 하는 것이다.

① 사적 건축은 국민의 삶의 질을 높이는 역할을 해야 한다.
② 사적 건축은 국민 다수의 보편적인 취향을 반영해야 한다.
③ 공공 건축은 지역의 정체성을 반영한 소통의 장이 되어야 한다.
④ 공공 건축은 사적 자본을 활용하여 다수가 누릴 수 있는 공간을 만들어야 한다.

난이도 ④ ○ ⑤

해설 제시된 글의 마지막 두 문장 "그러면서도 사적 건축으로는 하기 어려운 지역의 정체성과 문화적 전통도 보존해야 한다. 이렇게 공공 건축은 공적인 소통의 장이 되어야 하는 것이다."를 볼 때, 제시된 글의 내용과 부합하는 것은 ③이다.

오답 분석
① "공공 건축은 국민의 삶의 질을 한 단계 높이는 데 기여할 수 있어야 한다." 부분을 볼 때, '사적 건축'이 아닌 '공공 건축'에 대한 내용이다.
② "공공 건축은 ~ 보편성을 갖추어야 한다." 부분을 볼 때, '사적 건축'이 아닌 '공공 건축'에 대한 내용이다.
④ 공공 건축이 다수가 누릴 수 있는 공간을 만들어야 하는 것은 옳은 진술이다. 그러나 "공공 건축은 정부나 지방자치 단체가 주도하면서 사적 자본이 생산해 낼 수 없는 공간을 생산해 내어야 한다." 부분을 볼 때, '사적 자본을 활용하여'라는 진술은 옳지 않다.

정답 ③

077 ○○○

갑~병에 대한 평가로 적절한 것만을 <보기>에서 모두 고르면?

> 갑: 일상적인 언어생활에서 가족이 아닌 이들과 대화할 때 '우리 엄마'라는 표현을 자주 쓰곤 하는데, 좀 이상하지 않아? '우리 동네'라는 표현과 비교하면 무엇이 문제인지 분명하게 알 수 있어. '우리 동네'는 화자의 동네이기도 하면서 청자의 동네이기도 한 특정한 하나의 동네를 지칭하잖아. 그런 식이라면 '우리 엄마'는 형제가 아닌 화자와 청자가 공유하는 엄마를 지칭하는 이상한 표현이 되는 셈이지. 그러니까 이 경우의 '우리 엄마'는 잘못된 어법이고 '내 엄마'라고 하는 것이 올바른 어법이라고 할 수 있어.

> 을: 청자가 사는 동네와 화자가 사는 동네가 다른 경우에도 '우리 동네'라는 표현을 쓸 수 있어. 물론 이 표현이 의미하는 것은 청자가 사는 동네와 다른, 화자가 사는 동네가 되겠지. 이 경우 '우리 동네'라는 표현은 '그 표현을 말하는 사람이 사는 동네' 정도를 의미할 거야. 갑이 문제를 제기한 '우리 엄마'의 경우도 마찬가지라고 볼 수 있어.

> 병: '우리 엄마'와 '내 엄마'가 같은 뜻을 갖는 것은 아니야. '내 동네'라고 하지 않고 '우리 동네'라고 하는 것은 동네를 공유하는 공동체가 존재하기 때문이겠지. 마찬가지로 '내 엄마'라고 하지 않고 '우리 엄마'라고 하는 것은 우리가 늘 가족 공동체 속에서의 엄마를 생각하기 때문일 거야. 즉, 가족 구성원 중의 한 명인 엄마를 공유하는 공동체가 존재한다는 것이지.

〈보기〉
> ㄱ. 갑은 '우리 엄마'라는 표현이 화자와 청자 모두의 엄마를 가리킨다고 보는 입장이다.
> ㄴ. 형제가 서로 대화하면서 '우리 엄마'라는 표현을 쓸 때 이 표현이 형과 동생 모두의 엄마를 가리킨다는 것은 을의 입장을 약화한다.
> ㄷ. 무인도에 혼자 살아온 사람이 그 섬을 '우리 마을'이라고 말하면 어색하게 느껴진다는 것은 병의 입장을 약화하지 않는다.

① ㄱ
② ㄱ, ㄷ
③ ㄴ, ㄷ
④ ㄱ, ㄴ, ㄷ

난이도 ④ ○ ⑤

해설
ㄱ. '갑'의 "'우리 동네'는 화자의 동네이기도 하면서 청자의 동네이기도 한 특정한 하나의 동네를 지칭하잖아. 그런 식이라면 '우리 엄마'는 형제가 아닌 화자와 청자가 공유하는 엄마를 지칭하는 이상한 표현이 되는 셈이지."라는 말을 볼 때, 갑은 '우리 엄마'라는 표현이 화자와 청자 모두의 엄마를 가리킨다고 보는 입장임을 알 수 있다.
ㄷ. 무인도에 혼자 살아왔다는 것은 가족 구성원이 혼자뿐이라는 의미이다. 따라서 이 경우에는 '우리 마을'이라고 말하면 어색하게 느껴진다고 해도 그것 자체가 '병'의 입장을 약화한다고 볼 수는 없다.

고득점 GO!

'강화'는 일치, '약화'는 불일치로 생각하면 편해요!

오답 분석
ㄴ. '을'이 '갑'의 주장 전체를 부정하고 있는 것은 아니다. 따라서 형제가 서로 대화하면서 '우리 엄마'라는 표현을 쓸 때 이 표현이 형과 동생 모두의 엄마를 가리킨다는 것이 '을'의 입장을 강화하지 않을 뿐, 약화하지도 않는다.

정답 ②

A와 B의 주장에 대한 평가로 적절한 것만을 <보기>에서 모두 고르면?

A는 아동의 사고와 언어의 발달이 개인적 차원에서 사회적 차원으로 진행된다고 주장한다. 그에 따르면 말을 배우기 시작하는 2 ~ 3세경에 '자기중심적 언어'가 나타났다가 8세경에 학령이 되면서 자기중심적 언어는 소멸하고 '사회적 언어'의 단계로 진입한다고 주장한다.

B는 A가 주장한 자기중심적 언어의 존재를 인정하면서도 그것의 성격에 있어서는 다른 견해를 지닌다. A와 달리 그는 자기중심적 언어가 문제에 대한 해결방법을 구안하는 데 중요한 사고의 도구가 된다고 주장한다. 그에 따르면 자기중심적 언어는 아동이 자기 자신과 대화할 때 나타나는데, 아동은 자신과 대화하는 방식으로 소리 내며 사고한다. 그는 자기중심적 언어가 자연적 존재를 문화적 존재로 변모시키는 기능을 하며, 학령이 되면서 소멸하는 게 아니라 내면화되어 소리 없는 '내적 언어'를 구성함으로써 정신기능을 발달시킬 수 있는 원동력이 된다고 본다.

이러한 두 사람의 입장 차이는 자기중심적 언어의 전(前) 단계에 대한 서로 다른 생각에서 기인한 것으로 보인다. A는 출생 이후 약 2세까지의 아이가 언어 이전의 '환상적 사고'의 단계에 머물러 있는 것으로 보는데, 여기서 환상적 사고는 자신과 대상 세계를 구분하지 못하는 것을 가리킨다. 자신과 대상 세계를 구분하지 못하면 의사소통 행위가 불가능하므로 A는 이 단계의 아이가 보여주는 타인과의 상호작용을 의사소통 행위가 아니라고 주장한다. 반면, B의 경우 출생 이후 약 2세까지의 상호작용을 의사소통 행위로 판단한다. 그에 따르면 이때의 의사소통 행위는 타자의 규제와 이에 따른 자기규제가 작동하는 대화적 상호작용의 일종으로, 사회적 언어를 통해 수행된다.

B 역시 A와 마찬가지로 아동의 언어와 사고의 발달이 3단계로 진행된다고 보지만, 그 방향에 있어서는 사회적 언어에서 출발하여 자기중심적 언어를 거쳐 내적 언어 순으로 진행된다고 본다.

───── 〈보기〉 ─────

ㄱ. '자기중심적 언어'의 단계 전에 A는 의사소통 행위가 이루어지지 않는 것으로, B는 이루어지는 것으로 본다.

ㄴ. A는 '자기중심적 언어'가 학령이 되면 없어지는 것으로 보는 반면, B는 없어지지 않는 것으로 본다.

ㄷ. A와 B는 '사회적 언어'의 단계로 진입하는 시기에 대해 견해를 달리한다.

① ㄱ
② ㄱ, ㄴ
③ ㄴ, ㄷ
④ ㄱ, ㄴ, ㄷ

난이도 상 ○ 하

[해설] ㄱ. 3문단의 "두 사람의 입장 차이는 자기중심적 언어의 전(前) 단계에 대한 서로 다른 생각에서 기인한 것으로 보인다." 이후의 내용을 볼 때, 적절한 평가이다.

ㄴ. 1문단에서 '자기중심적 언어'에 대해 A는 '소멸'한다고, B는 '내면화'된다고 하였으므로 적절한 평가이다.

ㄷ. A는 "8세경에 학령이 되면서 자기중심적 언어는 소멸하고 '사회적 언어'의 단계로 진입한다고 주장한다."라고 주장하였고, B는 달랐다. 따라서 둘이 '사회적 언어'의 단계로 진입하는 시기에 대해 견해를 달리하였다는 평가는 적절하다.

정답 ④

다음 글의 내용을 이해한 것으로 가장 적절한 것은?

1905년 아인슈타인의 특수 상대성 이론이 발표되기 전까지 물리학자들은 시간과 공간을 별개의 독립적인 물리량으로 보았다. 공간은 상대적인 물리량인 데 비해, 시간은 절대적인 물리량으로서 공간이나 다른 어떤 것의 변화에 의해 변하지 않는다는 것이다. 하지만 아인슈타인은 시간도 상대적인 물리량으로 보고, 시간과 공간을 합쳐서 4차원 공간, 즉 시공간(spacetime)이라고 하였다. 이 시공간은 시간과 공간으로 서로 구별되지 않는다. 다만 이 시공간은 시간에 해당하는 차원이 한 방향으로만 진행한다는 한계가 있기 때문에 제한적인 4차원 공간이라는 특징이 있다.

① 아인슈타인의 시공간은 시간과 공간으로 구별되어 존재했다.

② 아인슈타인 등장 전까지 시간과 공간은 독립적인 물리량이 아니었다.

③ 아인슈타인 등장 전까지 시간은 상대적인 물리량으로 변화 가능한 것이었다.

④ 아인슈타인의 시공간은 시간에 해당하는 차원이 한 방향으로만 진행되었다.

난이도 상 ○ 하

[해설] "이 시공간은 시간에 해당하는 차원이 한 방향으로만 진행한다는 한계가 있기 때문에"를 볼 때, ④의 이해는 적절하다.

[오답분석] ① "이 시공간은 시간과 공간으로 서로 구별되지 않는다."를 볼 때, 적절하지 않은 이해이다.

② "1905년 아인슈타인의 특수 상대성 이론이 발표되기 전까지 물리학자들은 시간과 공간을 별개의 독립적인 물리량으로 보았다."를 볼 때, 적절하지 않은 이해이다.

③ "1905년 아인슈타인의 특수 상대성 이론이 발표되기 전까지 ~ 시간은 절대적인 물리량으로서 공간이나 다른 어떤 것의 변화에 의해 변하지 않는다는 것이다."를 볼 때, 적절하지 않은 이해이다.

정답 ④

다음 글에 대한 이해로 적절한 것은?

> 무엇이 내 행동에 영향을 미치는가? 뜨거운 커피를 들고 있으면 상대방이 따뜻한 사람으로 보인다거나, 배가 고프면 구직자에게 무정해진다거나 하는 일상의 행동을 설명할 이론이 있는가? 기억에서 금방 사라지는 돌발 요소들이 어떤 역할을 하는지 우리는 잘 모른다. 심지어 눈에 잘 띄는 요소가 어떤 역할을 하는지도 확신할 수 없을 때가 많다. 내가 정말로 무슨 생각을 하는지, 내가 왜 그런 행동을 하는지 나도 잘 모를 수 있다.
>
> 나는 내 행동의 이유를 곧잘 설명하곤 한다. 그럴 때면 내가 이야기를 지어내고 있으며, 따라서 내 얘기는 에누리해서 들어야 한다는 걸 나 스스로 정확히 인식할 때가 종종 있다. 하지만 상대방은 대개 고개를 끄덕이며 내 말을 거의 다 믿는 눈치다. 나도 다른 사람의 설명은 곧이곧대로 받아들이는 성향이 있다. 더러는 상대가 사실을 그대로 말하지 않고 이야기를 그럴듯하게 지어내고 있다는 걸 내가 눈치챌 때도 있지만, 대개는 다른 사람이 내 말을 그대로 받아들이듯이 나도 다른 사람의 말을 그대로 받아들이는 편이다. 그러나 법조계에서는 널리 공유되고 있는 인식이 있다. 목격자, 피고, 배심원이 자신의 행동 이유나 어떤 결론에 도달한 이유를 말할 때는 비록 그들이 솔직히 말하려고 최선을 다한다 해도 그 설명을 그대로 신뢰해서는 안 된다는 것이다.

① 목격자, 피고, 배심원은 정직하게 말하지 않는다.

② 자신이 왜 그렇게 했는지를 스스로 잘 알고 있다.

③ 말이나 행동의 원인을 정확히 안다고 단정할 수 없다.

④ 다른 사람이 왜 그렇게 했는지 이유나 동기를 설명하면 신뢰해야 한다.

난이도 상 ○ 하

해설 1문단의 "내가 정말로 무슨 생각을 하는지, 내가 왜 그런 행동을 하는지 나도 잘 모를 수 있다."를 볼 때, '말이나 행동의 원인을 정확히 안다고 단정할 수 없다.'는 적절한 이해이다.

오답분석 ① 2문단에서 "목격자, 피고, 배심원이 자신의 행동 이유나 어떤 결론에 도달한 이유를 말할 때는 비록 그들이 솔직히 말하려고 최선을 다한다 해도 그 설명을 그대로 신뢰해서는 안 된다는 것이다."라고 하였다. 이는 그들이 솔직하게 말하려고도 하더라도 그것을 신뢰해서는 안 된다는 의미이지, 그들이 정직하게 말하지 않는다는 의미가 아니다.

② 1문단의 "내가 정말로 무슨 생각을 하는지, 내가 왜 그런 행동을 하는지 나도 잘 모를 수 있다." 부분을 볼 때, 적절하지 않은 이해이다.

④ 2문단의 "목격자, 피고, 배심원이 자신의 행동 이유나 어떤 결론에 도달한 이유를 말할 때는 비록 그들이 솔직히 말하려고 최선을 다한다 해도 그 설명을 그대로 신뢰해서는 안 된다는 것이다." 부분을 볼 때, 적절하지 않은 이해이다.

정답 ③

다음 글에 대한 이해로 적절한 것은?

> 레코드가 등장하고 대량 복제에 용이한 원반형 레코드가 대중화되기 시작하면서 대중음악의 소비 양상은 매우 빠르게 변화했다. 당시의 레코드는 매우 비싸긴 했지만 음악을 반복해 들을 수 있었고 공연장을 찾지 않아도 원하는 때에 원하는 음악을 들을 수 있도록 해주었기 때문에 널리 애용될 수 있었다. 또한 지금과 마찬가지로 거리의 상점, 유흥 공간 등에서 홍보와 고객 유인을 위해 레코드 음악을 널리 사용했기 때문에 비록 돈이 없다 해도 누구나 쉽게 레코드 음악을 향유할 수 있었다. 레코드의 수요는 날로 확산되었는데, 매체의 특성상 지리적 이동이 손쉽게 이루어지게 됨에 따라 스타급 음악인들의 영향력은 세계적으로 확대되었다. 음악 역사상 처음으로 레코드 판매 100만 장을 돌파했다는 이탈리아 출신 오페라 가수 카루소는 20세기 초반, 자신의 고향인 이탈리아를 넘어서 유럽 전역을 비롯해 북미·남미 대륙을 넘나드는 세계적 스타로 성장할 수 있었다.
>
> 레코드가 인기를 끌면서 극장 중심의 흥행 산업 시절에는 경험할 수 없었던 놀라운 대중성의 성취가 이루어졌다. 또한 레코드가 팔린다고 해서 극장의 흥행이 감소되기는커녕 오히려 레코드 산업과 동반 성장을 이루게 되면서 극장 흥행이 세계적으로 펼쳐지는 시대가 다가왔고, 가수들은 전에 비할 바 없는 많은 돈을 벌어들이기 시작했다.

① 레코드의 대중화로 스타급 음악인들의 영향력이 확대되었다.

② 오페라 극장에서는 관객에게 레코드 음악을 들려주면서 흥행을 성공시켰다.

③ 오페라 가수 카루소는 다양한 언어로 노래한 레코드를 제작하여 출시하였다.

④ 새로 등장한 레코드 가격이 매우 비싸서 대중은 레코드 음악을 듣기 힘들었다.

난이도 상 ○ 하

해설 1문단의 "레코드의 수요는 날로 확산되었는데, 매체의 특성상 지리적 이동이 손쉽게 이루어지게 됨에 따라 스타급 음악인들의 영향력은 세계적으로 확대되었다."를 볼 때, '레코드의 대중화로 스타급 음악인들의 영향력이 확대되었다.'는 이해는 적절하다.

오답분석 ② 제시된 글에 오페라 극장에서 관객에게 레코드 음악을 들려주었다는 내용은 없다. 제시된 글에서는 레코드와 극장 산업이 동시에 성장을 이루어지게 되었다는 내용만 나와 있을 뿐이다.

③ 1문단에 '카루소'가 유럽 전역과 북미·남미를 넘나드는 세계적인 스타로 성장했다는 내용은 나와 있다. 그러나 다양한 언어로 노래한 레코드를 제작하였고 출시했다는 내용은 나와 있지 않다.

④ 1문단의 "당시의 레코드는 매우 비싸긴 했지만 음악을 반복해 들을 수 있었고 공연장을 찾지 않아도 원하는 때에 원하는 음악을 들을 수 있도록 해주었기 때문에 널리 애용될 수 있었다."를 볼 때, 레코드 가격이 비싼 것은 맞다. 그러나 음악을 반복해서 들을 수 있고 공연장을 찾지 않아도 원하는 음악을 들을 수 있다는 이점 때문에 널리 애용되었다고 했기 때문에, 적절하지 않은 이해이다.

정답 ①

다음 글에 대한 이해로 적절한 것은?

데이터 권력은 역사의 객관적이고 원본에 입각한 사실 기록의 방식과 해석에도 심각한 변화를 일으킨다. 디지털 기록은 알고리즘 분석을 위해 축적되는 재료에 불과하고, 개별의 구체적 가치와 질감을 거세한 무색무취의 건조한 데이터가 된다. 이용자들의 정서 데이터는 데이터베이스 어딘가에 데이터 조각으로 저장되지만, 누군가에 의해 알고리즘 명령으로 호출되기 전까지 그 어떤 사건사적·사회사적 의미도 만들어내지 못한다. 어떤 데이터를 선별적으로 남기고 무엇을 포기할 것인가에 대한 고민이나, 왜 특정의 데이터가 사회적 의미를 지니는지 등에 관한 역사성과 객관성을 중시하는 역사기록학적 물음들은, 오늘날 인간 활동으로 뿜어져 나오는 비정형 데이터에 의존한 많은 닷컴 기업들에 그리 중요하지 않다. 데이터 취급을 통해 생존을 도모하는 데이터 기업 자본은 거대한 데이터 센터를 구축해 인간의 움직임과 활동, 감정의 흐름 모두를 실시간으로 저장해 필요에 의해 잘 짜인 알고리즘으로 원하는 정보 패턴이나 관계를 찾는 데 골몰한다. 진본성이나 공공성을 담지한 공식 기록을 선별해 남기려는 역사학적 관심사는, 이 새로운 무차별적인 기억과 감정적 흐름의 공장을 돌리는 데이터 권력 질서와 자주 경합하거나 때론 데이터 권력에 의해 억압당한다.

새로운 데이터 권력의 질서 속에서는 개별적 기록이 지닌 가치와 진실 등 그 사회사적 사건의 특수한 흔적들이 거의 완전히 지워진다. 지배적 알고리즘의 산식에는 개인적 차이, 감수성, 질감들이 무시되고 이리저리 움직이고 부유하는 집단 욕망들의 경향과 패턴을 포착하는 것만이 중요하다.

① 공적이고 질적으로 의미 있는 데이터를 선별하려는 역사기록학적 시도는 데이터 권력에 의해 방해받는다.

② 거대한 기업을 경영하는 데이터 권력은 개인들의 섬세한 차이를 기록한 데이터의 가치를 높이 평가한다.

③ 데이터 가공을 통해 생존하는 데이터 기업은 알고리즘 산식을 이용하여 데이터를 체계적으로 저장한다.

④ 데이터 권력의 지배적 알고리즘을 수용함으로써 역사학은 개인과 사회의 관계를 더 잘 파악할 수 있다.

⑤ 역사학은 데이터 센터에 저장된 비정형 데이터를 활용함으로써 집단의 움직임을 파악하려 시도한다.

難이도 (상) ○ (하)

해설 1문단의 "진본성이나 공공성을 담지한 공식 기록을 선별해 남기려는 역사학적 관심사는 ~ 데이터 권력에 의해 억압당한다."를 볼 때, 적절한 이해이다.

오답 분석
② "어떤 데이터를 선별적으로 남기고 무엇을 포기할 것인가에 대한 고민이나 ~ 많은 닷컴 기업들에 그리 중요하지 않다."에서 '가치를 높이 평가하지 않음.'이 확인된다.

③ "데이터 기업 자본은 거대한 데이터 센터를 구축해 ~ 원하는 정보 패턴이나 관계를 찾는데 골몰한다."에서 잘 짜인 알고리즘으로 원하는 경향과 패턴을 찾으려고 할 뿐, '체계적으로 저장하는 것은 아님.'이 확인된다.

④ 첫 문단의 첫 문장 "데이터 권력은 ~ 심각한 변화를 일으킨다."와 두 번째 문단의 첫 문장 "새로운 데이터 권력의 질서 속에서는 ~ 완전히 지워진다."를 통해 '개인과 사회의 관계를 더 잘 파악할 수 있는 것이 아님.'을 확인할 수 있다.

⑤ '데이터 센터를 구축하고 비정형 데이터에 의존하여 집단 욕망의 경향과 패턴 포착'을 중시하는 것은 '데이터 기업 자본'과 같은 '데이터 권력'에 대한 설명이다. 첫 문단 첫 문장에서는 "역사의 객관적이고 원본에 입각한 사실 기록의 방식과 해석"으로, 마지막 문단에서 "개별적 기록이 지닌 가치와 진실 등 그 사회의 특수한 흔적들", "개인적 차이, 감수성, 질감"으로 '역사학'의 특징을 밝히고 있다.

정답 ①

다음 글에 대한 이해로 적절한 것은?

한나라 무제는 춘추학자 동중서의 헌책을 받아들여, 도가나 법가의 사상을 멀리하고 그때까지 제자백가의 하나에 지나지 않았던 유가의 사상을 한나라의 정통 사상으로 인정했다.

그렇다면 무엇 때문에 제자백가 중에서 유가가 정통 사상의 지위를 얻을 수 있었을까? 당시 유가 외의 유력한 사상으로는 도가와 법가가 있었다. 법가는 법률에 의한 강제 지배를 국가 통치의 최상 형태라고 주장한다. 이러한 사상은 전국시대 한비에 의해 이론화되고, 이사에 의해 시황제 치하 진나라의 통치에 실제로 이용되었다. 그러나 법에 의한 지배가 실효성을 갖기 위해서는 그것을 뒷받침할 만한 국가 권력, 구체적으로는 강대한 군사력이나 용의주도하게 구축된 경찰 조직을 필요로 한다. 진나라의 시황제는 그것을 실현하여 중국 최초의 중앙집권적 국가를 만들었으나, 진나라는 곧 붕괴해 버리고 말았다. 법에 의한 지배를 유지하는 일이 국가의 경제적인 측면에서는 대단히 큰 부담이 되었던 것이다.

한나라 초기의 위정자나 사상가는 이러한 역사를 반성하는 인식을 공통적으로 갖고 있었다. 가의는 〈과진론〉을 통해 진나라가 실행한 법치주의의 가혹함을 혹독하게 비난하였다. 그리고 항우와 치열한 천하 쟁탈의 싸움을 벌인 끝에 한나라를 세운 고조 유방은 비용이 많이 드는 법가 사상을 채용할 만한 국가적 여유를 갖고 있지 못했다.

한편 무위자연을 주장하는 도가는 전란으로 피폐해진 한나라 초기의 국가 정세 및 백성들의 사정에 가장 적합한 사상이었다. 사실 문제 시대에 도가 사상이 일세를 풍미했던 적도 있었다.

그렇지만 결국 외부적 강제를 부정하는 도가 사상은 국가의 지배 이데올로기가 될 수 없었다. 한나라가 국력을 회복하고 국가의 여러 가지 제도를 정비함에 따라 도가 사상은 결국 후퇴하지 않을 수 없었던 것이다.

여기에서 등장한 것이 효제충신의 가족 도덕을 근간으로 하는 유가 사상이다. 당시 '리(里)'라고 불린 촌락공동체는 생활관습이나 가치관을 구현하는 '부로(父老)'와 일반 촌락민인 '자제(子弟)'로 구성되어 있었는데, 공동체 내부의 인간관계는 흡사 가족생활이 연장된 것 같은 모습을 보여주고 있었다. 즉 촌락공동체에서는 자연 발생적으로 유교적인 윤리나 규범이 지켜지고 있었던 것이다.

여기에서 만약 국가가 유교적 권위를 승인하고 촌락공동체에서 행해지고 있는 윤리나 규범을 국가 차원에까지 횡적으로 확대 적용한다면 절대주의적인 황제 권력을 확립하는 가장 유효한 수단이 될 것이었다. 부로를 존경하는 향리의 자제는 동시에 황제를 숭배하는 국가의 좋은 백성이 될 것이 틀림없었다. 무제는 가족 도덕이 국가의 지배 이데올로기로서 그대로 기능할 수 있는 점에 매력을 느껴 유교를 국교로 정했던 것이다.

① 도가를 통치 이념으로 채택할 경우 비용이 많이 드는 약점이 있었다.
② 한나라 초기에는 법가의 경제 정책에 대한 비판적 논의가 활발했다.
③ 한나라 가의에 의해 도가 사상이 사상계를 주도하게 되었다.
④ 유교가 국교로 지정되기 이전부터 한나라의 촌락공동체는 유교의 도덕규범을 준수하고 있었다.
⑤ 도가의 무정부주의적 성격은 한나라의 국가 정비를 정면에서 가로막았다.

난이도 ⓢ ○ ⓗ

해설 5문단의 "즉 촌락공동체에서는 자연 발생적으로 유교적인 윤리나 규범이 지켜지고 있었던 것이다."를 볼 때, 적절한 이해이다.

오답분석 ① 3문단의 "비용이 많이 드는 법가 사상을 채용할 만한 국가적 여유를 갖고 있지 못했다."를 볼 때, 비용이 많이 드는 약점을 가진 것은 '법가'이다.
② 3문단의 "한나라 초기의 위정자나 사상가는 이러한 역사를 반성하는 인식을 공통적으로 갖고 있었다. 가의는 〈과진론〉을 통해 진나라가 실행한 법치주의의 가혹함을 혹독하게 비난하였다."를 볼 때, 한나라 초기에 비판한 것은 법가의 '경제 정책'이 아니다.
③ 3문단의 "가의는 〈과진론〉을 통해 진나라가 실행한 법치주의의 가혹함을 혹독하게 비난하였다."에서 '가의'가 법치주의의 가혹함을 비난했음은 알 수 있다. 그러나 그에 의해 도가 사상이 사상계를 주도했는지는 알 수 없다. 더구나 4문단에서 "도가 사상은 국가의 지배 이데올로기가 될 수 없었다."라고 하였기 때문에 적절하지 않은 이해이다.
⑤ 4문단의 "한나라가 국력을 회복하고 국가의 여러 가지 제도를 정비함에 따라 도가 사상은 결국 후퇴하지 않을 수 없었던 것이다."를 볼 때, 적절하지 않은 이해이다.

정답 ④

다음 글의 내용과 부합하는 것은?

미국의 어머니들은 자녀와 함께 놀이를 할 때 특정 사물에 초점을 맞추고 그 사물의 속성을 아이들에게 가르친다. 사물의 속성 자체에 관심을 기울이도록 훈련받은 아이들은 스스로 독립적인 행동을 하도록 교육받는다. 미국에서는 아이들에게 의사소통을 가르칠 때 자신의 생각을 분명하게 표현하고 말하는 사람의 입장에서 대화에 임해야 하며, 대화 과정에서 오해가 발생하면 그것은 말하는 사람의 잘못이라고 강조한다.

반면에 일본의 어머니들은 대상의 '감정'에 특별히 신경을 써서 가르친다. 특히 자녀가 말을 안 들을 때에 그러하다. 예를 들어 "네가 밥을 안 먹으면, 고생한 농부 아저씨가 얼마나 슬프겠니?", "인형을 그렇게 던져 버리다니, 저 인형이 울잖아. 담장도 아파하잖아." 같은 말들로 꾸중하는 모습을 자주 볼 수 있다. 다른 사람과의 관계에 초점을 맞춘 훈련을 받은 아이들은 자신의 생각을 드러내기보다는 행동에 영향을 받는 다른 사람들의 감정을 미리 예측하도록 교육받는다. 곧 일본에서는 아이들에게 듣는 사람의 입장에서 말할 것을 강조한다.

① 미국의 어머니는 듣는 사람의 입장, 일본의 어머니는 말하는 사람의 입장을 강조한다.
② 일본의 어머니는 사물의 속성을 아는 것이 관계를 아는 것보다 더 중요하다고 생각한다.
③ 미국의 어머니는 어떤 일을 있는 그대로 보지 말고 이면에 있는 감정을 읽어야 한다고 생각한다.
④ 미국의 어머니는 자녀가 독립적인 행동을 하도록 교육하며, 일본의 어머니는 자녀가 타인의 감정을 예측하도록 교육한다.

난이도 ⓢ ⓢ ⓗ

해설 1문단에서 미국의 자녀들은 어머니에게 독립적인 행동을 하도록 교육받는다고 하였다. 또 2문단에서 일본의 자녀들은 어머니에게 다른 사람들의 감정을 미리 예측하도록 교육받는다고 하였다. 따라서 제시된 글의 내용에 부합하는 것은 ④의 '미국의 어머니는 자녀가 독립적인 행동을 하도록 교육하며, 일본의 어머니는 자녀가 타인의 감정을 예측하도록 교육한다.'이다.

오답분석 ① 듣는 사람의 입장을 강조한 사람은 '일본의 어머니'이고, 말하는 사람의 입장을 강조한 사람은 '미국의 어머니'이다.
② 제시된 글의 2문단의 내용을 고려할 때, '일본의 어머니'는 '관계를 아는 것'을 더 중요하다고 생각함을 알 수 있다. 따라서 사물의 속성을 아는 게 더 중요하다는 것은 제시된 글의 내용에 부합하지 않는다.
③ 감정을 읽어야 한다고 생각하는 사람은 '미국의 어머니'가 아니라 '일본의 어머니'이다.

정답 ④

미생물은 오늘날 흔히 질병과 연관된 것으로 여겨진다. 1762년 마르쿠스 플렌치즈는 미생물이 체내에서 증식함으로써 질병을 일으키고, 이는 공기를 통해 전염될 수 있다고 주장했으며, 모든 질병은 각자 고유의 미생물을 갖고 있다고 말했다. 그러나 유감스럽게도 그 주장에 대한 증거가 없었으므로 플렌치즈는 외견상 하찮아 보이는 미생물들도 사실은 중요하다는 점을 다른 사람들에게 납득시킬 수가 없었다. 심지어 한 비평가는 그처럼 어처구니없는 가설에 반박하느라 시간을 허비할 생각이 없다고 대꾸했다.

그런데 19세기 중반 들어 프랑스의 화학자 루이 파스퇴르에 의해 상황이 바뀌기 시작했다. 파스퇴르는 세균이 술을 식초로 만들고 고기를 썩게 한다는 사실을 연달아 증명한 뒤 만약 세균이 발효와 부패의 주범이라면 질병도 일으킬 수 있을 것이라고 주장했다. 이러한 배종설은 오랫동안 이어져 내려온 자연발생설에 반박하는 이론으로서 플렌치즈 등에 의해 옹호되었지만 아직 논란이 많았다. 사람들은 흔히 썩어가는 물질이 내뿜는 나쁜 공기, 즉 독기가 질병을 일으킨다고 생각했다. 1865년 파스퇴르는 이런 생각이 틀렸음을 증명했다. 그는 미생물이 누에에게 두 가지 질병을 일으킨다는 사실을 입증한 뒤, 감염된 알을 분리하여 질병이 전염되는 것을 막음으로써 프랑스의 잠사업을 위기에서 구했다.

한편 독일에서는 로베르트 코흐라는 내과 의사가 지역농장의 사육동물을 휩쓸던 탄저병을 연구하고 있었다. 때마침 다른 과학자들이 동물의 시체에서 탄저균을 발견하자, 1876년 코흐는 이 미생물을 쥐에게 주입한 뒤 쥐가 죽은 것을 확인했다. 그는 이 암울한 과정을 스무 세대에 걸쳐 집요하게 반복하여 번번이 똑같은 현상이 반복되는 것을 확인했고, 마침내 세균이 탄저병을 일으킨다는 결론을 내렸다. 배종설이 옳았던 것이다.

파스퇴르와 코흐가 미생물을 효과적으로 재발견하자 미생물은 곧 죽음의 아바타로 캐스팅되어 전염병을 옮기는 주범으로 여겨지기 시작했다. 탄저병이 연구된 뒤 20년에 걸쳐 코흐를 비롯한 과학자들은 한센병, 임질, 장티푸스, 결핵 등의 질병 뒤에 도사리고 있는 세균들을 속속 발견했다. 이러한 발견을 견인한 것은 새로운 도구였다. 이전에 있었던 렌즈를 능가하는 렌즈가 나왔고, 젤리 비슷한 배양액이 깔린 접시에서 순수한 미생물을 배양하는 방법이 개발되었으며, 새로운 염색제가 등장하여 세균의 발견과 확인을 도왔다.

세균을 확인하자 과학자들은 거두절미하고 세균을 제거하는 작업에 착수했다. 조지프 리스터는 파스퇴르에게서 영감을 얻어 소독 기법을 실무에 도입했다. 그는 자신의 스태프들에게 손과 의료 장비와 수술실을 화학적으로 소독하라고 지시함으로써 수많은 환자들을 극심한 감염으로부터 구해냈다. 또, 다른 과학자들은 질병 치료, 위생 개선, 식품 보존이라는 명분으로 세균 차단 방법을 궁리했다. 그리고 세균학은 응용과학이 되어 미생물을 쫓아내거나 파괴하는 데 동원되었다. 과학자들은 미생물과의 전쟁을 선포하고, 병든 개인과 사회에서 미생물을 몰아내는 것을 목표로 삼은 것이다. 이렇게 미생물에 대한 인식이 형성되었으며 그 부정적 태도는 오늘날에도 지속되고 있다.

---

085 ○○○

윗글을 읽고 이해한 내용으로 가장 적절한 것은?

① 미생물이 질병을 일으킨다는 플렌치즈의 주장은 당시 모든 사람들의 긍정적 반응을 이끌었다.

② 플렌치즈는 썩어가는 물질이 내뿜는 독기가 질병을 일으킨다는 주장이 틀렸음을 증명하였다.

③ 코흐는 동물의 시체에서 탄저균을 발견한 후 미생물을 쥐에게 주입하는 실험을 실시하였다.

④ 파스퇴르는 프랑스의 잠사업과 환자들을 감염으로부터 보호하는 일에 긍정적인 영향을 미쳤다.

난이도 상 **중** 하

[해설] 2문단의 "1865년 파스퇴르는 이런 생각이 틀렸음을 증명했다. 그는 미생물이 누에에게 두 가지 질병을 일으킨다는 사실을 입증한 뒤, 감염된 알을 분리하여 질병이 전염되는 것을 막음으로써 프랑스의 잠사업을 위기에서 구했다." 부분을 통해 알 수 있다.

[오답분석]
① 1문단의 "그러나 유감스럽게도 그 주장에 대한 증거가 없었으므로 플렌치즈는 외견상 하찮아 보이는 미생물들도 사실은 중요하다는 점을 다른 사람들에게 납득시킬 수가 없었다. 심지어 한 비평가는 그처럼 어처구니없는 가설에 반박하느라 시간을 허비할 생각이 없다며 대꾸했다." 부분을 볼 때, 부정적인 평가가 대부분이었다. 따라서 당시 모든 사람들의 긍정적인 반응을 이끌었다는 이해는 적절하지 않다.

② 2문단의 "사람들은 흔히 썩어가는 물질이 내뿜는 나쁜 공기, 즉 독기가 질병을 일으킨다고 생각했다. 1865년 파스퇴르는 이런 생각이 틀렸음을 증명했다." 부분을 볼 때, 독기가 질병을 일으킨다는 주장이 틀렸음을 증명한 사람은 '파스퇴르'이다. 따라서 증명한 사람이 '플렌치즈'라는 이해는 적절하지 않다.

③ 3문단의 "한편 독일에서는 로베르트 코흐라는 내과 의사가 지역농장의 사육동물을 휩쓸던 탄저병을 연구하고 있었다. 때마침 다른 과학자들이 동물의 시체에서 탄저균을 발견하자" 부분을 볼 때, 탄저균을 발견한 것은 '코흐'가 아니라 다른 과학자이다.

[정답] ④

윗글의 내용을 통해 도출할 수 있는 내용으로 가장 적절하지 않은 것은?

① 세균은 미생물의 일종이다.

② 세균은 화학적인 방법으로 제거할 수 있다.

③ 미생물과 질병의 연관성에 대한 인식은 통시적으로 변화해 왔다.

④ 코흐는 새로운 도구의 개발 이전에 질병을 유발하는 미생물들을 발견했다.

난이도 ○ 중 하

해설   4문단의 "탄저병이 연구된 뒤 20년에 걸쳐 코흐를 비롯한 과학자들은 한센병, 임질, 장티푸스, 결핵 등의 질병 뒤에 도사리고 있는 세균들을 속속 발견했다. 이러한 발견을 견인한 것은 새로운 도구였다." 부분을 볼 때, 코흐는 새로운 도구의 개발 이전에 질병을 유발하는 미생물들을 발견했다는 내용의 도출은 적절하지 않다.

오답 분석
① 3문단의 "때마침 다른 과학자들이 동물의 시체에서 딘저균을 발견하자, 1876년 코흐는 이 미생물을 쥐에게 주입한 뒤 쥐가 죽은 것을 확인했다." 부분을 통해 도출할 수 있는 내용이다.

② 마지막 문단의 내용을 통해 세균은 화학적인 방법으로 제거할 수 있음을 도출할 수 있다.

③ 1762년 당시에는 '마르쿠스 플렌치즈'의 주장이 받아들여지지 않았지만, 오늘날에는 자연스럽게 받아들여진다는 것을 볼 때, 미생물과 질병의 연관성에 대한 인식은 통시적으로 변화해 왔음을 알 수 있다.

정답 ④

다음 글에 대한 이해로 적절한 것은?

> 국제기구인 유엔은 영어, 중국어, 러시아어, 프랑스어, 스페인어, 아랍어 등이 공용어로 사용되나 그곳에 근무하는 모든 외교관들이 이 공용어들을 전부 다 잘해야 하는 것은 아니다. 유럽연합에서의 공용어 개념도 유엔에서의 경우와 마찬가지로 여러 공용어 중 하나만 알아도 공식 업무상 불편이 없게끔 한다는 것이지 모든 유럽연합인들이 열 개가 넘는 공용어를 전부 다 배워야 하는 것은 아니다.
>
> 마찬가지 논리로 우리가 만일 한국어와 영어를 공용어로 지정한다면 이는 한국에서는 한국어와 영어 중 어느 하나를 알기만 하면 공식 업무상 불편이 없게끔 국가에서 보장한다는 뜻이지 모든 한국인들이 영어를 할 줄 알아야 된다는 뜻은 아니다. 따라서 우리가 영어를 한국어와 함께 공용어로 지정하기만 하면 모든 한국인이 영어를 잘할 수 있게 되리라는 믿음은 공용어의 개념을 제대로 이해하지 못한 데서 오는 망상에 불과하다.

① 유엔에서 근무하는 외교관들은 유엔의 공용어를 다 구사하지 않으면 안 된다.

② 유럽연합은 복수의 공용어를 지정하여 공무상 편의를 도모하였다.

③ 한국에서 영어를 공용어로 지정하면 한국인들은 영어를 다 잘할 수 있을 것이다.

④ 한국에서 머지않아 영어가 공용어로 지정될 것이다.

난이도 상 중 하

해설   1문단의 "유럽연합에서의 공용어 개념도 유엔에서의 경우와 마찬가지로 여러 공용어 중 하나만 알아도 공식 업무상 불편이 없게끔 한다는 것" 부분을 통해 확인할 수 있는 내용이다.

오답 분석
① 1문단에서 "그곳(유엔)에 근무하는 모든 외교관들이 이 공용어들을 전부 다 잘해야 하는 것은 아니다."라고 하였다. 따라서 유엔에서 근무하는 외교관들은 유엔의 공용어를 다 구사하지 않으면 안 된다는 이해는 적절하지 않다.

③ 2문단에서 "우리가 영어를 한국어와 함께 공용어로 지정하기만 하면 모든 한국인이 영어를 잘할 수 있게 되리라는 믿음은 ~ 망상에 불과하다."라고 하였다. 따라서 한국에서 영어를 공용어로 지정하면 한국인들은 영어를 다 잘할 수 있을 것이라는 이해는 적절하지 않다.

④ 제시된 글에 머지않아 영어가 공용어로 지정될 것이라는 내용은 나와 있지 않다. 글쓴이는 영어 공용화를 주장하는 사람들을 "망상에 불과하다."라고 표현하면서 강하게 비판하고 있는 것을 볼 때, 그런 주장을 하는 사람이 있다는 정도만 짐작할 수 있다.

정답 ②

PART 1 비문학 해커스공무원 해원국어 기출정해 1000제 1권 비문학·문학

다음 글을 이해한 내용으로 가장 옳은 것은?

미학이란 무엇인가? 미학이라는 학문의 이름에는 '미(美)'자가 들어가니 아름다움에 대해 연구하는 학문이라는 말은 맞을 것이다. 그러나 그림도 아름답고, 음악도 아름답고, 꽃, 풍경, 석양 등 세상에 아름다운 것들이 수없이 많을 터인데, 그것들을 연구하는 사람들은 전부 미학을 한다고 할 수 있을까? 전통적으로 그림은 아름다운 것을 나타낸 것이라 생각되었고, 그런 그림들을 연구하는 학문으로 미술사학이란 것이 있는데, 그림은 아름답고 또 그 것을 연구하기에 미술사학도 미학인가? 같은 방식으로 아름다운 음악작품들을 연구하는 음악사학이 있다면 이것도 미학인가?

'미술사학', '음악사학'이란 학문의 명칭에 주목한다면, 그 속에 포함된 '사(史)'라는 글자에서 이러한 학문들은 그림의 역사, 음악의 역사를 연구하는 학문임을 알 수 있다. 그렇다면 미술사학이나 음악사학이 미학이 아니라면 모두 똑같이 아름다운 대상을 연구하는 학문임에도 이들 사이의 차이점은 무엇인가? 미학이나 미술사, 음악사학이 모두 아름다운 대상을 연구한다는 점에는 마찬가지이지만, 그 차이점은 그것에 접근하는 방식, 다르게 말하면 그것들을 연구하는 방식이 다르기 때문이다. 미술사학은 화가 개인이나 화파 사이의 역사적 관계를 연구하는 학문이다. 이러한 연구 방식은 그림의 역사를 연구하는 것이기에 우리는 그러한 학문을 미술사학이라고 부르며, 이 같은 설명이 음악사학에도 적용될 것이다.

미학이 미술사학이나 음악사학이 아니라면 미학은 아름다운 대상을 역사적으로 연구하는 학문이 아니라는 점이 분명해진다. 그렇다면 미학은 아름다운 대상을 어떻게 연구하는 것인가? 결론부터 얘기한다면, 미학은 아름다운 대상을 철학적으로 연구하는 학문이다. 어떤 것을 철학적으로 연구한다는 것은 과연 어떻게 하는 것인가? 여기서 우리는 학문의 방법론을 생각해볼 필요가 있다. 학문의 방법론은 학문을 하는 도구라고 생각할 수 있다. 미학과 미술사학의 차이는 미술작품을 철학과 역사라는 도구 중 어떤 도구를 가지고 연구하냐의 차이다.

다른 식으로 설명하자면 학문의 방법론은 학문의 대상을 보는 관점이라고 설명할 수 있다. 우리는 어떤 대상을 여러 관점에서 볼 수 있고, 이때 그 대상의 모습은 어떤 관점에서 보느냐에 따라 달라질 것이다. 이를 학문의 방법론에 적용한다면, 미술사학은 미술을 역사적 관점에서 보는 것이고, 미학은 미술을 철학적 관점에서 보는 것이다. 즉 두 학문은, 같은 대상을 보고 있지만 그것을 보는 관점이 다르기에 대상의 다른 특색을 연구하며, 그렇기 때문에 다른 학문이 되는 것이다.

① 미술사학과 음악사학은 아름다운 대상에 접근하는 방식이 다르다.

② 미학과 미술사학은 서로 다른 도구를 가지고 아름다운 대상을 연구한다.

③ 그림, 음악 등의 아름다운 것을 연구하는 사람들은 모두 미학을 한다고 할 수 있다.

④ 미학과 음악사학은 각각 미술과 음악이라는 도구를 사용한다는 점에서 차이가 있다.

난이도 상 **중** 하

[해설] 3문단의 "미학과 미술사학의 차이는 ~ 어떤 도구를 가지고 연구하냐의 차이다." 부분을 볼 때, 적절한 이해이다.

[오답분석] ① 2문단의 "미학이나 미술사학, 음악사학이 모두 아름다운 대상을 연구한다는 점에는 마찬가지이지만, 그 차이점은 그것에 접근하는 방식, 다르게 말하면 그것들을 연구하는 방식이 다르기 때문이다." 부분은 '미술사학'과 '음악사학'의 접근 방식이 다르다는 것이 아니라 '미학'과 '미술사학, 음악사학'의 접근 방식이 다르다는 내용이다. 따라서 미술사학과 음악사학은 아름다운 대상에 접근하는 방식이 다르다는 이해는 적절하지 않다.

③ 3문단의 "미학은 아름다운 대상을 어떻게 연구하는 것인가? 결론부터 얘기한다면, 미학은 아름다운 대상을 철학적으로 연구하는 학문이다." 부분을 볼 때, '철학적'으로 연구하는 학문만 '미학'이라고 할 수 있음을 알 수 있다. 따라서 아름다운 것을 연구하는 사람들은 모두 미학을 한다고 할 수 있다는 이해는 적절하지 않다.

④ 3문단의 "미학과 미술사학의 차이는 미술작품을 철학과 역사라는 도구 중 어떤 도구를 가지고 연구하냐의 차이다." 부분을 볼 때, 선택지 ④의 진술은 '미학과 음악사학은 각각 철학과 역사라는 도구를 사용하는 점에서 차이가 있다.'고 해야 옳다. 따라서 도구가 '미술'과 '음악'이라는 이해는 적절하지 않다.

정답 ②

다음 글을 바탕으로 ㉠을 이해할 때 가장 적절한 것은?

> 나는 ㉠ '연극에서의 관객의 공감'에 대해 강연한 일이 있다. 나는 관객이 공감하는 것을 직접 보여 주려고 시도했다. 먼저 나는 자원자가 있으면 나와서 배우처럼 읽어 주기를 청했다. 그리고 청중에게는 연극의 관객이 되어 들어 달라고 했다. 한 사람이 앞으로 나왔다. 나는 그에게 아우슈비츠를 소재로 한 드라마의 한 장면이 적힌 종이를 건네주었다. 자원자가 종이를 받아들고 그것을 훑어볼 때 청중들은 어수선했다. 그런데 자원자의 입에서 떨어진 첫 대사는 끔찍한 내용이었다. 아우슈비츠에 관한 적나라한 증언은 너무나 충격적이어서 청중들은 완전히 압도되었다. 자원자는 청중들의 얼어붙은 듯한 침묵 속에서 낭독을 계속했다. 자원자의 낭독은 세련되지도 능숙하지도 않았다. 그러나 관객들의 열렬한 공감을 이끌어 냈다. 과거 역사가 현재의 관객들에게 생생하게 공감되었다.
>
> 이것이 끝나고 이번에는 강연장에 함께 갔던 전문 배우에게 셰익스피어의 희곡 〈헨리 5세〉에서 발췌한 대사를 낭독해 달라고 부탁했다. 그 대본은 400년 전 아젱쿠르 전투(백년 전쟁 당시 벌어졌던 영국과 프랑스의 치열한 전투)에서 처참하게 사망한 자들의 명단과 그 숫자를 나열한 것이었다. 그는 셰익스피어의 위대한 희곡임을 알아보자 품위 있고 고풍스럽게 큰 목소리로 낭독했다. 그는 유려한 어조로 전쟁에서 희생된 이들의 이름을 읽어 내려갔다. 그러나 청중들은 듣는 둥 마는 둥 했다. 갈수록 청중들은 낭독자 따위는 안중에도 없다는 듯이 행동했다. 그들에게 아젱쿠르 전투는 공감할 수 없는 것으로 분리된 것 같아 보였다. 앞서의 경우와는 전혀 다른 반응이었다.

① 배우의 연기력이 관객의 공감을 좌우한다.

② 비참한 죽음을 다룬 비극적인 소재는 관객의 공감을 일으킨다.

③ 훌륭한 고전이라고 해서 항상 청중의 공감을 불러일으킬 수 있는 것은 아니다.

④ 현재와 가까운 역사적 사실을 극화했다고 해서 관객의 공감 가능성이 커지지는 않는다.

난이도 ○ ㉞ ㉠

해설 관객 중의 한 사람이 아우슈비츠를 소재로 한 드라마의 한 장면을 낭독했을 때는 사람들이 공감했지만, 전문 배우가 유명한 고전 희곡(셰익스피어의 작품)을 낭독했을 때는 사람들의 공감을 이끌어 내지 못했다는 내용이다. 이를 바탕으로, **훌륭한 고전이라 해도 반드시 청중의 공감을 불러일으키는 것은 아니라는 것**을 이끌어 낼 수 있다.

오답 분석
① 관객이 낭독을 한 경우에는 사람들이 감동을 했지만, 오히려 전문 배우가 낭독한 경우에는 사람들이 무관심했다. 따라서 배우의 연기력과는 관련이 없다.

② 두 경우 모두 비극적인 소재를 다루었다.

④ 시간적으로 따지면 '아우슈비츠(제2차 세계대전, 20세기)'가 더 가까운 역사이기 때문에 적절하지 않은 이해이다.

정답 ③

다음 글에 대한 이해로 가장 적절한 것은?

> 책은 벗입니다. 먼 곳에서 찾아온 반가운 벗입니다. 배움과 벗에 관한 이야기는 《논어》의 첫 구절에도 있습니다. '배우고 때로로 익히니 어찌 기쁘지 않으랴. 벗이 먼 곳에서 찾아오니 어찌 즐겁지 않으랴.'가 그런 뜻입니다.
>
> 그러나 오늘 우리의 현실은 그렇지 못합니다. 인생의 가장 빛나는 시절을 수험 공부로 보내야 하는 학생들에게 독서는 결코 반가운 벗이 아닙니다. 가능하면 빨리 헤어지고 싶은 불행한 만남일 뿐입니다. 밑줄 그어 암기해야 하는 독서는 진정한 의미의 독서가 못 됩니다.
>
> 독서는 모름지기 자신을 열고, 자신을 확장하고, 자신을 뛰어넘는 비약이어야 합니다. 그렇기 때문에 독서는 삼독(三讀)입니다. 먼저 글을 읽고 다음으로 그 글을 집필한 필자를 읽어야 합니다. 그 글이 제기하고 있는 문제뿐만 아니라 필자가 어떤 시대, 어떤 사회에 발 딛고 있는지를 읽어야 합니다. 그리고 최종적으로 그것을 읽고 있는 독자 자신을 읽어야 합니다. 그렇게 함으로써 자신의 처지와 우리 시대의 문맥을 깨달아야 합니다.

① 독서는 타인의 경험이나 생각 등을 자기화(自己化)하는 과정이다.

② 반가운 벗과의 독서야말로 진정한 독자로 거듭날 수 있는 첩경(捷徑)이다.

③ 시대와 불화(不和)한 독자일수록 독서를 통해 자신의 위치를 발견하기 쉽다.

④ 자신이 배운 것을 제때에 적용하기 위해서는 친밀한 교우(交友) 관계가 중요하다.

난이도 ㉞ ㉞ ○

해설 독서가 '글, 필자, 독자 자신'을 읽는 것이고 '자신을 열고, 확장하고, 자신을 뛰어 넘는' 것이 독서라는 3문단의 내용을 보아, 독서는 타인의 경험이나 생각 등을 자기화(自己化)하는 과정임을 알 수 있다.

오답 분석
② 1문단에서 '책'을 '벗'에 비유한 내용만 있을 뿐, '벗'과의 독서가 진정한 독자로 거듭날 수 있는 지름길이라는 내용은 나와 있지 않다.

③ 3문단에서 필자가 어떤 시대, 어떤 사회에 발 딛고 있는지를 읽어야 한다고 했다. 다만 시대와 불화(不和)한 독자일수록 독서를 통해 자신의 위치를 발견하기 쉽다는 설명은 나타나 있지 않다.

④ 제시된 글은 교우 관계의 중요성을 주장한 내용이 아니다.

정답 ①

다음 글을 통해 알 수 있는 내용으로 적절한 것은?

어느 기업이 불법 행위를 자행하여 소액 주주들에게 손해가 발생하였다고 치자. 이때 1명의 주주가 그 기업을 대상으로 손해 배상을 청구하여 승소하였다면, 다른 주주들도 별도의 재판 없이 똑같이 배상받을 수 있는 제도가 있다면 참 좋을 것이다. 한 사람의 원고를 중심으로 집단을 이루어 시민들의 작은 권리를 구제할 수 있는 제도, 바로 이것이 집단 소송제이다. 이 제도는 1960년대 시민의 권리 찾기 운동이 꽃을 피웠던 미국에서부터 시작되어 유럽에서 적극적으로 도입한 제도이다.

피해자의 숫자는 많으나 개별 피해자의 피해액이 상대적으로 적고 개별적으로 소송을 제기하기에는 비용과 절차에 대한 부담이 클 때 특히 집단 소송제가 절실해진다. 집단 소송제는 같은 피해를 받은 피해자들이 집단을 이루어 한 목소리로 단일화된 소송을 제기함으로써 많은 사람들이 한꺼번에 절차를 밟고 소송비용도 분담할 수 있기 때문이다.

집단 소송제가 도입이 되면 무엇보다 분산된 사회적 권리를 더욱 많이 보호받을 수 있다. 예를 들어 어느 마을에 공장 가동으로 주변 환경이 오염되어 가고 있다고 하자. 환경오염에 대한 원인과 그 피해를 밝히자면 엄청난 경비가 들고 소송을 한다고 하더라도 많은 소송비가 필요하기 때문에 주민들은 소송을 제기할 엄두조차 못 낼 것이다. 주민 개개인에 대한 피해가 작아 보일 때는 더욱 그렇다. 이와 같이 각각 분산되어 있는 작은 환경적 권리를 집단 소송제를 통해 효율적으로 보호받을 수 있게 된다.

① 집단 소송제는 1960년대에 유럽에서 처음으로 시작되었다.

② 집단 소송제는 분산되어 있던 사회적 권리를 찾아 줄 수 있다.

③ 집단 소송제를 하면 재판을 진행하는 데에 필요한 전체 소송 비용이 줄어든다.

④ 단 소송은 다른 피해를 입은 피해자의 집단이 단일화된 소송을 제기하는 것이다.

난이도 ⑨ ⑧ ○

해설 3문단의 첫 문장 "집단 소송제가 도입이 되면 무엇보다 분산된 사회적 권리를 더욱 많이 보호받을 수 있다."를 통해 '집단 소송제'는 분산되어 있던 사회적 권리를 찾아 줄 수 있음을 확인할 수 있다.

오답분석 ① 1문단의 "집단 소송제이다. 이 제도는 1960년대 시민의 권리 찾기 운동이 꽃을 피웠던 미국에서부터 시작되어" 부분을 볼 때, 집단 소송제가 처음 시작된 곳은 '유럽'이 아니라 '미국'이다.

③ 집단 소송제를 한다고 해도, 전체 재판을 진행하는 데 드는 '소송 비용'이 줄어드는 것은 아니다. 2문단의 "집단 소송제는 ~ 소송비용도 분담할 수 있기 때문이다."에서 확인할 수 있듯이 혼자서 부담해야 할 소송비용을 여럿이 나눠서 분담하기 때문에 개인의 부담금이 줄어들 뿐이다.

④ 2문단의 "집단 소송제는 같은 피해를 받은 피해자들이 집단을 이루어 한목소리로 단일화된 소송을 제기함으로써" 부분을 볼 때, '동일한 피해'를 받은 피해자들이 '단일화된 소송'을 제기하는 것이다. 따라서 서로 다른 피해를 입은 피해자끼리 단일화된 소송을 제기하는 것이라는 설명은 적절하지 않다.

정답 ②

다음 글의 내용에 대한 이해로 가장 적절한 것은?

비극은 극 양식을 대표한다. 비극은 고대 그리스 시대부터 발전해 온 오랜 역사를 가지고 있다. 비극은 고양된 주제를 묘사하며, 불행한 결말을 맺게 된다. 그러나 비극의 개념은 시대와 역사에 따라 변하고 있다. 그리스 시대의 비극은 비극적 결함이라고 하는 운명의 요건으로 인하여 파멸하는 인간의 모습을 그려 냈다. 근대의 비극은 성격의 문제나 상황의 문제로 인하여 패배하는 인간의 모습을 보여 준다.

비극은 그 본질적 속성이 역사적이라기보다 철학적이다. 비극의 주인공으로는 일상적인 주변 인간들보다 고귀하고 비범한 인물을 등장시킨다. 그런데 이 주인공은 이른바 비극적 결함이라고 하는 운명적 특징을 지니고 있다. 비극의 관객들은 이 주인공의 비극적 운명에 대한 공포와 비애를 체험하면서 카타르시스에 이르게 된다. 아리스토텔레스는 이 같은 주장에 의해서 비극을 인간의 삶의 중심에 위치시킨다. 아리스토텔레스는 비극의 결말이 불행하게 끝나는 것이 좋다고 보았으나, 불행한 결말이 비극에 필수적이라고는 생각하지 않았다. 사실 그리스 비극 가운데 결말이 좋게 끝나는 작품도 적지 않다.

① 비극적 결함에 의해 파멸되어 가는 인간의 모습을 담은 것이 근대 비극이다.

② 아리스토텔레스는 그리스 비극이 모두 불행한 결말로 끝이 나야 하는 것으로 보았다.

③ 그리스 시대 비극의 특징은 성격이나 상황의 문제로 인해 패배하는 인간의 모습을 보여 준다.

④ 관객들은 비극을 통해 비범한 인간들의 운명에 대한 공포와 비애를 경험하면서 카타르시스에 이르게 된다.

난이도 ⑨ ⑧ ○

해설 2문단에서 비극의 관객들은 고귀하고 비범한 주인공의 비극적 운명에 대한 공포와 비애를 체험하면서 카타르시스에 이르게 된다고 했다.

오답분석 ① 1문단의 내용을 볼 때, 비극적 결함에 의해 파멸되어 가는 인간의 모습을 담은 것은 '그리스 시대의 비극'이다.

② 2문단에서 "아리스토텔레스는 비극의 결말이 불행하게 끝나는 것이 좋다고 보았으나, 불행한 결말이 비극에 필수적이라고는 생각하지 않았다."라고 했다. 따라서 아리스토텔레스는 그리스 비극이 모두 불행한 결말로 끝이 나야 하는 것으로 보았다는 이해는 적절하지 않다.

③ 1문단의 내용을 볼 때, 성격이나 상황의 문제로 인해 패배하는 인간의 모습을 보여 주는 특징을 가진 것은 '근대의 비극'이다.

정답 ④

출제 유형

글의 내용 확인·추론	사례, 대응, 의미를 파악하는 유형

093 ○○○　　　　　　　　　　2021 국가직 9급

하버마스의 주장에 부합하는 사례로 가장 적절한 것은?

하버마스는 18세기부터 현대까지 미디어의 등장 배경과 발전 과정을 분석하면서, 공공 영역의 부상과 쇠퇴를 추적했다. 하버마스에게 공공 영역은 일반적 쟁점에 대한 토론과 의견을 형성하는 공공 토론의 민주적 장으로서 역할을 한다.

하버마스는 17세기와 18세기 유럽 도시의 살롱에서 당시의 공공 영역을 찾았다. 비록 소수의 사람들만이 살롱 토론 문화에 참여했으나, 공공 토론을 통해 정치적 문제를 해결하는 논리를 도입할 수 있었기 때문에 살롱이 초기 민주주의 발전에 중요한 역할을 했다고 그는 주장한다. 적어도 살롱 문화의 원칙에서 공개적 토론을 위한 공공 영역은 각각의 참석자들에게 동등한 자격을 부여했다.

그러나 하버마스에 따르면, 현대 사회에서 민주적 토론은 문화 산업의 발달과 함께 퇴보했다. 대중매체와 대중오락의 보급은 공공 영역이 공허해지는 원인으로 작용했다. 상업적 이해관계는 공공의 이해관계에 우선하게 되었다. 공공 여론은 개방적이고 합리적 토론을 통해서가 아니라 광고에서처럼 조작과 통제를 통해 형성되고 있다.

미디어가 점차 상업화되면서 하버마스가 주장한 대로 공공 영역이 침식당하고 있다. 상업화된 미디어는 광고 수입에 기대어 높은 시청률과 수익을 보장하는 콘텐츠 제작만을 선호하게 되었다. 그 결과 공적 주제에 대한 시민들의 논의와 소통의 장이 줄어들어 결과적으로 공공 영역이 축소되었다. 많은 것을 약속한 미디어는 이제 민주주의 문제의 일부로 변해 버린 것이다.

① 살롱 문화에서 특정 사회 계층에 대한 비판적인 토론은 허용되지 않았다.

② 인터넷의 발달과 보급은 상업적 광고뿐만 아니라 공익 광고도 증가시켰다.

③ 글로벌 미디어가 발달하더라도 국제 사회의 공공 영역은 공허해지지 않는다.

④ 수익성 위주의 미디어 플랫폼과 콘텐츠가 더 많아지면서 민주적 토론이 감소되었다.

난이도 ◐ 중 하

[해설] "하버마스에 따르면, 현대 사회에서 민주적 토론은 문화 산업의 발달과 함께 퇴보했다."와 "상업화된 미디어는 광고 수입에 기대어 높은 시청률과 수익을 보장하는 콘텐츠 제작만을 선호하게 되었다. 그 결과 공적 주제에 대한 시민들의 논의와 소통의 장이 줄어들어 결과적으로 공공 영역이 축소되었다." 부분을 볼 때, 수익성 위주의 미디어 플랫폼과 콘텐츠가 더 많아지면서 민주적 토론이 감소되었음을 알 수 있다.

오답 분석
① 2문단의 "적어도 살롱 문화의 원칙에서 공개적 토론을 위한 공공 영역은 각각의 참석자들에게 동등한 자격을 부여했다." 부분을 볼 때, 비판적인 토론이 허용되지 않았다는 것은 '하버마스'의 주장과 부합하지 않는다.

② 2문단에서 "대중매체와 대중오락의 보급은 공공 영역이 공허해지는 원인으로 작용했다. 상업적 이해관계는 공공의 이해관계에 우선하게 되었다."라고 하였다. '대중매체와 대중오락의 보급'은 결국 '인터넷의 발달과 보급'과 관련이 있다. 따라서 '공익 광고'도 증가시켰다는 설명은 적절하지 않다. '하버마스'의 관점에 따르면, 오히려 '상업 광고'에 밀려 '공익 광고'가 줄어들게 되었다고 해야 옳은 진술이다.

③ "대중매체와 대중오락의 보급은 공공 영역이 공허해지는 원인으로 작용했다. 상업적 이해관계는 공공의 이해관계에 우선하게 되었다. 공공 여론은 개방적이고 합리적 토론을 통해서가 아니라 광고에서처럼 조작과 통제를 통해 형성되고 있다." 부분을 볼 때, 글로벌 미디어가 발달하더라도 국제 사회의 공공 영역은 공허해지지 않는다는 것은 '하버마스'의 주장과 부합하지 않는 사례이다.

정답 ④

글쓴이의 견해에 부합하는 대응으로 가장 적절한 것은?

정중하고 단호한 태도를 보이는 것과, 수동적이거나 공격적인 반응을 하는 것은 엄청난 차이가 있다. 수동적인 사람들은 마음속에 있는 자신의 생각을 표현하면 분란이 일어날까 봐 두려워한다. 그러나 자신의 의견을 말하지 않는 한 자신이 원하는 것을 얻을 수는 없다. 이와 반대로 공격적인 태도는 자신의 권리를 앞세워 생각해서 남을 희생시켜서라도 자신이 원하는 것을 얻으려는 것이다. 공격적인 사람은 사람들이 싫어하는 행동을 하곤 한다. 그러나 단호한 반응은 공격적인 반응과 다르다. 단호한 반응은 다른 사람의 권리를 침해하지 않으면서 자신의 권리를 존중하고 지키겠다는 것이다. 이것은 상대방을 배려하는 태도를 보여 준다. 상대방을 존중하면서도 얼마든지 자신의 의견을 내세울 수 있다. 단호한 주장은 명쾌하고 직접적이며 요점을 찌른다.

그럼 실제로 연습해 보자. 어느 흡연자가 당신의 차 안에서 담배를 피워도 되는지 묻는다. 당신은 담배 연기를 싫어하고 건강에 해롭다는 것도 잘 알고 있어 달갑지 않다. 어떻게 대응하는 것이 좋을까?

① 좀 그러긴 하지만, 괜찮아요. 창문 열고 피우세요.

② 안 되죠. 흡연이 얼마나 해로운데요. 좀 참아 보시겠어요.

③ 안 피우시면 좋겠어요. 연기가 해롭잖아요. 피우고 싶으시면 차를 세워 드릴게요.

④ 물어봐 줘서 고마워요. 피워도 그렇고 안 피워도 좀 그러네요. 생각해 보시고서 좋은 대로 결정하세요.

난이도 ○ ③ ○

해설 글쓴이는 자신의 의견을 드러낼 때, 정중하고 단호한 태도를 보여야 한다고 말하고 있다. 정중하고 단호한 태도의 구체적인 내용은 1문단의 끝부분 "단호한 반응은 다른 사람의 권리를 침해하지 않으면서 자신의 권리를 존중하고 지키겠다는 것이다. 이것은 상대방을 배려하는 태도를 보여 준다. 상대방을 존중하면서도 얼마든지 자신의 의견을 내세울 수 있다."에서 확인할 수 있다. 따라서 글쓴이의 견해에 부합하는 대응은 ③이다. ③에서는 '안 피우시면 좋겠어요.'라며 자신의 의견을 드러내면서, '연기가 해롭잖아요. 피우고 싶으시면 차를 세워 드릴게요.'라고 말하면서 상대방을 배려하는 태도를 보이고 있다.

오답분석 ①, ④ 달갑지 않은 상황이라고 2문단에서 제시하고 있으므로 자신의 의견을 단호한 태도로 드러내지 못한 경우다. 따라서 글쓴이의 견해에 부합하는 대응으로는 적절하지 않다.

② 싫다는 자신의 의견을 단호한 태도로 드러내기는 했다. 그러나 담배를 피우겠다는 상대방의 의견을 전혀 존중하고 있지는 않다. 따라서 글쓴이의 견해에 부합하는 대응으로는 적절하지 않다.

정답 ③

다음 밑줄 친 부분의 의미를 풀어 쓴 것으로 가장 적절한 것은?

2004년 1월 태국에서는 한 소년이 극심한 폐렴 증세로 사망했다. 소년의 폐는 완전히 망가져 흐물흐물해져 있었다. 분석 결과, 이전까지 인간이 감염된 적이 없는 인플루엔자 바이러스가 원인으로 밝혀졌다. 소년은 공식적으로 고병원성 조류 인플루엔자 바이러스, H5N1의 첫 사망자가 되었다. 계절 독감으로 익숙한 인플루엔자 바이러스가 이렇게 치명적일 수 있었던 것은 인간의 면역 반응 때문이다. 인류 역사상 단 한 번도 만나본 적이 없는 새로운 바이러스가 침입하자 면역계가 과민 반응을 일으켜 도리어 인체에 해를 끼친 것이다. 이런 현상을 '사이토카인 폭풍'이라 부른다. 사이토카인 폭풍은 면역 능력이 강한 젊은 층일수록 더 세게 일어난다.

만약 집에 ㉠ 좀도둑이 들었다면 작은 손해를 각오하고 인기척을 내 도둑 스스로 도망가게 하는 것이 상책이다. 그런데 만약 ㉡ 몽둥이를 들고 도둑과 싸우려 든다면 도둑은 ㉢ 강도로 돌변한다. 인체가 H5N1에 감염되면 똑같은 일이 벌어진다. 처음으로 새가 아닌 다른 숙주 몸속에 들어온 바이러스는 과민 반응한 면역계와 죽기 살기로 싸운다. 그 결과 50%가 넘는 승률로 바이러스가 승리한다. 그러나 ㉣ 승리의 대가는 비싸다. 숙주가 죽어 버렸기 때문에 바이러스 역시 함께 죽어야만 한다. 이것이 바로 악명을 떨치면서도 조류 독감의 사망 환자 수가 전 세계에서 400명을 넘기지 않은 이유다. 이 질병이 아직 사람 사이에서 감염되는 사례가 나타나지 않은 이유도 바이러스가 인체라는 새로운 숙주에 적응하지 못했기 때문으로 추정할 수 있다.

① ㉠: 면역계의 과민 반응   ② ㉡: 계절 독감

③ ㉢: 치명적 바이러스   ④ ㉣: 극심한 폐렴 증상

난이도 ○ ③ ○

TIP 풀어 쓴 말이 맞는지 묻는 유형은 지문에 직접 대입해 보면 된다.

해설 ㉠~㉣을 첫 번째 문단에 대입하면 다음과 같다.

2004년 1월 태국에서는 한 소년이 극심한 폐렴 증세로 사망(㉣ 승리의 대가)했다. 소년의 폐는 완전히 망가져 흐물흐물해져 있었다. 분석 결과, 이전까지 인간이 감염된 적이 없는 인플루엔자 바이러스가 원인으로 밝혀졌다. 소년은 공식적으로 고병원성 조류 인플루엔자 바이러스. H5N1의 첫 사망자가 되었다. 계절 독감으로 익숙한 인플루엔자 바이러스(㉠ 좀도둑)가 이렇게 치명적일 수 있었던 것은 인간의 면역 반응(㉡ 몽둥이) 때문이다. 인류 역사상 단 한 번도 만나본 적이 없는 새로운 바이러스가 침입하자 면역계가 과민 반응을 일으켜 도리어 인체에 해를 끼친 것(㉢ 강도)이다. 이런 현상을 '사이토카인 폭풍'이라 부른다. 사이토카인 폭풍은 면역 능력이 강한 젊은 층일수록 더 세게 일어난다.

따라서 밑줄 친 부분의 의미를 풀어 쓴 것으로 가장 적절한 것은 ③이다.

오답분석 ① ㉠의 '좀도둑'은 '계절 독감으로 익숙한 인플루엔자 바이러스'에 해당한다.

② ㉡의 '몽둥이'는 '인간의 면역 반응'이다.

④ ㉣의 '승리의 대가'는 '소년의 사망'이다.

정답 ③

글의 내용 확인·추론	글의 내용과 일치하지 않는 것을 찾는 유형

 GO!

부정 발문일 때에는 무조건 선지부터 읽기!
선지 읽으면서 키워드 표시해 두기!
지문을 읽다가 키워드가 나오면 선지에서 O, X를 표시하며 문제 풀기!

---

096 ○○○

다음 글에 대한 이해로 적절하지 않은 것은?

오픈AI사에서 개발해 내놓은 '챗지피티(chatGPT)'의 열기가 뜨겁다. 챗지피티는 인터넷에 존재하는 다양한 텍스트 데이터를 학습해 구축된 인공지능으로, 사용자와 채팅을 통해 상호작용하는 형식으로 사용자의 요구에 응답한다. 예를 들어 "3+4를 계산하는 파이썬 코드를 짜 줘"라고 요구하면, 챗지피티는 실제로 작동하는 코드를 출력해서 알려 준다. 뒤이어 "같은 작업을 R에서 사용하는 코드로 짜 줘"라고 말하면, 대화의 맥락을 파악하고 같은 기능의 R 코드를 제공한다.

우리는 어떻게 시시각각 신기술로 무장하는 인공지능과 '함께' 살아갈 수 있을까? 첫째, '인공지능이 해 줄 수 있는 일'과 '인간이 할 필요가 없는 일'이 동의어가 아니라는 점을 명확히 인지해야 한다. 다시 말해, 인공지능이 잘 할 수 있는 일이라고 해서 인간이 그것을 할 줄 몰라도 된다는 것이 아니라는 것이다. 둘째, 인공지능을 지혜롭게 사용하려면 인공지능이 가진 성찰성의 한계를 이해해야 한다. 챗지피티의 흥미로운 특징은 매우 성찰적인 인공지능인 척하지만, 사실은 매우 형편없는 자기반성 능력을 갖추고 있다는 데 있다.

인공지능의 기능에 대해 성찰하는 것은 결국 인간의 몫이지, 기계의 역할이 아니다. 물론 인공지능은 다양한 상호작용을 통해 스스로의 오류를 교정하고 최적화하는 기능을 탑재하고 있다. 머신러닝(machine learning)이라는 개념이 바로 그것이다. 그러나 이 메커니즘은 명백하게도 인간 사용자의 특성과 의사에 따라 좌우될 수 있다. 사용자 경험을 통해 성능을 향상시켜 가고 있는 구글 번역기는 영어-스페인어 사이의 전환은 훌륭하게 수행하지만 영어-한국어 사이의 전환은 그만큼 잘하지 못한다. 그 사용자의 수가 적기 때문이다. 사회의 소수자는 인공지능의 메커니즘에서도 소수자이다. 다시 말해, 인공지능에 대해 성찰하는 역할만큼은 인간이 인공지능에게 맡기지 말아야 할 영역이다.

인공지능의 범람 속에서 살아남는 방법은, 인공지능과 '함께 살아가는 인간'이 되는 것이다. 인공지능을 과소평가하지 않고, 또한 인간 스스로의 가치와 주체성도 과소평가하지 않는, 용감하고 당당한 인간으로 살아가고자 하는 태도가 필요하다.

① 인간은 인공지능과 공존하는 방법을 모색해 인공지능을 지혜롭게 사용해야 한다.

② 인공지능을 활용한 머신러닝에도 인간 사용자의 특성이 반영된다.

③ 인공지능이 글쓰기를 잘 수행하더라도 인간은 글쓰기 능력을 길러야 한다.

④ 인공지능을 지혜롭게 사용할 수 있으려면 인공지능이 가진 성찰성의 한계를 이해해야 한다.

⑤ 인공지능은 스스로 양질의 정보를 가려낼 수 있어 자신의 오류를 교정하고 최적화한다.

난이도 (상) ○ (하)

[해설] 3문단의 "물론 인공지능은 다양한 상호작용을 통해 스스로의 오류를 교정하고 최적화하는 기능을 탑재하고 있다."를 볼 때, '스스로' 양질의 정보를 가려낼 수 있다는 이해는 적절하지 않다.

[오답분석]
① 마지막 문단을 통해 알 수 있다.

② 2문단의 "머신러닝(machine learning)이라는 개념이 바로 그것이다. 그러나 이 메커니즘은 명백하게도 인간 사용자의 특성과 의사에 따라 좌우될 수 있다."를 통해 알 수 있다.

③ 2문단의 "인공지능이 잘 할 수 있는 일이라고 해서 인간이 그것을 할 줄 몰라도 된다는 것이 아니라는 것이다."를 통해 알 수 있다.

④ 2문단의 "인공지능을 지혜롭게 사용하려면 인공지능이 가진 성찰성의 한계를 이해해야 한다."를 통해 알 수 있다.

[정답] ⑤

다음 글은 글쓰기의 자세에 대한 것이다. (가)~(마)에 대한 이해로 적절하지 않은 것은?

> (가) 이 세상 모든 사물 가운데 귀천과 빈부를 기준으로 높고 낮음을 정하지 않는 것은 오직 문장뿐이다. 그리하여 가난한 선비라도 무지개같이 아름다운 빛을 후세에 드리울 수 있으며, 아무리 부귀하고 세력 있는 자라도 문장에서는 모멸당할 수 있다.
>
> (나) 배우는 자는 마땅히 자기 역량에 따라 알맞게 쓸 뿐이다. 억지로 남을 본떠서 자기 개성을 잃어버리지 않도록 하는 것이야말로 글쓰기의 본령이다.
>
> (다) 글이란 것은 뜻을 나타내면 그만일 뿐이다. 제목을 놓고 붓을 잡은 다음 갑자기 옛말을 생각하고 억지로 고전의 사연을 찾으며 뜻을 근엄하게 꾸미고 글자마다 장중하게 만드는 것은 마치 화가를 불러서 초상을 그릴 적에 용모를 고치고 나서는 것과 같다.
>
> (라) 문장에 뜻을 두는 사람들이 첫째로 주의할 것은 자기를 속이지 않는 것이다. 자기를 속이지 않는 것에서 출발하면 마음이 이치에 통하고 온갖 관찰력이 환하게 밝아질 것이다.
>
> (마) 대체 글이란 조화다. 마음속에서 이루어진 문장은 반드시 정교하게 되나 손끝으로 이루어진 문장은 정교하게 되지 않으니, 진실로 그러하다.

① (가): 글쓰기에서 훌륭한 문장은 빈부귀천에 따라 높고 낮음이 정해진다.

② (나): 글쓰기에서 중요한 것은 남과는 다른 자기만의 개성을 표현하는 것이다.

③ (다): 글에서 중요한 것은 꾸미는 것보다 뜻을 정확하게 나타내는 것이다.

④ (라): 글쓰기에서 중요한 것은 진솔하게 표현하는 것이다.

⑤ (마): 글은 마음으로부터 이뤄져 조화를 이루는 것이 중요하다.

난이도 ⑧ ○ ⑨

해설 (가)의 "이 세상 모든 사물 가운데 귀천과 빈부를 기준으로 높고 낮음을 정하지 않는 것은 오직 문장뿐이다."를 볼 때, '훌륭한 문장'은 빈부귀천에 따르지 않음을 알 수 있다. 따라서 (가)에 대한 이해로 적절하지 않다.

오답분석 ② 개성을 잃지 않는 것이 중요하다고 했다. 따라서 남과 다른 개성을 표현하는 게 중요하다는 이해는 적절하다.

③ "글이란 것은 뜻을 나타내면 그만일 뿐이다."를 볼 때, 글은 '뜻'을 정확하게 나타내는 것이 가장 중요하다는 이해는 적절하다.

④ "문장에 뜻을 두는 사람들이 첫째로 주의할 것은 자기를 속이지 않는 것이다."라고 하였다. 따라서 자기를 속이지 않는, 즉 진솔한 글쓰기가 중요하다는 이해는 적절하다.

⑤ "마음속에서 이루어진 문장은 반드시 정교하게 되나 손끝으로 이루어진 문장은 정교하게 되지 않으니, 진실로 그러하다."를 볼 때, 글은 마음으로부터 이뤄져 조화를 이루는 것이 중요하다는 이해는 적절하다.

정답 ①

다음 글에 대한 이해로 옳지 않은 것은?

> 묘사란 원래 그린다는 뜻의 회화 용어다. 어떤 사물이나 어떤 사태를 그림 그리듯 그대로 그려냄을 가리킨다. 역사나 학술처럼 조리를 세워 끌어나가는 것은 기술이지 묘사는 아니다. 실경(實景), 실황(實況)을 보여주어 독자로 하여금 그 경지에 스스로 들고, 분위기까지 스스로 맛보게 하기 위한 표현이 묘사다.
>
> 아름다운 풍경을 보고 '아름답구나!' 하는 것은 자기의 심리다. 자기의 심리인 '아름답구나!'만 써가지고는, 독자는 아무 아름다움도 느끼지 못한다. 독자에게도 그런 심리를 일으키기 위해서는 그 풍경이 아름다운 까닭을, 즉 하늘, 구름, 산, 내, 나무, 돌 등 풍경의 재료를 풍경대로 조합해서 문장으로 표현해 주어야 독자도 비로소 작자와 동일한 경험을 그 문장에서 얻고 한가지로 '아름답구나!' 하는 심리에 이를 수 있는 것이다.
>
> 이렇듯 제재의 현상을 문장으로 재현하는 것이 묘사다.
>
> 묘사를 할 때 명심해야 할 사항으로는 다음의 몇 가지가 있다.
>
> 첫째, 객관적일 것. 언제든지 냉정한 관찰을 거쳐야 하기 때문이다.
>
> 둘째, 정연할 것. 시간적으로든 공간적으로든 순서가 있어야 전체 인상이 선명해지기 때문이다.
>
> 셋째, 사진을 찍는 것과는 달라야 할 것. 대상의 핵심과 특색은 취하되, 불필요한 것은 버려야 하기 때문이다.

① 묘사는 실경(實景)과 실황(實況)을 보여주는 것이다.

② 묘사는 객관적이어야 하므로 주관적인 심정을 표현할 수는 없다.

③ 질서정연하게 묘사할수록 대상은 분명하게 전달된다.

④ 대상을 제대로 묘사하기 위해서 대상의 모든 정보를 표현해야 할 필요는 없다.

⑤ 묘사는 제재의 현상을 문장으로 재현하는 것이다.

난이도 ⑧ ○ ⑨

해설 5문단의 "첫째, 객관적일 것. 언제든지 냉정한 관찰을 거쳐야 하기 때문이다."를 볼 때, 묘사가 객관적이어야 한다는 것은 옳은 진술이다. 그러나 2문단의 내용을 고려할 때, 주관적인 심정을 표현할 수 없는 것은 아니다. 2문단의 '아름답다' 하는 것은 주관적인 심정이기 때문이다.

오답분석 ① 1문단의 "실경(實景), 실황(實況)을 보여주어 독자로 하여금 그 경지에 스스로 들고, 분위기까지 스스로 맛보게 하기 위한 표현이 묘사다."를 통해 알 수 있다.

③ 6문단의 "둘째, 정연할 것. 시간적으로든 공간적으로든 순서가 있어야 전체 인상이 선명해지기 때문이다."를 통해 알 수 있다.

④ 7문단의 "셋째, 사진을 찍는 것과는 달라야 할 것. 대상의 핵심과 특색은 취하되, 불필요한 것은 버려야 하기 때문이다."를 통해 알 수 있다.

⑤ 3문단의 "이렇듯 제재의 현상을 문장으로 재현하는 것이 묘사다."를 통해 알 수 있다.

정답 ②

099 ○○○   2022 국회직 9급

다음 글에 대한 이해로 옳지 않은 것은?

> 자동화가 급속하게 발전하면서 사람이 하는 일이 줄어들고 공산품의 가격이 하락한다는 예측이 있다. 그런데 그것이 우리가 원하는 이상적인 사회일까? 좋은 물건을 싸게 살 수 있으니 좋겠지만, 다른 한편으로 생산 공정의 합리적 발달 때문에 인간의 일자리가 줄어들고, 결국 소비가 줄어드는 세상이 되는 것은 아닐지 걱정되기도 한다. 뉴스에서도 한번 크게 보도된 적이 있는데, 중국에서 종업원 규모가 만 명 되는 공장을 독일식의 '산업 4.0 시스템'을 적용해서 합리화했더니 종업원 수가 500명으로 줄었다고 했다. 그러면 나머지 9,500명은 어디로 갔겠는가 말이다.
>
> 인공지능이 대거 활약하게 되는 4차 산업혁명이 가속화돼서 이런 일이 상품과 지식 생산의 모든 영역에서 일어난다면 어찌 될 것인가. 어쨌건 상품이나 지식의 값은 싸지겠지만, 그것을 돈 주고 사는 소비자는 점점 없어져 버리는 사회가 될 수도 있다. 이는 분명히 우려할 만한 일이다.
>
> 과학 기술의 발전이 분명히 우리가 사는 사회를 더 괜찮은 사회, 살기 좋은 사회로 만드는 측면이 있지만, 동시에 일하는 사람이 점점 없어진다든지 아니면 조금 다른 용어로 사회의 불평등이 점점 심해져서 아주 많은 돈을 버는 소수의 사람들과 일자리가 없는 다수의 사람들로 세상이 양극화될 가능성을 크게 하는 측면도 있다. 그야말로 유토피아와 디스토피아의 공존이 일어날 수 있는 것이다.
>
> 이러한 문제의식을 가지고 있다면 주목할 책이 1516년 출간된 영국 작가 토머스 모어의 『유토피아』이다. 이 책이 선구적인 이유는 유토피아(utopia)라는 말이 여기서 처음으로 사용되었다는 사실에서 쉽게 찾을 수 있다. 모어는 '좋은 곳'이라는 뜻의 'eu-topia'와 '아무 데도 존재하지 않는 곳'이라는 뜻의 'ou-topia'를 동시에 나타내는 중의적 개념으로 유토피아라는 말을 만들었는데, 이때부터 유토피아는 존재하지 않는 이상향을 뜻하게 되었다.
>
> 디스토피아(dystopia)는 유토피아의 반대말로, 상당히 끔찍한 미래의 어떤 사회를 이야기할 때 사용하는 단어이다. 접두어 'dys'는 '나쁜', '고된'이란 뜻이다. 디스토피아는 19세기에 만들어진 말로 역사가 오래되지 않은 표현이다. 산업혁명 이후에 사회적 불평등이 확산되고 기계화로 인한 인간성 상실에 대한 논의가 시작되면서 디스토피아라는 단어가 만들어지고 널리 사용되었다.

① 인공지능 기술은 유토피아적 세계와 디스토피아적 세계의 가능성을 동시에 갖고 있는 기술이다.

② '디스토피아'는 사회적 불평등이 확산되고 인간성 상실의 문제가 발생하면서 만들어진 용어이다.

③ 4차 산업혁명이 가속화될 경우 우리 사회의 불평등과 양극화 현상은 점점 심해질 수 있다.

④ '유토피아'는 토머스 모어의 책에서 처음으로 사용된 표현이다.

⑤ '유토피아'는 '디스토피아'의 문제점을 해결하기 위해 고안된 표현이다.

 난이도 ㊖ ○ ㊗

[해설] 4문단을 통해 '유토피아'라는 말은 1516년(16세기)에 등장하였음을, 5문단을 통해 '디스토피아'라는 말은 19세기에 만들어졌음을 알 수 있다. 시간 순서상 '유토피아'가 먼저 등장한 용어이기 때문에, '유토피아'가 '디스토피아'의 문제점을 해결하기 위해 고안된 표현이라는 이해는 적절하지 않다.

[오답 분석]

① 3문단의 "과학 기술의 발전이 ~ 그야말로 유토피아와 디스토피아의 공존이 일어날 수 있는 것이다."를 통해 알 수 있다.

② 5문단의 "산업혁명 이후에 사회적 불평등이 확산되고 기계화로 인한 인간성 상실에 대한 논의가 시작되면서 디스토피아라는 단어가 만들어지고 널리 사용되었다."를 통해 알 수 있다.

③ 3문단의 "과학 기술의 발전이 ~ 사회의 불평등이 점점 심해져서 아주 많은 돈을 버는 소수의 사람들과 일자리가 없는 다수의 사람들로 세상이 양극화될 가능성을 크게 하는 측면도 있다."를 통해 알 수 있다.

④ 4문단의 "1516년 출간된 영국 작가 토머스 모어의 『유토피아』이다. 이 책이 선구적인 이유는 유토피아(utopia)라는 말이 여기서 처음으로 사용되었다는 사실에서 쉽게 찾을 수 있다."를 통해 알 수 있다.

[정답] ⑤

다음 글에 대한 이해로 옳지 않은 것은?

> 몸을 닦는 일(修身)은 효도와 우애로써 근본을 삼아야 한다. 효도와 우애에 자기 본분을 다하지 않으면 비록 학식이 고명하고 문체가 찬란하고 아름답다 하더라도 흙담에다 아름답게 색칠해 놓은 것에 지나지 않는다. 자기 몸을 이미 엄정하게 닦았다면 그가 사귀는 벗도 자연히 단정한 사람일 것이므로 같은 기질로써 인생의 목표가 비슷하게 되어 친구 고르는 일에 특별히 힘쓰지 않아도 된다.
>
> 이 늙은 아비가 세상살이를 오래 경험하였고 또 어렵고 험난한 일을 고루 겪어보아서 사람들의 심리를 두루 알고 있다. 무릇 천륜에 야박한 사람은 가까이해서도 안 되고 믿어서도 안 되며, 비록 충직하고 인정 있고 부지런하고 재빠르게 온 정성을 다하여 나를 섬기더라도 절대로 가까이해서는 안 된다. 이들은 끝내 은혜를 배반하고 의리를 잊어먹고 아침에는 따뜻이 대해 주다가도 저녁에는 차갑게 변하고 만다.
>
> 대체로 이 세상에 깊은 은혜와 두터운 의리는 부모형제보다 더한 것이 없는데 부모형제를 그처럼 가볍게 버리는 사람이 벗들에게 어떠하리라는 것은 쉽게 알 수 있는 이치다. 너희는 이 점을 반드시 기억해 두도록 하거라. 무릇 불효자는 가까이하지 말고 형제끼리 우애가 깊지 못한 사람도 가까이해서는 안 된다.

① 자기 몸을 엄정하게 닦는 것의 중요성을 역설하고 있다.

② 효와 우애의 덕목을 충실하게 지키는 사람을 친구로 삼기를 권하고 있다.

③ 학문에 깊이가 있고 충직한 사람이라면 반드시 곁에 두어야 한다고 말하고 있다.

④ 좋은 친구를 사귀려면 먼저 스스로가 단정하고 좋은 사람이 되어야 한다고 충고하고 있다.

⑤ 어떤 일이 있어도 천륜을 어기는 사람은 경계할 것을 조언하고 있다.

난이도 상 ◎ 하

해설   1문단의 "효도와 우애에 자기 본분을 다하지 않으면 비록 학식이 고명하고 문체가 찬란하고 아름답다 하더라도 흙담에다 아름답게 색칠해 놓은 것에 지나지 않는다."를 볼 때, '학문의 깊이'가 있는 사람이더라도, 효도와 우애에 자기 본분을 다하지 않는다면, 곁에 두지 말아야 한다고 역설하고 있다.

오답 분석   ①, ② 1문단의 "몸을 닦는 일(修身)은 효도와 우애로써 근본을 삼아야 한다."를 통해 알 수 있다.

④ 1문단의 "자기 몸을 이미 엄정하게 닦았다면 그가 사귀는 벗도 자연히 단정한 사람일 것이므로 같은 기질로써 인생의 목표가 비슷하게 되어 친구 고르는 일에 특별히 힘쓰지 않아도 된다."를 통해 알 수 있다.

⑤ 2문단의 "무릇 천륜에 야박한 사람은 가까이해서도 안 되고 믿어서도 안 되며"를 통해 알 수 있다.

정답 ③

다음 글의 내용과 부합하지 않는 것은?

> 몽유록(夢遊錄)은 '꿈에서 놀다 온 기록'이라는 뜻으로, 어떤 인물이 꿈에서 과거의 역사적 인물을 만나 특정 사건에 대한 견해를 듣고 현실로 돌아온다는 특징이 있다. 이때 꿈을 꾼 인물인 몽유자의 역할에 따라 몽유록을 참여자형과 방관자형으로 구분할 수 있다. 참여자형에서는 몽유자가 꿈에서 만난 인물들의 모임에 초대를 받고 토론과 시연에 직접 참여한다. 방관자형에서는 몽유자가 인물들의 모임을 엿볼 뿐 직접 그 모임에 참여하지는 않는다. 16~17세기에 창작되었던 몽유록에는 참여자형이 많다. 참여자형에서는 몽유자와 꿈속 인물들이 동질적인 이념을 공유하고 현실의 고통스러운 문제에 대해 의견을 나누며 비판적 목소리를 낸다. 그러나 주로 17세기 이후에 창작된 방관자형에서는 몽유자가 꿈속 인물들과 함께 현실을 비판하는 것이 아니라 구경꾼의 위치에 서 있다. 이 시기의 몽유록이 통속적이고 허구적인 성격으로 변모하는 것은 몽유자의 역할 변화와 무관하지 않다.

① 몽유자가 꿈속 인물들의 모임에 직접 참여하는지, 참여하지 않는지에 따라 몽유록의 유형을 나눌 수 있다.

② 17세기보다 나중 시기의 몽유록에서는 몽유자가 현실을 비판하는 경향이 강하게 나타난다.

③ 몽유자가 모임의 구경꾼 역할을 하는 몽유록은 통속적이고 허구적인 성격이 강하다.

④ 몽유자가 꿈속 인물들과 함께 현실을 비판하는 몽유록은 참여자형에 해당한다.

난이도 상 ◎ 하

해설   "17세기 이후에 ~ 현실을 비판하는 것이 아니라 구경꾼의 위치에 서 있었다. 이 시기의 몽유록이 통속적이고 허구적인 성격으로 변모하는 것은"을 볼 때, 17세기보다 나중 시기의 몽유록에서는 몽유자가 현실을 비판하는 경향이 '강해지는 것'이 아니라 '약해졌을 것'이라 짐작할 수 있다.

오답 분석   ① "참여자형에서는 ~ 직접 참여한다. 방관자형에서는 ~ 직접 그 모임에 참여하지는 않는다."를 통해 알 수 있다.

③ "17세기 이후에 ~ 현실을 비판하는 것이 아니라 구경꾼의 위치에 서 있었다. 이 시기의 몽유록이 통속적이고 허구적인 성격으로 변모하는 것은"을 통해 알 수 있다.

④ "참여자형에서는 몽유자가 꿈에서 만난 인물들의 모임에 초대를 받고 토론과 시연에 직접 참여한다.", "참여자형에서는 몽유자와 꿈속 인물들이 동질적인 이념을 공유하고 현실의 고통스러운 문제에 대해 의견을 나누며 비판적인 목소리를 낸다."를 통해 알 수 있다.

정답 ②

다음 글의 내용과 부합하지 않는 것은?

> 과학 혁명 이전 아리스토텔레스 철학은 로마 가톨릭교의 정통 교리와 결합되어 있었기 때문에 오랜 시간 동안 지배적인 영향력을 발휘하였다. 천문 분야 또한 예외는 아니었다. 아리스토텔레스의 세계관을 따라 우주의 중심은 지구이며, 모든 천체는 원운동을 하면서 지구의 주위를 공전한다는 천동설이 정설로 자리 잡고 있었다. 프톨레마이오스가 천체들의 공전 궤도를 관찰하던 도중, 행성들이 주기적으로 종전의 운동과는 반대 방향으로 움직인다는 관찰 결과를 얻었을 때도 그는 이를 행성의 역행 운동을 허용하지 않는 천동설로 설명하고자 하였다. 그래서 지구를 중심으로 공전하는 원 궤도에 중심을 두고 있는 원, 즉 주전원(周轉圓)을 따라 공전 궤도를 그리면서 행성들이 운동한다고 주장하였다.
>
> 과학과 아리스토텔레스 철학의 결별은 서서히 일어났다. 그 과정에서 일어난 가장 중요한 사건은 1543년 코페르니쿠스가 행성들의 운동 이론에 관한 책을 발간한 일이다. 코페르니쿠스는 천체의 중심에 지구 대신 태양을 놓고 지구가 태양의 주위를 공전한다고 주장하였다. 태양을 우주의 중심에 둔 코페르니쿠스의 지동설은 행성들의 운동에 대해 프톨레마이오스보다 수학적으로 단순하게 설명하였다.

① 과학 혁명 이전 시기에는 천동설이 정설로 받아들여졌다.

② 프톨레마이오스의 주전원은 지동설을 지지하고자 만든 개념이다.

③ 천동설과 지동설은 우주의 중심을 어디에 두느냐에 따라 구분된다.

④ 행성의 공전에 대한 프톨레마이오스의 설명은 코페르니쿠스의 설명보다 수학적으로 복잡하였다.

난이도 ⓢ ◯ ⓗ

해설   1문단의 내용을 볼 때, 프톨레마이오스는 '천동설'을 지지하던 사람이다. 따라서 지동설을 지지하고자 만든 개념이라는 것은 제시된 글의 내용과 부합하지 않는다.

오답분석 ① 1문단의 "과학 혁명 이전 아리스토텔레스 철학은 ~ 지배적인 영향력을 발휘하였다.", "아리스토텔레스의 세계관을 따라 ~ 천동설이 정설로 자리 잡고 있었다."를 통해 알 수 있다.

③ 2문단의 "코페르니쿠스는 천체의 중심에 지구 대신 태양을 놓고"를 통해 알 수 있다.

④ 2문단의 "코페르니쿠스의 지동설은 행성들의 운동에 대해 프톨레마이오스보다 수학적으로 단순하게 설명하였다."를 통해 알 수 있다.

정답 ②

다음 글을 이해한 내용으로 적절하지 않은 것은?

> 사람의 '지각과 생각'은 항상 어떤 맥락, 관점 혹은 어떤 평가 기준이나 가정하에서 일어난다. 이러한 맥락, 관점, 평가 기준, 가정을 프레임이라고 한다. 지각과 생각은 인간의 모든 정신 활동을 뜻한다. 따라서 우리의 모든 정신 활동은 진공 상태에서 일어나는 것이 아니라, 어떤 맥락이나 가정하에서 일어난다. 한마디로 우리가 프레임이라는 안경을 쓰고 세상을 보고 있음을 의미한다. 간혹 어떤 사람이 자신은 어떤 프레임의 지배도 받지 않고 세상을 있는 그대로, 객관적으로 본다고 주장한다면, 그 주장은 진실이 아닐 것이다.

① 인간의 정신 활동은 프레임 없이 일어나지 않는다.

② 프레임은 인간이 세상을 바라볼 때 어떤 편향성을 가지게 한다.

③ 인간의 지각과 사고를 확장하는 과정에서 프레임은 극복해야 할 대상이다.

④ 프레임은 인간의 정신 활동에 영향을 미치는 어떤 맥락이나 평가 기준이다.

난이도 ⓢ ◯ ⓗ

해설   제시된 글에서는 사람의 '지각과 생각'은 항상 프레임의 지배를 받는다고 말하고 있을 뿐, 그 프레임을 극복해야 할 대상으로 보고 있지는 않다. 따라서 프레임을 극복해야 할 대상이라는 이해는 적절하지 않다.

정답 ③

PART 1 비문학 해커스공무원 해원국어 기출정해 1000제 1권 비문학·문학

다음 글에서 추론한 내용으로 적절하지 않은 것은?

프랑스에서 의무교육 제도를 실시하면서 정규학교에 입학하기 어려운 지적장애아, 학습부진아를 가려내고자 하였다. 이에 기초 학습 능력 평가를 목적으로, 1905년 최초의 IQ 검사가 이루어졌다. 이 검사를 통해 비로소 인간의 지능을 구체적으로 수치화하고 객관적으로 비교할 수 있게 되었다.

이후 오랫동안 IQ가 높으면 똑똑한 사람, 그렇지 않으면 머리가 좋지 않고 학습에도 부진한 사람으로 판단했다. 물론 IQ가 높은 아이는 그렇지 않은 아이에 비해 읽기나 계산 등 사고 기능과 관련된 과목에서 높은 성취도를 보이는 경우가 많다. 이는 IQ 검사가 기초 학습에 필요한 최소 능력인 언어 이해력, 어휘력, 수리력 등을 측정하기 때문이다. 학습의 기초 능력을 측정하는 IQ 검사에서 높은 점수를 받은 아이는 동일한 능력을 측정하는 학업 평가에서도 높은 점수를 받을 가능성이 크다. 하지만 문제는 IQ 검사가 인간의 지능 중 일부만을 측정한다는 점이다.

① 최초의 IQ 검사는 학습 능력이 우수한 아이를 고르기 위해 시행되었다.

② IQ 검사가 만들어지기 전에는 인간의 지능을 수치로 비교할 수 없었다.

③ IQ가 높은 아이라도 전체 지능은 높지 않을 수 있다.

④ IQ가 높은 아이가 읽기 능력이 좋을 확률이 높다.

난이도 ⑤ ◯ ㉭

해설   1문단의 "정규학교에 입학하기 어려운 지적장애아, 학습부진아를 가려내고자 하였다. 이에 ~ 1905년 최초의 IQ 검사가 이루어졌다."를 볼 때, 최초의 IQ 검사가 '우수한 아이'를 고르기 위해 시행되었다는 추론은 적절하지 않다.

오답 분석
② 1문단의 "이 검사를 통해 비로소 인간의 지능을 구체적으로 수치화하고 객관적으로 비교할 수 있게 되었다."를 통해 추론할 수 있다.

③ 2문단의 "물론 IQ가 높은 아이는 그렇지 않은 아이에 비해 읽기나 계산 등 사고 기능과 관련된 과목에서 높은 성취도를 보이는 경우가 많다.", "하지만 문제는 IQ 검사가 인간의 지능 중 일부만을 측정한다는 점이다."를 통해 추론할 수 있다.

④ 2문단의 "IQ 검사가 기초 학습에 필요한 최소 능력인 언어 이해력, 어휘력, 수리력 등을 측정하기 때문이다."를 통해 추론할 수 있다.

정답 ①

다음 글에서 추론한 내용으로 적절하지 않은 것은?

한글은 소리를 나타내는 표음문자여서 한국어 문장을 읽는 데 학습해야 할 글자가 적지만, 한자는 음과 상관없이 일정한 뜻을 나타내는 표의문자여서 한문을 읽는 데 익혀야 할 글자 수가 훨씬 많다. 이러한 번거로움에도 한글과 달리 한자가 갖는 장점이 있다. 한글에서는 동음이의어, 즉 형태와 음이 같은데 뜻이 다른 단어가 많아 글자만으로 의미를 파악하지 못하는 경우가 많다. 하지만 한자는 그렇지 않다. 예컨대, 한글로 '사고'라고만 쓰면 '뜻밖에 발생한 사건'인지 '생각하고 궁리함'인지 구별할 수 없다. 한자로 전자는 '事故', 후자는 '思考'로 표기한다. 그런데 한자는 문맥에 따라 같은 글자가 다른 뜻으로 쓰이지는 않지만 다른 문장성분으로 사용되기도 해 혼란을 야기한다. 가령 '愛人'은 문맥에 따라 '愛'가 '人'을 수식하는 관형어일 때도, '人'을 목적어로 삼는 서술어일 때도 있는 것이다.

① 한문은 한국어 문장보다 문장성분이 복잡하다.

② '淨水'가 문맥상 '깨끗하게 한 물'일 때 '淨'은 '水'를 수식한다.

③ '愛人'에서 '愛'의 문장성분이 바뀌더라도 '愛'는 동음이의어가 아니다.

④ '의사'만으로는 '병을 고치는 사람'인지 '의로운 지사'인지 구별할 수 없다.

난이도 ⑤ ◯ ㉭

해설   제시된 글의 내용만으로는 한문과 한국어 문장 중 어느 문장 성분이 더 복잡한지는 알 수가 없다.

오답 분석
② "가령 '愛人'은 문맥에 따라 '愛'가 '人'을 수식하는 관형어일 때도" 부분을 볼 때, 적절한 추론이다.

③ 동음이의어는 표음 문자인 '한글'이 가진 한계이다. 따라서 한문의 경우에는 동음이의어가 아니다.

④ 제시된 글에서 "한글에서는 동음이의어, 즉 형태와 음이 같은데 뜻이 다른 단어가 많아 글자만으로 의미를 파악하지 못하는 경우가 많다."라고 하였다. 따라서 한글 '의사'만으로는 동음이의어 중 어떤 의미로 쓰였지 구별할 수 없다.

정답 ①

다음 글에서 추론한 내용으로 적절하지 않은 것은?

> 우리는 개별적으로 고립된 채 살아가는 존재일 수 없다. 사회 속에서 여럿이 모여 '복수(複數)'의 상태로 살아갈 수밖에 없는 존재라는 것이다. 복수의 상태로 살아가는 우리는 종(種)적인 차원에서 보면 보편적이고 동등한 존재이다. 그러나 우리는 각각 유일무이성을 지닌 '단수(單數)'이기도 하다. 즉 모든 인간은 개인으로서 고유한 인격체라는 특수성을 지닌다. 사회 속에서 우리는 보편적 복수성과 특수한 단수성을 겸비한 채 살아가고 있는 셈이다. 바로 이러한 이유로 우리는 다원적 존재이다. 이러한 존재들로 구성된 다원적 사회에서는 어떠한 획일화도 시도되어서는 안 된다. 우리가 이 같은 사회에서 살아가기 위해서는 타인을 포용하는 공존의 태도가 필요하다. 공동체 정화 등을 목적으로 개별적 유일무이성을 제거하는 것은 우리가 살아가는 사회의 다원성을 파괴하는 일이다.

① 우리는 고립된 상태에서 '단수'로 살아가는 존재가 아니다.

② 우리는 다원성을 지닌 존재로서 포용적으로 공존해야 한다.

③ 개인의 유일무이성을 보존하려는 제도는 개인의 보편적 복수성을 침해한다.

④ 개인의 특수한 단수성을 제거하려는 시도는 사회의 다원성을 파괴하는 결과로 이어질 수 있다.

난이도 ⑧ ◌ ⑨

해설 제시된 글의 내용을 통해 '개인의 유일무이성을 보존하려는 제도는 개인의 보편적 복수성을 침해한다.'는 것을 추론할 수 없다.

오답분석 ① "우리는 개별적으로 고립된 채 살아가는 존재일 수 없다." 부분을 통해 추론할 수 있다.

② "우리는 다원적 존재이다. ~ 우리가 이 같은 사회에서 살아가기 위해서는 타인을 포용하는 공존의 태도가 필요하다." 부분을 통해 추론할 수 있다.

④ "공동체 정화 등을 목적으로 개별적 유일무이성을 제거하는 것은 우리가 살아가는 사회의 다원성을 파괴하는 일이다." 부분을 통해 추론할 수 있다.

정답 ③

다음 글을 이해한 내용으로 적절하지 않은 것은?

> 고소설의 유통 방식은 '구연에 의한 유통'과 '문헌에 의한 유통'으로 나눌 수 있다. 구연에 의한 유통은 구연자가 소설을 사람들에게 읽어 주는 방식으로, 글을 모르는 사람들과 글을 읽을 수 있지만 남이 읽어 주는 것을 선호하는 이들을 대상으로 이루어졌다. 구연자는 '전기수'로 불렸으며, 소설 구연을 통해 돈을 벌던 전문적 직업인이었다. 하지만 이 방식은 문헌에 의한 유통에 비해 시간과 공간의 제약이 많아서 유통 범위를 넓히는 데 뚜렷한 한계가 있었다.
>
> 문헌에 의한 유통은 차람, 구매, 상업적 대여로 나눌 수 있다. 차람은 소설을 소유하고 있는 사람에게 직접 빌려서 보는 것으로, 알고 지내던 개인들 사이에서 이루어졌다. 구매는 서적 중개인에게 돈을 지불하고 책을 사는 것인데, 책값이 상당히 비쌌기 때문에 소설을 구매할 수 있는 사람은 그리 많지 않았다. 상업적 대여는 세책가에 돈을 지불하고 일정 기간 동안 소설을 빌려 보는 것이다. 세책가에서는 소설을 구매하는 것보다 훨씬 적은 비용으로 빌려 볼 수 있었기 때문에 경제적으로 넉넉하지 않은 사람도 소설을 쉽게 접할 수 있었다. 이로 인해 조선 후기 사회에서 세책가가 성행하게 되었다.

① 전기수는 글을 모르는 사람들에게 소설을 구연하였다.

② 차람은 알고 지내던 사람에게 대가를 지불하고 책을 빌려 보는 방식이다.

③ 문헌에 의한 유통은 구연에 의한 유통에 비해 시간과 공간의 제약이 적었다.

④ 조선 후기에 세책가가 성행한 원인은 소설을 구매하는 비용보다 세책가에서 빌리는 비용이 적다는 데 있다.

난이도 ⑧ ◌ ⑨

해설 2문단에서 "문헌에 의한 유통은 차람, 구매, 상업적 대여로 나눌 수 있다."라고 하였다. '차람'과 '상업적 대여'를 구별하고 있다. 이를 볼 때, '차람'은 '상업적 대여'와는 거리가 있었음을 알 수 있다. 따라서 '알고 지내던 사람에게' 책을 빌려 보는 방식인 건 맞지만, '대가를 지불하고' 책을 빌려 보는 방식이라는 이해는 적절하지 않다.

오답분석 ① 1문단에서 "구연에 의한 유통은 구연자가 소설을 사람들에게 읽어 주는 방식으로, 글을 모르는 사람들과 글을 읽을 수 있지만 남이 읽어 주는 것을 선호하는 이들을 대상으로 이루어졌다."라고 하였다. 이때의 구연자가 '전기수'이므로 적절한 이해이다.

③ 1문단의 "이 방식(소설 구연)은 문헌에 의한 유통에 비해 시간과 공간의 제약이 많아서 유통 범위를 넓히는 데 뚜렷한 한계가 있었다." 부분을 볼 때, 적절한 이해이다.

④ 2문단의 "세책가에서는 소설을 구매하는 것보다 훨씬 적은 비용으로 빌려 볼 수 있었기 때문에 경제적으로 넉넉하지 않은 사람도 소설을 쉽게 접할 수 있었다." 부분을 볼 때, 적절한 이해이다.

정답 ②

PART 1 비문학 해커스공무원 해원국어 기출정해 1000제 1권 비문학·문학

다음 글로부터 알 수 있는 사실이 아닌 것은?

주자학이란 무엇일까? 주자학은 한마디로 주자(朱子, 1130~1200)가 새롭게 해석한 유학이라 할 수 있다. 공자와 맹자의 말씀은 "자신을 누르고 예의에 맞게 행동하라[극기복례(克己復禮)].", "사람들에게 진심으로 대하고 늘 배려하라[충서(忠恕)]."처럼, 도덕 교과서에나 나올 법한 소박한 가르침에 지나지 않았다. 주자는 이를 철학적으로 훨씬 더 세련되게 다듬었다. 주자학에는 태극 이론, 음양(陰陽), 이기(理氣), 심성론(心性論) 등 어려운 용어가 많이 나온다. 이를 여기서 조목조목 풀어 설명할 필요는 없을 듯하다. 단지 주자가 이런 이론들을 만든 이유는 "자연 과학과 심리학의 도움으로 도덕 이론을 더 정확하게 설명하기 위해서"였다는 정도만 이해하면 될 것이다.

주자의 가르침 가운데 신진 사대부들의 마음을 사로잡았던 구절은 크게 두 가지다. 첫째는 위기지학(爲己之學)의 이념이다. 공부의 목적은 성인(聖人)이 되는 데 있지, 출세하여 부귀영화를 누리기 위함이 아니라는 뜻이다. 이러한 위기지학 정신은 신진 사대부들에게 큰 힘을 주었다. 음서(蔭敍)로 권력을 얻던 귀족 자제들과 달리, 그들은 피나는 '공부'를 거쳐 관직에 들어선 자들이다. 위기지학의 이념에 따르면, 이들이야말로 자신의 인품을 갈고닦은 사람들이 아닌가!

둘째는 주자가 강조한 격물치지(格物致知) 정신이다. 인격 수양을 위해서는 먼저 사물을 연구하고[격물(格物)] 세상 만물의 이치를 깨달아[치지(致知)] 무엇이 진정 옳고 그른지 명확히 알아야 한다. 이때 사물을 연구한다는 것은 사실을 잘 관찰하고 분석한다는 의미가 아니다. 이미 공자와 맹자 같은 옛 성현들이 이런 작업을 완벽하게 해 놓았으므로, 후대 사람들은 이들이 남긴 글을 깊이 되새기기만 하면 된다.

그렇다면 공자의 말씀을 가장 깊고 넓게 알고 있던 사람들은 누구일까? 다름 아닌 신진 사대부로, 이들은 과거를 보기 위해 공자의 말씀을 새기고 또 새겼다. 결국 격물치지란 바로 신진 사대부들이 우월한 자들임을 보여 주는 핵심 이론이 되는 셈이다. 주자의 가르침은 이처럼 유학 사상으로 무장한 신진 사대부들이 사회 지도층이 되어야 함을 입증하는 강력한 근거가 되었다.

① 주자학은 위기지학과 격물치지의 학문이다.

② 주자학은 자연과학과 심리학의 영향을 받았다.

③ 신진 사대부는 관직에 진출하기 위해 주자학을 공부했다.

④ 주자학은 공자와 맹자의 말씀을 철학적으로 세련되게 다듬은 것이다.

난이도 ⓢ ◐ ⓗ

해설 2문단의 "주자의 가르침 가운데 신진 사대부들의 마음을 사로잡았던 구절은 크게 두 가지다. 첫째는 위기지학(爲己之學)의 이념이다. 공부의 목적은 성인(聖人)이 되는 데 있지, 출세하여 부귀영화를 누리기 위함이 아니라는 뜻이다."를 볼 때, 관직에 진출하기 위해 주자학을 공부했다는 설명은 적절하지 않다.

오답 분석
① 2문단의 "주자의 가르침~ 첫째는 위기지학(爲己之學)의 이념이다."와 3문단의 "둘째는 주자가 강조한 격물치지(格物致知) 정신이다."를 통해 알 수 있다.

② 1문단에 주자가 이런 이론들을 만든 이유가 "자연 과학과 심리학의 도움으로 도덕 이론을 더 정확하게 설명하기 위해서"라고 나와 있다.

④ 1문단의 "주자는 이(공자와 맹장의 말씀)를 철학적으로 훨씬 더 세련되게 다듬었다"를 통해 알 수 있다.

정답 ③

다음 글에 대한 이해로 적절하지 않은 것은?

> 장기기억에는 서술기억과 비서술기억이 있다. 서술기억은 개인적으로 경험한 사건을 저장하는 일화기억과 사실이나 정보를 기억하는 의미기억으로 나눌 수 있다. 비서술기억은 반복적인 연습을 통하여 습득하는 운동기술이나 습관 등의 기억이다.
>
> 뇌의 퇴행 과정에서 나타나는 신경학적 질환군인 치매는 기억력과 정보처리 능력을 감소시킨다. 치매에 걸리면 자신의 일화기억과 의미기억 모두와 단절된다. 또한 이전에 없었던 사실이나 정보를 새롭게 학습하여 기억하는 것도 어렵다. 요리, 금융거래와 같은 일상적 활동과 혼자서 옷 입기와 같은 자기 관리 능력도 완전히 상실하게 된다.
>
> 치매의 약 50~60 %에서 나타나는 알츠하이머병은 뇌세포의 광범위한 변성에서 비롯되는 지적 능력 및 성격의 진행성 퇴화 질환이다. 알츠하이머병에 걸리면 친숙한 장소 근처에서 길을 찾는 데 어려움을 보인다. 병이 진행될수록 알고 지내던 사람들을 알아보지 못하게 되며 화를 잘 내고 자기 관리 능력이 점점 더 떨어지게 된다.

① 최근에 읽은 책 내용에 대한 기억은 서술기억이다.

② 치매에 걸린 사람은 서술기억을 상실하게 된다.

③ 알츠하이머병은 지적 능력이 퇴화되는 질환이다.

④ 알츠하이머병이 진행되더라도 자기 관리 능력이 강화된다.

난이도 ㉠ ○ ㉦

해설   3문단의 "알츠하이머병에 걸리면 ~ 병이 진행될수록 알고 지내던 사람들을 알아보지 못하게 되며 화를 잘 내고 자기 관리 능력이 점점 더 떨어지게 된다."를 볼 때, 적절하지 않은 이해이다.

오답분석   ① 1문단의 "서술기억은 개인적으로 경험한 사건을 저장하는 일화기억과 사실이나 정보를 기억하는 의미기억으로 나눌 수 있다." 부분을 볼 때, 최근 읽은 책 내용에 대한 기억은 '서술기억'이다.

② 1문단의 "서술기억은 ~ 일화기억과 ~ 의미기억으로 나눌 수 있다."와 2문단의 "치매에 걸리면 자신의 일화기억과 의미기억 모두와 단절된다." 부분을 볼 때, 적절한 이해이다.

③ 3문단의 "알츠하이머병은 뇌세포의 광범위한 변성에서 비롯되는 지적 능력 및 성격의 진행성 퇴화 질환이다." 부분을 볼 때, 적절한 이해이다.

정답 ④

다음 글의 내용과 부합하지 않는 것은?

> 과거에 예술은 고급 예술만을 의미했다. 특별한 재능을 가진 예술가의 작품을 귀족과 같은 상층 사람들이 제한된 장소에서 감상하기만 했다. 그러나 사진기와 같은 새로운 기술의 발명으로 기존의 걸작품이 복제되어 인테리어 소품이나 낭만적인 엽서로 사용되면서 대중도 예술 작품을 공유할 수 있게 되었다. 원작에 버금가는 위작이 만들어지고, 게다가 일상의 생필품처럼 사용되는 작품도 등장하게 되면서는, 대중은 더 이상 예술 작품을 수동적으로 감상하는 데에 머물지 않고 능동적으로 소비하고 실용적으로 사용하게 되었다.
>
> 이런 상황의 변화는 예술이 무엇인가를 고민하게 만들었다. 이전까지는 예술 작품이 진본성, 유일성을 가져야 한다고 보았지만 이러한 기술 복제 시대에는 이와 같은 조건이 적용될 수 없었기 때문이다. 또한 공원에 타도록 설치된 그네를 예술 작품이라 하는 것과 같이 일상의 물품 역시 과거와 달리 예술의 범주에 들어갈 수 있게 되었기 때문이다.

① 복제와 관련된 기술의 발명은 예술을 둘러싼 상황을 변화시키는 데 기여했다.

② 기술 복제 시대 전에도 귀족은 예술 작품을 실용적으로 사용했다.

③ 기술 복제 시대에는 진본성을 갖추는 것이 예술 작품의 필수 조건이 되지 못했다.

④ 기술 복제 시대 전에는 인테리어 소품이 예술에 포함될 수 없었지만 기술 복제 시대에는 포함될 수 있었다.

난이도 ㉠ ○ ㉦

해설   1문단의 "과거에 예술은 고급 예술만을 의미했다. ~ 귀족과 같은 상층 사람들이 제한된 장소에서 감상하기만 했다. 그러나 ~ 복제되어 ~ 사용되면서 대중도 예술 작품을 공유할 수 있게 되었다."를 볼 때, 기술 복제 시대 전에도 귀족이 예술 작품을 실용적으로 사용했다는 진술은 글의 내용에 부합하지 않는다. 그 당시에는 '예술 작품'은 '감상의 대상'일 뿐이었다.

오답분석   ① "이런 상황(예술 작품을 소비하고 실용적으로 사용하게 됨)의 변화는 예술이 무엇인가를 고민하게 만들었다."를 볼 때, 글의 내용과 부합하는 내용이다.

③ 2문단의 "이전까지는 예술 작품이 진본성, 유일성을 가져야 한다고 보았지만 이러한 기술 복제 시대에는 이와 같은 조건이 적용될 수 없었기 때문이다." 부분을 볼 때, 글의 내용과 부합하는 내용이다.

④ 2문단의 "공원에 타도록 설치된 그네를 예술 작품이라 하는 것과 같이 일상의 물품 역시 과거와 달리 예술의 범주에 들어갈 수 있게 되었기 때문이다." 부분을 볼 때, 글의 내용과 부합하는 내용이다.

정답 ②

다음 중 아래의 글을 읽고 추론한 라캉의 생각과 가장 거리가 먼 것은?

라캉에 의하면, 사회화 과정에 들어서기 전의 거울 단계에서, 자기와 자기 영상, 혹은 자기와 어머니 같은 양자 관계에 새로운 타인, 다시 말해 아버지, 곧 법으로서의 큰 타자가 개입하는 삼자 관계, 즉 상징적 관계가 형성된다. 이 형성은 제3자가 외부에서 인위적으로 비집고 들어섬을 뜻하는 것이 아니다. 인간이 상징적 질서를 생각하게 되는 것은, 이미 그 질서가 구조적으로 인간에게 기능하게끔 되어 있기 때문이다. 인간이 후천적, 인위적으로 그 구조를 만들었다고 생각하는 것은 잘못이다. 인간은 단지 구조되어 있는 그 질서에 참여할 뿐이다.

말하자면 구조란 의식되지 않는 가운데 인간 문화의 기저에서 인간의 행위를 규정함을 뜻하는 것이다. 그러므로 라캉에게 있어서, 주체의 존재 양태는 무의식적인 것을 바탕으로 해서 가능하다. 주체 자체가 무의식적인 것으로서 형성된다. 그러므로 주체는 무의식적 주체이다.

라캉에게 나의 사유와 나의 존재는 사실상 분리되어 있다. 그는 나의 사유가 나의 존재를 확인시켜 주지 못한다고 주장한다. 라캉의 경우, '나는 생각한다'라는 의식이 없는 곳에서 '나는 존재'하고, 또 '내가 존재하는 곳'에서 '나는 생각하지 않는다'. 라캉은 무의식은 타자의 진술이라고 말한다. 바꾸어 말한다면 언어활동에서 우리가 보내는 메시지는 타자로부터 발원되어 우리에게 온 것이다. '무의식은 주체에 끼치는 기표의 영향'이라고 라캉은 말한다.

이런 연유에서 '인간의 욕망은 타자의 욕망'이라는 논리가 라캉에게 성립된다. 의식의 차원에서 '내가 스스로 주체적'이라고 말하는 것 같지만, 그것은 어디까지나 허상이다. 실상은, 나의 진술은 타자의 진술에 의해서 구성된다는 것이다. 나의 욕망도 타자의 욕망에 의해서 구성된다. 내가 스스로 원한 욕망이란 성립하지 않는다.

① 주체의 무의식은 구조화된 상징적 질서에 의해 형성된다.

② 주체의 의식적 사유와 행위에 의해 새로운 문화 질서가 창조된다.

③ 대중매체의 광고는 주체의 욕망이 형성되는 데 큰 영향을 미친다.

④ 데카르트의 '나는 생각한다. 고로 존재한다'라는 명제는 옳지 않다.

난이도 (상) ◯ (하)

해설   1문단에서 "인간이 후천적, 인위적으로 그 구조를 만들었다고 생각하는 것은 잘못이다. 인간은 단지 구조되어 있는 그 질서에 참여할 뿐이다."라고 하였다. 이를 볼 때, 새로운 문화 질서가 창조된다는 추론은 '라캉'의 생각과 일치하지 않는다.

오답분석   ① 1문단과 2문단의 내용을 고려할 때, 라캉의 생각과 일치한다.

③ 마지막 문단의 "이런 연유에서 '인간의 욕망은 타자의 욕망'이라는 논리가 라캉에게 성립된다."를 고려할 때, 라캉의 생각과 일치한다.

④ 3문단의 "라캉에게 나의 사유와 나의 존재는 사실상 분리되어 있다. 그는 나의 사유가 나의 존재를 확인시켜 주지 못한다고 주장한다." 부분을 볼 때, 라캉의 생각과 일치한다.

정답 ②

다음 중 아래 글의 내용에 대한 설명으로 가장 옳지 않은 것은?

신문학이란 말이 어느 때 누구의 창안으로 쓰이기 시작했는지는 알 수 없다.

그러나 현재 우리가 쓰는 의미의 개념으로 쓰이기는 육당(六堂), 춘원(春園) 이후에 비롯하지 않은가 한다.

그 전에는 비록 신문학이란 문자를 왕왕 대할 수 있다 하더라도 그것은 지금 우리가 사용하는 의미보다는 훨씬 광의로 사용되었다.

광무(光武) 3년* 10월 모(某)일 분의 『황성신문(皇城新聞)』 논설에 성(盛)히 문학이라는 말을 썼는데 그것은 현재 우리가 사용하는 의미의 문학은 아니었다. 즉 학문 일반의 의미로 문학이란 말이 사용되었다. 그러므로 신문학이란 말은 곧 신학문의 별칭이라 할 수 있었다. 이것은 지금 우리로서 보면 실로 가소로운 혼동이다. 그러나 문학이란 말을 literature의 역어(譯語)*로 생각지 않고 자의(字義)대로 해석하여 사용한 당시에 있어 이 현상은 극히 자연스러운 일이라 아니 할 수 없다. 이 '문학'('literature'의 역어) 가운덴, 시, 소설, 희곡, 비평을 의미하는 문학, 즉 예술문학까지가 포함되어 있는 것은 물론이다.

『황성신문』 신문논설을 보면 오히려 학문이란 말을 문학이란 문자로 표현하는 데 문장상의 참신미를 구한 흔적조차 발견할 수 있다.

거기에선 문학이란 말이 분명히 그대로 신학문이란 의미로 사용되고 있다.

이것은 문학이란 말에 대한 자의대로의 해석일뿐더러 문학에 대한 동양적 해석, 전통적 이해의 일 연장(延長)이라는 데도 의미가 있다.

           - 임화, <개설신문학사>

* 광무(光武) 3년: 대한제국의 연호. 1899년

* 『황성신문(皇城新聞)』: 1898년 창간한 일간신문

* 역어(譯語): 번역어. 외국어를 번역한 말

① '신문학'이라는 말의 유래와 현재적 개념을 서술하고 있다.

② 현재 '신문학'이라는 말은 '신학문'이라는 말과 같은 의미로 사용된다.

③ '문학'은 육당, 춘원 이전의 과거에는 '학문일반'의 의미였기 때문에 『황성신문』에서 나타나는 '신문학'이라는 말은 곧, '신학문'의 별칭이다.

④ 현재 사용하는 '문학'이라는 말은 'literature'의 역어(譯語)다.

난이도 (상) ◯ (하)

해설   3문단의 "광무(光武) 3년 10월 모(某)일 분의 『황성신문(皇城新聞)』 논설에 성(盛)히 문학이라는 말을 썼는데 그것은 현재 우리가 사용하는 의미의 문학은 아니었다."를 볼 때, 적절하지 설명이다.

오답분석   ① 1문단과 2문단에서 '신문학'이라는 말의 유래를, 그 이후에 현재적 개념을 서술하고 있다.

③ 3문단의 "즉 학문 일반의 의미로 문학이란 말이 사용되었다. 그러므로 신문학이란 말은 곧 신학문의 별칭이라 할 수 있었다." 부분을 통해 알 수 있다.

④ 3문단의 "문학이란 말을 literature의 역어(譯語)로 생각지 않고 자의(字義)대로 해석하여 사용한 당시" 부분을 볼 때, 현재 사용하는 '문학'이라는 말은 'literature'의 역어(譯語)임을 알 수 있다.

정답 ②

다음 글에 대한 이해로 적절하지 않은 것은?

　　디지털 문해력이 책 읽기 능력에서 비롯된다는 것을 알려주는 조사 결과가 있다. 2016년 국제읽기능력평가에서 전 세계 초등학교 4학년 아이들을 대상으로 '프린트(인쇄물) 읽기' 능력과 '디지털 읽기' 능력을 종합한 문해력을 평가했다. 디지털읽기능력평가는 정보 판독에 초점을 맞춰 컴퓨터를 기반으로 진행되었다. 국제학업성취도평가협회는 보고서를 통해 "인터넷에서 정보 판독을 목적으로 글을 읽을 때는 인쇄물의 글을 읽을 때와 다른 독해 기술과 전략을 사용한다. 그럼에도 인쇄물 읽기 능력은 디지털 읽기 능력에 가장 큰 영향을 끼치는 변인이 된다."라고 결론을 내렸다. 즉 책 읽기에서 동원되는 천천히 읽기, 면밀하게 읽기, 전체적으로 읽기와 같은 독해 기술들이 인터넷 정보 탐색과 내용 이해에 커다란 기여를 한다는 것이다. 디지털 기기를 잘 다루는 아이가 디지털 시대를 앞서 가는 것이 아니다. 읽기 능력, 즉 문해력에서 앞서야 디지털 시대의 진짜 승리자가 될 수 있다.

① 디지털 기기는 문해력 저하의 직접적인 원인이다.

② 디지털 시대를 앞서 가려면 문해력을 신장해야 한다.

③ 인쇄물 읽기 능력은 디지털 읽기 능력에 영향을 미친다.

④ 인쇄물 독해 기술과 정보 판독 목적의 인터넷 독해 기술은 다르다.

난이도 상 ○ 하

해설　"디지털 문해력이 책 읽기 능력에서 비롯된다는 것을 알려주는 조사 결과가 있다."를 볼 때, 제시된 글에서 다루고 있는 것은 문해력이 디지털 문해력에도 영향을 끼친다는 것이다. 한편, 디지털 기기가 문해력 저하의 원인이 된다는 내용은 확인할 수 없다. 따라서 디지털 기기는 문해력 저하의 직접적인 원인이라는 이해는 적절하지 않다.

오답분석　② "읽기 능력, 즉 문해력에서 앞서야 디지털 시대의 진짜 승리자가 될 수 있다." 부분을 볼 때, 적절한 이해이다.

③ "즉 책 읽기에서 동원되는 천천히 읽기, 면밀하게 읽기, 전체적으로 읽기와 같은 독해 기술들이 인터넷 정보 탐색과 내용 이해에 커다란 기여를 한다는 것이다." 부분을 볼 때, 적절한 이해이다.

④ "인터넷에서 정보 판독을 목적으로 글을 읽을 때는 인쇄물의 글을 읽을 때와 다른 독해 기술과 전략을 사용한다." 부분을 볼 때, 적절한 이해이다.

정답 ①

다음 글에 대한 이해로 적절하지 않은 것은?

　　국가정보자원관리원과 ○○시는 빅데이터 기반의 맞춤형 복지 서비스 분석 사업을 수행했다. 국가정보자원관리원은 자체 확보한 공공 데이터와 ○○시로부터 받은 복지 사업 관련 데이터를 활용하여 '복지 공감 지도'를 제작하고, 복지 기관 접근성 분석을 통해 취약 지역 지원 방안을 제시했다.

　　복지 공감 지도는 공간 분석 시스템을 활용하여 ○○시에 소재한 복지 기관들의 다양한 지원 항목과 이를 필요로 하는 복지 대상자, 독거노인, 장애인 등의 수급자 현황을 한눈에 확인할 수 있도록 구현한 것이다. 이 지도를 활용하면 복지 혜택이 필요한 지역과 수급자를 빨리 찾아낼 수 있으며, 생필품 지원이나 방문 상담 등 복지 기관의 맞춤형 대응이 가능하고, 최적의 복지 기관 설립 위치를 선정할 수 있다.

　　이 사업을 통해 ○○시는 그동안 복지 기관으로부터 도보로 약 15분 내 위치한 수급자에게 복지 혜택이 집중되고 있는 것도 확인했다. 이에 교통이나 건강 등의 문제로 복지 기관 방문이 어려운 수급자를 위해 맞춤형 복지 서비스가 절실하게 필요한 상황임을 발견하고, 복지 셔틀버스 노선을 4개 증설할 계획을 수립했다.

① 빅데이터를 활용하여 복지 사각지대를 줄이는 방안을 마련할 수 있다.

② 복지 기관과 수급자 거주지 사이의 거리는 복지 혜택의 정도에 영향을 준다.

③ 복지 기관 접근성 분석 결과는 복지 셔틀버스 노선 증설의 근거가 된다.

④ 복지 공감 지도로 복지 혜택에 대한 수급자들의 개별 만족도를 파악할 수 있다.

난이도 상 ○ 하

해설　2문단의 "이 지도를 활용하면 ~ 복지 기관의 맞춤형 대응이 가능하고"를 볼 때, '복지 공감 지도'로 맞춤형 대응이 가능해지면, 수급자들의 만족도도 올라갈 것이라 예측은 가능하다. 그러나 개별 만족도의 파악이 가능한지는 제시된 글만으로는 알 수가 없다.

오답분석　① 1문단의 "관련 데이터를 활용하여 ~ 취약 지역 지원 방안을 제시했다."와 3문단의 내용을 통해 알 수 있다.

② 3문단의 "○○시는 그동안 복지 기관으로부터 도보로 약 15분 내 위치한 수급자에게 복지 혜택이 집중되고 있는 것도 확인했다." 부분을 통해 알 수 있다.

③ 3문단의 "이 사업을 통해 ○○시는 그동안 복지 기관으로부터 도보로 약 15분 내 위치한 수급자에게 복지 혜택이 집중되고 있는 것도 확인했다. 이에 ~ 복지 셔틀버스 노선을 4개 증설할 계획을 수립했다." 부분을 통해 알 수 있다.

정답 ④

다음 글에서 추론할 수 있는 내용으로 적절하지 않은 것은?

> **【사건 개요】**
> 신여척은, 김순창이 동생인 김순남을 구타하자 분노하여 김순창을 때리고 발로 차 이튿날 죽게 하였다.
>
> **【왕의 교지】**
> 남의 형제 사이의 싸움을 보다가 신여척이 갑작스럽게 불같이 성을 내었다. 이전에 아무런 은혜도 없었고 그렇다고 지금 어떤 원한이 있는 것도 아닌데 별안간 발끈하는 사이에 싸움에 뛰어 들어가 상투를 잡고 발로 차면서 "동기간에 싸우는 것은 인륜과 강상(綱常)*의 변이다."라고 하고, 싸우던 형제가 네가 무슨 상관이냐고 책망하자 "내가 옳은데 네가 도리어 성을 내고, 네가 발길질하니 나도 하겠다."라고 하였다. 아, 신여척은 죽음도 두려워하지 않았으니, 재판관이 아니면서 형제간에 공경하지 않은 죄를 다스린 자는 신여척을 말함이 아니겠는가. 범죄자를 사형수 명부에 올린 일이 무수하나, 뜻이 크고 기개가 있어 녹록하지 않음을 신여척에게서 볼 수 있는 까닭이 여기에 있다. 신여척을 방면하라.
> – 《경술년(1790) 신여척의 옥사》
>
> * 강상(綱常): 사람이 지켜야 할 도리

① 판결에는 이유나 상황이 참작되었다.
② 신여척의 행동은 의롭다고 평가되었다.
③ 형제간의 다툼은 크게 지탄 받는 일이었다.
④ 신여척은 원한을 갚으려 범죄를 저질렀다.

난이도 ⓢ ◯ ⓗ

해설 '왕의 교지'에서 "이전에 아무런 은혜도 없었고 그렇다고 지금 어떤 원한이 있는 것도 아닌데"라고 하였다. 따라서 신여척이 원한을 갚으려 범죄를 저질렀다는 추론은 적절하지 않다.

오답분석 ① '왕의 교지'에 "뜻이 크고 기개가 있어 녹록하지 않음을 신여척에게서 볼 수 있는 까닭이 여기에 있다. 신여척을 방면하라."라고 하였다. 따라서 신여척을 방면하라는 판결에는 그의 상황이 참작되었다고 할 수 있다.

② '왕의 교지'에 "뜻이 크고 기개가 있어 녹록하지 않음을 신여척에게서 볼 수 있는 까닭이 여기에 있다. 신여척을 방면하라."라고 하였다. 이를 볼 때, 신여척의 행동이 의롭다고 평가되었음을 알 수 있다.

③ '왕의 교지'에 "재판관이 아니면서 형제간에 공경하지 않은 죄를 다스린 자는 신여척을 말함이 아니겠는가."라고 하였다. 이를 볼 때, 형제간의 다툼은 크게 지탄 받는 일이었음을 알 수 있다.

정답 ④

다음 글에 대한 이해로 적절하지 않은 것은?

> 최근 가짜 뉴스가 확산되는 이유 중 하나로 확증 편향을 들 수 있다. 확증 편향이란 진리 여부가 불확실한 가설 혹은 믿음을 부적절하게 강화하는 행위로서, 이것은 뉴스 수용자의 사전 신념에서 비롯된다. 확증 편향을 보이는 뉴스 수용자는 자신이 지닌 신념을 정당화하거나 확증해 주는 뉴스만을 수용하기 때문에 뉴스 정보 자체의 객관성이나 신뢰성을 비판적으로 점검하는 인지적 행위를 올바로 수행하지 못한다. 이러한 수용자들은 뉴스의 출처나 정보의 정확성을 기준으로 하기보다 자신의 신념을 지지하는 근거가 되는 뉴스를 선별하여 그 뉴스의 정보를 그대로 수용한다. 확증 편향에 빠진 뉴스 수용자들은 자기 판단에 대한 합리화를 위한 정보를 선택적으로 찾아 수용하고, 이러한 과정을 반복하면서 자신의 신념을 더욱 강화해 간다. 이러한 수용자들은 가짜 뉴스가 사실이 아닌 정보나 신뢰할 수 없는 정보를 전달하고 있더라도 자신의 신념을 지지해 준다면 가짜 뉴스라 하더라도 그대로 수용하고 마는 것이다.

① 확증 편향은 뉴스 수용자의 사전 신념과는 직접적인 관계가 없다.
② 확증 편향은 뉴스의 비판적 수용에 관련된 인지 활동 수행을 방해한다.
③ 확증 편향에 빠진 뉴스 수용자들은 자신의 신념에 부합하는 뉴스 정보를 수용한다.
④ 확증 편향을 보이는 뉴스 수용자들은 가짜 뉴스 정보를 객관적으로 판단하기 어렵다.

난이도 ⓢ ◯ ⓗ

해설 "이것(확증 편향)은 뉴스 수용자의 사전 신념에서 비롯된다."를 볼 때, 뉴스 수용자의 사전 신념과 관계가 있다. 따라서 뉴스 수용자의 사전 신념과는 직접적인 관계가 없다는 이해는 적절하지 않다.

오답분석 ②, ④ "확증 편향을 보이는 뉴스 수용자는 ~ 비판적으로 점검하는 인지적 행위를 올바로 수행하지 못한다." 부분을 볼 때, 적절한 이해이다.

③ "확증 편향을 보이는 뉴스 수용자는 자신이 지닌 신념을 정당화하거나 확증해 주는 뉴스만을 수용하기 때문에", "자신의 신념을 지지하는 근거가 되는 뉴스를 선별하여 그 뉴스의 정보를 그대로 수용한다." 부분을 볼 때, 적절한 이해이다.

정답 ①

---

117 ⚬⚬⚬

다음 글에 대한 이해로 적절하지 않은 것은?

> 아동이 부모의 소유물 또는 종족의 유지나 국가의 방위를 위한 수단으로 간주되었던 전근대사회에서는 아동의 권리에 대한 인식이 존재하지 않았다. 산업혁명으로 봉건제도가 붕괴되고 자본주의가 탄생한 근대사회에 이르러 구빈법에 따른 국가 개입과 민간단체의 자발적인 참여로 아동보호가 시작되었다.
>
> 1922년 잽 여사는 아동권리사상을 담아 아동권리에 대한 내용을 성문화하였다. 이를 기초로 1924년 국제연맹에서는 전문과 5개의 조항으로 된 「아동권리에 관한 제네바 선언」을 채택하였다. 여기에는 "아동은 물질적으로나 정신적으로 정상적인 발달을 위해 필요한 조건이 충족되어야 한다."라든지 "아동의 재능은 인류를 위해 쓰인다는 자각 속에서 양육되어야 한다." 등의 내용이 포함되었다.
>
> 그러나 여기에서도 아동은 보호의 객체로만 인식되었을 뿐 생존, 보호, 발달을 위한 적극적인 권리의 주체로 인식되지는 않았다. 최근에 와서야 국제사회의 노력에 힘입어 아동은 보호되어야 할 수동적인 존재에서 자신의 권리를 주장할 수 있는 능동적인 존재로 자리매김할 수 있게 되었다. 1989년 유엔총회에서 채택된 「아동권리협약」이 그것이다.
>
> 우리나라는 이를 토대로 2016년 「아동권리헌장」 9개 항을 만들었다. 이 헌장은 '생존과 발달의 권리', '아동이 최선의 이익을 보장 받을 권리', '차별 받지 않을 권리', '자신의 의견이 존중될 권리' 등 유엔의 「아동권리협약」의 네 가지 기본 원칙을 포함하고 있다. 또한 전문에는 아동의 권리와 더불어 "부모와 사회, 국가와 지방자치단체는 아동의 이익을 최우선으로 고려해야 하며, 다음과 같은 아동의 권리를 확인하고 실현할 책임이 있다." 라고 명시하여 아동을 둘러싼 사회적 주체들의 책임을 명확히 하였다.

① 아동의 권리에 대한 인식은 근대 이후에 형성되었다.

② 「아동권리헌장」은 「아동권리협약」을 토대로 만들어졌다.

③ 「아동권리에 관한 제네바 선언」, 「아동권리협약」, 「아동권리헌장」에는 모두 아동의 발달에 대한 내용이 들어가 있다.

④ 「아동권리에 관한 제네바 선언」은 아동을 적극적인 권리의 주체로 인식함으로써 아동의 권리에 대한 진전된 성과를 이루었다.

난이도 ⊛ ○ ⊕

[해설] 3문단의 "그러나 여기(「아동권리에 관한 제네바 선언」)에서도 아동은 보호의 객체로만 인식되었을 뿐 생존, 보호, 발달을 위한 적극적인 권리의 주체로 인식되지는 않았다."를 볼 때, 아동을 '적극적인 권리의 주체'로 인식하였다는 이해는 적절하지 않다.

[오답분석] ① 1문단의 "근대사회에 이르러 구빈법에 따른 국가 개입과 민간단체의 자발적인 참여로 아동보호가 시작되었다." 부분을 통해 알 수 있다.

② 4문단의 "우리나라는 이(「아동권리협약」)를 토대로 2016년 「아동권리 헌장」 9개 항을 만들었다." 부분을 통해 알 수 있다.

③ 2문단에서 「아동권리에 관한 제네바 선언」에 "아동은 물질적으로나 정신적으로 정상적인 발달을 위해 필요한 조건이 충족되어야 한다." 내용이 포함되었다고 하였다. 그리고 4문단의 "이 헌장(「아동권리헌장」)은 '생존과 발달의 권리' ~ 유엔의 「아동권리협약」의 네 가지 기본 원칙을 포함하고 있다." 부분을 볼 때, 「아동권리협약」과 「아동권리헌장」 모두 아동의 발달에 대한 내용이 들어가 있음을 알 수 있다.

[정답] ④

PART 1 비문학 해커스공무원 해원국어 기출정해 1000제 1권 비문학·문학

'도산 노인'의 생각에 대한 이해로 옳지 않은 것은?

〈도산십이곡〉은 도산 노인이 지은 것이다. 노인이 이를 지은 것은 무엇 때문인가. 우리나라의 가곡은 대체로 음란하여 족히 말할 것이 없으니 〈한림별곡〉과 같은 것도 문인의 입에서 나왔으나, 교만하고 방탕하며 겸하여 점잖지 못하고 장난기가 있어 더욱 군자가 숭상해야 할 바가 아니다. 다만 근세에 이별의 〈육가〉라는 것이 있어 세상에 성대하게 전해지는데, 저것보다 낫기는 하나 또한 세상을 희롱하는 불공한 뜻만 있으며, 온유돈후의 실질이 적은 것을 애석하게 여겼다.

노인은 평소 음악을 이해하지는 못하나 오히려 세속의 음악이 듣기 싫은 것을 알아, 한가히 살면서 병을 돌보는 여가에 무릇 성정에서 느낌이 일어나는 것을 매양 시로 나타내었다. 그러나 지금의 시는 옛날의 시와는 달라서 읊을 수는 있어도 노래로 부를 수는 없다. 만약 노래로 부르려면 반드시 시속의 말로 엮어야 되니, 대개 우리나라 음절이 그렇게 하지 않고서는 안 되기 때문이다.

그래서 내가 일찍이 대략 이별의 노래를 본떠 도산육곡이란 것을 지은 것이 둘이니, 그 하나는 언지(言志)이고 다른 하나는 언학(言學)이다. 아이들로 하여금 아침저녁으로 익혀서 노래하게 하여 안석에 기대어 이를 듣고자 했다. 또한 아이들로 하여금 스스로 노래하고 춤추고 뛰게 한다면, 비루하고 더러운 마음을 깨끗이 씻어버리고, 느낌이 일어나 두루 통하게 될 것이니 노래하는 자와 듣는 자가 서로 유익함이 없지 않을 것이다.

돌이켜보면 나의 자취가 자못 어그러졌으니, 이 같은 한가한 일이 혹시나 시끄러운 일을 야기하게 될지 모르겠고, 또 곡조에 얹었을 때 음절이 맞는지도 알 수 없어 우선 한 부를 베껴 상자 속에 담아 두고, 때때로 꺼내 완상하여 스스로를 반성하며, 또 훗날에 보는 자가 이를 버리거나 취하기를 기다릴 따름이다.

　　　　　　　　　　　　　　　　　　- 이황, 〈도산십이곡〉

① 우리말 노래가 대체로 품격이 떨어진다고 보아 만족하지 못하고 있었다.
② 우리나라에서 한시를 노래로 부르는 전통을 되살리려고 한다.
③ 자신이 지은 노래를 부르는 아이들에게도 유익함이 있을 것이라 생각한다.
④ 자신이 노래를 지은 것을 불만스럽게 생각할 사람이 있을 수 있다고 예상한다.
⑤ 자신이 지은 노래가 후세에 전해져서 평가의 대상이 될 것을 기대한다.

난이도 **상** ◐ **하**

[해설] 2문단의 "그러나 지금의 시는 옛날의 시와는 달라서 읊을 수는 있어도 노래로 부를 수는 없다. 만약 노래로 부르려면 반드시 시속의 말로 엮어야 되니, 대개 우리나라 음절이 그렇게 하지 않고서는 안 되기 때문이다." 부분을 볼 때, 한시를 노래로 부르는 전통을 되살려야 한다는 것은 '도산 노인'의 생각이 아니다.

[오답분석]
① 1문단의 "우리나라의 가곡은 대체로 음란하여 족히 말할 것이 없으니" 부분을 통해 알 수 있다.
③ 3문단의 "아이들로 하여금 스스로 노래하고 춤추고 뛰게 한다면, 비루하고 더러운 마음을 깨끗이 씻어버리고, 느낌이 일어나 두루 통하게 될 것이니 노래하는 자와 듣는 자가 서로 유익함이 없지 않을 것이다." 부분을 통해 알 수 있다.
④ 4문단의 "이 같은 한가한 일이 혹시나 시끄러운 일을 야기하게 될지 모르겠고" 부분을 통해 알 수 있다.
⑤ 4문단의 "또 훗날에 보는 자가 이를 버리거나 취하기를 기다릴 따름이다." 부분을 통해 알 수 있다.

[정답] ②

다음 글을 토대로 하여 인물 간의 관계를 예상한 것으로 적절하지 않은 것은?

> 오행에서 상생이란 기르고, 북돋우고, 촉진한다는 의미를 지닌다. 상극이란 억압하고, 구속하고, 통제한다는 의미를 지닌다. 오행 사이에는 모두 상생과 상극의 관계가 존재한다. 상생 관계가 성립되지 않으면 사물의 발전과 성장은 기대할 수 없다. 상극 관계가 없으면 사물이 발전하고 성장하는 중에 균형과 조화를 유지할 수 없다. 상생 관계는 목생화, 화생토, 토생금, 금생수, 수생목이고 상극 관계는 목극토, 토극수, 수극화, 화극금, 금극목이다.
> 《서유기》의 등장인물은 오행의 생극 관계로 형상화되어 있다. 작품에서 삼장은 오행 가운데 수에 속한다. 삼장과 상생 관계에 있는 인물은 목인 저팔계이고 상극 관계에 있는 인물은 화인 손오공이다. 삼장이 제자들 가운데 특별히 저팔계를 편애하는 것은 그들이 상생 관계에 있기 때문이고, 손오공에게 각박한 것은 상극 관계에 있기 때문이다. 그런데 삼장과 손오공 사이에는 상극 관계만 존재하는 것이 아니라 상생 관계도 존재한다. 손오공은 화인 동시에 금이기도 하기 때문이다. 금이 수를 낳는 상생 관계이므로 손오공과 삼장 사이는 상호 보완의 관계이기도 하다. 그러므로 손오공은 서행 길을 가는 동안 삼장의 앞길을 가로막는 요괴들을 물리칠 뿐만 아니라 삼장이 미망에 갇혀 빠져나오지 못하고 불안해할 때마다 그를 정신적으로 인도하여 깨달음에 이르게 한다. 마지막으로 사오정은 오행에서 토에 속한다. 사오정은 참을성 많고 침착하며 사려 깊은 인물로 형상화되고 있으며 갈등을 조정하는 역할을 맡고 있다.

① 손오공과 저팔계 사이에는 상생 관계가 존재한다.
② 손오공과 저팔계 사이에는 상극 관계가 존재한다.
③ 손오공과 사오정 사이에는 상극 관계가 존재한다.
④ 삼장과 저팔계 사이에는 상생 관계가 존재한다.
⑤ 사오정과 저팔계 사이에는 상극 관계가 존재한다.

난이도 ⑧ ◯ ⑨

TIP 단어의 의미를 빠르게 간파해야 한다!
제시된 '목생화'는 '목은 화와 상생 관계이다.'란 의미이고, '목극토'는 '목은 토와 상극 관계이다.'란 의미이다.

해설 '손오공'은 '화'인 동시에 '금'이기도 하고, 사오정은 '토'라고 하였다. '화', '금', '토'의 상극 관계는 '화극금', '금극목', '토극수'이다. 따라서 둘 사이에 상극 관계가 존재한다는 설명은 적절하지 않다.

오답 분석
① '손오공'은 '화'인 동시에 '금'이기도 하고, 저팔계는 '목'이라고 하였다. '목생화'이기 때문에 둘 사이에 상생 관계가 존재한다는 설명은 적절하다.
② '손오공'은 '화'인 동시에 '금'이기도 하고, 저팔계는 '목'이라고 하였다. '금극목'이기 때문에 둘 사이에 상극 관계가 존재한다는 설명은 적절하다.
④ 2문단의 "삼장과 상생 관계에 있는 인물은 목인 저팔계이고" 부분을 통해 알 수 있다.
⑤ '사오정'은 '토'이고 저팔계는 '목'이라고 하였다. '목극토'이기 때문에 둘 사이에 상극 관계가 존재한다는 설명은 적절하다.

정답 ③

다음 글에 대한 이해로 적절하지 않은 것은?

정신에 대한 전통적인 설명에 따르면, 인간의 육체는 비물질적 실체인 영혼으로 가득 차 있으며 그 영혼이 때때로 유령이나 귀신의 모습으로 나타난다. 그러나 이 이론은 극복할 수 없는 문제에 부딪힌다. 그 유령이 어떻게 유형의 물질과 상호 작용하는가? 무형의 비실체가 어떻게 번쩍이고 쿡 찌르고 삑 소리를 내는 외부 세계에 반응하고 팔다리를 움직이게 만드는가? 그뿐 아니라 정신은 곧 뇌의 활동임을 보여 주는 엄청난 증거들도 극복할 수 없는 문제다. 오늘날 밝혀진 바에 따르면, 비물질적이라 생각했던 영혼도 칼로 해부되고, 화학물질로 변질되고, 전기로 나타나거나 사라지고, 강한 타격이나 산소 부족으로 인해 소멸되곤 한다. 현미경으로 보면 뇌는 풍부한 정신과 완전히 일치하는 대단히 복잡한 물리적 구조를 갖고 있다.

정신을 어떤 특별한 형태의 물질에서 발생하는 것으로 보는 견해도 있다. 피노키오는 목수 제페토가 발견한, 말하고 웃고 움직이는 마법의 나무에서 생명력을 얻는다. 그러나 애석한 일이지만 그런 신비의 물질은 어디에서도 발견되지 않았다. 우선 뇌 조직이 그 신비의 물질이 아닌가 생각해 볼 수 있다. 다윈은 뇌가 정신을 '분비한다'고 적었고, 최근에 철학자 존 설은 유방의 세포조직이 젖을 만들고 식물의 세포 조직이 당분을 만드는 것처럼, 뇌 조직의 물리화학적 특성들이 정신을 만들어 낸다고 주장했다. 그러나 뇌 종양 조직이나 접시 안의 배양 조직은 물론이고 모든 동물의 뇌 조직에도 똑같은 종류의 세포막, 기공, 화학물질들이 존재한다는 사실을 생각해 보라. 그 모든 신경세포 조직이 동일한 물리화학적 특성들을 갖고 있지만, 그것들 모두가 인간과 같은 지능을 보이진 않는다. 물론 인간 뇌를 구성하는 세포 조직의 어떤 측면이 우리의 지능에 필수적인 것은 사실이지만, 그 물리적 특성들로는 충분하지 않다. 벽돌의 물리적 특성으로는 음악을 설명하기에 불충분한 것과 같다. 중요한 것은 신경세포 조직의 '패턴' 속에 존재하는 어떤 것이다.

① 다윈과 존 설은 뇌 조직이 인간 정신의 근원이라고 주장했다.

② 인간의 뇌를 구성하는 세포 조직의 물리적 특성은 인간 지능의 필요충분조건이다.

③ 지능에 대한 전통적 설명 방식은 내적 모순으로부터 자유롭지 않다.

④ 뇌의 물리적 특성보다 신경세포 조직의 '패턴' 속에 존재하는 어떤 것이 중요하다.

⑤ 뇌와 정신이 밀접하게 연결되어 있음을 시각적으로 확인할 수 있는 물리적 증거가 있다.

난이도 ⑧ ◯ ◉

[해설] 2문단에서 "물론 인간 뇌를 구성하는 세포 조직의 어떤 측면이 우리의 지능에 필수적인 것은 사실이지만, 그 물리적 특성들로는 충분하지 않다."라고 하였다. 따라서 뇌를 구성하는 세포 조직의 물리적 특성은 인간 지능의 필요충분조건이라는 이해는 적절하지 않다.

오답분석 ① 2문단의 "다윈은 뇌가 정신을 '분비한다'고 적었고, 최근에 철학자 존 설은 ~ 뇌 조직의 물리화학적 특성들이 정신을 만들어 낸다고 주장했다." 부분을 통해 알 수 있다.

③ 1문단의 "정신에 대한 전통적인 설명에 따르면, 인간의 육체는 비물질적 실체인 영혼으로 가득 차 있으며 그 영혼이 때때로 유령이나 귀신의 모습으로 나타난다. 그러나 이 이론은 극복할 수 없는 문제에 부딪힌다." 부분을 통해 알 수 있다.

④ 2문단의 "중요한 것은 신경세포 조직의 '패턴' 속에 존재하는 어떤 것이다." 부분을 통해 알 수 있다.

⑤ 1문단의 "현미경으로 보면 뇌는 풍부한 정신과 완전히 일치하는 대단히 복잡한 물리적 구조를 갖고 있다." 부분을 통해 알 수 있다.

정답 ②

다음 글의 내용에 대한 이해로 적절하지 않은 것은?

그럼에도 불구하고 경쟁 그 자체를 부정하거나 경쟁 논리라면 무조건 반대하는 사람들이 있습니다. 이들은 경쟁이 서로를 적대시하게 만들어 인간관계를 해친다고 비판합니다. 효율성과 적자생존의 법칙을 앞세운 경쟁 논리는 경쟁에서 탈락한 사람들을 도외시한 채, 결국 강자의 이익만을 대변한다는 것입니다. 그러나 이는 경쟁에 대한 오해입니다. 경쟁에는 이미 협력의 뜻이 담겨 있습니다. 진정한 의미에서 공정한 경쟁을 하기 위해서라도 협력은 필수입니다. 경쟁은 경쟁자를 부정하고 배제하는 것이 아니라, 서로를 인정하고 그 바탕 위에서 각자의 의욕과 노력을 한층 더 이끌어 내는 긍정적 상호작용이라 할 수 있습니다. 요즘 사회를 가리켜 유독 '경쟁 사회'라 부르며, 승자와 패자를 가혹하게 가르는 약육강식의 비정함을 비난하는 사람들이 있습니다. 하지만 잘 생각해 보면, 동서고금을 막론하고 인간 사회가 경쟁 사회가 아니었던 적은 찾아보기 어렵습니다. 인류는 처음부터 지금껏 각자의 이익을 위해 항상 경쟁해 왔습니다. 그 과정에서 운동 경기에서처럼 공정한 경쟁 조건과 규칙을 함께 발전시켜 왔습니다. 경쟁 상대가 승복할 수 없는, 부정하거나 불공정한 경쟁으로는 지속적인 경쟁이 불가능함을 잘 알고 있기 때문입니다. 우리 사회에서 경쟁은 앞으로도 계속될 것입니다. 따라서 앞으로의 과제는 경쟁할 것인가 말 것인가를 선택하는 일이 아니라, 공정한 경쟁을 추구하기 위한 방식에 대한 고민을 함께하는 것입니다.

① 글쓴이는 경쟁이 강자의 이익을 대변한다고 보고 있다.

② 글쓴이는 공정한 경쟁을 위한 전제 조건은 협력이라고 말하고 있다.

③ 글쓴이는 서로를 인정하는 긍정적 상호작용을 경쟁의 가치로 보고 있다.

④ 글쓴이는 경쟁의 불가피성을 전제로 공정한 경쟁의 방법을 고민해야 한다고 말하고 있다.

난이도 ⊗ ○ ⊗

[해설] "효율성과 적자생존의 법칙을 앞세운 경쟁 논리는 경쟁에서 탈락한 사람들을 도외시한 채, 결국 강자의 이익만을 대변한다는 것입니다."에 대해 글쓴이는 "그러나 이는 경쟁에 대한 오해입니다."라고 말하고 있다. 따라서 경쟁이 강자의 이익을 대변한다고 보는 것은 '글쓴이'의 생각과 상반된다.

[오답분석] ② "진정한 의미에서 공정한 경쟁을 하기 위해서라도 협력은 필수입니다." 부분을 통해 알 수 있다.

③ "서로를 인정하고 그 바탕 위에서 각자의 의욕과 노력을 한층 더 이끌어 내는 긍정적 상호작용이라 할 수 있습니다." 부분을 통해 알 수 있다.

④ "따라서 앞으로의 과제는 경쟁할 것인가 말 것인가를 선택하는 일이 아니라, 공정한 경쟁을 추구하기 위한 방식에 대한 고민을 함께하는 것입니다." 부분을 통해 알 수 있다.

정답 ①

다음 글에 대한 이해로 적절하지 않은 것은?

연출자가 자신의 저작권을 침해당했다고 주장하기 위해서는 우선 그가 유효한 저작권을 소유하고 있어야 한다. 즉 저작권 보호 가능성이 있는 창작물이 필요하다. 다음으로 창작적인 표현을 도용당했는지 밝혀야 하는데, 이것이 쉽지 않다. 왜냐하면 연출자가 주관적으로 창작성이 있다고 느끼는 부분일지라도 객관적인 시각에서는 이미 공연 예술 무대에서 흔히 사용되는 표현 기법일 수 있고, 저작권법상 보호 대상이 아닌 아이디어의 요소와 보호 가능한 요소인 표현이 얽혀 있는 경우가 있기 때문이다. 쉬운 예로 셰익스피어를 보자. 그의 명작 중에 선대에 있었던 작품에 의거하지 않고 탄생한 작품이 있는가. 대부분의 연출자는 선행 예술가로부터 영향을 받아 창작에 임하는 것이 너무도 당연하고 자연스럽다. 따라서 무대연출 작업 중에서 독보적인 창작을 걸러내서 배타적인 권한인 저작권을 부여하는 것은 매우 흔치 않은 경우이고, 후발 창작을 방해하는 요소로 작용할 수도 있다. 저작권법은 창작자에게 개인적인 인센티브를 제공하여 창작을 장려함과 동시에 일반 공중이 저작물을 원활하게 이용할 수 있도록 해야 하는 두 가지 가치의 균형을 이루는 것이 목표다.

① 무대연출의 창작적인 표현의 도용 여부를 밝히기는 쉽지 않다.

② 저작권 침해를 당했다고 주장하려면 유효한 저작권을 소유하고 있어야 한다.

③ 독보적인 무대연출 작업에 저작권을 부여한다고 해서 후발 창작에 방해가 되지는 않는다.

④ 저작권법의 목표는 창작자의 창작을 장려하고 일반 공중의 저작물 이용을 원활하게 하는 것이다.

난이도 ⊗ ○ ⊗

[해설] "무대연출 작업 중에서 독보적인 창작을 걸러내서 배타적인 권한인 저작권을 부여하는 것은 매우 흔치 않은 경우이고, 후발 창작을 방해하는 요소로 작용할 수도 있다." 부분을 볼 때, '후발 창작에 방해가 되지 않는다.'는 이해는 적절하지 않다.

[오답분석] ① "창작적인 표현을 도용당했는지 밝혀야 하는데, 이것이 쉽지 않다." 부분을 통해 알 수 있다.

② "연출자가 자신의 저작권을 침해당했다고 주장하기 위해서는 우선 그가 유효한 저작권을 소유하고 있어야 한다." 부분을 통해 알 수 있다.

④ "저작권법은 창작자에게 개인적인 인센티브를 제공하여 창작을 장려함과 동시에 일반 공중이 저작물을 원활하게 이용할 수 있도록 해야 하는 두 가지 가치의 균형을 이루는 것이 목표다." 부분을 통해 알 수 있다.

정답 ③

다음 글에 대한 이해로 적절하지 않은 것은?

> 올해 A시는 '청소년 의회 교실' 운영에 관한 조례를 발표함으로써 청소년들이 지방의회의 역할과 기능을 이해하고 민주 시민으로서의 소양과 자질을 함양할 수 있는 근거를 마련하였다. 청소년 의회 교실이란 청소년을 대상으로 실시하는 의회 체험 프로그램을 의미한다. 여기에 참여할 수 있는 대상은 A시에 있는 학교에 재학 중인 만 19세 미만의 청소년이다. 이 조례에 따르면 시의회 의장은 의회 교실의 참가자 선정 및 운영 방안을 결정할 수 있다. 운영 방안에는 지방자치 및 의회의 기능과 역할, 민주 시민의 소양과 자질 등에 관한 교육 내용이 포함된다. 또한 시의회 의장은 고유 권한으로 본회의장 시설 사용이 가능하도록 지원할 수 있다. 최근 A시는 '수업 시간 스마트폰 사용 제한에 관한 조례안'을 주제로 본회의장에서 첫 번째 의회 교실을 운영하였다. 참석 학생들은 1일 시의원이 되어 의원 선서를 한 후 주제에 관한 자유 발언 시간을 가졌다. 이어서 관련 조례안을 상정한 후 찬반 토론을 거쳐 전자 투표로 표결 처리하였다. 학생들이 의회 과정 전반에 대해 체험할 수 있었던 뜻 깊은 시간이었다.

① A시에 있는 학교의 만 19세 미만 재학생은 청소년 의회 교실에 참여할 수 있는 대상이다.

② A시의 시의회 의장은 청소년 의회 교실의 민주 시민 소양과 관련된 교육 내용을 결정할 수 있다.

③ A시에서 시행된 청소년 의회 교실에서 시의회 의장은 본회의장 시설을 사용하도록 지원해 주었다.

④ A시의 올해 청소년 의회 교실은 의원 선서, 조례안 상정, 자유 발언, 찬반 토론, 전자 투표의 순서로 진행되었다.

난이도 ⓢ ◎ ⓗ

[해설] "참석 학생들은 1일 시의원이 되어 의원 선서를 한 후 주제에 관한 자유 발언 시간을 가졌다. 이어서 관련 조례안을 상정한 후 찬반 토론을 거쳐 전자 투표로 표결 처리하였다."를 볼 때, '의원 선서 → 자유 발언 → 조례안 상정 → 찬반 토론 → 전자 투표'의 순서로 진행되었음을 알 수 있다. 따라서 '조례안 상정'을 '자유 발언'보다 먼저 한다고 제시한 ④의 이해는 적절하지 않다.

[오답 분석]
① "여기에 참여할 수 있는 대상은 A시에 있는 학교에 재학 중인 만 19세 미만의 청소년이다." 부분을 통해 알 수 있다.

② "이 조례에 따르면 시의회 의장은 의회 교실의 참가자 선정 및 운영 방안을 결정할 수 있다. 운영 방안에는 지방자치 및 의회의 기능과 역할, 민주 시민의 소양과 자질 등에 관한 교육 내용이 포함된다." 부분을 통해 알 수 있다.

③ "시의회 의장은 고유 권한으로 본회의장 시설 사용이 가능하도록 지원할 수 있다." 부분을 통해 알 수 있다.

정답 ④

〈보기〉의 내용에 대한 이해로 가장 옳지 않은 것은?

> ─── 〈보기〉 ───
>
> 참, 거짓을 판단할 수 있는 문장을 명제라고 한다. 문장이 나타내는 명제가 실제 세계의 사실과 일치하면 참이고 그렇지 않으면 거짓이다. 가령, '사과는 과일이다.'는 실제 세계의 사실과 일치하므로 참인 명제지만 '새는 무생물이다.'는 실제 세계의 사실과 일치하지 않으므로 거짓인 명제이다. 이와 같이 명제가 지닌 진리치가 무엇인지 밝혀주는 조건을 진리 조건이라고 한다. 명제 논리의 진리 조건을 간략하게 살펴보면 다음과 같다. 모든 명제는 참이든지 거짓이든지 둘 중 하나여야 하며 참도 아니고 거짓도 아니거나 참이면서 거짓인 경우는 없다. 명제 P가 참이면 그 부정 명제 ~P는 거짓이고 ~P가 참이면 P는 거짓이다. 명제 P와 Q는 AND로 연결되는 P∧Q는 P와 Q가 모두 참일 때에만 참이다. 명제 P와 Q가 OR로 연결되는 P∨Q는 P와 Q 둘 중 적어도 하나가 참이기만 하면 참이 된다. 명제 P와 Q가 IF … THEN으로 연결되는 P → Q는 P가 참이고 Q가 거짓이면 거짓이고 나머지 경우에는 모두 참이 된다.

① 명제 논리에서 '모기는 생물이면서 무생물이다.'는 성립하지 않는다.

② 명제 논리에서 '파리가 새라면 지구는 둥글다.'는 거짓이다.

③ 명제 논리에서 '개가 동물이거나 컴퓨터가 동물이다.'는 참이다.

④ 명제 논리에서 '늑대는 새가 아니고 파리는 곤충이다.'는 참이다.

난이도 ⓢ ◎ ⓗ

[해설] '파리가 새라면 지구는 둥글다.'는 'A라면 B이다'의 구조이므로, 〈보기〉의 "P → Q는 P가 참이고 Q가 거짓이면 거짓이고 나머지 경우에는 모두 참이 된다."와 관련이 있다. '파리'는 '새'가 아니므로, '파리는 새이다.'는 거짓이다. 한편, '지구는 둥글다.'는 참이다. 즉 P는 거짓이고 Q는 참이다. 〈보기〉에서 "P → Q는 P가 참이고 Q가 거짓이면 거짓이고 나머지 경우에는 모두 참이 된다."라고 하였기 때문에, '거짓'이 아니라 '참'이라고 해야 옳은 이해이다.

[오답 분석]
① 〈보기〉에서 "모든 명제는 참이든지 거짓이든지 둘 중 하나여야 하며 ~ 참이면서 거짓인 경우는 없다."라고 하였다. '모기는 생물이다.'를 참으로 봤을 때, '모기는 무생물이다.'는 거짓이 된다. 따라서 '모기는 생물이면서 무생물이다.'는 성립하지 않는다는 이해는 옳다.

③ 'A거나 B이다'의 구조이므로, 〈보기〉의 "명제 P와 Q가 OR로 연결되는 P∨Q는 P와 Q 둘 중 적어도 하나가 참이기만 하면 참이 된다."와 관련이 있다. P를 '개가 동물이다.'로, Q를 '컴퓨터가 동물이다.'로 놓았을 때, 둘 중 하나만 참이면 참이라고 하였다. '개가 동물이다.'는 참이기 때문에, '개가 동물이거나 컴퓨터가 동물이다.'가 참이라는 이해는 옳다.

④ 'A 아니고 B이다.'의 구조이므로, 〈보기〉의 "명제 P와 Q가 AND로 연결되는 P∧Q는 P와 Q가 모두 참일 때에만 참이다."와 관련이 있다. P를 '늑대는 새가 아니다.'로, Q를 '파리는 곤충이다.'로 놓았을 때, 둘 모두가 참이어야 참이라고 하였다. '늑대는 새가 아니다.'와 '파리는 곤충이다.'는 모두 참이기 때문에, '늑대는 새가 아니고 파리는 곤충이다.'는 참이라는 이해는 옳다.

정답 ②

다음 글에 대한 이해로 적절하지 않은 것은?

르네상스가 일어나게 된 요인으로 많은 것들이 거론되어 왔지만, 의학사의 관점에서 볼 때 흥미롭고 논쟁적인 원인은 페스트이다. 페스트가 유럽의 인구를 격감시킴으로써 사회 경제 구조가 급변하게 되었고, 사람들은 재래의 전통이 지니고 있던 강력한 권위에 의문을 품기 시작했다. 예컨대 사람들은 이 무시무시한 질병을 예측하지 못한 기존의 의학적 전통을 불신하게 되었으며, 페스트로 인해 '사악한 자'들만이 아니라 '선량한 자'들까지 무차별적으로 죽는 것을 보고 이전까지 의심하지 않았던 신과 교회의 막강한 권위에 대해서도 회의하게 되었다.

속수무책으로 당할 수밖에 없었던 죽음에 대한 경험은 사람들을 여러 방향에서 변화시켰다. 사람들은 거리에 시체가 널려 있는 광경에 익숙해졌고, 인간의 유해에 대한 두려움 또한 점차 옅어졌다. 교회에서 제시한 세계관 및 사후관에 대한 신뢰가 떨어지고, 삶과 죽음 같은 인간의 본질적인 문제에 대해 새롭게 사유하기 시작했다. 중세의 지적 전통에 대한 의구심은 고대의 학문과 예술, 언어에 대한 재평가로 이어졌으며, 이에 따라 신에 대한 무조건적 찬양과 복종 대신 인간에 대한 새로운 관심과 사유가 활발해졌다.

이러한 움직임은 미술사에서 두드러지게 포착된다. 인간에 대한 관심의 증대에 따라 인체의 아름다움이 재발견되었고, 인체를 묘사하는 다양한 화법도 등장했다. 인체에 대한 관심은 보이는 부분뿐만 아니라 보이지 않는 부분에 대한 관심으로 이어졌다. 기존의 의학적 전통을 여전히 신봉하던 의사들에게 해부학적 지식은 불필요한 것으로 인식되었던 반면, 당시의 미술가들은 예술가이면서 동시에 해부학자이기도 할 만큼 인체의 내부 구조를 탐색하는 데 골몰했다.

① 전염병의 창궐은 르네상스의 발생을 설명하는 다양한 요인 가운데 하나이다.

② 페스트로 인한 선인과 악인의 무차별적인 죽음은 교회가 유지하던 막강한 권위를 약화시켰다.

③ 예술가들이 인체의 아름다움을 재발견함으로써 고대의 학문과 언어에 대한 재평가도 이루어졌다.

④ 르네상스 시기에 해부학은 의사들보다도 미술가들의 관심을 끌었다.

해설 3문단에서 "중세의 지적 전통에 대한 의구심은 고대의 학문과 예술, 언어에 대한 재평가로 이어졌으며"라고 하였다. 따라서 '고대의 학문과 언어에 대한 재평가'는 '예술가들이 인체의 아름다움을 재발견함으로써'가 아닌 '중세의 지적 전통에 대한 의구심이 생김으로써'로 이루어진 것이다.

오답 분석

① 1문단의 "르네상스가 일어나게 된 요인으로 많은 것들이 거론되어 왔지만, 의학사의 관점에서 볼 때 흥미롭고 논쟁적인 원인은 페스트이다." 부분을 통해 알 수 있다.

② 1문단의 "페스트로 인해 '사악한 자'들만이 아니라 '선량한 자'들까지 무차별적으로 죽는 것을 보고 이전까지 의심하지 않았던 신과 교회의 막강한 권위에 대해서도 회의하게 되었다." 부분을 통해 알 수 있다.

④ 3문단의 "기존의 의학적 전통을 여전히 신봉하던 의사들에게 해부학적 지식은 불필요한 것으로 인식되었던 반면, 당시의 미술가들은 예술가이면서 동시에 해부학자이기도 할 만큼 인체의 내부 구조를 탐색하는 데 골몰했다." 부분을 통해 알 수 있다.

 정답 ③

〈보기〉의 (가)~(다)에 대한 이해로 가장 적절하지 않은 것은?

─── 〈보기〉 ───

(가) 백호 임제가 말에 올라타려 할 때 종이 나서서 말했다. "나리, 취하셨습니다. 한쪽은 짚신을 신으셨네요." 그러나 백호가 냅다 꾸짖었다. "길 오른쪽을 가는 이는 내가 가죽신을 신었다고 할 테고 길 왼쪽을 가는 이는 내가 짚신을 신었다고 할 게다. 내가 염려할 게 뭐냐." 이것으로 따져보면 천하에서 발보다 쉽게 눈에 띄는 것이 없지만 보는 방향이 달라짐에 따라서 가죽신을 신었는지도 분간하기 어렵다.

(나) 늙은 살구나무 아래, 작은 집 한 채! 방은 시렁과 책상 따위가 삼분의 일이다. 손님 몇이 이르기라도 하면 무릎이 부딪치는 너무도 협소하고 누추한 집이다. 하지만 주인은 편안하게 독서와 구도(求道)에 열중한다. 나는 그에게 말했다. "이 작은 방에서 몸을 돌려 앉으면 방위가 바뀌고 명암이 달라지지. 구도란 생각을 바꾸는 데 달린 법, 생각이 바뀌면 그 뒤를 따르지 않을 것이 없지. 자네가 내 말을 믿는다면 자네를 위해 창문을 밀쳐줌세. 웃는 사이에 벌써 밝고 드넓은 공간으로 올라갈 걸세."

(다) 어항 속 금붕어의 시각은 우리의 시각과 다르지만, 금붕어도 둥근 어항 바깥의 물체들의 운동을 지배하는 과학 법칙들을 정식화(定式化)할 수 있을 것이다. 예컨대 힘을 받지 않는 물체의 운동을 우리라면 직선운동으로 관찰하겠지만, 어항 속 금붕어는 곡선운동으로 관찰할 것이다. 그럼에도 금붕어는 자기 나름의 왜곡된 기준 틀(Frame of Reference)을 토대로 삼아 과학 법칙들을 정식화할 수 있을 것이고, 그 법칙들은 항상 성립하면서 금붕어로 하여금 어항 바깥의 물체들의 미래 운동을 예측할 수 있도록 해줄 것이다. 금붕어가 세운 법칙들은 우리의 틀에서 성립하는 법칙들보다 복잡하겠지만, 복잡함이나 단순함은 취향의 문제이다. 만일 금붕어가 그런 복잡한 이론을 구성했다면, 우리는 그것을 타당한 실재상으로 인정해야 할 것이다.

① (가)의 임제는 사람들이 주관적 관점에서 대상을 인식한다고 여겼다.

② (나)의 집주인은 객관적 조건과 무관하게 자신만의 방식으로 대상을 수용했다.

③ (다)의 금붕어는 왜곡된 기준 틀로 과학 법칙을 수립할 수 있다.

④ (가), (나), (다)는 주관적 인식의 모순을 분명하게 밝혔다.

해설 (가), (나), (다) 모두 '주관적 인식'을 인정하고 있다. 따라서 '주관적 인식'의 모순을 분명하게 밝혔다는 이해는 적절하지 않다.

오답
분석
① 임제의 "길 오른쪽을 가는 이는 내가 가죽신을 신었다고 할 테고 길 왼쪽을 가는 이는 내가 짚신을 신었다고 할 게다."라는 말을 볼 때, 임제가 사람들이 주관적 관점에서 대상을 인식한다고 여겼음을 알 수 있다.

② 집주인은 협소하고 누추한 집이라는 객관적 조건과 무관하게 그 공간에서 '주인'은 편안하게 독서와 구도(求道)에 열중하고 있다. 따라서 집주인은 객관적 조건과 무관하게 자신만의 방식으로 대상을 수용했음을 알 수 있다.

③ "금붕어는 자기 나름의 왜곡된 기준 틀(Frame of Reference)을 토대로 삼아 과학 법칙들을 정식화할 수 있을 것이고"를 볼 때, 금붕어는 자기 나름의 왜곡된 기준 틀로 과학 법칙을 수립할 수 있음을 알 수 있다.

정답 ④

〈보기〉를 통해서 알 수 있는 내용으로 가장 적절하지 않은 것은?

─── 〈보기〉 ───

나는 서울에서 고등학교를 다니는 학생이다. 며칠 전 제사가 있어서 대구에 있는 할아버지 댁에 갔다. 제사를 준비하면서 할아버지께서 나에게 심부름을 시키셨는데 사투리가 섞여 있어서 잘 알아들을 수가 없었다. 집으로 돌아올 때 할아버지께서 용돈을 듬뿍 주셔서 기분이 좋았다. 그런데 오늘 어머니께서 할아버지가 주신 용돈 중 일부를 달라고 하셨다. 나는 어머니께 그 용돈으로 '문상'을 다 샀기 때문에 남은 돈이 없다고 말씀드렸다. 어머니께서는 '문상'이 무엇이냐고 물으셨고 나는 '문화상품권'을 줄여서 사용하는 말이라고 말씀드렸다. 학교에서 친구들과 이야기할 때 흔히 사용하는 '컴싸'나 '훈남', '생파' 같은 단어들을 부모님과 대화할 때는 설명을 해드려야 해서 불편할 때가 많다.

① 어휘는 세대에 따라서 달라지기도 한다.

② 어휘는 지역에 따라서 달라지기도 한다.

③ 성별에 따라 사용하는 어휘가 달라지기도 한다.

④ 은어나 유행어는 청소년층이 쓰는 경우가 많다.

해설 〈보기〉에는 성별에 따라 사용하는 어휘가 달라진다는 내용은 나와 있지 않다.

오답
분석
① 친구들 사이에서 흔히 쓰는 단어인 '문상', '컴싸', '훈남', '생파' 같은 단어들을 부모님과 대화할 때는 설명이 필요하다는 내용을 통해, 어휘가 세대에 따라 달라짐을 알 수 있다.

② 할아버지의 대구 사투리를 못 알아들었다는 내용을 통해, 어휘가 지역에 따라 달라짐을 알 수 있다.

④ 친구들 사이에서 '컴싸', '훈남', '생파' 같은 단어들을 쓴다는 것을 통해 알 수 있다.

정답 ③

다음 글에 대한 이해로 적절하지 않은 것은?

언어마다 고유의 표기 체계가 있는데, 이는 읽기 과정에 영향을 미친다. 알파벳 언어는 표기 체계에 따라 철자 읽기의 명료성 수준이 달라진다. 철자 읽기가 명료하다는 것은 한 글자에 대응되는 소리가 규칙적이어서 글자와 소리의 대응이 거의 일대일이라는 것을 의미한다. 그 예로 이탈리아어와 스페인어가 있다. 이 두 언어의 사용자는 의미를 전혀 모르는 새로운 단어를 발견하더라도 보자마자 정확한 발음을 할 수 있다. 이에 비해 영어는 철자 읽기의 명료성이 낮은 언어이다. 영어는 발음이 아예 나지 않는 묵음과 같은 예외도 많은 편이고 글자에 대응하는 소리도 매우 다양하다.

한편 알파벳 언어를 읽을 때 사용하는 뇌의 부위는 유사하지만 뇌의 부위에 의존하는 방식에는 차이가 있다. 영어와 이탈리아어를 읽는 사람은 동일하게 좌반구의 읽기 네트워크를 사용한다. 하지만 무의미한 단어를 읽을 때 영어를 읽는 사람은 암기된 단어의 인출과 연관된 뇌 부위에 더 의존하는 반면 이탈리아어를 읽는 사람은 음운 처리에 연관된 뇌 부위에 더 의존한다. 왜냐하면 무의미한 단어를 읽을 때 이탈리아어를 읽는 사람은 규칙적인 음운 처리 규칙을 적용하는 반면에, 영어를 읽는 사람은 암기해 둔 수많은 예외들을 떠올리기 때문이다.

① 알파벳 언어의 철자 읽기는 소리와 표기의 대응과 관련되는데 각 소리가 지닌 특성은 철자 읽기의 명료성을 판단하는 기준이 된다.

② 영어 사용자는 무의미한 단어를 읽을 때 좌반구의 읽기 네트워크를 활용하면서 암기된 단어의 인출과 연관된 뇌 부위에 더욱 의존한다.

③ 이탈리아어는 소리와 글자의 대응이 규칙적이어서 낯선 단어를 발음할 때 영어에 비해 철자 읽기의 명료성이 높다.

④ 영어는 음운 처리 규칙에 적용되지 않는 예외들이 많아서 스페인어에 비해 소리와 글자의 대응이 덜 규칙적이다.

난이도 상 ○ 중 ○ 하

[해설] 1문단에서 "알파벳 언어는 표기 체계에 따라 철자 읽기의 명료성 수준이 달라진다."라고 하였다. 따라서 '각 소리가 지닌 특성'이 철자 읽기의 명료성을 판단하는 기준이라는 설명은 적절하지 않다.

[오답분석]
② 2문단의 "영어와 이탈리아어를 읽는 사람은 동일하게 ~ 하지만 무의미한 단어를 읽을 때 영어를 읽는 사람은 암기된 단어의 인출과 연관된 뇌 부위에 더 의존하는" 부분을 통해 알 수 있다.

③ 1문단의 "철자 읽기가 명료하다는 것은 ~ 글자와 소리의 대응이 거의 일대일이라는 것을 의미한다. 그 예로 이탈리아어와 스페인어가 있다." 부분을 통해 알 수 있다.

④ 1문단의 "철자 읽기가 명료하다는 것은 ~ 그 예로 이탈리아어와 스페인어가 있다." 부분과 "영어는 발음이 아예 나지 않는 묵음과 같은 예외도 많은 편이고 글자에 대응하는 소리도 매우 다양하다." 부분을 통해 알 수 있다.

정답 ①

다음 글에 대한 이해로 적절하지 않은 것은?

인간은 주로 언어를 통해 마음을 표현하고 상대방의 마음을 이해한다. 그래서 정신적인 문제를 지닌 사람을 치료하는 정신 치료에서도 언어가 주된 수단이다. 그러나 언어는 인간의 마음을 표현하기에는 불완전하고 제한된 도구이다. 사실, 인간은 과거 기억의 많은 부분을 언어적 명제의 형태보다는 시각적 이미지의 형태로 기억 속에 담고 살아간다. 이러한 시각적 이미지 속에 포함되어있는 풍부하고 생생하며 미묘한 경험들은 언어로 표현되는 과정에서 왜곡될 수 있다. 이에 정신 치료에서는 언어가 아닌 다른 치료 수단을 모색해왔으며, 그 결과 미술 치료가 하나의 대안으로 제시되었다.

미술 치료는 미술과 심리학의 결합이다. 언어로 온전하게 표현할 수 없는 심리상태를 그림으로 표현하고, 그 과정에서 감정의 이완을 유도하는 방법이다. 미술 치료는 심리적으로 큰 충격을 경험한 아동들에게 큰 도움이 될 수 있다. 고통스러운 일을 겪은 아이들은 그림을 그리거나 만들기를 통해 심리적인 안정을 얻을 뿐만 아니라, 자신이 경험한 것에 대해 더 자세히 전달할 수 있다. 학대를 받거나 폭력적인 사건을 경험했을 때 말하는 것 자체가 공포나 불안을 일으킬 수 있는데, 미술은 그러한 아동의 불안을 감소시키면서 감정을 표현할 수 있게 한다. 말로써 자신의 어려움을 표현하는 것을 어려워하거나 꺼릴 경우, 미술은 성인에게도 유용한 매개체가 될 수 있다. 단지, 아동은 발달학적으로 미숙한 부분이 있으므로 이를 고려한 미술 활동이 진행되어야 한다는 점에서 차이가 있을 뿐이다. 미술 치료가 작용하는 원리는 성인과 아동 모두에게 근본적으로 같다고 할 수 있다.

① 대화만을 통한 정신치료는 온전한 효과를 얻을 수 없다.

② 인간은 미술을 통해 자신의 경험을 거리낌 없이 표현할 수 있다.

③ 인간이 언어를 통해 감정을 표현하는 데에는 한계가 있다.

④ 인간의 시각적 경험은 언어로 전환되는 과정에서 사실과 달라질 수 있다.

⑤ 아동과 성인의 미술 치료 원리는 근본적으로 동일하다.

난이도 상 ○ 중 ○ 하

[해설] 제시된 글에서 '언어'가 표현의 주된 수단이기는 하지만 제한적인데, 미술이 그것을 보조해준다고 말하고 있다. 따라서 미술을 통해 자신의 경험을 거리낌 없이 표현할 수 있다는 이해는 적절하지 않다. '미술'은 방법 중 하나이기 때문이다.

[오답분석]
①, ③ 1문단의 "그러나 언어는 인간의 마음을 표현하기에는 불완전하고 제한된 도구이다." 부분을 통해 알 수 있다.

④ 1문단의 "이러한 시각적 이미지 속에 포함되어있는 풍부하고 생생하며 미묘한 경험들은 언어로 표현되는 과정에서 왜곡될 수 있다." 부분을 통해 알 수 있다.

⑤ 2문단의 "미술 치료가 작용하는 원리는 성인과 아동 모두에게 근본적으로 같다고 할 수 있다." 부분을 통해 알 수 있다.

정답 ②

PART 1 비문학 해커스공무원 해원국어 기출정해 1000제 1권 비문학·문학

다음 글에서 추론한 내용으로 적절하지 않은 것은?

> 과학의 개념은 분류 개념, 비교 개념, 정량 개념으로 구분할 수 있다. 식물학과 동물학의 종, 속, 목처럼 분명한 경계를 가지고 대상들을 분류하는 개념들이 분류 개념이다. 어린이들이 맨 처음에 배우는 단어인 '사과', '개', '나무' 같은 것 역시 분류 개념인데, 하위 개념으로 분류할수록 그 대상에 대한 정보가 더 많이 전달된다. 또한, 현실 세계에 적용 대상이 하나도 없는 분류 개념도 있을 수 있다. 예를 들어 '유니콘'이라는 개념은 '이마에 뿔이 달린 말의 일종임' 같은 분명한 정의가 있기에 '유니콘'은 분류 개념으로 인정되는 것이다.
>
> '더 무거움', '더 짧음' 등과 같은 비교 개념은 분류 개념보다 설명에 있어서 정보 전달에 더 효과적이다. 이것은 분류 개념처럼 자연의 사실에 적용되어야 하지만, 분류 개념과 달리 논리적 관계도 반드시 성립해야 한다. 예를 들면, 대상 A의 무게가 대상 B의 무게보다 더 무겁다면, 대상 B의 무게가 대상 A의 무게보다 더 무겁다고 말할 수 없는 것처럼 '더 무거움' 같은 비교 개념은 논리적 관계를 반드시 따라야 한다.
>
> 마지막으로 정량 개념은 비교 개념으로부터 발전된 것인데, 이것은 자연의 사실로부터 파악할 수 있는 물리량을 측정함으로써 만들어진다. 물리량을 측정하기 위해서는 몇 가지 규칙이 필요한데, 그 규칙에는 두 물리량의 크기를 비교하는 경험적 규칙과 물리량의 측정 단위를 정하는 규칙 등이 포함된다. 이러한 정량 개념은 자연에 의해서 주어지는 것이 아니라 우리가 자연현상에 수를 적용하는 과정에서 생겨나는 것이다. 정량 개념은 과학의 언어를 수많은 비교 개념 대신 수를 사용할 수 있게 하여 과학 발전의 기초가 되었다.

① '호랑나비'는 '나비'와 동일한 종에 속하지만, 나비에 비해 정보량이 적다.

② '용(龍)'은 현실 세계에 적용할 수 있는 지시물이 없더라도 분류 개념으로 인정된다.

③ '꽃'이나 '고양이'와 같은 개념은 논리적 관계를 따라야 하는 것은 아니기 때문에 비교 개념에 포함되지 않는다.

④ 물리량을 측정할 수 있는 'cm'나 'kg'과 같은 측정 단위는 자연현상에 수를 적용할 수 있게 해 주었다.

난이도 ㉖ ⃝ ㉞

[해설] 1문단의 "어린이들이 맨 처음에 배우는 단어인 '사과', '개', '나무' 같은 것 역시 분류 개념인데, 하위 개념으로 분류할수록 그 대상에 대한 정보가 더 많이 전달된다." 부분에서 하위 개념으로 분류할수록 그 대상에 대한 정보가 더 많이 전달된다고 하였다. '호랑나비'는 '나비'의 하위 개념이다. 따라서 '호랑나비'는 '나비'에 비해 정보량이 더 많다. 그런데 ①에서는 '호랑나비'가 '나비'에 비해 정보량이 적다고 하였다. 따라서 ①의 추론은 적절하지 않다.

[오답분석] ② 1문단에서 "현실 세계에 적용 대상이 하나도 없는 분류 개념도 있을 수 있다."라고 하면서, '유니콘'을 예로 들고 있다. '용'도 '유니콘'과 마찬가지로 현실 세계에 적용 대상이 없는 개념이다. 따라서 '유니콘'처럼 '용'도 현실 세계에 적용할 수 있는지 시물이 없더라도 분류 개념으로 인정된다는 추론은 적절하다.

③ 2문단의 "이것(비교 개념)은 분류 개념처럼 자연의 사실에 적용되어야 하지만, 분류 개념과 달리 논리적 관계도 반드시 성립해야 한다."라고 하였다. 그런데 '꽃'과 '고양이'는 논리적 관계를 따라야 하는 것은 아니기 때문에 비교 개념에 포함될 수 없다.

④ 3문단의 "정량 개념은 비교 개념으로부터 발전된 것인데, 이것은 자연의 사실로부터 파악할 수 있는 물리량을 측정함으로써 만들어진다. ~ 정량 개념은 과학의 언어를 수많은 비교 개념 대신 수를 사용할 수 있게 하여" 부분을 통해 물리량을 측정할 수 있는 단위가 자연현상에 수를 적용할 수 있게 해 주었음을 추론할 수 있다.

정답 ①

다음 글의 내용과 부합하지 않는 것은?

> 인터넷이 있는 곳이면 어디나 악플이 있기 마련이지만, 한국은 정도가 심하다. 악플러들 가운데는 피해의식과 열등감에 시달리는 이들이 많다고 한다. 그들에게 악플의 즐거움은 무엇인가. 자신이 올린 글 한 줄에 다른 사람들이 동요하는 모습을 보면서 자기 효능감(self-efficacy)을 맛볼 수 있다. 아무에게도 영향력을 행사하지 못하고 자신의 삶과 환경을 통제하지도 못하면서 무력감에 시달리는 사람일수록 공격적인 발설로 자기 효능감을 느끼려 한다.
>
> 그런데 자기 효능감은 상대방의 반응에 좌우된다. 마구 욕을 퍼부었는데 상대방이 별로 개의치 않는다면, 계속할 마음이 사라질 것이다. 무시당했다는 생각에 오히려 자괴감에 빠질 수도 있다. 개인주의가 안착된 사회에서는 자신을 향한 비판에 대해 '그건 너의 생각'이라면서 넘겨 버리는 사람들이 많다. 말도 안 되는 욕설이나 험담이 날아오면 제정신이 아닌 사람의 소행으로 웃어넘기거나 법적인 조치를 취할 것이다.
>
> 개인주의는 여러 속성을 지니고 있지만, 자신의 존재 가치를 스스로 매긴다는 긍정적 측면이 있다. 한국에는 그런 의미에서의 개인주의가 뿌리내리지 못했다. 남에 대해 신경을 너무 곤두세운다. 그것은 두 가지 차원으로 나뉘는데, 한편으로 타인에게 필요 이상의 관심을 보이면서 참견하고 타인의 영역을 침범한다. 다른 한편으로 자기에 대한 타인의 평가와 반응에 너무 예민하다. 이 두 가지 특성이 인터넷 공간에서 맞물려 악플을 양산한다. 우선 다른 사람들에게 너무 쉽게 험담을 늘어놓고 당사자에게 악담을 던진다. 그렇게 악을 올리면 상대방이 발끈하거나 움츠러든다. 이따금 일파만파로 사회가 요동을 치기도 한다. 악플러 입장에서는 재미가 쏠쏠하다. 예상했던 피드백을 즉각적으로 받으면서 자기 효능감을 맛볼 수 있기 때문이다.

① 악플러는 자신의 말에 타인이 동요하는 것을 보면서 자기 효능감을 느낀다.

② 개인주의자는 악플에 무반응함으로써 악플러를 자괴감에 빠지게 할 수 있다.

③ 자신의 삶을 잘 통제하는 악플러일수록 타인을 더욱 엄격한 잣대로 비판한다.

④ 한국에서 악플이 양산되는 것은 한국인들이 타인에 대해 신경을 많이 쓰는 것과 관계가 있다.

난이도 상 ② ○

해설 어떤 사람이 타인을 더욱 엄격한 잣대로 비판하는지에 대한 정보는 직접적으로 제시되어 있지 않다. 설사 '공격적인 악플을 다는 것'을 '엄격한 잣대로 비판하는 것'과 유사한 의미로 이해를 하더라도, 제시된 글의 내용과 일치하지 않는다. 1문단의 "아무에게도 영향력을 행사하지 못하고 자신의 삶과 환경을 통제하지도 못하면서 무력감에 시달리는 사람일수록 공격적인 발설로 자기 효능감을 느끼려 한다."라고 하였다. 이 부분을 볼 때, 공격적으로 악플을 다는 사람은 자신의 삶을 잘 통제하는 사람이 아니라 잘 통제하지 못하는 사람이기 때문이다.

오답 분석
① 1문단의 "악플의 즐거움은 무엇인가. 자신이 올린 글 한 줄에 다른 사람들이 동요하는 모습을 보면서 자기 효능감(self-efficacy)을 맛볼 수 있다." 부분을 통해 확인할 수 있다.

② 2문단에서 "마구 욕을 퍼부었는데 상대방이 별로 개의치 않는다면, 계속할 마음이 사라질 것이다. 무시당했다는 생각에 오히려 자괴감에 빠질 수도 있다."라고 하였다. 또 2문단에서 '개인주의자'는 욕을 들어도 별로 개의치 않는다고 하였다. 따라서 제시된 글의 내용과 부합한다.

④ 3문단의 "한편으로 타인에게 필요 이상의 관심을 보이면서 참견하고 타인의 영역을 침범한다. 다른 한편으로 자기에 대한 타인의 평가와 반응에 너무 예민하다. 이 두 가지 특성이 인터넷 공간에서 맞물려 악플을 양산한다." 부분을 통해 확인할 수 있다.

정답 ③

---

132 ○○○ 2021 국회직 8급

다음 글에 대한 이해로 적절하지 않은 것은?

"워싱턴 : 1 = 링컨 : x(단, x는 1, 5, 16, 20 가운데 하나)"라는 유추 문제를 가정해보자. 심리학자 스턴버그는 유추 문제의 해결 과정을 다음과 같이 제시하였다. 첫 번째, '부호화'는 유추 문제의 각 항들이 어떠한 의미인지 파악하는 과정이다. '워싱턴', '1', '링컨' 등의 단어가 무슨 뜻인지 이해하는 것이 부호화이다. 두 번째, '추리'는 앞의 두 항이 어떠한 연관성을 갖는지 규칙을 찾는 과정이다. 조지 워싱턴이 미국의 초대 대통령이라는 지식을 갖고 있는 사람이라면, '워싱턴'과 숫자 '1'로부터 연관성을 찾아낼 수 있을 것이다. 세 번째, '대응'은 유추의 근거 영역의 요소들과 대상 영역의 요소들을 연결하는 단계이다. '워싱턴'과 '링컨'을 연결하고, 숫자 '1'과 미지항 x를 연결하는 과정이 이에 해당한다. 네 번째, '적용'은 자신이 찾아낸 규칙을 대상 영역에 적용하는 과정이다. 조지 워싱턴이 미국의 초대 대통령이며 아브라함 링컨이 미국의 열여섯 번째 대통령임을 안다면, 적용의 단계에서 미지항의 답이 '16'이라고 생각할 것이다. 다섯 번째, '비교'는 자신이 찾아낸 미지항 x의 값과 다른 선택지들을 비교하는 과정이다. 만약 '16'을 답으로 찾은 사람에게 조지 워싱턴이 1달러 지폐의 인물이고 아브라함 링컨이 5달러 지폐의 인물이라는 정보가 있다면, 정답의 가능성이 있는 두 개의 선택지 사이에서 비교를 진행하게 될 것이다. 여섯 번째, '정당화'는 비교의 결과 더 적합하다고 생각되는 답을 선택하는 과정이며, 마지막으로 '반응'은 자신이 찾아낸 최종적인 결론을 말하거나 기록하는 과정이다.

① 미국과 관련된 어떠한 정보도 갖고 있지 않은 사람이라면, '부호화' 단계에서 실패할 것이다.

② '워싱턴'이 미국의 도시 이름이라는 정보만 갖고 있는 사람이라면, '추리'의 단계에서 실패할 것이다.

③ '링컨'이 몇 번째 대통령인지에 대한 정보와 미국의 화폐에 대한 정보가 없는 사람이라면, '대응'의 단계에서 실패할 것이다.

④ 미국의 화폐에 대한 정보는 갖고 있지만 미국 역대 대통령의 순서에 대한 정보가 없는 사람이라면, '적용'의 단계에서 '5'를 선택할 것이다.

⑤ 'x'에 들어갈 수 있는 답으로 '5'와 '16'을 찾아낸 사람이라면, 'x는 순서를 나타낸다'라는 새로운 기준을 제시했을 때 '정당화'의 단계에서 '16'을 선택할 것이다.

난이도 ③ ② ③

해설 '링컨'이 몇 번째 대통령인지에 대한 정보와 미국의 화폐에 대한 정보가 없는 사람은 곧 어떠한 정보도 갖고 있지 않은 사람이다. 따라서 '대응'이 아니라 '부호화' 단계에서 실패할 것이다.

오답 분석
① "'부호화'는 유추 문제의 각 항들이 어떠한 의미인지 파악하는 과정이다. '워싱턴', '1', '링컨' 등의 단어가 무슨 뜻인지 이해하는 것이 부호화이다."라고 하였다. 따라서 미국에 대한 어떠한 정보도 갖고 있지 않은 사람이라면, 의미 파악인 '부호화'가 불가능하다.

② "'추리'는 앞의 두 항이 어떠한 연관성을 갖는지 규칙을 찾는 과정이다. 조지 워싱턴이 미국의 초대 대통령이라는 지식을 갖고 있는 사람이라면, '워싱턴'과 숫자 '1'로부터 연관성을 찾아낼 수 있을 것이다."라고 하였다. 따라서 하나의 정보만 가지고 있는 사람이라면 '추리' 단계에서 실패할 것이다.

④ "'적용'은 자신이 찾아낸 규칙을 대상 영역에 적용하는 과정이다. 조지 워싱턴이 미국의 초대 대통령이며 아브라함 링컨이 미국의 열여섯 번째 대통령임을 안다면, 적용의 단계에서 미지항의 답이 '16'이라고 생각할 것이다."라고 하였다. 따라서 아브라함 링컨이 5달러 지폐의 인물이라는 정보만 있는 사람이라면, '적용'의 단계에서 '5'를 선택할 것이다.

⑤ "'정당화'는 비교의 결과 더 적합하다고 생각되는 답을 선택하는 과정이며, 마지막으로 '반응'은 자신이 찾아낸 최종적인 결론을 말하거나 기록하는 과정이다."라고 하였다. 따라서 'x는 순서를 나타낸다'라는 새로운 기준을 제시한다면 '정당화'의 단계에서 '16'을 선택할 것이다.

정답 ③

다음 글에 대한 이해로 적절하지 않은 것은?

> 학습심리학에서 '전이'란 이전에 수행되었던 학습 및 훈련의 경험이 이후의 학습 및 훈련에 영향을 미치는 것을 말한다. 전이가 이루어질 때, 두 경험이 어떠한 영역에 속하는가에 따라 전이의 종류를 구분할 수 있다. '동종 전이'는 기존의 경험과 새로운 경험이 동일한 영역에 속하는 것이다. 예컨대 새로운 인간면역결핍바이러스(HIV)의 실험을 설계하기 위해 기존의 HIV 실험 설계를 참조한다면 이는 동종 전이에 해당한다. 기존의 경험과 새로운 경험이 인접한 영역에 해당한다면 이는 '계열 전이'이다. HIV 실험 설계를 또 다른 미생물 실험의 설계에 참조하는 것이 그 예가 될 수 있다. 마지막으로 기존의 경험과 새로운 경험이 전혀 다른 영역에 속하는 경우가 '원거리 전이'이다. 화학자 케쿨레는 꿈속에서 본 뱀의 모습으로부터 벤젠의 화학적 결합 구조에 대한 아이디어를 얻은 것으로 알려져 있는데, 이것이 원거리 전이이다.
>
> 한편, 전이는 영향 관계에 있는 두 경험의 위계 수준에 따라 구분할 수도 있다. 기존의 경험이 새로운 경험을 위해 필수적이며 기본적인 전제 조건이 될 때, '수직적 전이'가 발생한다. 반면 두 경험이 유사한 구조를 띠고 있어 기존의 경험이 새로운 경험에 유의미한 영향을 미치지만, 새로운 경험을 위해 기존의 경험이 필수적으로 전제되어야 하는 것은 아닐 경우 '수평적 전이'에 해당한다.

① 의사가 대장암에 대한 의학적 지식을 적용하여 대장암 환자를 치료해낸다면 동종 전이라고 볼 수 있다.

② 천문학자가 물체의 운동에 대한 공식을 활용하여 혜성의 이동 속도를 계산해낸다면 계열 전이라고 볼 수 있다.

③ 문학 비평가가 아동심리학 이론을 인용하여 동화 속 인물의 심리 현상을 분석한다면 원거리 전이라고 볼 수 있다.

④ 초등학생이 사각형의 넓이 계산법을 이용하여 사각형인 교실의 면적을 구한다면 수직적 전이라고 볼 수 있다.

⑤ 수직적 전이와 수평적 전이를 구분하는 기준은 영향 관계에 있는 두 경험의 위계 수준이라고 볼 수 있다.

난이도 ◎ ⑧ ⑨

해설 1문단에서 '원거리 전이'는 기존의 경험과 새로운 경험이 전혀 다른 영역에 속하는 경우라고 하였다. '아동 심리학 이론'과 '동화 속 인물의 심리 현상 분석'은 서로 전혀 다른 영역이라 볼 수 없다. 따라서 '원거리 전이'로 보기 어렵다.

오답 분석
① 1문단에서 '동종 전이'는 기존의 경험과 새로운 경험이 동일한 영역에 속하는 것이라고 하였다. 대장암 환자를 치료하기 위해 기존의 대장암에 대한 의학적 지식을 참조한 것이므로 '동종 전이'의 예로 적절하다.

② '계열 전이'는 기존의 경험과 새로운 경험이 인접한 영역에 속하는 경우이다. 물체의 운동에 대한 공식을 혜성의 이동 속도를 계산하는 데 참조한 것이므로 '계열 전이'의 예로 적절하다.

④ 2문단에서 기존의 경험이 새로운 경험을 위해 필수적이며 기본적인 전제 조건이 될 때, '수직적 전이'가 발생한다고 하였다. 교실 면적을 구하기(새로운 경험) 위해 사각형 넓이 계산법(기존의 경험)이 필요하다. 따라서 '수직적 전이'로 볼 수 있다.

⑤ 2문단에서 영향 관계에 있는 두 경험의 위계 수준에 따라 '수직적 전이'와 '수평적 전이'로 나눌 수 있다고 하였다. 따라서 기준이 '위계 수준'이라는 이해는 적절하다.

정답 ③

다음 글에 나타난 매클루언의 관점과 가장 거리가 먼 것은?

> 사전적 정의에 의하면 '매체[media]'란 어떤 작용을 다른 곳으로 전하는 역할을 하는 물체나 수단이다. 이에 따르면 젓가락이 부딪치는 소리를 우리 귀에 전달하는 공기, 또 음성의 정체를 분석하도록 뇌에 전달하는 귀도 일종의 매체이다. 곧 매체란 우리의 감각적 활동이나 사고를 가능하게 하는 매개체라 할 수 있다. 그런데 매체학자인 마셜 매클루언(Marshall McLuhan, 1911~1980)은 매체에 대한 이러한 기존 인식이 매체를 피상적으로 이해하는 것이라며 문제를 제기했다. 그는 매체가 우리의 감각적 활동이나 사고 작용을 유발하는 의사소통을 하는 데 활용되기는 하지만, 단순히 의사소통에 사용되는 매개 도구가 아니라 의사소통을 위해 반드시 필요한 조건이라고 보았다. 따라서 그는 연설이나 편지처럼 직접적으로 의미를 담고 있는 말과 글뿐만 아니라 간접적으로 의미를 전달하는 데 활용되는 옷과 집, 과학과 철학, 회화와 음악 등도 매체가 될 수 있다고 보았다. 그리고 이런 매체에 의해 인간의 사고가 결정되고, 인식 체계가 바뀌며, 인간관계와 사회 질서까지 변화될 수 있다고 주장하였다. '매체는 메시지이다.'라는 그의 말에는 새로운 매체의 등장을 바라보는 관점이 잘 담겨 있다.

① 언어적 기호(記號)와 비언어적 기호(記號) 둘 다 매체다.

② 새로운 매체가 나타나면 사회가 변할 수 있다.

③ 매체는 매개체이고 의사소통에 사용되는 단순한 매개 수단이다.

④ 의미 전달에 활용된다면 기차도 매체라 할 수 있다.

난이도 ⑧ ◎ ⑨

해설 "매체가 ~ 단순히 의사소통에 사용되는 매개 도구가 아니라 의사소통을 위해 반드시 필요한 조건이라고 보았다." 부분을 볼 때, 매체는 매개체이고 의사소통에 사용되는 단순한 매개 수단이라는 관점은 '매클루언'의 관점으로 보기 어렵다.

오답 분석
① "그는 ~ 말과 글뿐만 아니라 간접적으로 의미를 전달하는 데 활용되는 ~ 등도 매체가 될 수 있다고 보았다."라고 하였다. 따라서 말과 글처럼 언어적 기호가 아니더라도, 간접적으로 의미를 전달하는 데 활용되는 간접적 기호도 매체라는 것은 '매클루언'의 관점과 일치한다.

② "이런 매체에 의해~인간관계와 사회 질서까지 변화될 수 있다고 주장하였다." 부분을 통해 확인할 수 있다.

④ "그는 ~ 간접적으로 의미를 전달하는 데 활용되는 옷과 집, 과학과 철학, 회화와 음악 등도 매체가 될 수 있다고 보았다." 부분을 볼 때, '기차' 역시 의미 전달에 활용된다면 매체라 할 수 있다.

정답 ③

다음 글의 이해로 가장 적절하지 않은 것은?

보드리야르는 《시뮬라크르와 시뮬라시옹》에서 실재와 똑같이 그려진 회화는 원본의 복제물인 '시뮬라크르'라고 하였다. 시뮬라크르는 '파생 실재'라고도 불리는데, 실재와 구별되지 않을 정도의 사실성, 즉 '하이퍼리얼리티'를 가진다. 이때 실재가 파생 실재로 전환되는 작업을 '시뮬라시옹'이라고 한다. '시뮬라크르'의 개념을 처음 제시한 사람은 플라톤인데, '시뮬라크르'를 실재하지 않는 것, 가상의 것으로 보았다. 플라톤은 현실은 세계의 원형인 이데아의 복제물이고 회화는 그 현실을 다시 복제한 것에 불과하기 때문에 의미가 없다고 주장하였다. 이러한 플라톤의 시각과 달리 보드리야르는 현대에는 시뮬라크르가 독립된 정체성을 갖춘 개체, 즉 또 다른 실재이자 원본이 되었다고 하였다.

① 시뮬라시옹의 결과물이 시뮬라크르이다.

② 시뮬라크르, 파생 실재, 하이퍼리얼리티는 같은 의미로 간주해도 무방하다.

③ 보드리야르는 사진을 보고 이를 재현한 그림의 가치를 인정했다.

④ 플라톤은 실재를 완벽하게 똑같이 그린 회화의 가치를 인정했다.

난이도 ⑧ ○ ⑨

[해설] "플라톤은 현실은 세계의 원형인 이데아의 복제물이고 회화는 그 현실을 다시 복제한 것에 불과하기 때문에 의미가 없다고 주장하였다." 부분을 볼 때, 플라톤이 실재를 재현한 회화의 가치를 인정했을 거라는 이해는 적절하지 않다.

[오답 분석]
① "시뮬라크르는 '파생 실재'라고도 불리는데, 실재와 구별되지 않을 정도의 사실성, 즉 '하이퍼리얼리티'를 가진다. 이때 실재가 파생 실재로 전환되는 작업을 '시뮬라시옹'이라고 한다." 부분을 볼 때, 시뮬라시옹의 결과물이 시뮬라크르임을 알 수 있다.

② "시뮬라크르는 '파생 실재'라고도 불리는데, 실재와 구별되지 않을 정도의 사실성, 즉 '하이퍼리얼리티'를 가진다." 부분을 통해 확인할 수 있다.

③ "이러한 플라톤의 시각과 달리 보드리야르는 현대에는 시뮬라크르가 독립된 정체성을 갖춘 개체, 즉 또 다른 실재이자 원본이 되었다고 하였다." 부분을 볼 때, '플라톤'과 달리 보드리야르는 사진을 보고 이를 재현한 그림의 가치를 인정했다는 이해는 적절하다.

 ④

글쓴이의 생각과 가장 거리가 먼 것은?

독서를 이처럼 과대, 혹은 과소평가하고 있을 때에도 뭘러 씨나 마이어 씨 할 것 없이 다들 너무 많이 읽는다. 전혀 감동이 없으면서도 다른 일에 비해 시간과 노력을 지나치게 바친다. 어쨌든 책 속에는 분명 가치 있는 뭔가가 감추어져 있다고 어렴풋이나마 느끼고 있다는 얘기다. 이들은 책에는 활력과 정신적 고양을 주는 뭔가 숨겨진 힘이 있다고 짐작은 하되, 그게 무엇인지를 제대로 알거나 평가할 줄은 모르는 것이다. 다만 책에 대해서만큼은 유독 뚜렷한 자기주장이 없이 수동적이고 어영부영한 태도를 보일 뿐이다. 아마 사업을 그런 식으로 하면 금방 망할 텐데 말이다. 이는 마치, 어떤 미련한 환자가 약국에는 좋은 약이 많다면서, 칸칸마다 뒤져 온갖 약들을 돌아가며 다 먹어 보는 것과 다를 바 없다.

① 목적 없는 독서를 지양해야 한다.

② 책을 읽을 때는 많은 시간을 들여야 한다.

③ 읽은 책에 대해 평가를 내릴 수 있어야 한다.

④ 책을 대할 때는 수동적인 태도를 버려야 한다.

난이도 ⑧ ⑧ ○

[해설] "다들 너무 많이 읽는다. 전혀 감동이 없으면서도 다른 일에 비해 시간과 노력을 지나치게 바친다." 부분을 볼 때, 글쓴이는 책을 읽는 데 많은 시간을 쓰는 것을 부정적으로 보고 있음을 알 수 있다. 따라서 책을 읽을 때는 많은 시간을 들여야 한다는 것은 글쓴이의 생각과 일치하지 않는다.

[오답 분석]
① 글쓴이는 수동적인 독서 태도에 대해 비판적으로 바라보고 있다. 따라서 목적이 없는(=수동적인) 독서를 지양해야 한다는 것은 글쓴이의 생각과 일치한다.

③ "이들은 ~ 평가할 줄은 모르는 것이다. 다만 책에 대해서만큼은 유독 뚜렷한 자기주장이 없이 수동적이고 어영부영한 태도를 보일 뿐이다." 부분을 볼 때, 글쓴이는 책에 대한 평가가 필요함을 말하고 있다. 따라서 읽은 책에 대해 평가를 내릴 수 있어야 한다는 것은 글쓴이의 생각이 맞다.

④ "다만 책에 대해서만큼은 유독 뚜렷한 자기주장이 없이 수동적이고 어영부영한 태도를 보일 뿐이다. 아마 사업을 그런 식으로 하면 금방 망할 텐데 말이다." 부분을 통해 글쓴이가 책을 대할 때의 '수동적인 태도'를 비판하고 있음을 알 수 있다. 따라서 책을 대할 때는 수동적인 태도를 버려야 한다는 것은 글쓴이의 생각이 맞다.

 ②

다음 글에 대한 이해로 적절하지 않은 것은?

> 희극의 발생 조건에 대하여 베르그송은 집단, 지성, 한 개인의 존재 등을 꼽았다. 즉 집단으로 모인 사람들이 자신들의 감성을 침묵하게 하고 지성만을 행사하는 가운데 그들 중 한 개인에게 그들의 모든 주의가 집중되도록 할 때 희극이 발생한다고 보았다. 그러나 그가 말하는 세 가지 사항은 웃음을 유발하는 것이 아니라 그러한 것을 가능케 하는 조건들이다. 웃음을 유발하는 단순한 형태의 직접적인 장치는 대상의 신체적인 결함이나 성격적인 결함을 들 수 있다. 관객은 이러한 결함을 지닌 인물을 통하여 스스로 자기 우월성을 인식하고 즐거워질 수 있게 된다. 이와 관련해 "한 인물이 우리에게 희극적으로 보이는 것은 우리 자신과 비교해서 그 인물이 육체의 활동에는 많은 힘을 소비하면서 정신의 활동에는 힘을 쓰지 않는 경우이다. 어느 경우에나 우리의 웃음이 그 인물에 대하여 우리가 지니는 기분 좋은 우월감을 나타내는 것임은 부정할 수 없다."라는 프로이트의 말은 시사적이다.

① 베르그송에 의하면 희극은 관객의 감성이 집단적으로 표출된 결과이다.

② 베르그송에 의하면 집단, 지성, 한 개인의 존재는 희극 발생의 조건이다.

③ 한 개인의 신체적·성격적 결함은 집단의 웃음을 유발하는 직접적인 장치이다.

④ 프로이트에 의하면 상대적으로 정신 활동보다 육체 활동에 힘을 쓰는 상대가 희극적인 존재이다.

난이도 ● 중 하

[해설] 두 번째 문장 "즉 집단으로 모인 사람들이 자신들의 감성을 침묵하게 하고 ~ 희극이 발생한다." 부분을 볼 때, 희극은 관객의 감성이 집단적으로 '표출'된 결과라는 이해는 적절하지 않다.

[오답분석] ② 첫 번째 문장 "희극의 발생 조건에 대하여 베르그송은 집단, 지성, 한 개인의 존재 등을 꼽았다." 부분을 통해 알 수 있다.

③ 네 번째 문장 "웃음을 유발하는 단순한 형태의 직접적인 장치는 대상의 신체적인 결함이나 성격적인 결함을 들 수 있다." 부분을 통해 알 수 있다.

④ 프로이트를 말을 인용한 "한 인물이 우리에게 희극적으로 보이는 것은 우리 자신과 비교해서 그 인물이 육체의 활동에는 많은 힘을 소비하면서 정신의 활동에는 힘을 쓰지 않는 경우이다." 부분을 통해 알 수 있다.

[정답] ①

글쓴이의 견해에 부합하지 않는 것은?

> 사물 인터넷(IoT, Internet of Things)의 정의로 '수십 억 개의 사물이 서로 연결되는 것'이라고 설명하는 것은 그리 유용하지 않다. 사물 인터넷이 무엇인지 이해하기 위해서는 '사물'에서 출발하기보다는 '인터넷'에서 출발하는 것이 좋다. 인터넷이 전 세계의 컴퓨터를 서로 소통하도록 만든다는 생각이 실현된 것이라면, 사물 인터넷은 이제 전 세계의 사물들을 '컴퓨터로 만들어' 서로 소통하도록 만든다는 생각을 실현하는 것이다. 컴퓨터는 본래 전원이 있고 칩이 있고, 이것이 통신 장치와 프로토콜을 갖게 되어 연결된 것이다. 그렇다면 이제는 전원이 있었던 전자 기기나 기계 등은 그 자체로, 전원이 없었던 일반 사물들은 새롭게 센서와 배터리, 통신 모듈이 부착되면서 컴퓨터가 되고 이렇게 컴퓨터가 된 사물들이 그들 간에 또는 인간의 스마트 기기와 네트워크로 연결되는 것이다.
>
> 현재의 인터넷과 사물 인터넷의 차이를, 혹자는 사람이 개입되는 것은 사물 인터넷이 아니라고 이야기하면서 엄격한 M2M(Machine to Machine)이라는 개념에 근거해 설명한다. 또 혹자는 사물 인터넷이 실현되려면 사람만큼 사물이 판단할 수 있어야 한다고 주장하면서 사물의 지능성을 중요시하는 경우도 있는데, 두 가지 모두 그릇된 것이다. 사물 인터넷을 제대로 이해하려면 기존 인터넷과의 차이점에 주목하기보다는 오히려 공통점을 인식하는 것이 더 중요하다. 컴퓨터를 서로 연결하는 수준에서 출발한 것이 기존의 인터넷이라면, 이제는 사물 각각이 컴퓨터가 되고, 그 사물들이 사람과 손쉽게 닿는 스마트폰, 스마트 워치 등과 서로 소통하는 것이다.

① 사물 인터넷의 개념을 파악하기 위해서는 기존 인터넷과의 공통점을 이해하는 것이 필요하다.

② 센서와 배터리, 통신 모듈 등을 갖춘 사물들이 네트워크로 연결되어 사물 인터넷으로 기능한다.

③ 사물 인터넷은 사람 수준의 지능을 가진 사물들이 네트워크 상에서 인간의 개입 없이 서로 소통하는 것으로 정의된다.

④ 사물 인터넷은 컴퓨터가 아니었던 사물도 네트워크로 연결될 수 있다는 점에서 기존의 인터넷과 다르다.

난이도 ● 중 하

[해설] 제시된 글의 2문단에서 '사물 인터넷은 사람의 개입이 없어야 한다는 생각'과 '사물 인터넷이 실현되려면 사물의 지능성이 중요하다는 생각'에 대해 "두 가지 모두 그릇된 것이다."라고 서술자 자신의 생각을 밝히고 있다. 따라서 ③의 "사물 인터넷은 '사람 수준의 지능을 가진 사물들'이 네트워크상에서 '인간의 개입 없이 서로 소통하는 것'으로 정의된다."라는 내용은 글쓴이의 견해와 부합하지 않는다. 오히려 글쓴이의 생각과 상반되는 견해에 해당한다.

[오답분석] ① 2문단에서 "사물 인터넷을 제대로 이해하려면 기존 인터넷과의 차이점에 주목하기보다는 오히려 공통점을 인식하는 것이 더 중요하다."라고 한 부분을 통해 알 수 있다.

② 1문단의 3번째 문장에서 "사물 인터넷은 이제 전 세계의 '사물들을 컴퓨터로 만들어서' 서로 소통하도록 만든다는 생각을 실현하는 것이다."와 1문단의 5번째 문장의 "전원이 없었던 일반 사물들은 새롭게 센서와 배터리, 통신 모듈이 부착되면서 컴퓨터가 되고 이렇게 '컴퓨터가 된 사물들이 그들 간에 또는 인간의 스마트 기기와 네트워크로 연결되는 것'이다." 부분을 통해 알 수 있다.

④ 1문단의 3번째 문장에서 "'인터넷'이 전 세계의 '컴퓨터를 서로 소통하도록' 만든다는 생각이 실현된 것이라면, '사물 인터넷'은 이제 전 세계의 '사물들을 '컴퓨터로 만들어' 서로 소통하도록' 만든다는 생각을 실현하는 것이다." 부분을 통해 인터넷과 사물 인터넷의 차이점을 알 수 있다.

 ③

---

139 ○○○   2020 국가직 9급

다음 글의 시사점으로 적절하지 않은 것은?

> 기존의 의학적 연구는 건장한 성인 남성의 몸을 표준으로 삼아 이루어지는 경우가 많았다. 예를 들어 농약과 같은 화학 물질이 몸에 들어와 어떠한 변화를 일으키는지 검토한 연구에서 생리 주기에 따라 변화하는 여성 호르몬이 그 물질과 어떤 상호 작용을 일으킬 수 있는지는 고려되지 않았다. 자동차 충돌 사고를 인체 공학적으로 시뮬레이션할 때도 특정 연령대 남성의 몸이 연구 대상으로 사용되었고, 여성의 신체 특성이나 다양한 연령대 남성의 신체적 특성은 고려되지 않았다.
>
> 특정 연령대 성인 남성의 몸을 표준화된 인체로 여겼던 사고방식은 여러 문제점을 낳고 있다. 예를 들어 대사율, 피부와 조직 두께 등을 감안한, 사람이 가장 효과적으로 일할 수 있는 사무실 온도는 21°C로 알려져 있다. 그런데 한 연구에서 남성과 여성 직장인에게 각각 선호하는 사무실 온도를 조사한 결과는 남성은 평균 22°C, 여성은 평균 25°C였다. 남성은 기존의 적정 실내 온도에 가까운 답을 했고, 여성은 더 따뜻한 사무실에서 일하기를 원했다.
>
> 이러한 차이의 이유는 무엇일까? 현재 적정 사무실 온도로 알려진 21°C는 1960년대 측정된 자료를 바탕으로 하는데, 당시 몸무게 70kg인 40세 성인 남성을 기준으로 측정된 것이다. 이러한 '표준화된 신체'를 가진 남성의 대사율은 여성이나 다른 연령대 남성들의 대사율과 다르고, 당연히 체내 열 생산의 양도 차이가 있다.

① 표준으로 삼은 대상이 나머지 대상의 특성까지 대표하지 못하므로 앞으로 의학적 연구를 하려면 하나의 표준을 정하기보다 가능한 한 다양한 대상을 선정해서 하는 것이 바람직하다.

② 현재 우리가 알고 있는 의학 지식 중에는 특정 표준 대상만을 연구한 결과인 것이 있으므로 앞으로 이런 의학 지식을 활용하려면 연구한 대상을 살펴봐서 그대로 활용할지를 결정하는 것이 바람직하다.

③ 성별이나 연령대 등에 따라 신체 조건이 같지 않으므로 근무 환경을 조성할 때 근무자들의 성별이나 연령대를 고려하는 것이 바람직하다.

④ 기존의 사무실 적정 실내 온도가 조사된 것보다 낮게 설정되어 있으므로 향후에 모든 공공 기관의 사무실 온도를 조정할 때 현재보다 설정 온도를 일률적으로 높이는 것이 바람직하다.

TIP 선택지에서 '모든~, ~만, ~도'라고 언급하면 주의해야 한다. 더불어 제시된 문제는 1개의 선택지가 홀로 다른 내용을 언급하고 있으므로 선택지만 읽어도 답을 택할 수 있다.

해설 제시된 글은 기존의 의학 연구가 '특정 연령대의 남성'만을 대상으로 이루어져 온 것에 대해 문제 제기를 하고 있다. 사무실의 실내 적정 온도는 기존 연구 대상이 특정 연령대의 남성으로 한정된 것에 대한 비판의 근거로 제시한 것으로, 사무실 실내 온도를 일률적으로 (다른 연령대와 대상에 대한 고려 없이) 높이는 것이 바람직하다는 내용은 제시된 글이 주는 시사점과는 거리가 멀다.

오답
분석
① 기존 연구가 특정 연령대의 남성을 대상으로 했기 때문에, 다양한 대상을 연구 대상으로 삼아야 한다는 것은 시사점으로 적절하다.

② 기존 연구가 대표성이 결여되어 있기 때문에 활용을 결정할 때 연구한 대상도 살펴보는 것이 바람직하다는 것은 시사점으로 적절하다.

③ 근무 환경을 조성할 때 근무자의 성별과 연령대를 고려해야 한다는 것은 시사점으로 적절하다.

 ④

다음의 내용을 바탕으로, 전문가가 출판한 백과사전과 집단 지성을 활용한 백과사전의 장단점을 비교한 다음 표의 내용 중 가장 적절하지 않은 것은?

기존의 지식 생산 메커니즘은 특정 지식 집단에 집중되어 있었다. 예를 들어 과거 지식의 총아라 일컬어졌던 백과사전의 경우 특정 학문 분야의 권위자만 서술과 편집의 권한을 가지고 백과사전을 출판할 수 있었다. 이러한 메커니즘에서는 전문가가 아닌 보통 사람에게는 지식 생산의 기회가 주어지지 않았으며, 설령 지식을 생산한다 하더라도 그들이 생산한 지식은 저평가되기 일쑤였다. 과거에는 지성이란 특정 사람에게만 주어진 능력으로 간주되었다. 지성의 역할은 새로운 지식을 창조하는 것이며 이러한 과정은 축적된 지식을 지닌 지성인, 곧 전문가에 의해서만 이루어질 수 있다고 여겨진 것이다.

스탱어스는 지성이 하는 가장 중요한 일은 지식 창조이며, 이는 누구나 할 수 있는 것이 아니라 축적된 지식을 가지고 이를 활용할 수 있는 능력을 보유한 소위 전문가만이 가능하다고 주장했다. 또한 일반인의 지성에 대한 회의적인 시각을 근대적 관점에서 제기한 이로는 매카이가 있다. 매카이는 중요한 결정을 할 때 대중의 판단에 의존하는 것은 위험하며, 그렇기 때문에 대중의 판단은 무용하다고 했다.

그러나 이러한 인식과 다르게 현대 사회에서는 누구나 인터넷을 통해 다른 사람이 제공한 지식을 검색하여 읽을 수 있고, 자신이 가진 지식을 다른 사람들과 나눌 수 있도록 글을 쓸 수 있으며, 잘못된 정보를 고치는 것 또한 자유롭게 되었다. 이처럼 현대 사회에서 교육 수준의 상승과 정보 기술의 발달에 힘입어 전문가로 공인받지 않은 일반인도 자신들이 생활에서 체험한 지식을 서로 공유하는 과정을 통해 궁극적으로 지식 생산에 기여하는 것을 집단 지성이라 부른다.

집단 지성은 정보 사회의 특징을 설명해 주는 핵심 개념으로 각광받고 있다. 특히 인터넷상에서 활동하는 개별 누리꾼이 서로 힘을 모아 사회적 영향력을 발휘하는 현상이 뚜렷하게 포착되고 있는데, 이렇게 모인 힘을 표현하는 개념으로서 집단 지성이 자리를 잡아가고 있다. 〈하략〉

	전문가가 출판한 백과사전	집단 지성을 활용한 백과사전
장점	• (가) 전문가의 서술과 편집을 거쳤기에 믿을 만하다. • 컴퓨터가 없는 환경에서도 언제든지 볼 수 있다.	• 누구나 지식 생산에 기여할 수 있다. • (나) 인터넷을 통해 정보를 빠르고 쉽게 검색할 수 있다.
단점	• (다) 전문가가 지식 생산 및 창조의 기회를 독점한다. • 지식의 내용이 변해 수정·추가 해야 할 때, 백과사전에 반영하기까지 많은 시간이 걸린다.	• 잘못된 정보가 포함되어 있을 여지가 있다. • (라) 사회적 영향력을 발휘하는 개별 누리꾼이 늘어나고 있다.

① (가)　　② (나)　　③ (다)　　④ (라)

난이도 ④ ⑤ ⑥

해설 제시된 글의 마지막 부분에서 인터넷상에서 활동하는 개별 누리꾼이 서로 힘을 모아 사회적 영향력을 발휘하는 현상이 뚜렷하게 포착되고 있다고 했을 뿐, 사회적 영향력을 발휘하는 개별 누리꾼이 늘어나고 있다는 내용은 없을 뿐만 아니라 단점도 아니다.

오답분석
① 1문단의 "과거 지식의 총아라 일컬어졌던 백과사전의 경우 특정 학문 분야의 권위자만 서술과 편집의 권한을 가지고 백과사전을 출판할 수 있었다." 부분을 통해 추론할 수 있다.

② 3문단의 "현대 사회에서는 누구나 인터넷을 통해 다른 사람이 제공한 지식을 검색하여 읽을 수 있고" 부분을 통해 알 수 있다.

③ 1문단의 "과거에는 지성이란 특정 사람에게만 주어진 능력으로 간주되었다."와 2문단의 "지식 창조이며, 이는 누구나 할 수 있는 것이 아니라 축적된 지식을 가지고 이를 활용할 수 있는 능력을 보유한 소위 전문가만이 가능하다고 주장했다." 부분을 통해 알 수 있다.

정답 ④

다음 글을 통해 추론할 수 없는 것은?

> 　자신의 신념과 일치하는 정보를 받아들이고 그렇지 않은 정보는 무시하는 경향을 확증 편향(confirmation bias)이라 한다. 자신의 믿음이나 견해와 일치하는 정보는 수용하고 그에 반대되는 정보는 무시하거나 부정하는 심리 경향이다. 사회 심리학자인 로버트 치알디니는 자신이 가진 기존의 견해와 일치하는 정보는 두 가지 이점을 가지고 있다고 한다. 첫째, 그러한 정보는 어떤 문제에 대해 더 이상 고민하지 않고 마음의 휴식을 취할 수 있게 해 준다. 둘째, 그러한 정보는 우리를 추론의 결과에서 자유롭게 해 준다. 즉 추론의 결과 때문에 행동을 바꿔야 할 필요가 없다. 첫째는 생각하지 않게 하고, 둘째는 행동하지 않게 함을 말한다.
>
> 　일례로 특정 정치 성향을 가진 사람들을 대상으로 조사했을 때, 사람들은 반대당 후보의 주장에서는 모순을 거의 완벽하게 찾은 반면, 지지하는 당 후보의 주장에서는 모순을 절반 정도만 찾아냈다. 이 판단의 과정을 자기 공명 영상 장치로도 촬영했다. 그 결과, 자신이 동의하지 않는 정보를 접했을 때는 뇌 회로가 활성화되지 않았고, 자신이 동의하는 주장을 접했을 때는 긍정적인 반응을 보이면서 뇌 회로가 활성화되는 것을 확인할 수 있었다.

① 사람에게는 자신의 신념이나 행동을 바꾸려 하지 않는 경향이 있다.

② 사람에게는 정보를 객관적으로 판단하지 못하는 심리적 특성이 있다.

③ 사람에게는 지지자들의 말만 듣고 자기 신념을 강화하는 경향이 있다.

④ 사람에게는 새로운 정보를 접했을 때 심리적 불안을 느끼는 특성이 있다.

난이도 상 ○ 하

해설　자신이 동의하지 않는 주장을 접했을 때 뇌 회로가 활성화되지 않는다는 내용은 제시된 글의 2문단에 나와 있다. 그러나 이는 심리적 불안과는 관련이 없다. 따라서 새로운 정보를 접했을 때 심리적 불안을 느낀다는 내용은 제시된 글을 통해 추론하기 어렵다.

오답분석
① 1문단의 "추론의 결과 때문에 행동을 바꿔야 할 필요가 없다."와 2문단의 뇌 회로가 활성화되지 않는다는 내용을 통해 짐작할 수 있다.

② 1문단에서 제시한 '확증 편향'의 정의를 통해 사람은 정보를 객관적으로 판단하지 못하는 심리적 특성이 있음을 알 수 있다.

③ 1문단의 "자신의 믿음이나 견해와 일치하는 정보는 수용하고" 부분을 통해 짐작할 수 있다.

정답 ④

(가)와 (나)를 통해서 추정하기 어려운 내용은?

> (가) 찬성공 형제께서 정경부인의 상(喪)을 당하였다. 부윤공의 부인 이 씨가 우연히 언문 소설을 읽다가 그 소리가 밖으로 들렸다. 찬성공이 기뻐하지 않으며 제수를 계단 아래에 서게 하고, "부녀자의 무식을 심하게 책망할 필요는 없지만, 어찌 상중(喪中)에 있으면서 예의에 어긋난 책을 소리 내어 읽어서 스스로 평민과 같아지려 할 수 있는가?" 하고 꾸짖었다.
>
> (나) 전기수: 늙은이가 동문 밖에 살면서 입으로 언문 소설을 읽었는데, 〈숙향전〉, 〈소대성전〉, 〈심청전〉, 〈설인귀전〉과 같은 전기소설이었다.…잘 읽었기 때문에 옆에서 구경하는 사람들이 빙 둘러섰다. 가장 재미있고 긴요하여 매우 들을 만한 구절에 이르면 갑자기 침묵하고 소리를 내지 않았다. 사람들이 다음 이야기를 듣고 싶어서 다투어 돈을 던졌다. 이를 바로 '요전법(돈을 요구하는 법)'이라 한다.

① 상층 남성들은 상중의 예법에 대해 매우 엄격하였다.

② 혼자 소설을 보면서 소리 내어 읽기도 하였다.

③ 하층에서도 소설을 창작하는 사람이 많았다.

④ 상층이 아닌 하층에서도 소설을 즐겼다.

난이도 상 중 ○

해설　(가)의 꾸짖는 내용 중 "스스로 평민과 같아지려 할 수 있는가?"라는 말을 볼 때, 평민층에서 책을 소리 내어 읽는 사람이 있었음을 짐작할 수 있다.

　(나)에서 전기수가 언문 소설을 읽으면 사람들이 빙 둘러섰다는 내용을 통해, 여러 사람들이 소설을 즐겼음을 짐작할 수 있다.

　즉 소설의 '수용'과 관련된 내용을 확인할 수 있다. 그러나 (가)와 (나) 어디에도 소설의 '창작'과 관련된 내용은 제시되어 있지 않다. 따라서 하층에서도 소설을 창작하는 사람이 많았다는 내용은 제시된 글을 통해 추정할 수 없다.

오답분석
① (가)에서 '부윤공의 부인 이 씨'가 상중(喪中)에 소설을 읽는 것을 두고, "어찌 상중(喪中)에 있으면서 예의에 어긋난 책을 소리 내어 읽어서 스스로 평민과 같아지려 할 수 있는가?" 하고 꾸짖은 것을 볼 때, 상층 남성들은 상중의 예법에 대해 매우 엄격하였음을 짐작할 수 있다.

② (가)의 "부윤공의 부인 이 씨가 우연히 언문 소설을 읽다가 그 소리가 밖으로 들렸다."과 꾸짖는 말 "책을 소리 내어 읽어서 스스로 평민과 같아지려 할 수 있는가?"를 통해 혼자 소설을 보면서 소리 내어 읽기도 하였음을 짐작할 수 있다.

④ (가)의 "예의에 어긋난 책을 소리 내어 읽어서 스스로 평민과 같아지려 할 수 있는가?"라는 꾸짖음의 말과 (나)에서 전기수가 사람들 앞에서 소설을 읽었다는 내용에서 상층이 아닌 하층에서도 소설을 즐겼음을 추정할 수 있다.

정답 ③

PART 1

해커스공무원 해원국어 기출정해 1000제 1권 비문학·문학

다음 글에서 추론한 바로 적절하지 않은 것은?

우리는 도시화, 산업화, 고도성장 과정에서 우리 경제의 뒷방살이 신세로 전락한 한국 농업의 새로운 가치에 주목해야 한다. 농업은 경제적 효율성이 뒤처져서 사라져야 할 사양 산업이 아니다. 전 지구적인 기후 변화와 식량 및 에너지 등 자원 위기에 대응하여 나라와 생명을 살릴 미래 산업으로서 농업의 전략적 가치가 크게 부각되고 있다. 농본주의의 기치를 앞세우고 농업 르네상스 시대의 재연을 통해 우리 경제가 당면한 불확실성의 터널을 벗어나야 한다.

우리는 왜 이런 주장을 하는가? 농업은 자원 순환적이고 환경 친화적인 산업이기 때문이다. 땅의 생산력에 기초해서 한계적 노동력을 고용하는 지연(地緣) 산업인 동시에 식량과 에너지를 생산하는 원천적인 생명 산업이기 때문이다. 물질적인 부의 극대화를 위해서 한 지역의 자원을 개발하여 이용한 뒤에 효용 가치가 떨어지면 다른 곳으로 이동하는 유목민적 태도가 오늘날 위기를 낳고 키워 왔는지 모른다. 급변하는 시대의 흐름에 부응하지 못하는 구시대의 경제 패러다임으로는 오늘날의 역사에 동승하기 어렵다. 이런 맥락에서, 지키고 가꾸어 후손에게 넘겨주는 정주민의 문화적 지속성을 존중하는 농업의 가치가 새롭게 조명 받는 이유에 주목할 만하다. 과학 기술의 눈부신 발전성과를 수용하여 새로운 상품과 시장을 창출할 수 있는 녹색 성장 산업으로서 농업의 잠재적 가치가 중시되고 있는 것이다.

① 고도성장을 도모하는 경제 정책을 추진하는 과정에서 농업 중심의 경제 패러다임을 지양하였다.

② 효율성을 중요한 가치로 내세우는 경제 시스템은 미래 사회를 대비하는 데 한계가 있다.

③ 유목 생활을 하는 민족에 비해 정주 생활을 하는 민족이 농업의 가치 증진에 더 기여할 수 있다.

④ 녹색 성장 산업으로서 농업의 효용성을 드높이기 위해서 과학 기술의 부작용을 성찰할 필요가 있다.

난이도 상 ○ 하

해설 1문단의 내용(전 지구적인 기후 변화, 식량 및 에너지 등의 자원 위기)을 볼 때, 과학 기술의 부작용 때문에 녹색 성장 산업으로서 농업의 효용성이 드높아진 것이다. 따라서 ④는 인과 관계가 바르지 않다.

오답분석 ① 1문단의 "우리는 도시화, 산업화, 고도성장 과정에서 우리 경제의 뒷방살이 신세로 전락한 한국 농업" 부분을 통해 추론할 수 있다.

② 1문단의 "농업은 경제적 효율성이 뒤처져서 사라져야 할 사양 산업이 아니다. 전 지구적인 기후 변화와 식량 및 에너지 등 자원 위기에 대응하여 나라와 생명을 살릴 미래 산업으로서 농업의 전략적 가치가 크게 부각되고 있다.", "우리가 당면한 불확실성의 터널" 부분을 통해 추론할 수 있다.

③ 2문단의 "효용 가치가 떨어지면 다른 곳으로 이동하는 유목민적 태도가 오늘날 위기를 낳고 키워 왔는지 모른다. 급변하는 시대의 흐름에 부응하지 못하는 구시대의 경제 패러다임으로는 오늘날의 역사에 동승하기 어렵다." 부분을 통해 추론할 수 있다.

정답 ④

다음 글의 내용 파악으로 옳지 않은 것은?

음식은 매우 강력한 변칙범주이다. 왜냐하면 음식은 자연과 문화, 나와 타인, 내적 세계와 외적 세계라는 매우 중요한 영역의 경계를 지속적으로 넘나들기 때문이다. 따라서 문화적으로 중요한 의미를 지닌 행사들은 늘 식사 대접을 통해 표현되었고, 날로 먹는 문화에서 익혀 먹는 문화로 변형되는 과정 역시 가장 중요한 문화적 과정 중의 하나였다. 이 과정은 음식에 어떠한 인위적인 조리를 가하기 이전에 이미 음식에 대한 개념에서부터 시작되었는데, 비록 문화마다 음식에 대한 범주가 다르긴 하지만 모든 문화는 자연 전체를 '먹을 수 있는 것'과 '먹을 수 없는 것'으로 구분하기 때문이다.

인간의 위장은 거의 모든 것을 소화시킬 능력이 있기 때문에 식용과 비식용을 구별하는 것은 생리적 근거에 의해서가 아니라 문화적인 토대에 입각한 것이다. 한 사회가 다른 사회를 낯설고 이질적인 사회라고 증명하는 근거로서 자기 사회에서 먹지 못하는 대상을 그 사회에서는 먹고 있다는 식으로 구분하는 무수한 사례를 통해 이 같은 구분이 지닌 중요성을 인식할 수 있다. 따라서 영국인들에게 프랑스인들은 개구리를 먹는 사람들로 알려져 있고, 스코틀랜드 사람들은 해지스(haggis: 양의 내장을 다져서 오트밀 따위와 함께 양의 위에 넣어서 삶은 것)를 먹는 사람으로 알려져 있다. 아랍인들은 양의 눈을 먹기 때문에 영국인들에게 낯선 인종이며 원주민들은 애벌레를 먹기 때문에 이방인 취급을 받는 것이다.

① 음식의 개념과 범위는 문화에 따라 다르게 정해질 수 있다.

② 위장의 소화 능력에 따라 식용과 비식용이 구별되는 것은 아니다.

③ 음식과 음식 아닌 것을 구분하는 가장 중요한 기준은 문화적인 성격을 갖는다.

④ 사람들은 다른 문화의 낯선 음식에 대해서는 야만적이라고 생각한다.

⑤ 문화마다 음식 개념이 다르니만큼, 음식 문화는 상대적인 성격을 갖는다.

난이도 상 ○ 하

해설 2문단의 "아랍인들은 양의 눈을 먹기 때문에 영국인들에게 낯선 인종이며 원주민들은 애벌레를 먹기 때문에 이방인 취급을 받는 것이다." 부분을 통해, 사람들은 다른 문화의 낯선 음식에 대해서 '이방인' 즉 낯설게 생각한다는 것을 추론할 수 있다. 그런데 '야만적'이라는 말은 '미개하여 문화 수준이 낮은 것'을 의미한다. 그러므로 '낯설게 생각하는 것'과 '야만적인 것'은 동일한 의미가 아니다. 따라서 사람들은 다른 문화의 낯선 음식에 대해서는 야만적이라고 생각한다는 추론은 적절하지 않다.

오답분석 ①, ③ 2문단의 "식용과 비식용을 구별하는 것은 생리적 근거에 의해서가 아니라 문화적인 토대에 입각한 것이다."에서 '식용(먹을 수 있는 것)과 비식용(먹을 수 없는 것)' 즉 '음식과 음식 아닌 것'을 구별하는 근거를 '문화'라고 했다. 따라서 음식의 개념과 범위는 문화에 따라 다르게 정해질 수 있다는 추론(①)과 음식과 음식 아닌 것을 구분하는 가장 중요한 기준은 문화적인 성격을 갖는다는 추론(③)은 적절하다.

② 2문단에서 "인간의 위장은 거의 모든 것을 소화시킬 능력이 있기 때문에 식용과 비식용을 구별하는 것은 생리적 근거에 의해서가 아니라"라고 하였다. 따라서 위장의 소화 능력에 따라 식용과 비식용이 구별되는 것은 아니라는 추론은 적절하다.

⑤ 2문단의 "자기 사회에서 먹지 못하는 대상을 그 사회에서는 먹고 있다는 식으로 구분하는 무수한 사례를 통해 이 같은 구분이 지닌 중요성을 인식할 수 있다." 부분과 이어지는 사례를 통해 음식 문화가 상대적인 성격을 가지고 있다는 추론은 적절하다.

정답 ④

MEMO

MEMO

Unit 06 빈칸 추론

출제 유형

- 들어갈 말을 바르게 짝짓는 유형
- 들어갈 위치를 찾는 유형

> 접속어 문제는 선택지를 우선 확인하는 것이 중요해요!
> 그리고 들어갈 위치를 찾기 어렵다면, 앞뒤 문장의 각 문장의 연결이
> 부자연스러운 곳을 찾으면 돼요!

괄호 채우기 문제는 글의 중심 내용이나 핵심어를 파악했는지 묻거나
중심 내용 간의 관계를 정확히 아는지 묻는 유형이에요.
따라서 괄호 앞뒤 문단을 바탕으로 내용을 추론하는 것이 효율적인 방법이에요!

핵심정리

- **기능별 접속어 분류**

기능	접속어
열거	또, 또는, 또한, 그리고
대조, 역접	한편, 반면, 하지만, 그러나, 그렇지만
의미 전환	한편, 그런데, 그러면, 그렇지만, 그렇다 하더라도
첨가	또, 더욱이, 게다가, 덧붙여
원인과 결과, 근거와 주장	따라서, 그래서, 요컨대, 그러므로, 결론적으로
상술과 구체화	즉, 곧, 다시 말해, 예를 들면
강조	특히, 요컨대, 더욱이, 중요한 것은, 주목할 점은

출제 유형

빈칸 추론	들어갈 말을 바르게 짝짓는 유형

145 ○○○ 2023 국회직 8급

㉠에 들어갈 내용으로 적절한 것은?

> 신석기 시대에 들어 농사가 시작되면서 여성의 역할은 더욱 증대되었다. 농사는 야생 곡물이 밀집한 지역에서 이를 인위적으로 재생산함으로써 시작되었다. 이처럼 농사는 채집 활동의 연장선상에서 발생하였기 때문에 처음에는 주로 여성이 담당하였다. 더욱이 당시 농업 기술은 보잘것없었고, 이를 극복할 별다른 방법도 없었다. 이러한 단계에서 인간들이 풍요로운 생활을 누리기 위해서는 종족 번식, 곧 여성의 출산력이 무엇보다 중요하였다.
>
> 그러나 신석기 시대 중후반에는 농경이 본격적으로 발전하면서 광활한 대지의 개간이나 밭갈이에는 엄청난 노동력과 강한 근력이 요구되었다. 농사는 더 이상 여성의 섬세함만으로 해낼 수 없는 아주 고된 일로 바뀌었다. 마침 이 무렵, 집짐승 기르기가 시작되면서 남성들은 더 이상 사냥감을 찾아 산야를 헤맬 필요가 없게 되었다. 사냥 활동에서 벗어난 남성들은 생산 활동의 새로운 주인공이 되었다. 그리고 여성들은 보조자로 밀려나서 주로 집안일이나 육아를 담당하게 되었다. 이로써 남성이 주요 생산 활동을 담당하게 되고, (㉠)

① 남성과 여성의 사회적 위상과 역할이 달라지게 되었다.
② 여성은 생산 활동에서 완전히 배제되기 시작하였다.
③ 남성이 남성으로서의 제 역할을 하게 되었다.
④ 남성은 여성을 씨족 공동체의 일원으로 인정하지 않게 되었다.
⑤ 사냥 활동에서 여성이 남성의 역할을 대체하게 되었다.

난이도 ⓢ ○ ⓗ

[해설] 바로 앞의 "사냥 활동에서 벗어난 남성들은 생산 활동의 새로운 주인공이 되었다. 그리고 여성들은 보조자로 밀려나서 주로 집안일이나 육아를 담당하게 되었다."를 볼 때, ㉠에는 '남성과 여성의 사회적 위상과 역할이 달라지게 되었다.'가 들어가는 것이 가장 적절하다.

[오답 분석]
② 보조자로 밀려나게 되었을 뿐, 완전히 배제된 것은 아니다.
③ 이전에도 남성들은 사냥 활동을 했었다. 따라서 이제야 제 역할을 하게 되었다는 것은 적절하지 않다.
④ 제시된 글과 관련이 없는 내용이다.
⑤ 남성의 사냥 활동을 여성들이 하게 되었다는 내용이 아니다.

[정답] ①

MEMO

PART 1 비문학 해커스공무원 해원국어 기출정해 1000제 1권 비문학·문학

⊙, ⓒ에 들어갈 내용으로 적절한 것은?

최후통첩 게임에서 두 참가자는 일정한 액수의 돈을 어떻게 분배할지를 놓고 각각 나름의 결정을 내리게 된다. 먼저 A에게 1,000원짜리 100장을 모두 준 다음 그 돈을 다른 한 사람인 B와 나누라고 지시한다. 이때 A는 자기가 제안하는 액수를 받아들일지 말지 결정할 권리가 B에게 있다는 사실을 알고 있다. 만약 B가 그 제안을 수용하면, 두 사람은 A가 제안한 액수만큼 각각 받는다. 만약 B가 그 제안을 거절하면, 아무도 그 돈을 받지 못한다. 이는 일회적 상호작용으로서, 결정할 수 있는 기회는 단 한번뿐이고 두 사람은 서로에 대해서 전혀 모르는 사이이다. 그들은 어떤 결정을 내릴 것인가? 만약 두 사람이 모두 자기 이익에 충실한 개인들이라면, A는 아주 적은 액수의 돈을 제안하고 B는 그 제안을 받아들일 것이다. A가 단 1,000원만 제안하더라도, B는 그 제안을 받아들여야 한다. 왜냐하면 B는 (⊙) 둘 중 하나를 선택해야 하기 때문이다. 만약 상대방이 합리적 자기 이익에 충실하다고 확신한다면, A는 결코 1,000원 이상을 제안하지 않을 것이다. 그 이상을 제안하는 일은 상대방의 이익을 배려한 것으로 자신의 이익을 불필요하게 줄이기 때문이다. 이것이 이기적인 개인들에게서 일어날 상황이다.

하지만 현실에서는 이런 상황은 절대 일어나지 않는다. 실험 결과에 따르면, 사람들은 낮은 액수의 제안을 받으면 거절하는 경향이 있다. 이 연구에서 나타난 명백한 결과에 따르면 총액의 25% 미만을 제안할 경우 그 제안은 거절당할 가능성이 상당히 높다. 비록 자기의 이익이 최대화되지 않더라도 제안이 불공평하다고 생각하면 거절하는 것으로 보인다. 액수를 반반으로 나누고자 하는 사람이 제일 많다는 점은 이를 지지해 준다. 결과적으로 이 실험은 (ⓒ)는 것을 보여 준다.

① ⊙: 제안한 1,000원을 받든가, 한 푼도 받지 못하든가
  ⓒ: 인간의 행동이 경제적 이득에 의해서 움직인다

② ⊙: 1,000원보다 더 적은 금액을 받든가, 제안한 1,000원을 받든가
  ⓒ: 인간이 공정성과 상호 이득을 염두에 두고 행동한다

③ ⊙: 제안한 1,000원을 받든가, 한 푼도 받지 못하든가
  ⓒ: 인간의 행동이 경제적 이득에 의해서만 움직이지 않는다

④ ⊙: 1,000원보다 더 적은 금액을 받든가, 제안한 1,000원을 받든가
  ⓒ: 인간의 행동이 경제적 이득에 의해서만 움직이지 않는다

⑤ ⊙: 제안한 1,000원을 받든가, 한 푼도 받지 못하든가
  ⓒ: 인간이 공정성과 상호 이득을 염두에 두고 행동하지 않는다

[해설] ⊙ 1문단의 "만약 B가 그 제안을 수용하면, 두 사람은 A가 제안한 액수만큼 각각 받는다. 만약 B가 그 제안을 거절하면, 아무도 그 돈을 받지 못한다." 부분을 볼 때, ⊙에는 '제안한 1,000원을 받든가, 한 푼도 받지 못하든가'가 어울린다.

ⓒ 2문단의 "비록 자기의 이익이 최대화되지 않더라도 제안이 불공평하다고 생각하면 거절하는 것으로 보인다." 부분을 볼 때, B는 그 제안이 불공평하다고 생각하면 돈, 즉 '경제적 이익'을 한 푼도 얻지 못하더라도 그 제안을 거절한다는 것을 알 수 있다. 따라서 ⓒ에는 '인간의 행동이 경제적 이득에 의해서만 움직이지 않는다'가 어울린다.

[정답] ③

(가)와 (나)에 들어갈 말로 가장 적절한 것은?

> 특정한 작업을 수행하기 위해 신체 근육의 특정 움직임을 조작하는 능력을 운동 능력이라고 한다. 언어에 관한 운동 능력은 '발음 능력'과 '필기 능력' 두 가지인데 모두 표현을 위한 능력이다.
>
> 말로 표현하기 위해서는 발음 능력이 필요한데, 이는 음성 기관을 움직여 원하는 음성을 만들어 내는 능력이다. 이 능력은 영·유아기에 수많은 시행착오와 꾸준한 훈련을 통해 습득된다. 이렇게 발음 능력을 습득하면 음성 기관의 움직임은 자동화되어 음성 기관의 어느 부분을 언제 어떻게 움직일지를 화자가 거의 의식하지 않는다. 우리가 모어에 없는 외국어 음성을 발음하기 어려운 이유는 (가) 있기 때문이다.
>
> 글로 표현하기 위해서는 필기 능력이 필요하다. 필기에서는 글자의 모양을 서로 구별되게 쓰는 것은 기본이고 그 수준을 넘어서서 쉽게 알아볼 수 있는 모양으로 잘 쓰는 것도 필요하다. 글씨를 쓰기 위해 손을 놀리는 것은 발음을 하기 위해 음성기관을 움직이는 것에 비해 상당히 의식적이라 할 수 있다. 그렇지만 개인의 의지와 관계없이 필체가 꽤 일정하다는 사실은 손을 놀리는 데에 (나) 의미한다.

① (가): 음성 기관의 움직임이 모어의 음성에 맞게 자동화되어
    (나): 무의식적이고 자동적인 면이 있음을

② (가): 낯선 음성은 무의식적으로 발음하도록 훈련되어
    (나): 유아기에 수행한 훈련이 효과적이지 않음을

③ (가): 음성 기관의 움직임이 모어의 음성에 맞게 자동화되어
    (나): 유아기에 수행한 훈련이 효과적이지 않음을

④ (가): 낯선 음성은 무의식적으로 발음하도록 훈련되어
    (나): 무의식적이고 자동적인 면이 있음을

난이도 ⑧ ○ ⑨

해설	
(가)	2문단의 내용을 볼 때, '발음 능력'은 모어를 학습하는 과정에서 습득되는 것이다. (가) 바로 앞 문장 "발음 능력을 습득하면 음성 기관의 움직임은 자동화되어"라고 한 것을 볼 때, (가)에는 '음성 기관의 움직임이 모어의 음성에 맞게 자동화되어'가 들어가는 것이 적절하다.
(나)	"글씨를 쓰기 위해 손을 놀리는 것은 ~ 상당히 의식적"이라는 내용 뒤에 역접의 '그렇지만'이 쓰인 것을 볼 때, '의식적'과 반대되는 '무의식적, 자동적'에 해당하는 내용이 오는 것이 자연스럽다. 따라서 (나)에는 '무의식적이고 자동적인 면이 있음을'이 들어가는 것이 적절하다.

정답 ①

다음 글의 맥락을 고려할 때 빈칸에 들어갈 말로 가장 적절한 것은?

> 능숙한 필자와 미숙한 필자는 글쓰기 과정 중 '계획하기'에서 뚜렷한 차이를 보인다. 전자는 이 과정에 오랜 시간 공을 들이는 반면, 후자는 그렇지 않다. 글쓰기에서 계획하기는 글쓰기의 목적 수립, 주제 선정, 예상 독자 분석 등을 포함한다. 이 중 예상 독자 분석이 중요한 이유는   때문이다. 글을 쓸 때 독자의 수준에 비해 너무 어려운 개념과 전문용어를 사용한다면 독자가 글을 이해하기 어렵게 된다. 글쓰기는 필자가 글을 통해 자신의 메시지를 독자에게 전달하는 행위라는 점을 고려하면 계획하기 단계에서 반드시 예상 독자를 분석해야 한다.

① 계획하기 과정이 글쓰기 전체 과정의 첫 단계이기

② 글에 어려운 개념이나 전문용어를 어느 정도 포함해야 하기

③ 필자의 메시지를 독자에게 효과적으로 전달하는 데 도움이 되기

④ 독자의 배경지식 수준을 고려해야 글의 목적과 주제가 결정되기

난이도 ⑧ ⑨ ○

해설	빈칸 뒷부분의 내용 '독자가 글을 이해하기 어렵게 된다.', '글쓰기는 필자가 글을 통해 자신의 메시지를 독자에게 전달하는 행위라는 점을 고려하면' 등을 볼 때, '필자의 메시지를 독자에게 효과적으로 전달하는 데 도움이 되기'가 들어가는 것이 가장 적절하다.

정답 ③

PART 1 비문학 해커스공무원 혜원국어 기출정해 1000제 1권 비문학·문학

다음 기사의 (㉠) 안에 들어갈 말로 가장 적절한 것은?

> 탄소중립을 실천하기 위해 우리가 할 수 있는 일은 무엇일까? 에너지 절약부터 친환경 제품 사용, 이면지 사용, 일회용품 사용하지 않기 등 다양한 방법들이 있다. 하지만 또 다른 방법이 있다고 산림청은 전한다. 먼저 우리 주변 나무를 잘 사용하는 것이다. 나무를 목재로 사용하면 된다. 목재 가공은 철강 생산보다 에너지를 85배 절감할 수 있다고 한다. …
>
> 그렇다고 나무를 다 베어서는 안 된다는 우려도 존재한다. 하지만 걱정할 필요가 없다고 산림청은 말한다. (㉠) 특히 우리나라는 OECD 국가 중 산림비율이 4위일 정도로 풍성한 숲을 보유하고 있다. 이를 잘 활용해서 환경 보호에 적극적으로 사용해야 하는 것이다.

① 목재를 보전하는 숲과 수확하는 숲을 따로 관리한다는 것이다.

② 나무가 잘 자라는 열대지역에서 목재를 수입한다는 것이다.

③ 버려지는 폐목재를 가공하여 재사용한다는 것이다.

④ 나무를 베지 않고 숲의 공간을 활용하여 주택을 짓는다는 것이다.

난이도 ⑤ ○ ⑤

해설   나무를 목재로 사용하면 된다는 해결책에 대해 '나무를 다 베어서는 안 된다는 우려도 존재한다.'고 하였다. 이어지는 "하지만 걱정할 필요가 없다고 산림청은 말한다."를 볼 때, ㉠에는 둘의 상관관계가 없다는 내용이 어울린다. 따라서 ㉠에는 '목재를 보전하는 숲과 수확하는 숲을 따로 관리한다는 것이다.'가 들어가는 것이 가장 자연스럽다.

정답 ①

다음 글의 (가)와 (나)에 들어갈 적절한 말을 순서대로 바르게 짝지은 것은?

> 비즈니스 화법에서는 상사에게 보고할 때 결론부터 말하라고 한다. 이것도 맞는 말이다. 그렇지 않아도 바쁜데 주저리주저리 이야기를 길게 늘어놓으면 짜증이 난다. ┌(가)┐ 현실은 인간관계의 미묘한 심리가 복잡하게 얽혀 있는 비즈니스 사회다. 때로는 일부러 결론을 뒤로 미뤄 상대의 관심을 끌게 만들어야 할 때도 있다. 예를 들어, 회사에서의 라이벌 동료와의관계처럼 자기와 상대의 힘의 균형이 미묘할 때이다.
>
> 당신과 상사, 당신과 부하라는 상하관계가 분명한 경우는 대응이 항상 사무적이 된다. 사무적인 관계에서는 쓸데없는 시간과 노력을 들이지 않아도 된다. ┌(나)┐ 같은 사내의 인간관계라도 라이벌 동료가 되면 일을 원활하게 해나가는 것만이 능사는 아니다. 권력관계에서의 차이가 없는 만큼 미묘한 줄다리기가 필요하다. 이렇게 권력관계가 미묘한 상대와의 대화에서 탁월한 최면 효과를 발휘하는 것이 '클라이맥스 법'이다. 비즈니스 현장에서뿐만 아니라 미묘한 줄다리기를 요하는 연애 관계에서도 초기에는 클라이맥스 법이 그 위력을 발휘한다.

① 그러므로 – 그러므로

② 하지만 – 하지만

③ 하지만 – 그러므로

④ 그러므로 – 하지만

난이도 ⑤ ⑤ ○

해설	
(가)	(가) 앞의 '이것도 맞는 말이다.'와 (가) 뒤의 '현실은'을 볼 때, 상반되는 내용이다. 따라서 '하지만'이 어울린다.
(나)	(나) 앞의 '쓸데없는 시간과 노력을 들이지 않아도 된다.'와 (나) 뒤의 '능사는 아니다.'를 볼 때, 상반되는 내용이다. 따라서 '하지만'이 어울린다.

정답 ②

다음 글의 문맥상 (　　) 안에 들어갈 말로 가장 적절한 것은?

> 행루오리(幸漏誤罹)는 운 좋게 누락되거나 잘못 걸려드는 것을 말한다. (　　) 걸려든 사람만 억울하다. 아무 잘못 없이 집행자의 착오나 악의로 법망에 걸려들어도 마찬가지다. 여기에 부정이나 청탁이 개입되기라도 하면 바로 국가의 법질서에 대한 불신으로 이어진다. 결국 행루오리는 법 집행의 일관성을 강조한 말이다.

① 똑같이 죄를 지었는데 당국자의 태만이나 부주의로 법망에 빠져나가는 사람이 있으면

② 가벼운 죄를 짓고도 엄혹한 심판관 때문에 무거운 벌을 받으면

③ 가족이나 이웃의 범죄에 연루되어 죄 없이 벌을 받게 되면

④ 현실과 맞지 않는 법 때문에 성실한 사람이 범죄자로 몰리게 되면

난이도 ⑧ ○ ⑨

해설 마지막 문장 "결국 행루오리는 법집행의 일관성을 강조한 말이다."를 볼 때, 빈칸에는 '일관성'과 관련이 있는 ①의 내용이 들어가는 것이 가장 적절하다.

정답 ①

(가)에 들어갈 내용으로 가장 적절한 것은?

> 디지털 독자라면 누구나 직면하게 되는 도전들이 도사리고 있다. 이 도전은 다음과 같은 환경적 특징 때문에 생겨난다.
> 디지털은 　(가)　이다. 대표적인 오프라인 정보 창고인 도서관은 '작가'라 불리는 사람들이 쓴 책을 선호한다. 대부분의 인쇄 서적들은 사업 인가를 받은 출판사가 기획하고 발행한다. 오프라인에는 전문가들이 도서를 검토, 평가, 선택하는 일련의 절차가 존재한다. 반면에 디지털 환경에서는 누구나 무엇이든 내키는 대로 표현하고 드러낼 수 있다. 정돈된 메시지를 섬세하게 디자인하여 공유하는 이들도 있지만, 대개는 다양한 플랫폼들을 통해서 속전속결로 자신이 생산한 것들을 게재한다. 디지털 환경에서는 텍스트의 생산과 소비 사이에 출판, 검토, 비평, 선정이라는 중간 과정이 생략된다.

① 검증되지 않은 공간

② 몰입할 수 있는 공간

③ 정교한 중간 과정이 있는 공간

④ 전문적으로 표현해야 하는 공간

난이도 ⑧ ○ ⑨

해설 2문단의 마지막 문장 "디지털 환경에서는 텍스트의 생산과 소비 사이에 출판, 검토, 비평, 선정이라는 중간 과정이 생략된다."를 볼 때, '디지털'은 '검증되지 않은 공간'이다.

정답 ①

(가)와 (나)에 들어갈 말로 가장 적절한 것은?

> A는 다음과 같은 실험을 진행했다. 먼저, 검은색 옷과 흰색 옷을 입은 6명이 두 개의 농구공을 가지고 패스를 주고받는 동안 고릴라 복장의 사람을 지나가게 하고 그 장면을 동영상으로 촬영했다. 그리고 실험 참가자들에게 이 동영상을 보여 주면서 흰색 옷을 입은 사람들이 몇 번 패스를 주고받았는지 세어 달라고 요청했다. 이에 대해 참가자들은 패스 횟수에 대해서는 각자의 답을 말했는데, 동영상 중간 중간에 출현한 고릴라 복장의 사람에 대해서는 하나같이 보지 못했다고 답했다. 참가자들이 패스 횟수를 세는 데 집중하느라 1분이 채 안 되는 동영상 가운데 9초에 걸쳐 등장하는 고릴라 복장의 사람을 인지하지 못한 것이다. A는 이 실험을 통해 다음의 결론을 도출했다. 　(가)　.
> 이 실험 결과를 우리의 일상에서도 확인해 볼 수 있다. 오토바이 운전자의 안전을 위해 눈에 잘 띄는 밝은색 옷을 입도록 권하는데, 밝은색 옷의 오토바이 운전자는 시각적으로 더 잘 보이고, 덕분에 더 쉽게 알아볼 수 있기 때문이다. 그렇다고 해도 모든 자동차 운전자가 밝은색 옷을 입은 오토바이 운전자를 다 알아보는 것은 아니다. 바라보는 행위는 인지의 　(나)　 없기 때문이다.

① (가): 인간의 인지는 시각과 밀접하게 관련되어 있다
　(나): 충분조건일 수는 있어도 필요조건일 수는

② (가): 인간의 인지는 시각과 밀접하게 관련되어 있다
　(나): 필요조건일 수는 있어도 충분조건일 수는

③ (가): 인간은 중요하다고 생각하는 것 위주로 주의를 기울인다
　(나): 충분조건일 수는 있어도 필요조건일 수는

④ (가): 인간은 중요하다고 생각하는 것 위주로 주의를 기울인다
　(나): 필요조건일 수는 있어도 충분조건일 수는

난이도 ○ ⑧ ⑨

해설

(가)	실험은 '패스 횟수'에 주의를 기울인 나머지, 고릴라 복장의 사람을 인지하지 못했다는 내용이다. 따라서 (가)에는 '인간은 중요하다고 생각하는 것 위주로 주의를 기울인다'가 어울린다.
(나)	(나)에는 "밝은색 옷의 오토바이 운전자는 시각적으로 더 잘 보이고, 덕분에 더 쉽게 알아볼 수 있기 때문이다. 그렇다고 해도 모든 자동차 운전자가 밝은색 옷을 입은 오토바이 운전자를 다 알아보는 것은 아니다."에 해당하는 내용이 들어가야 한다. 밝은색 옷을 입은 운전자가 눈에 더 잘 띌 수 있다는 것이기 때문에 '필요조건'일 수는 있다. 그러나 항상 그런 것은 아니기 때문에 '충분조건'은 되지 못한다. 따라서 (나)에는 '필요조건일 수는 있어도 충분조건일 수는'이 어울린다.

정답 ④

PART 1 비문학 해커스공무원 해원국어 기출정해 1000제 1권 비문학·문학

(가)에 들어갈 말로 가장 적절한 것은?

> 자기지향적 동기와 타인지향적 동기는 행위의 적극성과 어떤 관계가 있을까? A는 자율 방범대원들에게 이 일의 자원 동기에 대해 물어보았다. 자기지향적 동기만 말한 사람과 타인지향적 동기만 말한 사람, 그리고 둘 다 말한 사람이 고르게 분포되었다. 그 후 설문에 참여한 사람들이 2개월간 방범 순찰에 참여한 횟수를 살펴보았다. 그 결과 자기지향적 동기를 말한 사람들 모두가 자기지향적 동기를 말하지 않은 사람들보다 순찰 횟수가 더 많은 것으로 나타났다. 그리고 전자 중 타인지향적 동기를 말한 사람들의 순찰 횟수가 그렇지 않은 사람들보다 유의미하게 많은 것으로 나타났다. A는 이를 토대로 　(가)　고 추정하였다.

① 자기지향적 동기만 가진 사람은 타인지향적 동기만 가진 사람보다 행위의 적극성이 높다
② 타인지향적 동기를 가진 사람은 자기지향적 동기를 가진 사람보다 행위의 적극성이 높다
③ 자기지향적 동기는 행위의 적극성에 긍정적 영향을 주기도 하고 부정적 영향을 주기도 한다
④ 자기지향적 동기가 행위의 적극성에 긍정적 영향을 주는 경우 타인지향적 동기는 부정적 영향을 준다

난이도 ⊕ ○ ⊕

[해설] "자기지향적 동기를 말한 사람들 모두가 자기지향적 동기를 말하지 않은 사람들보다 순찰 횟수가 더 많은 것으로 나타났다."를 볼 때, (가)에는 '자기지향적 동기만 가진 사람은 타인지향적 동기만 가진 사람보다 행위의 적극성이 높다'는 내용이 들어가는 것이 가장 적절하다.

정답 ①

다음 중 ⑦~ⓒ에 알맞은 말을 순서대로 나열한 것은?

> 먼 곳의 물체를 볼 때 물체에서 반사되어 나온 빛이 눈 속으로 들어가면서 각막과 수정체에 의해 굴절되어 망막의 앞쪽에 초점을 맺게 되면 망막에는 초점이 맞지 않는 상이 맺힘으로써 먼 곳의 물체가 흐리게 보인다. 이것을 근시라고 한다.
> 근시인 눈에서 보고자 하는 물체가 눈에 가까워지면 망막의 (⑦)에 맺혔던 초점이 (ⓒ)으로 이동하여 망막에 초점이 맺혀 흐리게 보이던 물체가 선명하게 보인다. 그리고 이 지점보다 더 가까운 곳의 물체는 조절 능력에 의하여 계속 잘 보인다.
> 이와 같이 근시는 먼 곳의 물체는 잘 안 보이고 가까운 곳의 물체는 잘 보이는 것을 말한다. 근시의 정도가 심하면 심할수록 눈 속에 맺히는 초점이 망막으로부터 (ⓒ)으로 멀어져 가까운 곳의 잘 보이는 거리가 짧아지고 근시의 정도가 약하면 꽤 먼 곳까지 잘 볼 수 있다.

	⑦	ⓒ	ⓒ
①	앞쪽	뒤쪽	앞쪽
②	뒤쪽	앞쪽	앞쪽
③	앞쪽	뒤쪽	뒤쪽
④	뒤쪽	앞쪽	뒤쪽

난이도 ⊕ ○ ⊕

[해설] 1문단을 통해 망막의 앞쪽에 초점을 맺게 되면, 먼 곳의 물체가 흐리게 보이는 것을 '근시'라고 부른다는 것을 알 수 있다. 따라서 '근시인 눈'이라면 망막의 '앞쪽(⑦)'에 맺혔던 초점이 '뒤쪽(ⓒ)'으로 이동하면 물체가 선명하게 보일 것이다. 또 근시의 정도가 심하면, 초점이 망막으로부터 '앞쪽(ⓒ)'으로 멀어질 것이다. ⑦~ⓒ에 알맞은 말을 순서대로 나열하면, '앞쪽(⑦), 뒤쪽(ⓒ), 앞쪽(ⓒ)'이다.

정답 ①

다음 글의 ㉠에 들어갈 말로 적절한 것은?

> 과거는 현재를 통해서 바라보아야 하며, 개인은 절대 사회를 떠나서 존재할 수 없는 존재이다. 그렇기 때문에 역사 서적을 읽는다는 것은 죽은 과거의 사실을 살펴본다는 것이 아니라 현재의 삶을 과거의 역사를 통해 통찰해 본다는 것을 의미한다.
>
> 그리고 그러한 일련의 과정의 무대가 되는 곳이 바로 사회라는 것과 사회는 하나의 생명체처럼 살아서 흘러 내려오고 있다는 사실을 간과해서는 안 된다.
>
> 이러한 사실을 토대로 고려해볼 때, 역사 서적을 읽을 때 던져야 하는 가장 큰 질문은 _____㉠_____ 와 같은 것이어야 한다.
>
> 인간은 사회적 삶을 살아갈 때 가장 인간답다고 할 수 있다. 그리고 무엇보다 과거의 누군가의 삶들을 통해 현재의 삶을 수정해 나갈 수 있다는 것은 매우 유익한 것이라고 할 수 있을 것이다.

① '역사적 사실이 다양한 관점에서 기술되었는가?'

② '역사가의 임무는 무엇이며, 역사는 어떻게 기술되어야 하는가?'

③ '왜 이런 역사적 사실이 발생했고, 그 이후의 일들은 어떻게 진행되었는가?'

④ '역사 서적에 기술된 역사적 사실이 과연 진실인가? 어떤 조작된 요소는 없는가?'

⑤ '역사적 사실과 그것에 대한 역사가의 해석은 나의 삶과 어떻게 관련되는가?'

난이도 상 ◯ 하

해설 1문단의 "역사 서적을 읽는다는 것은 죽은 과거의 사실을 살펴본다는 것이 아니라 현재의 삶을 과거의 역사를 통해 통찰해 본다는 것을 의미한다." 부분을 볼 때, ㉠에는 ⑤의 '역사적 사실과 그것에 대한 역사가의 해석은 나의 삶과 어떻게 관련되는가?'가 들어가는 것이 가장 적절하다.

정답 ⑤

(가)에 들어갈 말로 적절한 것은?

> 〈호질(虎叱)〉은 《열하일기》에 수록된 박지원의 대표적인 한문 소설로, __(가)__ 수법으로 인간 사회가 지닌 문제점과 특히 지배층의 위선을 비판함으로써 색다른 재미와 교훈을 함께 주고 있다. 〈호질(虎叱)〉의 내용은 크게 세 부분으로 나눌 수 있다. 첫째는 범이 자신의 몸에 붙어사는 창귀들과 함께 먹잇감을 의논하는 부분이다. 둘째는 학식과 명망을 갖춘 북곽 선생과 열녀로 소문난 과부 동리자가 밤에 남몰래 밀회를 즐기다가 동리자의 아들들에게 발각되어 수모를 당하는 부분으로, 양반 지배층의 위선과 가식을 폭로하고 있다. 셋째는 범이 북곽 선생을 만나 질타하는 부분으로, 범의 질책은 바로 작품의 제목이자 주제이기도 하다. 범은 살기 위해 목숨을 구걸하는 북곽 선생을 앞에 두고 인간의 부도덕함과 이기심, 서로를 죽이는 잔인함 등을 비판하고 그와 비교되는 범의 덕성을 얘기한다.

① 의고적(擬古的)   ② 고답적(高踏的)

③ 우화적(寓話的)   ④ 사실적(寫實的)

난이도 상 ◯ 하

해설 〈호질(虎叱)〉에서 '범'이라는 의인화된 대상을 내세워 '북곽 선생'을 꾸짖고 있다. 따라서 (가)에는 '우화적(寓話的, 인격화한 동식물이나 기타 사물을 주인공으로 하여 그들의 행동 속에 풍자와 교훈의 뜻을 나타내는)'이 들어가는 것이 가장 적절하다.

오답 분석
① 의고적(擬古的): 옛것을 본뜬
② 고답적(高踏的): 속세에 초연하며 현실과 동떨어진 것을 고상하게 여기는
④ 사실적(寫實的): 사물을 있는 그대로 그려 내는

정답 ③

작품정보 박지원, 〈호질(虎叱)〉

갈래	한문 소설, 우화 소설, 풍자 소설
성격	풍자적, 비판적, 우의적
시점	전지적 작가 시점
배경	• 시간: 정(鄭)나라 • 공간: 어느 고을
제재	양반의 허위의식
주제	양반의 위선적인 삶과 인간 사회의 부도덕성 비판
특징	• 우의적 수법을 사용함. • 인물의 행위를 희화화하여 제시함. • 실학사상을 바탕으로 인간의 부정적인 삶을 비판함.
연대	조선 영·정조 때(18세기 후반)
출전	《열하일기(熱河日記)》 중 〈관내정사(關內程史)〉

㉠에 들어갈 말로 가장 적절한 것은?

> 한 민족이 지닌 문화재는 그 민족 역사의 누적일 뿐 아니라 그 누적된 민족사의 정수로서 이루어진 혼의 상징이니, 진실로 살아 있는 민족적 신상(神像)은 이를 두고 달리 없을 것이다. 더구나 국보로 선정된 문화재는 우리 민족의 성력(誠力)과 정혼(精魂)의 결정으로 그 우수한 질과 희귀한 양에서 무비(無比)의 보(寶)가 된 자이다. 그러므로 국보 문화재는 곧 민족 전체의 것이요, 민족을 결속하는 정신적 유대로서 민족의 힘의 원천이라 할 것이다.
> 로마는 하루아침에 만들어지지 않는다는 말도 그 과거 문화의 존귀함을 말하는 것이요, (㉠)는 말도 국보 문화재가 얼마나 힘 있는가를 밝힌 예증이 된다.

① 구르는 돌에는 이끼가 끼지 않는다
② 지식은 나눌 수 있지만 지혜는 나눌 수 없다
③ 사람은 겪어 보아야 알고 물은 건너 보아야 안다
④ 그 무엇을 내놓는다고 해도 셰익스피어와는 바꾸지 않는다

난이도 ⑧ ○ ⑧

해설 글의 흐름을 보아, ㉠에는 '국보 문화재의 힘'과 관련된 내용이 들어가야 한다. '셰익스피어'는 영국을 대표하는 작가이다. 그가 만든 작품은 영국의 중요한 문화재를 상징한다. 따라서 셰익스피어와 그의 작품은 영국의 위대한 문화재이기 때문에 어떤 것과도 바꿀 수 없다는 내용을 가진 ④가 들어가는 것이 가장 적절하다.

오답 분석
① '구르는 돌에는 이끼가 끼지 않는다.'는 말은 '근면'과 관련이 있는 말이다. 문맥상 '근면'은 ㉠에 어울리지 않는다.
② '지식은 나눌 수 있지만 지혜는 나눌 수 없다'는 '지혜'의 중요성과 관련이 있는 말이다. 문맥상 단순히 '지혜'는 ㉠에 어울리지 않는다.
③ '사람은 겪어 보아야 알고 물은 건너 보아야 안다'는 사람은 겉만 보고는 알 수 없다는 의미를 가진 말이다. 따라서 ㉠에는 어울리지 않는다.

정답 ④

㉠에 들어갈 말로 적절한 것은?

> (㉠) 따라서 인생의 본질은 목표의 설정과 성취가 아니라 유지와 지속이다. 목표 성취가 주는 짧은 행복감이 지나가고 나면 특별한 일 없이 반복되는 무수한 나날들이 기다리고 있다. 학창 시절에 이 사실을 깨닫기 어려운 이유는 인생 초반에는 목표의 설정과 성취가 짧은 주기로 반복되기 때문이다.
> 3~4년이면 졸업을 할 수 있고 졸업하면 새로운 목표가 기다린다. 대학 졸업 후에도 취업과 결혼, 출산 등은 비교적 가까운 시일 안에 달성 가능한 목표다. 그러나 그런 종류의 이벤트들은 대개 인생의 초반에 한정되어 있다. 따라서 그러한 사건들이 한차례 마무리되는 30대 후반에서 40대 초반에 이르면 삶이 급격히 무의미해진다는 느낌이 든다.
> 짧은 사이클에 익숙해져 있는 이들은 중노년의 삶이 지루하고 의미 없어 보이기 쉽다. 모두가 똑같아 보이는 저런 삶을 사느니 나만의 특별하고 새로운, 하루하루가 설레는 삶을 살고 싶을 것이다. 그러나 어떤 식으로든, 신선함은 익숙함이 되고 설렘은 가라앉는다. 사람들은 빠르게 상황에 적응하고 즐거움의 강도는 점점 줄어들기 마련이다.
> 관건은 생각보다 긴 내 삶을 지속해 나갈 방법을 찾는 것이다. 그냥 지속하는 것은 의미가 없다. 기왕에 주어진 삶을 어떻게 의미 있고 행복하게 살아낼 것인가를 고민해야 한다. 불행히도 학교는 그 방법을 가르쳐주지 않는다. 애초에 학교는 삶의 의미를 찾아주거나 행복해지는 법을 가르치도록 만들어진 기관이 아니기 때문이다. 그때그때의 고민을 해결해주거나 위로해줄 수는 있어도 삶의 의미와 행복을 느끼는 지점은 사람마다 다른데 누가 어떻게 그걸 일일이 맞춰줄 수 있을까.

① 삶은 생각보다 지루하다.
② 삶은 생각보다 행복하다.
③ 삶은 생각보다 짧다.
④ 삶은 생각보다 고통스럽다.
⑤ 삶은 생각보다 길다.

TIP '관건(關鍵)'은 원래 '빗장과 자물쇠'라는 뜻에서 확장되어 비유적으로 '문제 해결의 가장 중요한 요인이나 핵심이 되는 고리'를 의미한다. 따라서 마지막 문단의 "관건은 생각보다 긴 내 삶을 지속해 나갈 방법을 찾는 것이다."라는 내용에서, '삶은 생각보다 길다.'라는 내용이 ⊙에 들어갈 수 있음을 짐작할 수 있다.

해설 ⊙ 때문에, 인생의 본질은 목표의 '설정과 성취'가 아니라 '유지와 지속'이라고 1문단의 첫 번째 문장에서 밝히고 있다. 주제문이 가장 앞에 제시되었기 때문에 그 뒤에는 주제문을 보충하는 내용이 올 가능성이 크다. 목표이 '설정과 성취'를 목표로 살지 말아야 하는 이유를 글쓴이는 2문단과 3문단에서 밝히고 있다. 2문단과 3문단에서 비교적 가까운 시일 안에 달성 가능한 목표들은 인생의 초반에 한정되어 있기 때문에, 그런 사건들이 마무리되는 시점인 30대 후반이 되면 삶이 무의미하다고 느끼는 사람이 많다고 했다. '무의미'는 결국 1문단의 '특별한 일 없이 반복되는 무수한 나날들'이다. 4문단에서는 생각보다 긴 삶을 지속해 나갈 방법을 찾는 것이 중요하다고 말하고 있다. 이는 1문단의 첫 번째 문장 '유지와 지속'과 관련이 있다. 결국 제시된 글은 인생은 생각보다 길기 때문에 인생의 본질은 목표의 설정과 성취가 아니라 유지와 지속이라는 것이라고 말하고 있다. 따라서 ⊙에는 '삶은 생각보다 길다.'가 들어가야 가장 적절하다.

정답 ⑤

160 ○○○○ 2021 국회직 8급

다음 글의 ⊙ ~ ⑩에 들어갈 문장으로 적절하지 않은 것은?

처칠이 영국 총리였을 때 제2차 세계대전의 개전 위험성이 극도로 고조되면서, 그는 '해안가에서 맞서 싸울' 필요성에 관한 유명한 방송 연설을 했다. (⊙) 당시는 매우 위험한 상황이었으나, 처칠은 그럴 수 없을 때라도 완벽하게 승전에 자신이 있다는 투로 말해야 한다는 것을 알고 있었다. 이것은 거짓말인가, 대중의 사기를 높이기 위한 설득인가?

'거짓말', '신뢰', '거짓된 행동' 등의 용어는 선출된 지도자들이 수행해야 할 다른 많은 정책들을 설명하기에도 그리 적절하지 않다. 사건의 심각성, 정보기관의 오류, 정치인의 성격과 정치적 배경 등이 원인이 되어 잘못된 정치적 판단이나 의도하지 않은 거짓말을 하기도 했다. (ⓛ) 신뢰와 불신은 거의 모든 주류 정치지도자에 대한 인식의 기준이 되었고, 때로는 진짜 부패와 정치적 판단에 따른 거짓말을 구분하는 것이 급격히 어려워질 정도였다. (ⓒ) 우리는 유권자의 이런 혐오를 이해할 수 있다. 정치에서 경멸 어린 불신을 받을 만한 진짜 부패는 항상 그랬던 것처럼 계속 이어진다. (ⓔ) 마찬가지로 그들에게 가해지는 엄격한 정밀 검증을 고려했을 때, 이들이 더 부도덕하다고 평가할 이유노 없다.

그렇지만 많은 나라에서 여러 정당과 정치인은 통렬하게 불신받을 만한 부패 혐의에 빠지곤 한다. (⑩) 그들의 부패 덕분에 아웃사이더들이 유권자의 호응을 대신 얻어 활동하는 동안, 주류는 번성하는 데 실패하곤 했다.

① ⊙: 처칠은 진실하지 않았다.

② ⓛ: 정치지도자는 유권자의 일시적 신뢰에 연연하지 않고, 불행한 진실이라도 전달해야 한다.

③ ⓒ: 부패는 유권자를 민주주의 정치에 등 돌리게 하고 선출된 지도자를 혐오하게 만든다.

④ ⓔ: 선출된 정치인이 다른 나머지 사람보다 더 깨끗하다고 단정할 이유는 없다.

⑤ ⑩: 주류였던 세력은 부패 때문에 쇠락하기도 한다.

난이도 상 ○ 하

해설 "~거짓말을 하기도 했다."라는 내용 뒤에 '진실을 전달해야 한다.'는 내용이 이어지는 것은 적절하지 않다. 따라서 ⓛ에 들어가기에 적절하지 않다.

오답분석
① 이어지는 "당시는 매우 위험한 상황이었으나, 처칠은 그럴 수 없을 때라도 완벽하게 승전에 자신이 있다는 투로 말해야 한다." 부분을 고려할 때, '처칠은 진실하지 않았다.'가 들어가는 것은 적절하다.

③ 이어지는 "우리는 유권자의 이런 혐오를 이해할 수 있다. 정치에서 경멸 어린 불신을 받을 만한 진짜 부패는 항상 그랬던 것처럼 계속 이어진다." 부분을 고려할 때, '부패는 유권자를 민주주의 정치에 등 돌리게 하고 선출된 지도자를 혐오하게 만든다.'가 들어가는 것은 적절하다.

④ 이어지는 "마찬가지로 ~ 이들이 더 부도덕하다고 평가할 이유도 없다." 부분을 고려할 때, '선출된 정치인이 다른 나머지 사람보다 더 깨끗하다고 단정할 이유는 없다.'가 들어가는 것은 적절하다.

⑤ 이어지는 "주류는 번성하는 데 실패하곤 했다." 부분을 고려할 때, '주류였던 세력은 부패 때문에 쇠락하기도 한다.'가 들어가는 것은 적절하다.

정답 ②

㉠에 들어갈 말로 적절한 것은?

> 우리가 이용하는 디지털화된 정보들은 대다수가 아날로그 그 기반에서 생성된 것이다. 온라인에서 보는 텍스트 정보, 사진, 동영상 대부분이 기존의 종이 매체나 필름에 기록된 것들이다. 온라인 게임을 정보 통신 시대의 독특한 문화양상이라고 하지만, 인기를 끌고 있는 많은 게임은 오래전부터 독자들로부터 사랑받던 판타지 문학에서 유래했다.
>
> 아날로그가 디지털과 결합해 더욱 활성화되기도 한다. 동양의 전통 놀이 중 하나인 바둑과 장기도 그렇다. 전형적인 아날로그 문화의 산물인 바둑이 인터넷 바둑 사이트 덕분에 더욱 대중화된 놀이가 되었다. 예전에는 바둑을 두기 위해 친구와 약속을 잡거나 기원을 찾아야 했지만, 지금은 인터넷에 접속하면 언제든 대국을 즐길 수 있다.
>
> 따라서 (　　　　　　　　㉠　　　　　　　　)

① 디지털 문화와 아날로그 문화를 수직적인 것으로 파악하는 것은 본질과 거리가 멀다.

② 디지털 문화와 아날로그 문화를 수평적인 것으로 파악하는 것은 본질과 거리가 멀다.

③ 디지털 문화와 아날로그 문화를 상호 보완적인 것으로 파악하는 것은 본질과 거리가 멀다.

④ 디지털 문화와 아날로그 문화를 입체적인 것으로 파악하는 것은 본질과 거리가 멀다.

⑤ 디지털 문화와 아날로그 문화를 대립적인 것으로 파악하는 것은 본질과 거리가 멀다.

난이도 (상) (중) ●

해설　우리가 이용하는 디지털화된 정보들은 대다수가 아날로그 기반에서 생성된 것이기 때문에 둘을 대립적으로 보는 것을 적절하지 않다는 결론을 내리는 것이 가장 자연스럽다. 따라서 ㉠에는 '디지털 문화와 아날로그 문화를 대립적인 것으로 파악하는 것은 본질과 거리가 멀다.'가 들어가는 것이 가장 자연스럽다.

정답 ⑤

(가)~(라)에 들어갈 말로 가장 적절한 것은?

> 정철, 윤선도, 황진이, 이황, 이조년 그리고 무명씨. 우리말로 시조나 가사를 썼던 이들이다. 황진이는 말할 것도 없고 무명씨도 대부분 양반이 아니었겠지만 정철, 윤선도, 이황은 양반 중에 양반이었다. [(가)] 그들이 우리말로 작품을 썼던 걸 보면 양반들도 한글 쓰는 것을 즐겨 했다는 것을 부정할 수는 없다. [(나)] 허균이나 김만중은 한글로 소설까지 쓰지 않았던가.
>
> [(다)] 이들이 특별한 취향을 가진 소수의 양반이었다면 이야기는 달라진다. 우리말로 된 문학 작품을 만들겠다는 생각을 가진 특별한 양반들을 제외하고 대다수 양반들은 한문을 썼기 때문에 한글을 모를 수도 있었기 때문이다. 실학자 박지원이 당시 양반 사회를 풍자한 작품 〈호질〉은 한문으로 쓰여 있다. [(라)] 한 가지 분명한 것은 양반 대부분이 한글을 이해하지 못하는 상황이었다면 정철도 이황도 윤선도도 한글로 작품을 쓰지는 않았을 것이란 사실이다.

	(가)	(나)	(다)	(라)
①	그런데	게다가	그렇지만	그러나
②	그런데	그리고	그래서	또는
③	그리고	그러나	하지만	즉
④	그래서	더구나	따라서	하지만

난이도 (상) ● (하)

해설

(가)	정철, 윤선도, 이황은 양반 중에 양반이었는데, 그들을 보면 양반들도 한글 쓰는 것을 즐겨 했다는 것을 부정할 수는 없다는 흐름이다. 따라서 연결하면서 전환을 하는 접속 부사인 '그런데'가 들어가는 것이 적절하다.
(나)	양반들도 한글 쓰는 것을 즐겨 했다는 것을 부정할 수는 없다는 앞의 내용에, '허균'과 '김만중'이 한글로 소설까지 썼다는 내용을 뒤에 덧붙이고 있다. 따라서 '게다가', '더구나'가 들어가는 것이 적절하다.
(다)	양반들이 한글을 즐겨 쓰기도 했지만 이들은 소수에 불과했다는 흐름이다. 따라서 역접의 접속 부사 '그렇지만', '하지만'이 들어가는 것이 적절하다.
(라)	"~ 특별한 양반들을 제외하고 대다수 양반들은 한문을 썼기 때문에 한글을 모를 수도 있었기 때문이다."와 "한 가지 분명한 것은 양반 대부분이 한글을 이해하지 못하는 상황이었다면 정철도 이황도 윤선도도 한글로 작품을 쓰지는 않았을 것이란 사실이다."는 서로 역접의 의미 관계이다. 따라서 역접의 접속 부사 '그러나', '하지만'이 들어가는 것이 적절하다.

따라서 (가)~(라)에 들어갈 말로만 짝지어진 것은 ①이다.

※ 물론 (가)와 (나)에 들어갈 접속 부사만 보고도 답은 ①로 고를 수 있다.

정답 ①

글의 통일성을 고려할 때 (가)에 들어갈 말로 가장 적절한 것은?

> 혼정신성(昏定晨省)이란 저녁에는 부모님의 잠자리를 봐 드리고 아침에는 문안을 드린다는 뜻으로 자식이 아침저녁으로 부모의 안부를 물어 살핌을 뜻하는 말로 '예기(禮記)'의 '곡례편(曲禮篇)'에 나오는 말이다. 아랫목 요에 손을 넣어 방 안 온도를 살피면서 부모님께 문안을 드리던 우리의 옛 전통은 온돌을 통한 난방 방식과 관련 깊다. 온돌을 통한 난방 방식은 방바닥에 깔려 있는 돌이 열기로 인해 뜨거워지고, 뜨거워진 돌의 열기로 방바닥이 뜨거워지면 방 전체에 복사열이 전달되는 방법이다. 방바닥 쪽의 차가운 공기는 온돌에 의해 따뜻하게 데워지므로 위로 올라가고, 위로 올라간 공기가 다시 식으면 아래로 내려와 다시 데워져 위로 올라가는 대류 현상으로 인해 결국 방 전체가 따뜻해진다. 벽난로를 통한 서양식의 난방 방식은 복사열을 이용하여 상체와 위쪽 공기를 데우는 방식인데, 대류 현상으로 바낙 바로 위 공기까지는 따뜻해지지 않는다. 그 이유는 [(가)]

① 벽난로에 의한 난방은 방바닥의 따뜻한 공기가 위로 올라가 식으면 복사열로 위쪽의 공기만을 따뜻하게 하기 때문이다.

② 벽난로에 의한 난방이 복사열에 의한 난방에서 대류 현상으로 인한 난방이라는 순서로 이루어졌기 때문이다.

③ 대류 현상을 통한 난방 방식은 상체와 위쪽의 공기만 따뜻하게 하기 때문이다.

④ 상체와 위쪽의 따뜻한 공기는 차가운 바닥으로 내려오지 않기 때문이다.

난이도 ㉠ ㉡ ㉢

[해설] "방바닥 쪽의 차가운 공기는 온돌에 의해 따뜻하게 데워지므로 위로 올라가고, 위로 올라간 공기가 다시 식으면 아래로 내려와 다시 데워져 위로 올라가는 대류 현상으로 인해 결국 방 전체가 따뜻해진다." 부분을 통해 '대류 현상'으로 온돌을 통한 난방을 할 경우 방 전체가 따뜻해진다는 것을 알 수 있다. 한편, 벽난로를 통한 서양식의 난방은 상체와 위쪽 공기를 데우는 방식이라고 하였다. 즉 '대류 현상'이 일어나지 않아서 상체와 위쪽만 따뜻하고, 바닥은 부분은 차가운 것이다. 따라서 벽난로를 통한 서양식 난방이 바닥 바로 위 공기까지는 따뜻해지지 않는 이유는, '상체와 위쪽의 따뜻한 공기는 차가운 바닥으로 내려오지 않기' 때문이다.

[오답분석] ① '대류 현상'에 대한 설명을 참고할 때, 위로 올라간 공기가 다시 식으면 아래로 내려오고, 대류 현상이 일어나서 방 전체가 따뜻해진다고 하였다. 그렇기 때문에 방바닥의 따뜻한 공기가 위로 올라가 식어서 위쪽의 공기만을 따뜻하게 한다는 것은 제시된 글의 내용과 일치하지 않는다. 따라서 이유로 적절하지 않다.

② 순서와는 전혀 관련이 없다. 벽난로에 의한 난방은 대류 현상이 일어나지 않을 뿐이다. 따라서 이유로 적절하지 않다.

③ '대류 현상'이 일어났다면 온돌처럼 방 전체가 따뜻해졌을 것이다. 그런데 벽난로를 통해 서양식 난방 방식은 그렇지 않다고 했기 때문에 이유로 적절하지 않다.

[정답] ④

㉠에 들어갈 주장으로 가장 적절한 것은?

> 경상 지역 방언을 쓰는 사람들은 대체로 'ㅓ'와 'ㅡ'를 구별하지 못한다. 이들은 '증표(證票)'나 '정표(情表)'를 구별하여 듣지 못할 뿐만 아니라 구별하여 발음하지 못하기 십상이다. 또 이들은 'ㅅ'과 'ㅆ'을 구별하지 못하는 경우가 많다. 따라서 이들은 '살밥을 많이 먹어서 쌀이 많이 쪘다'고 말하든 '쌀밥을 많이 먹어서 살이 많이 쪘다'고 말하든 쉽게 그 차이를 알지 못한다. 한편 평안도 및 전라도와 경상도의 일부에서는 'ㄴ'와 'ㅓ'를 제대로 분별해서 발음하지 않는 경우가 종종 있다. 평안도 사람들의 'ㅈ' 발음은 다른 지역의 'ㄷ' 발음과 매우 비슷하다. 이처럼 (㉠   )

① 우리말에는 지역마다 다양한 소리가 있다.

② 우리말은 지역에 따라 다양한 표준 발음법이 있다.

③ 우리말에는 지역에 따라 구별되지 않는 소리가 있나.

④ 자음보다 모음을 변별하지 못하는 지역이 더 많이 있다.

난이도 ㉮ ○ ㉲

[해설] '경상 지역 방언'을 쓰는 사람들이 구별하지 못하는 소리, '평안도 및 전라도와 경상도 일부' 사람들이 "구별하여 듣지 못하는 소리, 구별하여 발음하지 못하는 소리"에 대해 이야기하고 있다. 즉 지역마다 '구별하지 못하는 소리'가 있음을 소개한 글이기 때문에 ㉠에는 ③의 "우리말에는 지역에 따라 구별되지 않는 소리가 있다."가 들어가는 것이 가장 적절하다.

[오답분석] ① 새로운 소리가 있다는 내용이 아니라, 존재하는데도 구별하지 못하는 소리가 있음을 말하는 내용이다. 따라서 지역마다 다양한 소리가 있다는 내용이 들어가는 것은 적절하지 않다.

② 지역에 따라 구별 못하는 소리가 있다는 내용이지, '표준 발음법'이 지역마다 있다는 내용은 아니다.

④ 제시된 예에서도 확인할 수 있듯이 모음뿐만 아니라 자음까지도 포함한 내용이기 때문에, ㉠에 들어갈 내용으로 적절하지 않다.

[정답] ③

다음 밑줄 친 ㉠에 들어갈 표현으로 가장 적절한 것은?

말을 하고 글을 쓰는 표현 행위는 사고 활동과 분리해서 생각할 수 없다. 창의적이고 생산적인 활동에는 당연히 사고 작용이 따르기 때문이다. 역으로, 말을 하고 난 뒤에나 글을 쓰고 난 뒤에 그 과정을 되돌아보면서 새로운 생각을 하거나 발전된 생각을 얻기도 한다. 또한 청자나 독자의 반응을 통해 자신의 생각을 바꾸거나 확신을 가지기도 한다. 이처럼 사고와 표현 활동은 지속적으로 상호 작용을 하게 된다.

㉠ _____는 점을 적극적으로 고려할 필요가 있다. 머릿속에서 이루어진 사고 활동의 내용을 구체적으로 말이나 글로 표현해 보면 부족하거나 개선할 점들을 찾을 수 있게 되고 이후에 좀 더 조직적으로 사고하는 습관도 생긴다. 한편 표현 활동을 하다 보면 어휘 선택, 내용 조직 등의 과정에서 어려움을 느끼게 된다. 이러한 어려움을 해결하기 위해 그에 대해 논리적이고 체계적으로 생각해 보게 되고 이를 통해 표현 능력이 향상된다. 이렇게 사고력과 표현력은 상호 협력의 밀접한 연관을 맺고 있다.

흔히 좋은 글을 쓰기 위한 조건으로 '다독(多讀), 다작(多作), 다상량(多商量)'을 들기도 하는데, 많이 읽고, 많이 써 보고, 많이 생각하다 보면 좋은 글을 쓸 수 있다는 뜻이다. 여기에서 '다상량'은 충분한 사고 활동을 의미한다. 이는 물론 말하기에도 적용되는 것으로 표현 활동과 사고 활동의 관련성을 잘 말해 주고 있다.

① 충분한 사고 활동 후에 이루어지는 표현 활동은 세련되게 된다

② 사고한 내용을 구체적으로 표현해 보면 사고력을 향상시킬 수 있다

③ 사고와 표현 활동은 상호 작용을 하면서 각각의 능력을 상승시킨다

④ 말하기보다 글쓰기가 상대적으로 사고활동과 깊은 관련을 맺고 있다

난이도 ⑤ ○ ⑤

[해설] 2문단은 "㉠ ____는 점을 적극적으로 고려할 필요가 있다."로 시작하고 있다. '~라는 점'이라는 표현은 바로 앞 문단이나 문장의 내용과 관련이 있다. ㉠ 바로 앞에는 1문단의 마지막 문장 "이처럼 사고와 표현 활동은 지속적으로 상호 작용을 하게 된다."가 있다. 따라서 마지막 문장을 표현한 ③이 들어가는 것이 가장 적절하다.

정답 ③

다음 글의 빈칸에 들어갈 내용으로 가장 적절한 것은?

미학이란 무엇인가? 미학이라는 학문의 이름에는 '미(美)'자가 들어가니 아름다움에 대해 연구하는 학문이라는 말은 맞을 것이다. 그러나 그림도 아름답고, 음악도 아름답고, 꽃, 풍경, 석양 등 세상에 아름다운 것들이 수없이 많을 터인데, 그것들을 연구하는 사람들은 전부 미학을 한다고 할 수 있을까? 전통적으로 그림은 아름다운 것을 나타낸 것이라 생각되었고, 그런 그림들을 연구하는 학문으로 미술사학이란 것이 있는데, 그림은 아름답고 또 그 것을 연구하기에 미술사학도 미학인가? 같은 방식으로 아름다운 음악작품들을 연구하는 음악사학이 있다면 이것도 미학인가?

'미술사학', '음악사학'이란 학문의 명칭에 주목한다면, 그 속에 포함된 '사(史)'라는 글자에서 이러한 학문들은 그림의 역사, 음악의 역사를 연구하는 학문임을 알 수 있다. 그렇다면 미술사학이나 음악사학이 미학이 아니라면 모두 똑같이 아름다운 대상을 연구하는 학문임에도 이들 사이의 차이점은 무엇인가? 미학이나 미술사학, 음악사학이 모두 아름다운 대상을 연구한다는 점에는 마찬가지이지만, 그 차이점은 그것에 접근하는 방식, 다르게 말하면 그것들을 연구하는 방식이 다르기 때문이다. 미술사학은 화가 개인이나 화파 사이의 역사적 관계를 연구하는 학문이다. 이러한 연구 방식은 그림의 역사를 연구하는 것이기에 우리는 그러한 학문을 미술사학이라고 부르며, 이 같은 설명이 음악사학에도 적용될 것이다.

미학이 미술사학이나 음악사학이 아니라면 미학은 아름다운 대상을 역사적으로 연구하는 학문이 아니라는 점이 분명해진다. 그렇다면 미학은 아름다운 대상을 어떻게 연구하는 것인가? 결론부터 얘기한다면, 미학은 아름다운 대상을 철학적으로 연구하는 학문이다. 어떤 것을 철학적으로 연구한다는 것은 과연 어떻게 하는 것인가? 여기서 우리는 학문의 방법론을 생각해볼 필요가 있다. 학문의 방법론은 학문을 하는 도구라고 생각할 수 있다. 미학과 미술사학의 차이는 미술작품을 철학과 역사라는 도구 중 어떤 도구를 가지고 연구하냐의 차이다.

다른 식으로 설명하자면 학문의 방법론은 학문의 대상을 보는 관점이라고 설명할 수 있다. 우리는 어떤 대상을 여러 관점에서 볼 수 있고, 이때 그 대상의 모습은 어떤 관점에서 보느냐에 따라 달라질 것이다. 이를 학문의 방법론에 적용한다면, 미술사학은 미술을 역사적 관점에서 보는 것이고, 미학은 미술을 철학적 관점에서 보는 것이다. 즉 두 학문은, _____. 그것을 보는 관점이 다르기에 대상의 다른 특색을 연구하며, 그렇기 때문에 다른 학문이 되는 것이다.

① 비슷한 특징이 있지만

② 연구 방법이 동일하지만

③ 같은 대상을 보고 있지만

④ 명칭에 있어서도 차이가 있지만

난이도 ⑤ ○ ⑤

[해설] '미술'이라는 같은 대상으로 보고 있지만, 각각 다른 관점으로 그 특색을 연구한다는 내용이다. 따라서 빈칸에는 '같은 대상을 보고 있지만'이 가장 적절하다.

정답 ③

〈보기〉의 ㉠, ㉡에 들어갈 단어로 가장 옳은 것은?

---〈보기〉---

　민주주의에서 '사회적 합의'는 만장일치의 개념이 아니라, 여러 대안들 간의 경쟁을 통해 다수 의사를 만들어 내는 과정과 그 결과를 말한다. 과거 권위주의 정부도 사회적 합의라는 말을 많이 썼지만, 그때의 사회적 합의란 정부가 일방적으로 제시하는 것이었다. 따라서 권위주의 정부는 대개의 경우 경제 발전과 같은 거시적 성과를 통해 사우석으로 정당성의 취약함을 보완하면서 사회적 갈등을 억압하고자 했다. 민주주의가 권위주의와 다른 것은 사회적 갈등을 억압하지 않는다는 것, 다시 말해 갈등을 정치의 틀 안으로 통합하면서 사회적 합의를 만들어 간다는 데 있다.

　그러므로 사회적 　㉠　을(를) 정치의 틀 안으로 가져오고 이를 진지하게 다뤄야 할 공동체 전체의 문제로 전환해 정치적 결정을 위한 　㉡　(으)로 만드는 것이 정당의 역할이다.

	㉠	㉡		㉠	㉡
①	문제	합의	②	갈등	성과
③	갈등	의제	④	의제	문제

난이도 ○ 중 하

[해설] ㉠: 1문단의 "다시 말해 갈등을 정치의 틀 인으로 통합하면서 사회적 합의를 만들어 간다는 데 있다." 부분을 볼 때, ㉠에는 '갈등'이 어울린다.

㉡: 사회적 갈등을 공동체 전체의 문제로 전환해서 정치적 결정을 하려고 하면 논의를 할 수 있는 의제가 발의되어야 하므로 ㉡에는 '의제'가 들어가는 것이 적절하다.

정답 ③

㉠~㉢에 들어갈 적절한 접속어를 순서대로 나열한 것은?

　역사의 연구는 개별성을 추구하는 것이라고 할 수가 있다. (　㉠　) 구체적인 과거의 사실 자체에 대해 구명(究明)을 꾀하는 것이 역사학인 것이다. (　㉡　) 고구려가 한족과 투쟁한 일을 고구려라든가 한족이라든가 하는 구체적인 요소들을 빼 버리고, 단지 "자주적 대제국이 침략자와 투쟁하였다."라고만 진술해 버리는 것은 한국사일 수가 없다. (　㉢　) 일정한 시대에 활약하던 특정한 인간 집단의 구체적인 활동을 서술하지 않는다면 그것을 역사라고 말할 수 없는 것이다.

	㉠	㉡	㉢
①	즉	가령	요컨대
②	가령	한편	역시
③	이를테면	역시	결국
④	다시 말해	만약	그런데

난이도 상 ○ 하

[해설] ㉠: 앞 문장에서 언급한 '역사의 연구'가 무엇인지에 대해 다시 풀어서 설명하고 있기 때문에 ㉠에는 '즉(①)', '다시 말해(④)'가 어울린다.

㉡: 앞 내용을 예를 들어 보충하고 있다는 점에서 ㉡에는 '가령(①)'이 어울린다.

㉢: 앞 내용을 정리하여 다시 말하고 있다는 점에서 ㉢에는 '요컨대(①)', '결국(③)'이 어울린다.

따라서 ㉠~㉢에 들어갈 적절한 접속어를 순서대로 나열한 것은 ①이다.

정답 ①

빈칸 추론	들어갈 위치를 찾는 유형

169 ○○○

2023 군무원 9급

<보기>를 글의 (가)~(라)에 넣을 때 가장 적절한 위치는?

(가) 공감은 상대방의 생각과 느낌을 자신의 생각과 느낌처럼 받아들이고 이해하는 것이다. (나) 상대방이 나를 분석하거나 판단하지 않고, 있는 그대로 나의 감정을 이해하고 있다고 느끼게 될 때 사람들은 그 상대방을 나를 이해하는 사람, 나를 알아주는 사람으로 여기게 된다. 판단 기준과 가치관이 다른 사람의 생각과 느낌을 공감을 하면서 이해하는 것은 여간 어려운 일이 아니다. (다) 사람은 누구나 자신의 느낌과 생각을 바탕으로 말하고 판단하고 일을 결정하게 되므로, 상대방의 입장을 헤아리고 그의 느낌과 생각을 내가 그렇게 생각하고 느끼는 것처럼 이해하기가 어렵다. (라) 상대방의 말투, 표정, 자세를 관찰하면서 그와 같은 관점, 심정, 분위기 또는 태도로 맞추는 것도 공감에 도움이 된다.

──── 〈보기〉 ────

공감의 출발은 상대방의 이야기를 경청하면서 상대방의 감정과 느낌이 어떠했을까를 헤아리며 그것을 이해하도록 노력하는 것이다. 그리고 상대방의 입장을 이해한다는 것을 언어적, 비언어적으로 표현하는 것이 중요하다.

① (가)　　② (나)　　③ (다)　　④ (라)

난이도 ⑧ ◎ ⓗ

[해설] '공감의 출발은'으로 시작하고 있는 것을 볼 때, 제시된 글은 공감하는 방법에 대한 내용이다. 따라서 (라)에 들어가는 것이 가장 적절하다.

정답 ④

170 ○○○

2022 국회직 9급

㉠~㉤ 중 <보기>의 문장이 들어가기에 적절한 곳은?

──── 〈보기〉 ────

그리하여 가축과 그 고기를 먹는 인간의 건강뿐만 아니라, 세계 전역의 농지들이 그 피해를 고스란히 입고 있는 것이다.

곡물 사료는 비단 가축뿐만 아니라 세계의 가난한 사람들에게도 구조적인 폭력을 행사한다. ㉠ 우리가 다 알고 있듯이, 쇠고기를 비롯한 육류는 곡식에 비해서 낭비적 요소를 내포하고 있는 식품이다. ㉡ 오늘날 1인분의 쇠고기 생산을 위해서 20인분의 곡물이 투입되고 있고, 1칼로리의 쇠고기를 생산하는 데 보통 35칼로리의 석유가 소모되고 있다. ㉢ 그 결과는 전 세계적으로 10억의 비만 인구와 10억의 기아 인구의 공존이라는 비극적 현실이다. ㉣ 또한 여기서 간과할 수 없는 것은 사료용 곡물 재배에는 살충제가 무제한적으로 남용되고 있다는 점이다. ㉤ 오늘날 육류 소비가 늘어가는 것과 병행해서 아까운 열대 우림이 끝없이 훼손되고, 전 세계적으로 심각한 토양 오염 및 토지 열화 현상이 확대되고 있는 것은 결코 우연이 아니다.

① ㉠　　② ㉡　　③ ㉢　　④ ㉣　　⑤ ㉤

난이도 ⑧ ◎ ⓗ

[해설] <보기>가 '그리하여'로 시작하고 있는 것을 볼 때, 앞에 어떤 원인이 제시되고 그에 대한 결과가 <보기>의 내용임을 짐작할 수 있다. 따라서 <보기>는 ㉤에 들어가는 것이 가장 적절하다.

정답 ⑤

다음 문장이 들어가기에 가장 적절한 곳을 ㉠~㉣에서 고르면?

> 신분에 따라 문체를 고착화하는 것을 인정하지 않았던 것이다.

> 유럽이 교회로부터 정신적으로 해방된 것은 그리스와 로마의 고대 작가들에 대한 재발견을 통해서였다. (㉠) 그 이후 고대 작가들의 문체는 귀족 중심의 유럽 문화에서 모범으로 여겨졌다. (㉡) 이러한 상황은 대략 1770년대에 시작되는 낭만주의에서부터 변화하기 시작했다. (㉢) 이 낭만주의 시기에 평등과 민주주의를 꿈꿨던 신흥 시민계급은 문학에서 운문과 영웅적 운명을 귀족에게만 전속시키고 하층민에게는 산문과 우스꽝스러운 상황을 배정하는 전통 시학을 거부했다. (㉣) 고전 문학은 더 이상 문학의 규범이 아니었으며, 문학을 현실의 모방으로 인식하는 태도도 포기되었다.

① ㉠   ② ㉡   ③ ㉢   ④ ㉣

난이도 상 ○ 하

해설   '신분'에 따라 문체를 고착화하는 것을 인정하지 않았다는 내용을 볼 때, '신분'에 따라 문체를 고착화한 전통 시학을 거부했다는 내용 바로 뒤의 ㉣ 자리에 들어가는 것이 가장 적절하다.

정답 ④

㉠~㉤ 중 〈보기〉의 문장이 들어가기에 가장 적절한 곳은?

> (㉠) 서구에서는 고대부터 인간을 정신과 신체로 양분하여 탐구하였다. 정신은 이성계로서 지식에 관여하는 반면, 신체는 경험계로서 행위에 관계되는 것으로 간주했다. (㉡) 플라톤은 정신계와 물질계를 본질계와 현상계로 구분한다. (㉢) 전자는 이데아계로서 이성적인 영역이고 후자는 경험계로서 감각적 영역이라고 보았다. (㉣) 그러나 그의 이데아론을 기반으로 신체를 경시하거나 배척하던 경향과는 달리, 최근에는 신체에 가치를 부여하여 그것을, 영혼을 보호하는 공간으로 인식하는 경향이 대두되었다. (㉤)

> ─────── 〈보기〉 ───────
>
> 여기서 참된 실체는 이데아계로서 경험계가 추구해야 할 궁극적 대상이며, 경험계는 이데아의 그림자, 허상, 모사에 불과하다고 간주했다.

① ㉠   ② ㉡   ③ ㉢   ④ ㉣   ⑤ ㉤

난이도 상 ○ 하

해설   〈보기〉의 '이데아계'와 '경험계'는 ㉢과 ㉣ 사이의 "전자는 이데아계로서 이성적인 영역이고 후자는 경험계로서 감각적 영역이라고 보았다."에 그 내용이 언급되어 있다. 따라서 〈보기〉는 ㉣ 자리에 들어가는 것이 가장 적절하다.

정답 ④

다음 글에서 〈보기〉가 들어가기에 가장 적절한 곳은?

─── 〈보기〉 ───

아침기도는 간략한 아침 뉴스로, 저녁기도는 저녁 종합 뉴스로 바뀌었다.

철학자 헤겔이 주장했듯이, 삶을 인도하는 원천이자 권위의 시금석으로서의 종교를 뉴스가 대체할 때 사회는 근대화된다. 선진 경제에서 뉴스는 이제 최소한 예전에 신앙이 누리던 것과 동등한 권력의 지위를 차지한다. 뉴스 타전은 소름이 돋을 정도로 정확하게 교회의 시간 규범을 따른다. (㉠) 뉴스는 우리가 한때 신앙심을 품었을 때와 똑같은 공손한 마음을 간직하고 접근하기를 요구하기도 한다. (㉡) 우리 역시 뉴스에서 계시를 얻기 바란다. (㉢) 누가 착하고 누가 악한지 알기를 바라고, 고통을 헤아려 볼 수 있기를 바라며, 존재의 이치가 펼쳐지는 광경을 이해하길 희망한다. (㉣) 그리고 이 의식에 참여하길 거부하는 경우 이단이라는 비난을 받기도 한다.

① ㉠   ② ㉡   ③ ㉢   ④ ㉣

난이도 ⓢ ⓜ ㉿

해설 〈보기〉는 '종교(기도)를 뉴스가 대체했다'는 내용이다. 다시 말해, 〈보기〉는 '뉴스 타전이 교회 시간의 규범을 따른다'는 세 번째 문장의 상술이다. 따라서 〈보기〉는 ㉠에 들어가는 것이 가장 적절하다.

정답 ①

〈보기〉가 들어갈 가장 적절한 위치는?

─── 〈보기〉 ───

결과적으로 이러한 기술 진보는 주체와 주체 간의 더 큰 이해와 소통 가능성을 마련한 것이 사실이다. 그러나 기술의 진보가 곧 선(善)이 된다고 볼 수는 없다. 본래 기술이란 사회의 변화나 인식론적 변화를 선도할 수 있을망정 가치 판단을 내포하지는 못하기 때문이다. 즉 정보화 사회의 기술들은 개인과 개인, 개인과 집단 간의 소통의 통로를 마련해 주었지만, 그 소통의 올바른 방법이나 방향 마련에 대해서는 무력하다.

---

①

우리나라도 어느덧 정보화 사회로 접어들게 됨에 따라, IT 기술이나 인터넷 및 네트워크 기술이 큰 폭으로 발전하였다. 그중에서도 우리가 가장 주목할 기술적 진보는 개인 대 개인, 개인 대집단과 같은 다양한 주체가 서로 만나고 다양한 이슈에 동참할 수 있는 담론 공간의 마련이다. 인터넷 게시판이나 SNS 등을 활용하면, 누구나 쉽게 사회나 정치 이슈를 주제로 활발하게 타자(他者)와 접하며 토론할 수 있게 된 것이다.

②

이에 따라 우리는 소통의 가능성을 넘어 그것을 현명하게 실현하는 방법에 대한 고민도 해야 할 때가 되었다. 물론 이러한 고민이 불필요하게 생각되거나 그것이 없다고 해서 무슨 문제가 있느냐고 반문할지도 모른다. 그러나 인터넷에 있는 수많은 악성 댓글과 루머, 인신공격 등의 병리 현상은 철학이나 가치 부재의 기술 진보가 주는 위험성을 잘 드러내 준다. 우리는 기술 진보에 따라 확보된 수많은 소통 통로 속에서 그것을 주체와 주체 간의 참다운 만남으로 실천하는 방법을 아직까지 찾지 못하고 있다.

③

그렇다면, 이러한 문제를 궁극적으로 해결하기 위해 부각되고 연구되어야 하는 분야는 어떠한 것들일까? IT 또는 첨단 제품을 개발하고 성공시켰다는 면에서 세계적으로 유명한, 미국의 어느 한 기업가는 신제품을 출시하는 장소에서 자사의 혁신적 제품은 인문학을 빼놓고는 말할 수 없다는 취지의 연설을 하였다. 즉 첨단의 정보화 기술과 인문학의 관련성을 역설한 것이다.

④

난이도 ⓢ ○ ⓗ

해설 〈보기〉는 "결과적으로 이러한 기술 진보는~"으로 시작하고 있다. 따라서 기술 진보에 대한 내용 다음에 〈보기〉가 와야 자연스럽다. 제시된 글의 1문단은 정보화 사회가 됨에 따라 생긴 변화에 대한 내용이다. 그 변화는 바꿔 말하면 '기술 진보'를 의미한다. 따라서 〈보기〉는 1문단 다음인 ②에 들어가는 것이 가장 적절하다.

정답 ②

Unit 07 글의 배열

📊 **출제 유형**

글의 배열	글 구조와 부합하는 배열을 찾는 유형

175 ○○○   2022 국가직 9급

다음 글의 동기화 단계 조직에 따라 (가)~(마)를 배열한 것으로 가장 적절한 것은?

> 설득하는 말하기의 메시지를 조직하는 방법으로 '동기화 단계 조직'이 있다. 이 방법의 세부 단계는 다음과 같다.
>
> > 1단계: 주제에 대한 청자의 주의나 관심을 환기한다.
> > 2단계: 특정 문제를 청자와 관련지어 설명함으로써 청자의 요구나 기대를 자극한다.
> > 3단계: 해결 방안을 제시하여 청자의 이해와 만족을 유도한다.
> > 4단계: 해결 방안이 청자에게 어떤 도움이 되는지 구체화한다.
> > 5단계: 구체적인 행동의 내용과 방법을 제시하여 특정 행동을 요구한다.

(가) 지난주 제 친구는 일을 마친 후 자전거를 타고 집으로 돌아오다가 사고를 당해 머리를 다쳤습니다.

(나) 여러분이 자전거를 탈 때 헬멧을 착용하면 머리를 보호할 수 있습니다.

(다) 아마 여러분도 가끔 자전거를 타는 경우가 있을 것입니다. 그런데 매년 2천여 명이 자전거를 타다가 머리를 다쳐 고생한다고 합니다.

(라) 만약 자전거를 타는 모든 사람이 헬멧을 착용한다면 자전거 사고를 당해도 뇌손상을 비롯한 신체 피해를 75% 줄일 수 있습니다. 또 자전거 타기가 주는 즐거움과 편리함을 안전하게 누릴 수 있습니다.

(마) 자전거를 탈 때는 안전을 위해서 반드시 헬멧을 착용하시기 바랍니다.

① (가) - (나) - (다) - (라) - (마)
② (가) - (다) - (나) - (라) - (마)
③ (가) - (다) - (라) - (나) - (마)
④ (가) - (라) - (다) - (나) - (마)

난이도 (상) ○ (하)

해설

1단계	주제에 대한 청자의 주의나 관심을 환기한다. → '친구'가 사고를 당해 머리를 다친 사건을 이야기하면서, '자전거를 탈 때 헬멧을 반드시 착용하라.'는 주제에 대한 청자의 주의나 관심을 환기하고 있다. (가)
2단계	특정 문제를 청자와 관련지어 설명함으로써 청자의 요구나 기대를 자극한다. → 청자도 가끔은 자전거를 타는 경우가 있을 것이라면서, 청자와 관련지어서 설명하고 있다. (다)
3단계	해결 방안을 제시하여 청자의 이해와 만족을 유도한다. → 2단계에서 언급한 문제(자전거를 타다가 머리를 다쳐 고생한다)에 대한 해결 방안으로 '헬멧 착용'을 제시하여, 청자의 이해와 만족을 유도하고 있다. (나)
4단계	해결 방안이 청자에게 어떤 도움이 되는지 구체화한다. → 3단계에서 언급한 해결 방안을 '사고를 당해도 신체 피해를 75% 줄일 수 있다.', '자전거 타기가 주는 즐거움과 편리함을 안전하게 누릴 수 있다.'로 구체화('수치화'는 구체화의 좋은 방법)하고 있다. (라)
5단계	구체적인 행동의 내용과 방법을 제시하여 특정 행동을 요구한다. → '헬멧 착용'이라는 특정 행동을 요구하고 있다. (마)

정답 ②

〈보기〉의 지문은 설명문의 일종이다. 두괄식 설명문으로 구성하고자 할 때 논리적 전개에 가장 부합하게 배열한 것은?

〈보기〉

㉠ 문장을 구성하는 기본적인 언어 단위를 어절이라 한다. 띄어 쓴 문장 성분을 각각 어절이라고 하는데, 하나의 어절이 하나의 문장 성분이 되는 것은 문장 구성의 기본적인 성질이다.

㉡ 문장은 인간의 생각을 완결된 형태로 담을 수 있는 언어 단위이다. 문장은 일정한 구성 성분으로 이루어지는데, 맥락을 통해서 알 수 있을 경우에는 문장 성분을 생략할 수도 있다.

㉢ 띄어 쓴 어절이 몇 개 모여서 하나의 문장 성분이 되는 경우가 있다. '그 남자가 아주 멋지다.'라는 문장에서 '그 남자가'와 '아주 멋지다'는 각각 두 어절로 이루어져서 주어와 서술어 역할을 하고 있다.

㉣ 두 개 이상의 어절이 모여서 하나의 문장 성분을 이룬 것을 구(句)라고 한다. 절은 주어와 서술어를 갖고 있다는 점에서 구와 구별되지만, 독립적으로 사용되지 못한다는 점에서 문장과 구별된다.

① ㉠ - ㉡ - ㉣ - ㉢   ② ㉠ - ㉣ - ㉢ - ㉡

③ ㉡ - ㉠ - ㉢ - ㉣   ④ ㉡ - ㉢ - ㉠ - ㉣

난이도 (상) ○ (하)

해설		
1단계	'두괄식 구조'라면 주제문이 가장 앞에 와야 한다. ㉠~㉣ 중 주제문은 ㉡이다. 따라서 ㉡이 가장 앞에 와야 한다.	
2단계	㉡을 제외한 '㉠, ㉢, ㉣'은 모두 '어절'에 관한 이야기이다. 개념과 관련된 내용이 나왔다면, 개념을 정의하고, 관련된 내용이 이어지는 게 일반적이다. 따라서 '어절'의 개념을 정의한 ㉠이 ㉡ 뒤에 이어지는 것이 자연스럽다.	

따라서 〈보기〉는 '㉡ - ㉠ - ㉢ - ㉣'로 배열하는 것이 가장 적절하다.

정답 ③

다음 문장들을 미괄식 문단으로 구성하고자 할 때 문맥상 전개 순서로 가장 옳은 것은?

㉠ 숨 쉬고 마시는 공기와 물은 이미 심각한 수준으로 오염된 경우가 많고, 자원의 고갈, 생태계의 파괴는 더 이상 방치할 수 없는 지경에 이르고 있다.

㉡ 현대인들은 과학 기술이 제공하는 물질적 풍요와 생활의 편리함의 혜택 속에서 인류의 미래를 낙관적으로 전망하기도 한다.

㉢ 자연환경의 파괴뿐만 아니라 다양한 갈등으로 인한 전쟁의 발발 가능성은 도처에서 높아지고 있어서, 핵전쟁이라도 터진다면 인류의 생존은 불가능해질 수도 있다.

㉣ 이런 위기들이 현대 과학 기술과 밀접한 관계가 있다는 사실을 알게 되는 순간, 과학 기술에 대한 지나친 낙관적 전망이 얼마나 위험한 것인가를 깨닫게 된다.

㉤ 오늘날 주변을 돌아보면 낙관적인 미래 전망이 얼마나 가벼운 것인지를 깨닫게 해 주는 심각한 현상들을 쉽게 찾아볼 수 있다.

① ㉠ - ㉢ - ㉤ - ㉣ - ㉡   ② ㉡ - ㉣ - ㉤ - ㉠ - ㉢

③ ㉡ - ㉤ - ㉠ - ㉢ - ㉣   ④ ㉤ - ㉣ - ㉠ - ㉢ - ㉡

난이도 (상) (중) (하)

TIP 꼬리잡기!! 앞의 서술어를 이어서 받는 첫 문장이 있다면 반드시 '연결 고리'가 된다. '㉡ 낙관적으로 전망하기도 한다. → ㉤ ~ 낙관적인 미래 전망이~'는 중요한 힌트다!

해설 '미괄식 문단'은 근거를 먼저 제시하고, 이를 바탕으로 도출한 결론(주장)을 적은 글이다. 따라서 결론(주장)에 해당하는 문장을 가장 나중에 둔 것을 찾으면 된다. 제시문은 인류가 과학 기술이 제공하는 편리함 속에서 지나치게 미래에 대해 낙관하고 있지만, 결코 낙관적이지만은 않다는 내용이다. 결론(주장)에 해당하는 문장은 '㉣'이므로 답은 ③이 된다. 따라서 '㉡ - ㉤ - ㉠ - ㉢ - ㉣' 순서로 연결되는 것이 적절하다.

정답 ③

참고 **지문 분석**

㉡ 현대인들은 과학 기술이 주는 편리함으로 미래를 낙관적으로 바라봄.

㉤ 낙관적 미래 전망에 대한 위험성의 근거가 존재함.

㉠ 공기, 물의 오염, 자원 고갈, 생태계 파괴 등의 문제가 있음.

㉢ 자연환경 문제와 더불어 전쟁으로 인한 위험성에 노출되어 있음.

㉣ 과학 기술에 대한 지나친 낙관은 위험함. (결론/주장)

글의 배열	올바르게 배열된 것을 찾는 유형

178 ○○○

다음 글에서 (가)~(다)의 순서를 자연스럽게 배열한 것은?

빅데이터가 부각된다는 것은 기업들이 빅데이터의 가치를 받아들이기 시작했다는 뜻이다. 여기에는 기업들이 데이터를 바라보는 시각이 변한 측면도 있다.

(가) 기업들은 고객이 판촉 활동에 어떻게 반응하고 평소에 어떻게 행동하며 사물에 대해 어떤 태도를 보이는지 알기 위해 많은 돈을 투자해 마케팅 조사를 해 왔다.

(나) 그런 상황에서 기업들은 SNS나 스마트폰 등 새로운 데이터 소스로부터 그러한 궁금증과 답답함을 해결할 수 있다는 것을 알게 되었다. 페이스북에 올리는 광고에 친구가 '좋아요'를 한 것에서 기업들은 궁금증과 답답함을 해결할 수 있다.

(다) 그런데 기업들의 그런 노력이 효과가 있는 경우도 있었으나 아쉬운 점도 많았다. 쉬운 예로, 기업들은 많은 광고비를 쓰지만 그 돈이 구체적으로 어느 부분에서 효과를 내는지는 알지 못했다.

결국 데이터가 있는 곳에서 기업들은 점점 더 고객의 취향에 집중할 수 있게 되었으며, 이에 따라 기업들은 소셜미디어의 빅데이터를 중요한 경영 수단으로 수용하기 시작한 것이다.

① (가) - (나) - (다)
② (가) - (다) - (나)
③ (나) - (가) - (다)
④ (다) - (나) - (가)

난이도 ⑧ ○ ⑨

해설	
1단계	(다)의 '기업들의 그런 노력'은 (가)에서 제시한 '기업들이 많은 돈을 투자한 마케팅 조사'에 해당한다. 따라서 (가) 뒤에 (다)가 이어지는 것이 자연스럽다.
2단계	(나)의 '그런 상황'은 (다)에서 제시한 '아쉬운 부분'에 해당한다. 따라서 (다) 뒤에 (나)가 이어지는 것이 자연스럽다. 더구나 (나)의 끝 '기업들은 궁금증과 답답함을 해결할 수 있었다.'는 마지막 단락의 내용과도 자연스럽게 연결된다.

따라서 제시된 글은 '(가) - (다) - (나)'로 배열해야 한다.

정답 ②

179 ○○○

(가)~(다)를 맥락에 따라 가장 자연스럽게 배열한 것은?

독서는 아이들의 전반적인 뇌 발달에 큰 영향을 미친다.

(가) 그에 따르면 뇌의 전두엽은 상상력을 관장하는데, 책을 읽으면 상상력이 자극되어 전두엽을 많이 사용하게 된다.

(나) A 교수는 책을 읽을 때와 읽지 않을 때의 뇌 변화를 연구해서 세계적인 명성을 얻었다.

(다) 이처럼 책을 많이 읽으면 전두엽이 훈련되어 전반적인 뇌 발달의 가능성이 높아지는데, 그 결과는 교육 현장에서 실증된 바 있다. 독서를 많이 한 아이는 학교에서 더 좋은 성적을 낼 뿐 아니라 언어 능력도 발달한다는 사실이 밝혀진 것이다.

① (나) - (가) - (다)
② (나) - (다) - (가)
③ (다) - (가) - (나)
④ (다) - (나) - (가)

난이도 ⑧ ⑧ ○

해설	'(나)'와 (가)'의 연결, '(가)'와 (다)'의 연결이 핵심이다.
1단계	(가)의 '그'는 (나)의 'A 교수'이다. 따라서 (나) 뒤에 (가)가 이어지는 게 자연스럽다.
2단계	(다)는 (가)에서 제시한 내용을 통해 이끌어낼 수 있는 내용이다. 따라서 (가) 뒤에 (다)가 이어지는 게 자연스럽다.

정답 ①

(가) ~ (라)를 논리적 순서에 맞게 나열한 것은?

> (가) 아동 정신의학자 존 볼비는 엄마와 아이 사이의 애착을 연구하면서 처음으로 이 현상에 관심을 갖게 되었다. 그가 처음 연구를 시작할 때만 해도 아이가 엄마와 계속 붙어 있으려고 하는 이유는 먹을 것을 얻기 위해서라는 생각이 지배적이었다.
>
> (나) 아동 정신의학자로 활동하며 연구를 이어간 끝에, 볼비는 엄마와의 애착관계가 불안정한 아이는 정서 발달과 행동 발달에 큰 문제가 생길 수 있음을 알게 됐다. 또한 아이가 애착을 느끼는 대상이 아이를 세심하게 돌보고 보살필 때 아이는 보호받는 기분, 안전함, 편안함을 느끼고, 이는 아이가 건강하게 발달해서 생존할 확률을 높이는 요소라는 사실을 밝혀냈다.
>
> (다) 애착이란 시간이 흐르고 멀리 떨어져 있어도 유지되는 강력한 정서적 유대감으로 정의할 수 있다. 특정한 사람과 어떻게든 가까이 있고 싶은 감정이 애착의 핵심이지만 상대가 반드시 똑같이 느껴야 하는 것은 아니다.
>
> (라) 하지만 볼비는 아이가 엄마와 분리되면 엄청나게 괴로워하며, 다른 사람이 돌봐 주거나 먹을 것을 줘도 그러한 고통이 해소되지 않는다는 사실을 발견했다. 엄마와 아이의 유대에 뭔가 특별한 것이 있다는 의미였다.

① (가) – (나) – (다) – (라)
② (가) – (다) – (나) – (라)
③ (나) – (가) – (다) – (라)
④ (다) – (가) – (라) – (나)

난이도 ⑧ ○ ⑨

해설	
1단계	제시된 글의 제재는 '애착'이다. 따라서 '애착'의 개념과 특징을 설명한 (다)가 가장 앞에 와야 자연스럽다.
2단계	(가)에서는 연구 초기 '볼비'의 생각을, (라)에서는 그것과 다른 실험 결과 밝혀진 사실을 제시하고 있다. 따라서 (가) 뒤에 (라)가 이어지는 것이 자연스럽다.
3단계	(나)는 연구 끝에 얻어진 '결과'를 제시한 것이므로 가장 나중에 제시하는 것이 자연스럽다.

따라서 제시된 글은 '(다) - (가) - (라) - (나)'로 배열해야 자연스럽다.

정답 ④

다음 글의 전개 순서로 가장 자연스러운 것은?

> (가) 젊은이들 가운데 약삭빠르고 방탕하여 어딘가에 얽매이는 것을 싫어하는 자들이 이 말을 듣고 제 세상 만난 듯 기뻐하여 앉고 서고 움직이는 예절을 마음에 내키는 대로 한다.
>
> (나) 성인께서도 사람을 가르치실 때 먼저 겉모습부터 단정히 해야만 바야흐로 자신의 마음을 안정시킬 수 있다고 하시었다. 세상에 비스듬히 눕고 기대서서 멋대로 말하고 멋대로 보면서 주경존심(主敬存心)* 할 수 있는 사람은 없다.
>
> (다) 근래 어떤 자가 반관(反觀)*으로 이름을 떨쳐 겉모습을 단정하게 꾸미는 것을 가식이요, 허위라고 한다.
>
> (라) 나도 예전에 이 병에 깊이 걸렸던 터라 늙어서까지 예절을 익히지 못했으니 비록 후회해도 고치기가 어렵다.
>
> (마) 지난번 너를 보니 옷깃을 가지런히 하여 똑바로 앉는 것을 즐기지 않아 장중하고 엄숙한 기색을 조금도 볼 수 없었는데, 이는 내 병통이 한 바퀴 돌아 네가 된 것이다.
>
> – 정약용, <두 아들에게 부침>
>
> * 주경존심(主敬存心): 공경하는 마음을 간직함
> * 반관(反觀): 남들이 하는 대로 보지 않고 거꾸로 보거나 반대로 생각하는 것

① (가) – (나) – (다) – (라) – (마)
② (나) – (라) – (마) – (다) – (가)
③ (다) – (가) – (라) – (마) – (나)
④ (마) – (라) – (가) – (나) – (다)

난이도 ⑧ ○ ⑨

해설	
1단계	(가)의 '이 말'은 (다)의 내용이다. 따라서 (다) 뒤에 (가)가 이어지는 게 자연스럽다.
2단계	(라)의 '이 병'은 (가)의 행동들이다. 따라서 (가) 뒤에 (라)가 이어지는 게 자연스럽다.
3단계	(마)의 "이는 내 병통이 한 바퀴 돌아 네가 된 것이다."를 볼 때, 아버지 자신도 그런 병이 있었음을 고백한 (라) 뒤에 (마)가 이어지는 게 자연스럽다.
4단계	(나)는 (마)의 행동을 보인 '너(아들)'에게 하고자 하는 말이다. 따라서 (마) 뒤에 (나)가 이어지는 게 자연스럽다.

따라서 '(다) - (가) - (라) - (마) - (나)'의 전개 순서가 가장 자연스럽다.

정답 ③

다음 중 (가)~(다)를 문맥에 맞는 순서대로 나열한 것은?

> 최근 수십 년간 세계 각국의 정부들은 공격적인 환경보호 조치들을 취해 왔다. 대기오염과 수질오염, 살충제와 독성 화학물질의 확산, 동식물의 멸종 위기 등을 우려한 각국의 정부들은 인간의 건강을 증진하고 인간 활동이 야생 및 원시 지역에서 만들어 낸 해로운 결과를 줄이기 위해 상당한 자원을 투자해 왔다.
>
> (가) 그러나 이러한 규제 노력 가운데는 막대한 비용을 헛되이 낭비한 것들도 상당수에 달하며, 그중 일부는 해결하고자 했던 문제를 오히려 악화시키기도 했다.
>
> (나) 이 중 많은 조치들이 커다란 성과를 거두었다. 이를테면 대기오염을 줄이려는 노력으로 수십만 명의 조기 사망과 수백만 가지의 질병을 예방할 수 있었다.
>
> (다) 예를 들어, 새로운 대기 오염원을 공격적으로 통제할 경우, 기존의 오래된 오염원의 수명이 길어져서 적어도 단기적으로는 대기오염을 가중시킬 수 있다.

① (나) - (가) - (다)

② (나) - (다) - (가)

③ (다) - (가) - (나)

④ (다) - (나) - (가)

난이도   상 ○ 하

해설	
1단계	첫 문단에서는 각국의 정부들이 공격적인 환경보호 조치를 취해 왔다는 내용이 제시되어 있다. 따라서 많은 조치들이 성과를 거두었다는 (나)의 내용이 그 뒤에 이어지는 게 자연스럽다.
2단계	(가)는 규제 및 조치들이 실패한 경우도 있다는 내용이다. (가)가 '그러나'로 시작하고 있다는 점에서 조치들이 성과를 거두었다는 (나) 뒤에 (가)가 이어지는 게 자연스럽다.
3단계	(다)는 규제 및 조치들이 실패한 경우의 구체적인 사례이다. 따라서 (가) 뒤에 (다)가 이어지는 게 자연스럽다.

따라서 (가)~(다)를 문맥에 맞는 순서대로 나열하면, '(나) - (가) - (다)'이다.

정답 ①

다음 글의 전개 순서로 가장 적절한 것은?

> (가) 성선설은 '인간의 선하다'는 이론이다. 따라서 성선설을 주장하는 이들은 집안이든 나라든 모든 사회는 '인간'이 이끌어나가야 한다고 본다. 이들은 인간 안에서 '선한 요소'를 찾는데, 이들이 찾는 선한 요소란 곧 도덕 이성이라고 할 수 있다.
>
> (나) 인간을 규정하는 관점은 여러 가지가 있어 왔다. 죄나 업을 가진 존재라는 종교적 이해 방식도 있었고, 억압된 존재라는 심리적 이해 방식도 있었다. 하지만 이보다 훨씬 이전부터 인간을 애초부터 긍정적 혹은 부정적인 방식으로 규정해 오기도 했다. 다시 말해 인간은 선하다는 것과 악하다는 관점이 그러하다.
>
> (다) 반면, 성악설은 '인간이 악하다'고 보기 때문에 사회나 국가를 인간이 이끌어서는 안 된다고 보고, 인간의 바깥에서 국가 사회를 이끌 수 있는 원동력을 찾는다. 그것을 한비자는 법과 권력, 묵자는 하느님이라고 했다.
>
> (라) 이렇게 볼 때, 인간을 보는 관점은 인간이란 어떠하다는 인간론을 넘어서서, 누가 권력을 잡아야 하는가에 대한 논의로 연결된다. 그것이 사회 정치 이론의 받침돌이다.

① (라) - (가) - (나) - (다)

② (나) - (가) - (다) - (라)

③ (가) - (다) - (나) - (라)

④ (가) - (나) - (라) - (다)

난이도   상 ○ 하

해설 (나)의 마지막 문장 "다시 말해 인간은 선하다는 것과 악하다는 관점이 그러하다."는 '성선설'과 '성악설'에 대한 내용이다. (가)에서는 '성선설'을, (다)에서는 '성악설'을 다루고 있다는 점에서 이 둘을 언급한 (나)가 가장 앞에 오고, (가)와 (다)가 이어지는 게 자연스럽다. 따라서 제시된 글의 올바른 전개 순서는 '(나) - (가) - (다) - (라)'이다.

정답 ②

다음 (가)~(마)를 문맥에 맞게 순서대로 나열한 것은?

> (가) 선천성 면역은 다시 둘로 나뉩니다. 하나는 제1 방어선으로서 피부, 점막, 정상미생물상이고, 다른 하나는 제2 방어선으로서 식세포, 염증, 발열, 항미생물 물질 등입니다.
>
> (나) 면역은 크게 선천성(비특이적) 면역과 후천성(특이적) 면역으로 나뉩니다. 선천성과 후천성은 말 그대로 면역을 태어날 때부터 완비했느냐, 살아가면서 습득했느냐에 따라 구분됩니다.
>
> (다) 다른 하나는 세포성 면역으로, T세포에 의존하며 세포 내부에 침투한 병원체를 제거합니다.
>
> (라) 후천성 면역에도 두 가지 종류가 있습니다. 하나는 체액성(항체 매개) 면역으로, 항원에 대항할 수 있는 항체를 내뿜는 면역 방식입니다. 체액에 엄청난 양의 항체를 뿌리는 세포는 B세포입니다.
>
> (마) T세포는 자기 자신의 세포가 비자기로 돌변한 것, 예컨대 암세포를 파괴하기도 합니다. T세포는 면역을 활성화하기도 억제하기도 합니다.

① (가) – (라) – (다) – (마) – (나)
② (나) – (가) – (다) – (마) – (라)
③ (나) – (가) – (라) – (다) – (마)
④ (나) – (라) – (가) – (마) – (다)
⑤ (라) – (다) – (나) – (마) – (가)

난이도 ⑤ ◯ ㉔

해설	
1단계	제시된 글에서는 '면역'을 '선천성'과 '후천성'으로 나누어 설명하고 있다. 따라서 둘을 구분하는 기준을 제시한 (나)가 가장 앞에 와야 한다.
2단계	(나)에서 '선천성'과 '후천성'의 순서로 제시하고 있기 때문에 '선천성 면역'을 설명한 (가), '후천성 면역'을 설명한 (라)의 순서로 이어지는 게 자연스럽다.
3단계	(라)에서 '후천성 면역'에 두 가지 종류가 있다고 하였는데, (라)에는 하나만 제시되어 있다. 따라서 또 다른 하나를 제시한 (다)가 그 뒤에 이어지는 게 자연스럽다.
4단계	(다)에서 'T세포'를 언급했기 때문에, 'T세포'의 특성을 제시한 (마)가 그 뒤에 이어지는 게 자연스럽다.

따라서 '(나) – (가) – (라) – (다) – (마)'의 순서로 나열해야 자연스럽다.

 정답 ③

다음 글의 전개 순서로 가장 자연스러운 것은?

> (가) 이 기관을 잘 수리하여 정련하면 그 작동도 원활하게 될 것이요, 수리하지 아니하여 노둔해지면 그 작동도 막혀 버릴 것이니 이런 기관을 다 스리지 아니하고야 어찌 그 사회를 고쳐하여 발달케 하리오.
>
> (나) 이러므로 말과 글은 한 사회가 조직되는 근본이요, 사회 경영의 목표와 지향을 발표하여 그 인민을 통합시키고 작동하게 하는 기관과 같다.
>
> (다) 말과 글이 없으면 어찌 그 뜻을 서로 통할 수 있으며, 그 뜻을 서로 통하지 못하면 어찌 그 인민들이 서로 이어져 번듯한 사회의 모습을 갖출 수 있으리오.
>
> (라) 그뿐 아니라 그 기관은 점점 녹슬고 상하여 필경은 쓸 수 없는 지경에 이를 것이니 그 사회가 어찌 유지될 수 있으리오. 반드시 패망을 면하지 못할지라.
>
> (마) 사회는 여러 사람이 그 뜻을 서로 통하고 그 힘을 서로 이어서 개인의 생활을 경영하고 보존하는 데에 서로 의지하는 인연의 한 단체라. – 주시경, 〈대한국어문법 발문〉

① (마) – (가) – (다) – (나) – (라)
② (마) – (가) – (라) – (다) – (나)
③ (마) – (다) – (가) – (라) – (나)
④ (마) – (다) – (나) – (가) – (라)

난이도 ⑤ ⑧ ㉔

해설	
1단계	(가)는 '이 기관을'로 시작하고 있다. 따라서 (가) 앞에는 '이 기관'에 대한 설명이 와야 한다. (나)에서 '말과 글'을 '기관'이 빗대고 있다. 따라서 '기관'을 다루고 있는 (가)와 (라)는 (나) 뒤에 와야 한다. 더구나 (라)는 '그뿐 아니라'로 시작하고 있는 것을 볼 때, '(나) – (가) – (라)'의 순서가 자연스럽다.
2단계	(나)와 (다)는 모두 '말과 글'을 다루고 있다. (다)에서 '말과 글'이 사회의 필수 구성요소로 보고 있다. 이를 볼 때, (다)는 '이러므로'로 시작하고 있는 (나)와 인과 관계를 이루고 있음을 알 수 있다. 따라서 '(다) – (나)'의 순서가 자연스럽다.

따라서 제시된 글은 '(마) – (다) – (나) – (가) – (라)'의 순서로 배열하는 것이 가장 자연스럽다.

 정답 ④

다음 글의 전개 순서로 가장 자연스러운 것은?

> (가) 과거에는 고통만을 안겨 주었던 지정학적 조건이 이제
> 는 희망의 조건이 되고 있습니다. 이제 한반도는 사람
> 과 물자가 모여드는 동북아 물류와 금융, 비즈니스의
> 중심지가 될 것입니다. 우리가 주도해서 평화와 번영
> 의 동북아 시대를 열어 나가야 합니다.
>
> (나) 100년 전 우리는 수난과 비극의 역사를 겪었습니다.
> 해양으로 나가려는 세력과 대륙으로 진출하려는 세력
> 이 한반도를 가운데 놓고 싸움을 벌였습니다. 마침내
> 우리는 국권을 상실하는 아픔을 감수해야 했습니다.
>
> (다) 지금은 무력이 아니라 경제력이 국력을 좌우하는 시대
> 입니다. 우리나라는 전쟁의 폐허를 극복하고 세계적인
> 경제 강국을 건설하고 있습니다. 우수한 인력과 세계
> 선두권의 정보화 기반을 갖추고 있습니다. 바다와 하
> 늘과 땅을 연결하는 물류 기반도 손색이 없습니다.
>
> (라) 그 아픔은 분단으로 이어져서 오늘에 이르고 있습니
> 다. 그 과정에서는 정의가 패배하고 기회주의가 득세
> 하는 불행한 역사를 겪었습니다. 그러나 이제 우리에
> 게도 새로운 희망의 시대가 열리고 있습니다. 세계의
> 변방으로 머물러 왔던 동북아시아가 북미·유럽 지역
> 과 함께 세계 경제의 3대 축으로 떠오르고 있습니다.

① (가) - (나) - (다) - (라)

② (가) - (라) - (나) - (다)

③ (나) - (가) - (라) - (다)

④ (나) - (라) - (다) - (가)

난이도 상 ○ 하

해설	
1단계	(나)의 마지막 문장 "마침내 우리는 국권을 상실하는 아픔을 감수해야 했습니다."의 '아픔'은 (라)의 첫 번째 문장 "그 아픔은 분단으로 이어져서 오늘에 이르고 있습니다."의 '그 아픔'과 이어진다. 따라서 (나) 뒤에 (라)가 이어지는 게 자연스럽다.
2단계	(라)의 마지막 문장 "세계의 변방으로 머물러 왔던 동북아시아가 북미·유럽 지역과 함께 세계 경제의 3대 축으로 떠오르고 있습니다."의 '경제'는 (다)의 첫 번째 문장 "지금은 무력이 아니라 경제력이 국력을 좌우하는 시대입니다."의 '경제력'과 이어진다. 따라서 (라) 뒤에 (다)가 이어지는 게 자연스럽다.
3단계	(가)에서는 앞의 '(나) - (라) - (다)'의 내용을 정리하면서, 글쓴이의 주장(~해야 합니다. 정책 명제)을 밝히고 있다. 따라서 가장 나중에 오는 것이 자연스럽다.

따라서 제시된 글의 자연스러운 전개 순서는 '(나) - (라) - (다) - (가)'이다.

정답 ④

(가)~(마)를 논리적 순서에 맞게 나열한 것은?

(가) 작센의 아우구스투스 2세는 독일 마이센 성의 연금술 사인 요한 프리드리히 뵈트거를 가두고 황금을 만들라 명한다. 하지만 실패를 거듭하자 아우구스투스는 화학 반응으로 금을 만들 수 없다는 결론을 내리고 금과 맞 먹는 대체품으로 백자를 만들라 명령한다. 뵈트거는 백자를 만들기 위해 대리석이나 뼛가루를 사용했지만 번번이 실패한다. 그는 1708년, 3년 만에 마이센에서 고령토 광산을 발견했고 장석 성분을 추가해 백자의 성분 문제를 해결한다.

(나) 18세기 대항해 시대가 열리면서 유럽은 상류층에서 살 롱문화가 급속하게 번진다. 살롱에서 담론을 펼칠 때 아프리카 커피와 중국 차를 마시는 게 최고의 호사였 으며, 백자는 거기에 품격을 더했다. 하지만 백자를 만 드는 기술은 중국인들만의 비밀이었기 때문에 유럽은 비싼 가격을 중국에 지불하면서 백자를 수입할 수밖에 없었다.

(다) 또 발터 폰 치른하우스의 도움으로 렌즈와 거울을 이용 한 1400도 가마가 가능해졌다. 하늘에서의 고온과 땅 에서의 고령토, 그러니까 천지의 조화를 통해 백자가 만들어졌고, 뵈트거는 이 결과를 기록에 남겼다. 이후 마이센의 백자기술이 오스트리아 빈, 프랑스 스트라스 부르, 덴마크 코펜하겐, 이탈리아 피렌체, 영국 런던 등 으로 유출되면서 백자의 유럽 생산 시대가 열렸다.

(라) 이탈리아의 메디치 포슬린을 비롯하여 유럽 각지에서 백자를 만들려는 다양한 시도가 있었다. 흰색을 내는 온갖 재료를 사용했지만 유리를 섞어 만드는 수준이었 다. 실패의 원인은 백자의 주원료인 고령토를 알지 못 했고, 1,100도 이상의 가마를 만들지 못했던 데 있다. 중국 백자의 제조 비밀은 유럽의 과학기술도 밝혀내지 못했던 것이다.

(마) 17세기 유럽 전역에 백자의 인기가 폭발적이었다. 중 국의 백자가 유럽에 들어오자 '하얀 금'이라 불리며 비 싼 가격에 거래되었다. 유럽의 왕실과 귀족들은 백자 를 비롯한 중국적 취향을 '시누아즈리'라면서 바로크 나 로코코 양식과 결합시킨다.

① (가) - (다) - (나) - (라) - (마)
② (가) - (다) - (마) - (나) - (라)
③ (가) - (마) - (라) - (나) - (다)
④ (마) - (가) - (다) - (라) - (나)
⑤ (마) - (나) - (라) - (가) - (다)

해설		
1단계	(나)에서 '백자'를 수입할 수밖에 없었다고 하였고, (라)는 '백자'를 만들려는 시도가 있었다는 내용이 이어지고 있 다. 따라서 (나) 뒤에 (라)가 이어지는 게 자연스럽다.	
2단계	(라)는 '백자'를 만들려고 시도했지만 실패한 요인에 대 해 "실패의 원인은 백자의 주원료인 고령토를 알지 못했 고, 1,100도 이상의 가마를 만들지 못했던 데 있다."라고 밝히고 있다. 따라서 원료 문제를 해결했다는 (가)가 그 뒤에, 가마의 온도 문제를 해결했다는 (다)가 그 뒤에 이 어지는 게 자연스럽다.	

따라서 논리적으로 배열하면 '(마) - (나) - (라) - (가) - (다)'이다.

정답 ⑤

다음 글의 전개 순서로 가장 자연스러운 것은?

> (가) 여러 통각이 뇌에서 동시에 수용되면 어떻게 될까? 이런 경우 뇌는 어떤 자극에 더 신경을 쓸지 결정을 내린다. 만약 두통에 시달리는 상태에서 손가락이 베였다면 두통은 순간 잊힌다. 베인 통증이 두통보다 더 강하기 때문에 뇌는 더 심각한 통증을 극복하는 데에만 신경을 쓰게 된다.
>
> (나) 통증은 몸 어딘가에 이상이 있음을 알리는 신호이다. 이상이 있으면 신체의 해당 부위는 이 소식을 전달하고 뇌는 그 통증 발생지가 어디인지 분석하게 된다.
>
> (다) 실생활에서는 이러한 '통증 인지'를 속이는 방법을 많이 사용한다. 예를 들어 간호사들이 주사를 놓기 전에 엉덩이를 찰싹 때리는 것도 그에 해당한다. 그러면 뇌는, 우선 찰싹 맞아서 생긴 통증에 신경을 쓴다.

① (가) - (나) - (다)   ② (나) - (가) - (다)

③ (나) - (다) - (가)   ④ (가) - (다) - (나)

난이도 ⑤ ⑧ ○

TIP 순서 문제는 선지를 잘 이용하고, 꼬리잡기를 해야 한다. '통증 - 동시 수용된 통증 인지 - '이러한 통증 인지'를 속이는~'을 연결하는 것이 문제의 핵심이다.

해설

1단계	(가)와 (나) 중 더 포괄적인 내용을 담고 있는 것은 (나)이다. 따라서 (나)가 가장 앞에 오는 것이 자연스럽다.(②, ③)
2단계	(다)에서 "이러한 '통증 인지'를 속이는 방법"이라고 시작하고 있다. 따라서 (다) 앞에 '통증 인지를 속이는 방법'과 관련된 내용이 놓였을 것이라 짐작할 수 있다. 따라서 '(가) - (다)'의 순서로 이어지는 것이 자연스럽다.(②)

따라서 제시된 글의 전개 순서로 가장 자연스러운 것은 ②의 '(나) - (가) - (다)'이다.

정답 ②

㉠~㉤의 전개 순서로 가장 자연스러운 것은?

> 폭설, 즉 대설이란 많은 눈이 시간적, 공간적으로 집중되어 내리는 현상을 말한다.
> ㉠ 그런데 눈은 한 시간 안에 5cm이상 쌓일 수 있어 순식간에 도심 교통을 마비시키는 위력을 가지고 있다.
> ㉡ 또한, 경보는 24시간 신적설이 20cm이상 예상될 때이다.
> ㉢ 다만, 산지는 24시간 신적설이 30cm이상 예상될 때 발령된다.
> ㉣ 이때 대설의 기준으로 주의보는 24시간 새로 쌓인 눈이 5cm이상이 예상될 때이다.
> ㉤ 이뿐만 아니라 운송, 유통, 관광, 보험을 비롯한 서비스 업종과 사회 전반에 영향을 미친다.

① ㉠ - ㉤ - ㉡ - ㉢ - ㉣

② ㉠ - ㉣ - ㉤ - ㉢ - ㉡

③ ㉣ - ㉡ - ㉢ - ㉠ - ㉤

④ ㉣ - ㉠ - ㉤ - ㉢ - ㉡

난이도 ⑤ ⑧ ○

해설

1단계	선택지를 통해 ㉠ 또는 ㉣이 가장 앞에 온다는 것을 확인할 수 있다. 첫 번째 문장에서 "대설이란 ~ 현상을 말한다."라고 하면서, '대설'의 개념을 정의했다. ㉠과 ㉣ 중 '대설'과 관련된 내용이 있는 것은 ㉣이다. 따라서 ㉣이 가장 앞에 온다.
2단계	㉣에서는 '대설 주의보'를 ㉡과 ㉢에서는 '대설 경보'에 대한 내용을 다루고 있다. 한편, '㉠과 ㉤'에서는 '눈의 위력(부정적인 영향)'에 대해 다루고 있다. ㉣에서 '대설 주의보'를 다루고 있기 때문에, ㉣ 뒤에는 '대설 경보'를 다루고 있는 '㉡과 ㉢'이 이어지는 게 자연스럽다.

따라서 첫 번째 문장에 이어지는 문장을 자연스럽게 배열한 것은 '㉣ - ㉡ - ㉢ - ㉠ - ㉤'이다.

정답 ③

PART 1 비문학 해커스공무원 해원국어 기출정해 1000제 1권 비문학·문학

(가) ~ (마)를 논리적 순서에 맞게 나열한 것은?

> (가) 내일 날씨는 못 맞히어도 다음 계절 기후는 맞힐 수 있다. 즉, 오늘 날짜로부터 정확히 1개월 혹은 2개월 뒤에 한반도에 비가 올지 말지의 여부는 맞히지 못하지만 계절 평균 강수량이 평년에 비해 많을지 적을지 정도는 예측할 수 있다는 얘기이다. 주가로 치면 하루하루의 등락은 맞히지 못하더라도 수개월의 추세 정도는 맞힐 수 있다는 것이다.
>
> (나) 그렇다면 다음 계절의 기후를 정확하게 예측하기 위해서는 3개월간의 날씨를 모두 정확히 맞히어야만 하는 것인가? 내일부터 3개월 후의 미래까지 매일매일의 날씨를 정확히 맞힌다는 것은 현재의 기상 예측 기술로는 절대 불가능하다. 내일의 날씨 정도야 이제는 어느 정도 정확하게 맞히고 있지만, 사나흘 이후의 강수 예보가 정확하지 않다는 것은 특별한 설명이 필요 없지 않은가?
>
> (다) 더구나 이론적으로도 날씨 예측은 2주일 정도가 한계라고 알려져 있다. 그렇다면 기후 예측은 모두 허구일까? 기후 예측 관련 기사에 단골로 달리는 댓글 말마따나 내일 비가 올지 말지도 모르면서 다음 계절에 비가 많이 올지 말지를 맞히겠다는 헛소리를 하고 있는 것인가? 그것은 기상 예측과 기후 예측의 차이를 정확히 이해하지 못하는 데서 오는 착각이다.
>
> (라) 기상청에서는 매일의 날씨 예측 정보를 제공하는 일 외에도 올 여름이 평년에 비해 더 더울지 혹은 올 겨울이 평년에 비해 추울지 등에 대한 예측 정보도 정기적으로 제공한다. 전자는 기상 예측이라고 하며, 후자는 기후 예측이라고 한다.
>
> (마) 기후는 짧게는 한 달, 통상적으로는 약 세 달 동안의 평균 날씨라고 이해하면 되는데, 기상 현상들의 누적이 기후로서 정의가 되다 보니 기상과 기후는 어느 정도 관련성이 있다. 특정해 여름철에 폭염인 날들이 많았다면 그해 여름철 평균 온도도 높은 식이다. 따라서 날씨 예측이 정확하면 기후 예측도 정확하리라는 것은 쉽게 예상할 수 있다.

① (가) – (다) – (나) – (라) – (마)
② (가) – (마) – (라) – (나) – (다)
③ (라) – (나) – (마) – (가) – (다)
④ (라) – (마) – (나) – (다) – (가)
⑤ (마) – (라) – (나) – (다) – (가)

해설

난이도 ❸ ⑧ ㉮

1단계	(마)의 마지막 "날씨 예측이 정확하면 기후 예측도 정확하리라는 것은 쉽게 예상할 수 있다."와 (나)의 처음 "그렇다면 다음 계절의 기후를 정확하게 예측하기 위해서는 ~"의 연결이 자연스럽다.
2단계	(다)의 "그것은 기상 예측과 기후 예측의 차이를 정확히 이해하지 못하는 데서 오는 착각이다."와 (가)의 "내일 날씨는 못 맞히어도 다음 계절 기후는 맞힐 수 있다."의 연결이 자연스럽다.

따라서 논리적 순서에 맞게 배열하면 '(라) – (마) – (나) – (다) – (가)'이다.

정답 ④

다음 글의 전개 순서로 가장 자연스러운 것은?

> ㄱ. 1700년대 중반에 이미 미국 이주민들의 평균 소득은 영국인들의 평균 소득을 넘어섰다.
>
> ㄴ. 그러나 미국은 사실 그러한 분야에서는 다른 산업 국가들에 비해 특별한 우위를 갖고 있지 않았다.
>
> ㄷ. 미국 이주민들의 평균 소득이 높아지게 된 배경에는 좋은 환경으로부터 비롯된 낙관성과 자신감이 있었다. 이후로도 다소 불안정하기는 했지만 미국인들의 소득은 계속해서 크게 증가했다.
>
> ㄹ. 대부분의 미국인들은 남북 전쟁 이후 급속히 경제가 성장한 이유를 농업적 환경뿐만 아니라 19세기의 과학적, 기술적 대전환, 기업가 정신과 규제가 없는 시장 경제 때문이라고 단순하게 생각하는 경향이 있다.
>
> ㅁ. 미국인들이 이처럼 초기 정착기에 풍요로움을 누릴 수 있었던 것은 비옥한 토지, 풍부한 천연자원, 흑인 노동력에 힘입은 농산물 수출 덕분이었다.

① ㄱ - ㄷ - ㅁ - ㄹ - ㄴ
② ㄱ - ㄹ - ㄷ - ㄴ - ㅁ
③ ㄹ - ㄴ - ㅁ - ㄱ - ㄷ
④ ㄹ - ㅁ - ㄴ - ㄷ - ㄱ

난이도 ○ 중 하

해설	
1단계	ㄱ과 ㄷ은 '평균 소득'에 관한 내용이다. 따라서 미국의 평균 소득이 영국보다 높아진 사실을 제시한 ㄱ 다음에, 그 배경을 제시한 ㄷ이 이어지는 것이 자연스럽다. 즉 'ㄱ - ㄷ(①, ③)'의 연결이 자연스럽다.
2단계	'ㅁ'의 "이처럼 초기 정착기에 풍요로움을 누릴 수 있었던 것은"의 '이처럼'에 해당하는 것이 'ㄱ - ㄷ'에 제시되어 있다. 따라서 'ㄱ - ㄷ - ㅁ(①)'의 연결이 자연스럽다.
3단계	많은 사람들이 'ㄹ'과 같이 생각하지만 실제로는 그렇지 않음을 제시한 'ㄴ'이 흐름상 자연스럽다. 따라서 'ㄹ - ㄴ(①, ③)'의 연결이 자연스럽다.

따라서 제시된 글의 전개 순서로 가장 알맞은 것은 ①의 'ㄱ - ㄷ - ㅁ - ㄹ - ㄴ'이다.

정답 ①

㉠~㉤을 글의 순서에 따라 올바르게 배열한 것은?

> 잎으로 곤충 따위의 작은 동물을 잡아서 소화 흡수하여 양분을 취하는 식물을 통틀어 식충 식물이라 한다. 대표적인 식충 식물로는 파리지옥이 있다.
>
> 주로 북아메리카에서 번식하는 파리지옥은 축축하고 이끼가 낀 곳에서 곤충을 잡아먹으며 사는 여러해살이 식물이다.
>
> > ㉠ 두 개의 잎에는 각각 세 개씩의 긴 털, 곧 감각모가 있다.
> >
> > ㉡ 낮에 파리 같은 먹이가 파리지옥의 이파리에 앉으면 0.1초 만에 닫힌다.
> >
> > ㉢ 중심선에 경첩 모양으로 달린 두 개의 잎 가장자리에는 가시 같은 톱니가 나 있다.
> >
> > ㉣ 약 10일 동안 곤충을 소화하고 나면 잎이 다시 열린다.
> >
> > ㉤ 이 감각모에 파리 따위가 닿으면 양쪽으로 벌어져 있던 잎이 순식간에 서로 포개지면서 닫힌다.
>
> 파리지옥의 잎 표면에 있는 샘에서 곤충을 소화하는 붉은 수액이 분비되므로 잎 전체가 마치 붉은색의 꽃처럼 보인다. 파리지옥의 잎이 파리가 앉자마자 0.1초 만에 닫힐 수 있는 것은, 감각모가 받는 물리적 자극에 의해 수액이 한꺼번에 몰리면서 잎의 모양이 바뀌기 때문이라고 알려졌다.

① ㉠ - ㉢ - ㉤ - ㉣ - ㉡
② ㉢ - ㉠ - ㉤ - ㉡ - ㉣
③ ㉠ - ㉤ - ㉢ - ㉡ - ㉣
④ ㉢ - ㉤ - ㉠ - ㉣ - ㉡

난이도 상 ○ 하

해설 ㉢의 '두 개의 잎'은 ㉠의 '두 개의 잎'과 연결된다. ㉠의 '감각모'는 ㉤의 '이 감각모'와 연결된다. ㉤의 '닫힌다.'는 ㉡의 '닫힌다.'와 연결된다. ㉡의 '닫힌다.'는 ㉣의 '다시 열린다.'와 연결된다.
따라서 ㉠~㉤을 글의 순서에 따라 올바르게 배열하면, '㉢ - ㉠ - ㉤ - ㉡ - ㉣'이다.

> ㉢ 중심선에 경첩 모양으로 달린 두 개의 잎 가장자리에는 가시 같은 톱니가 나 있다.
>
> ㉠ 두 개의 잎에는 각각 세 개씩의 긴 털, 곧 감각모가 있다.
>
> ㉤ 이 감각모에 파리 따위가 닿으면 양쪽으로 벌어져 있던 잎이 순식간에 서로 포개지면서 닫힌다.
>
> ㉡ 낮에 파리 같은 먹이가 파리지옥의 이파리에 앉으면 0.1초 만에 닫힌다.
>
> ㉣ 약 10일 동안 곤충을 소화하고 나면 잎이 다시 열린다.

정답 ②

난이도 ⑧ ○ ⑧

다음 (가)~(라)를 문맥에 맞게 바르게 배열한 것은?

(가) 그러나 기억, 사유, 상상, 표현의 인간적 시도들은 그 것들이 지닌 한계 때문에 무용해지는 것이 아니라 유 한한 것들만이 가지는 순간적 아름다움의 광채를 포착 하고 표현하기 때문에 위대하다. 기억이 완벽할 수 있 다면 아무도 기억하기 위해 애쓰지 않을 것이며, 사유 가 완전할 수 있다면 아무도 사유의 엄밀성을 이상화 하지 않을 것이다. 지식의 한계 때문에 상상은 위대해 지고, 표현할 수 없는 것들에 대한 도전 때문에 표현은 아름다워진다.

(나) 기억과 사유, 상상과 표현은 인간을 인간이게 하는 독 특한 능력들의 목록을 대표한다. 하지만 그 네 가지 능 력의 어느 것도 완벽하지 않다. 기억은 수많은 구멍들 을 갖고 있고 사유는 불안하다. 상상은 기억과 사유의 한계를 확장하지만 유한한 경험의 울타리를 아주 벗어 날 수 있는 것은 아니다. 표현의 형식과 내용도 시간성 에 종속된다.

(다) 책은 인간이 가진 독특한 네 가지 능력의 유지, 심화, 계발에 봉사하는 가장 유효한 매체이다. 문자를 고안 하고 책을 만들고 책을 읽는 것은 결코 '자연스러운' 행위가 아니다. 인간의 뇌는 애초부터 책을 읽으라고 설계된 것이 아니다. 문자가 등장한 역사는 6,000년, 지금 같은 형태의 종이 인쇄 책의 역사는 600년에 불 과하다. 자연 선택이 사냥과 채집 등 인간 종의 생존에 필요한 다른 여러 기능들을 수행하도록 설계한 뇌 건 축물의 부수적 파생 효과 가운데 하나가 책을 쓰고 책 을 읽는 기능이다. 말하자면 그 능력은 덤으로 얻어진 것이다.

(라) 그런데 이 '덤'이 참으로 중요하다. 책 없이도 인간은 기억하고 사유하고 상상하고 표현한다. 그러나 책과 책 읽기는 인간이 이 능력을 키우고 발전시키는 데 중대한 차이를 낸다. 책을 읽는 문화와 책을 읽지 않는 문화는 기억, 사유, 상상, 표현의 층위에서 상당히 다른 개인들 을 만들어 내고 상당한 질적 차이를 가진 사회적 주체 들을 생산한다. 누구도 맹목적인 책 예찬자가 될 필요 는 없다. 그러나 중요한 것은 인간을 더욱 인간적이게 하는 소중한 능력들을 지키고 발전시키기 위해서책은 결코 희생할 수 없는 매체라는 사실이다. 그 능력의 지 속적 발전에 드는 비용은 싸지 않다. 무엇보다도 책 읽 기는 손쉬운 일이 아니다. 거기에는 상당량의 정신 에 너지가 투입돼야 하고 훈련이 요구되고 읽기의 즐거움 을 경험하는 정신 습관의 형성이 필요하다.

① (나) - (가) - (다) - (라)
② (나) - (다) - (라) - (가)
③ (다) - (나) - (라) - (가)
④ (다) - (라) - (나) - (가)

해설

1단계	(나)와 (다) 중 가장 앞에 와야 할 문단은 (나)이다.
2단계	왜냐하면 (다)의 '책은 인간이 가진 독특한 네 가지 능력' 부분에서 언급한 '네 가지 능력'이 (나)에 '기억과 사유, 상상과 표현'이라고 제시되어 있기 때문이다. 따라서 (나)가 가장 앞에 와야 한다.
3단계	(가)는 '그러나 기억, 사유, 상상, 표현'으로 시작된다. 따 라서 네 가지 능력에 대한 언급한 (나) 뒤에 (가)가 이어 지는 것이 자연스럽다. (라)의 첫 문장에서 언급한 '덤'은 (다)의 마지막 문장의 '덤'과 연결된다. 따라서 (다) 뒤에 (라)가 이어지는 것이 자연스럽다.

따라서 제시된 글을 문맥에 맞게 배열하면, '(나) - (가) - (다) - (라)'이다.

정답 ①

다음 글의 전개 순서로 가장 자연스러운 것은?

(가) 생명체들은 본성적으로 감각을 갖고 태어나지만, 그들 가운데 일부의 경우에는 감각으로부터 기억이 생겨나지 않는 반면 일부의 경우에는 생겨난다. 그리고 그 때문에 후자의 경우에 해당하는 생명체들은 기억 능력이 없는 것들보다 분별력과 학습력이 더 뛰어난데, 그중 소리를 듣는 능력이 없는 것들은 분별은 하지만 배움을 얻지는 못하고, 기억에 덧붙여 청각 능력이 있는 것들은 배움을 얻는다.

(나) 앞에서 말했듯이, 유경험자는 어떤 종류의 것이든 감각을 가지고 있는 사람들보다 더 지혜롭고, 기술자는 유경험자들보다 더 지혜로우며, 이론적인 지식들은 실천적인 것들보다 더 지혜롭다는 것이 일반적인 견해이다. 그러므로 지혜는 어떤 원리들과 원인들에 대한 학문적인 인식임이 분명하다.

(다) 하지만 발견된 다양한 기술 가운데 어떤 것들은 필요 때문에, 어떤 것들은 여가의 삶을 위해서 있으니, 우리는 언제나 후자의 기술들을 발견한 사람들이 전자의 기술들을 발견한 사람들보다 더 지혜롭다고 생각한다. 그 이유는 그들이 가진 여러 가지 인식은 유용한 쓰임을 위한 것이 아니기 때문이다. 그러므로 그런 종류의 모든 발견이 이미 이루어지고 난 뒤, 여가의 즐거움이나 필요, 그 어느 것에도 매이지 않는 학문들이 발견되었으니, 그 일은 사람들이 여가를 누렸던 여러 곳에서 가장 먼저 일어났다. 그러므로 이집트 지역에서 수학적인 기술들이 맨 처음 자리 잡았으니, 그곳에서는 제사장(祭司長) 가문이 여가의 삶을 허락받았기 때문이다.

(라) 인간 종족은 기술과 추론을 이용해서 살아간다. 인간의 경우에는 기억으로부터 경험이 생겨나는데, 그 까닭은 같은 일에 대한 여러 차례의 기억은 하나의 경험 능력을 만들어 내기 때문이다. 그리고 경험은 학문적인 인식이나 기술과 거의 비슷해 보이지만, 사실 학문적인 인식과 기술은 경험의 결과로서 사람들에게 생겨나는 것이다. 그 까닭은 폴로스가 말하듯 경험은 기술을 만들어 내지만, 무경험은 우연적 결과를 낳기 때문이다. 기술은, 경험을 통해 안에 쌓인 여러 관념들로부터 비슷한 것들에 대해 하나의 일반적인 관념이 생겨날 때 생긴다.

① (가) – (다) – (나) – (라)   ② (가) – (다) – (라) – (나)
③ (가) – (라) – (나) – (다)   ④ (가) – (라) – (다) – (나)

해설		
1단계	①~④의 선택지는 모두 (가)로 시작하고 있기 때문에 (가)를 맨 앞에 두고, (다)와 (라) 중에 하나가 (가) 뒤에 이어짐을 짐작할 수 있다.	
2단계	(다)는 필요에 의한 기술이 모두 발견된 다음에 여가를 위한 기술이 발견되므로 '수학' 같은 학문적 인식을 발견한 사람들이 더 지혜롭다는 내용이고, (라)는 인간의 경우 기억으로부터 경험이 생겨나고 경험에서 인식과 기술이 생겨난다는 내용이다. 내용을 볼 때, (다)와 (라)는 내용이 상반된다. (다)의 '하지만'은 역전의 접속 부사이다. 따라서 상반되는 내용인 (다)와 (라) 중에, (라)가 앞에 오고 그 뒤에 (다)가 이어지는 것이 자연스럽다.	

따라서 '(가) – (라) – (다) – (나)'의 배열이 바르다.

정답 ④

> 참고 **지문 분석**
>
> (가) 생명체의 감각과 배움
> (라) 인간의 경험과 기술(경험의 축적)
> (다) 기술과 학문(여가의 결과)
> (나) 학문적 인식, 지혜

195 ○○○　　　　　　　　　　　　2020 경찰 1차

다음 글의 뒤에 이어질 내용으로 가장 적절하지 않은 것은?

> 세상이 빨라지면, 사람도 덩달아 빨라지고 사람들이 즐기는 것들도 빨라진다. 옛날에 비해 사람들의 걸음걸이도 빨라졌고, 말도 빨라졌다. 음악이나 영화의 속도도 옛날보다 훨씬 빨라졌다. 요즘 사람들이 듣기에 시조창이나 수제천*과 같은 음악은 너무나 답답하다. 베토벤의 교향곡을 연주하는 속도 역시 베토벤 시대보다 요즘 더 빨라졌다고 한다. 〈중략〉
>
> 그러나 빠르고 바쁜 삶 속에서 우리는 많은 것을 잃어버렸다.
>
> * 수제천: 신라 때에 만들어진 아악의 하나

① 한 권의 책을 천천히 읽으면서 책 읽기의 즐거움을 온전히 누리는 일

② 시간에 얽매이지 않은 채 여행지의 사람들과 풍습을 충분히 경험하는 일

③ 오래된 것의 아름다움을 살리기 위해 속성(速成)으로 관련 기술을 배우는 일

④ 수년간 완두콩을 심고 그것이 자라는 것을 관찰하여 형질이 이어짐을 살펴보는 일

난이도 ⑧ ⑧ ⑧

해설 마지막에 제시된 문장에서 "빠르고 바쁜 삶 속에서 우리는 많은 것을 잃어버렸다."라고 했기 때문에, 뒤에 이와 관련된 구체적 사례가 제시된다면 그것은 잃어버린 '느림'과 관련된 내용이어야 한다. 따라서 '속성으로 관련 기술을 배우는 일'에 대한 ③의 내용이 이어지는 것은 자연스럽지 않다.

정답 ③

MEMO

Unit 08 | 추론의 오류

📈 **출제 유형**

- 추론의 오류와 예문을 연결하는 유형
- 동일한 추론의 오류를 범한 예문을 찾는 유형

📖 **핵심정리**

- 논리적 오류

흑백 사고의 오류	어떤 집합의 원소가 두 개밖에 없다고 생각하여 이것 아니면 저것이라고 단정적으로 추론하는 오류로 중간 항을 허용하지 않아 생기는 오류 예 내 부탁을 거절하다니, 너는 나를 싫어하는구나.
성급한 일반화의 오류 (= 귀납의 오류)	제한된 정보, 부적합한 증거, 대표성을 결여한 사례 등을 근거로 이를 성급하게 일반화한 오류 예 나의 아버님은 커피를 아주 즐기셨는데, 백 살까지 사셨어. 그러니 커피는 장수의 비결임에 틀림없어.
순환 논증의 오류 (= 선결 문제 요구의 오류)	주장에 대한 근거가 충분하지 못하여 발생하며, 같은 내용을 되풀이하게 되어 범하는 오류 예 그가 하는 말은 도무지 믿을 수가 없어. 왜냐하면, 그는 믿을 수 없는 말만 하기 때문이야.
우연과 원칙 혼동의 오류	상황에 따라 적용되어야 할 원칙이 다른데도 이를 혼동해서 생기는 오류 예 거짓말은 죄악이다. 의사는 환자를 안심시키려고 거짓말을 하였다. 그러므로 의사는 죄악을 범했다.
군중에 호소하는 오류	타당한 근거를 제시하지 않으면서, 많은 사람이 그렇게 행동하거나 생각한다고 내세워 군중 심리를 자극하여 범하는 오류 예 ○○화장품은 세계 여성이 애용하고 있습니다. 아름다운 여성의 필수품. ○○화장품을 소개합니다.
무지에 호소하는 오류	어떤 사실을 증명할 수 없거나 알 수 없다는 것을 근거로 그것이 참 혹은 거짓이라고 주장하는 오류 예 귀신은 분명히 있어. 지금까지 귀신이 없다는 것을 증명한 사람이 없으니까.
부적합한 권위에 호소하는 오류	논지와 직접적인 관련이 없는 권위자의 견해를 근거로 들거나 논리적인 타당성과는 무관하게 권위자의 견해라는 것을 내세워 주장의 타당성을 입증하려는 오류 예 교황이 천동설이 옳다고 했다. 따라서 천체들이 지구를 돌고 있음에 틀림없다.
동정에 호소하는 오류	상대방의 동정심이나 연민의 정을 유발하여 자신의 주장을 정당화하려는 오류 예 선생님, 딱 한 번만 봐주세요. 제가 벌 받느라 집에 늦게 가면 부모님들께서 걱정하세요.
우연과 원칙 혼동의 오류	일반적으로 적용되므로 특수한 경우에도 적용될 수 있다고 생각해서 빚어지는 오류로, 상황에 따라 적용되어야 할 원칙이 다른데도 이를 혼동해서 생기는 오류
성급한 일반화의 오류	일부분만 보고 전체를 판단하여 결론을 내는 오류. 귀납의 오류 예 나의 아버님은 커피를 아주 즐기셨는데, 백 살까지 사셨어. 그러니 커피는 장수의 비결임에 틀림없어.
자가당착의 오류	앞뒤의 주장이나, 전제와 결론 사이에 모순이 발생하여 일관된 논점을 갖지 못하는 오류 예 모든 것을 뚫을 수 있는 창과 모든 창을 막을 수 있는 방패

심화 Plus

1. 연역 추론 [18 국가직 9급]

연역은 일반적 진술 하나와 구체적 진술 하나를 증거로 하여 또 다른 특수 진술 하나가 진리라는 것을 증명하는 것이다. 증거가 되는 일반적 진술 하나를 '대전제', 또 다른 증거가 되는 구체적 진술 하나를 '소전제', 증명된 진리를 '연역적 결론'이라고 한다. 연역은 세 단계를 거치기 때문에 '삼단 논법'이라고도 한다.

예 대전제: 모든 사람은 죽는다.
　　　　　일반적 진술
　소전제: 소크라테스는 사람이다.
　　　　　　구체적 진술
　결론: 그러므로 소크라테스는 죽는다.
　　　　　　구체적 결론

2. 논리적 오류 예문 [16 지방직 7급/09 국가직 9급]

성급한 일반화의 오류	• A 지역에서 생산한 사과도 맛이 없고, B 지역에서 생산한 사과도 맛이 없습니다. 따라서 올해는 맛있는 사과를 맛볼 수 없을 것입니다. [16 지방직 7급] • 지은희 선수가 한국 골프 선수로는 네 번째로 US여자오픈 우승을 차지했다. 따라서 한국 여자는 모두 골프에 소질이 있다. [09 국가직 7급]
순환 논증의 오류	• 규칙적인 생활을 하고 운동을 열심히 하는 사람은 건강합니다. 왜냐하면, 건강한 사람은 규칙적인 생활을 하고 운동을 열심히 하기 때문입니다. [16 지방직7급] • 분열은 화합으로 극복할 수 있다. 화합한 사회에서는 분열이 일어나지 않는다. [16 지방직 7급]
무지에 호소하는 오류	미확인 비행 물체(UFO)가 없다는 주장이 입증되지 않았으므로 미확인 비행 물체는 존재한다. [16 지방직 7급]
흑백 사고의 오류	지금 서른 분 가운데 열 분이 손을 들어 반대하셨습니다. 손을 안 드신 분은 모두 제 의견에 찬성하는 것으로 알겠습니다. [16 지방직 7급]
분할(분해)의 오류	NaCl은 Na와 Cl이 결합한 것이다. NaCl은 맛이 짜다. 따라서 Na도 맛이 짜고, Cl도 맛이 짜다. [09 국가직 7급]
합성의 오류	화성에서 식물을 발견할 확률은 1/2이다. 동물을 발견할 확률도 1/2이다. 따라서 화성에서 동물이든 식물이든 어떤 생명체를 발견할 확률은 1/2 + 1/2 = 1이다. [09 국가직 7급]

추론의 오류	추론의 오류와 예문을 연결하는 유형

196 ⚪⚪⚪　　　　　　　　　　　　　　　2018 국가직 9급

㉠~㉣의 예를 추가할 때 가장 적절한 것은?

논리학에서 비형식적 오류 유형에는 우연의 오류, 애매어의 오류, 결합의 오류, 분해의 오류 등이 있다.

우선 ㉠ 우연의 오류란 거의 대부분의 경우에 적용되는 일반적인 원리나 규칙을 우연적인 상황으로 인해 생긴 예외적인 특수한 경우에까지도 무차별적으로 적용할 때 생기는 오류이다. 그 예로 "인간은 이성적인 동물이다. 중증 정신 질환자는 인간이다. 그러므로 중증 정신 질환자는 이성적인 동물이다."를 들 수 있다. ㉡ 애매어의 오류는 동일한 한 단어가 한 논증에서 맥락마다 서로 다른 의미를 지니는 것으로 사용될 때 생기는 오류를 말한다. "김 씨는 성격이 직선적이다. 직선적인 모든 것들은 길이를 지닌다. 고로 김 씨의 성격은 길이를 지닌다."가 그 예이다. 한편 각각의 원소들이 개별적으로 어떤 성질을 지니고 있다는 내용의 전제로부터 그 원소들을 결합한 집합 전체도 역시 그 성질을 지니고 있다는 결론을 도출하는 경우가 ㉢ 결합의 오류이고, 반대로 집합이 어떤 성질을 지니고 있다는 내용의 전제로부터 그 집합의 각각의 원소들 역시 개별적으로 그 성질을 지니고 있다는 결론을 도출하는 경우가 ㉣ 분해의 오류이다. 전자의 예로는 "그 연극단 단원들 하나하나가 다 훌륭하다. 고로 그 연극단은 훌륭하다."를, 후자의 예로는 "그 연극단은 일류급이다. 박 씨는 그 연극단 일원이다. 그러므로 박 씨는 일류급이다."를 들 수 있다.

① ㉠ – 모든 사람은 죽는다. 소크라테스는 사람이다. 그러므로 소크라테스는 죽는다.

② ㉡ – 부패하기 쉬운 것들은 냉동 보관해야 한다. 세상은 부패하기 쉽다. 고로 세상은 냉동 보관해야 한다.

③ ㉢ – 미국 아이스하키 선수단이 이번 올림픽에서 금메달을 차지했다. 그러므로 미국 선수 각자는 세계 최고 기량을 갖고 있다.

④ ㉣ – 그 학생의 논술 시험 답안은 탁월하다. 그의 답안에 있는 문장 하나하나가 탁월하기 때문이다.

난이도 ⚪ 중 하

> 해설 '부패(腐敗)하다'에는 '정치, 사상, 의식 따위가 타락하다.'라는 의미와 '미생물에 의하여 불완전 분해를 하여 악취가 나고 유독성 물질이 생기다.'라는 의미가 있다. 그런데 ②의 경우에 이 두 가지 의미를 동일한 의미로 이해하여 첫 번째 문장 "부패하기 쉬운 것들은 냉동 보관해야 한다."에서는 두 번째 의미(미생물 분해)로, 두 번째 문장 '세상은 부패하기 쉽다.'에서는 첫 번째 의미(타락하다)로 사용하여 언어적 오류가 발생했다. ②는 '부패하다'라는 말을 애매하게 사용하여 발생한 '애매어의 오류'로 적절하다.

> 오답 분석 ① "모든 사람은 죽는다. 소크라테스는 사람이다. 그러므로 소크라테스는 죽는다."는 논리적 오류를 범한 사례로 적절하지 않다. 이는 '연역적 추론(정언적 삼단 논법)'에 의해 바르게 논리를 전개한 것이다.
> ③ '미국 아이스하키 선수단'이라는 '집단'의 기량이 뛰어나다는 전제로부터, 개별 선수들 역시 기량이 뛰어날 것이라는 결론을 도출하고 있다. 따라서 이는 ㉢ '결합의 오류'가 아닌 ㉣ '분해의 오류'의 사례에 해당한다.
> ④ 답안의 문장 하나하나가 뛰어나다는 '개별적' 전제로부터, 그 문장이 결합한 답안 전체의 내용 역시 뛰어날 것이라는 결론을 도출하고 있다. 따라서 이는 ㉣ '분해의 오류'가 아닌 ㉢ '결합의 오류'의 사례에 해당한다.

정답 ②

197 ⚪⚪⚪　　　　　　　　　　　　　　　2014 국회직 8급

다음 글에서 농부가 범하고 있는 오류를 바르게 지적한 것은?

송나라에 사는 한 농부가 밭을 갈고 있었다. 밭 가운데에는 나무를 베어 내고 밑동만 남은 그루터기가 있었는데, 하루는 토끼 한 마리가 숲에서 뛰어나와 도망을 가다가 그루터기에 부딪쳐 목이 부러져 죽었다. 토끼를 얻은 농부는 다음 날부터 밭에 나가 밭 갈 생각은 하지 않고 다시 토끼 얻기만을 기다렸으나, 토끼는 다시 얻을 수 없었고, 자신은 송나라의 웃음거리가 되고 말았다.

① 특별한 경우에만 맞는 판단을 때와 장소를 가리지 않고 두루 맞다고 판단하고 있다.

② 원인을 달리하는 사례를 성급하게 일반화하여 엉뚱한 결론을 이끌어 내고 있다.

③ 특정 대상의 속성을 아전인수 격으로 확대하여 허망한 상태에 도달하고 있다.

④ 하나의 생각이나 판단만을 앞세워 전체의 일반적인 원리나 속성을 간과하는 우를 범하고 있다.

⑤ 우연한 계기를 근거로 현상의 이면에 잠재되어 있는 본질을 이해함으로써 자가당착에 빠졌다.

난이도 ⚪ 중 하

> 해설 농부는 우연히 토끼가 그루터기에 부딪쳐 죽은 것을 본 경험을 한 후, 매번 그럴 거란 생각에 밭에 나가지 않고 토끼를 기다리고 있다. 토끼가 그루터기에 부딪쳐 죽은 '특별한 경우에만 맞는 판단'을, 때와 장소를 가리지 않고 맞다고 판단하여 다음날부터 밭에 나가지 않고 토끼가 죽기를 기다리는 오류를 범하고 있다. 이것을 '우연과 원칙 혼동의 오류'라 한다.

> 오답 분석 ②, ③, ④ '성급한 일반화의 오류'에 대한 설명이다.
> ⑤ '자가당착의 오류'에 대한 설명이다.

정답 ①

고득점 GO!

Q. '성급한 일반화의 오류'와 '우연과 원칙 혼동의 오류'가 헷갈려요.

A. '성급한 일반화의 오류'는 '일부(한정적) 사례'를 보고 '전체'를 속단하는 것이에요.
한편, '우연과 원칙 혼동의 오류'는 '원칙적(일반적) 상황'과 '특수한' 상황을 구별하지 못하는 거예요.

추론의 오류	동일한 추론의 오류를 범한 예문을 찾는 유형

198 ○○○　　　　　　　　　　　　　2018 서울시 9급(3월)

〈보기〉와 같은 유형의 논리적 오류에 해당하는 것은?

───〈보기〉───

　　네가 내게 한 약속을 지키지 않은 것은 곧 나를 사랑하지 않는다는 증거야.

① 항상 보면 이등병들이 말썽이더라.

② 내 부탁을 거절하다니, 넌 나를 싫어하는구나.

③ 김씨는 참말만 하는 사람이다. 왜냐하면 그는 거짓말을 하지 않는 사람이기 때문이다.

④ 거짓말을 하는 것은 죄악이다. 그러므로 의사가 환자에게 거짓말을 하는 것은 당연히 죄악이다.

난이도 상 ◎ 하

해설　〈보기〉에서 '약속을 지키지 않는 것'을 '사랑하지 않는 것'과 같다고 보고 있다. 다른 경우의 수가 있을 수 있지만, '나'는 경우의 수가 단 두 가지(사랑하는 것 / 사랑하지 않는 것)밖에 없다고 생각하고 있다. 따라서 〈보기〉는 '흑백 사고의 오류'를 범하고 있다. 〈보기〉처럼 '흑백 사고의 오류'를 범하고 있는 것은 ②이다. ②의 '나'도 '부탁을 거절하는 것'을 '싫어하는 것(그 반대면 좋아하는 것)'으로 인식하고 있다.

오답분석　① 몇몇의 이등병의 사례만을 가지고, 모든 이등병들은 말썽을 피운다는 결론을 내리고 있다. 따라서 몇 가지 특수한 일부의 사례로 일반화된 결론에 성급하게 결론을 내리는 '성급한 일반화의 오류'를 범한 예이다.

③ '그'가 거짓말을 하지 않는 사람이기 때문에 참말만 하는 사람이라고 판단하는 것은 전제와 결론이 순환적으로 서로의 논거가 될 때 나타나는 '순환 논증의 오류'를 범한 예이다.

　※ 순환 논증의 오류는 선결 문제(요구)의 오류, 또는 순환 논리의 오류라고도 한다.

④ 일반적으로 거짓말이 나쁜 것은 맞다. 그러나 의사는 상황에 따라 환자에게 거짓말을 해야 할 수도 있다. 일반적으로 거짓말이 나쁘다는 것을 근거로, 특수한 상황은 고려하지 않은 채 환자에게 거짓말을 한 의사를 죄악이라고 하는 것은 '우연과 원칙 혼동의 오류'를 범한 예이다.

　※ '우연과 원칙 혼동의 오류'는 '원칙 혼동의 오류', '우연의 오류'라고도 한다.

정답 ②

199 ○○○　　　　　　　　　　　　　2017 서울시 9급

다음 예문과 같은 유형의 논리적 오류가 나타난 것은?

　　이 식당은 요즘 SNS에서 굉장히 뜨고 있어. 그러니까 엄청 맛있을 거야.

① 이 식당 음식을 꼭 먹어보도록 해. 만나는 사람들마다 이 집 이야기를 하는 걸 보니 맛이 괜찮은가 봐.

② 누구도 이 식당이 맛없다고 말한 사람은 없어. 그러니까 엄청 맛있는 집이란 소리지.

③ 여기는 유명한 개그맨이 맛있다고 한 식당이니까 당연히 맛있겠지. 그러니까 꼭 여기서 먹어야 해.

④ 이번에는 이 식당에서 밥을 먹자. 내가 얼마나 여기서 먹어보고 싶었는지 몰라. 꼭 한번 오게 되기를 간절하게 바랐어.

난이도 상 중 ◎

해설　SNS에서 '많은' 사람들이 언급하는 식당이기 때문에 음식의 맛이 괜찮을 거라 생각하는 것은 '군중에 호소하는 오류'를 범한 것이다. 즉 타당한 근거를 제시하지 않으면서, '많은' 사람이 그렇게 행동하거나 생각함을 내세워 맛이 괜찮을 거라 판단하고 있기 때문에 '군중에 호소하는 오류'를 범한 것이다. 이와 같은 유형의 오류를 범한 것은 ①이다. ① 역시 '많은' 사람들이 이야기하는 식당이기 때문에 맛이 괜찮을 거라 생각하고 있기 때문이다.

오답분석　② 이 식당이 맛있다고 말한 사람이 없다는 것을 근거로, 이 식당의 음식이 맛있다는 주장을 하고 있다. 따라서 '무지에 호소하는 오류'를 범했다.

③ '개그맨이 유명한 것'과 '식당의 음식 맛'은 직접적인 관련이 없다. 그런데도 유명한 개그맨이 맛있다고 했기 때문에 그 식당의 음식 맛이 좋을 거라 판단하고 있다. 따라서 '부적합한 권위에 호소하는 오류'를 범했다.

④ 이 식당에서 밥을 먹기를 간절히 바랐다는 말을 하면서 상대를 설득하고 있다. 따라서 '동정에 호소하는 오류'를 범했다.

정답 ①

다음 글의 논리적 오류와 같은 종류의 오류가 있는 것은?

> 규칙적인 생활을 하고 운동을 열심히 하는 사람은 건강합니다. 왜냐하면, 건강한 사람은 규칙적인 생활을 하고 운동을 열심히 하기 때문입니다.

① 분열은 화합으로 극복될 수 있다. 화합한 사회에서는 분열이 일어나지 않는다.

② 미확인 비행 물체(UFO)가 없다는 주장이 입증되지 않았으므로 미확인 비행 물체는 존재한다.

③ 지금 서른 분 가운데 열 분이 손을 들어 반대하셨습니다. 손을 안 드신 분은 모두 제 의견에 찬성하는 것으로 알겠습니다.

④ A 지역에서 생산한 사과도 맛이 없고, B 지역에서 생산한 사과도 맛이 없습니다. 따라서 올해는 맛있는 사과를 맛볼 수 없을 것입니다.

난이도 ⓢ ○ ⓗ

해설 근거에 주장과 같은 내용이 되풀이되고 있다는 점에서 제시문은 '순환 논증의 오류'를 범하고 있다. 이와 유사한 오류를 범한 것은 ①이다.

오답 분석
② '미확인 비행 물체(UFO)가 없다는 주장이 입증되지 않았음'을 근거로 내세우고 있다. 따라서 어떤 사실을 증명할 수 없거나 알 수 없다는 것을 근거로 그것이 참 혹은 거짓이라고 주장하는 오류인 '무지에 호소하는 오류'를 범하고 있다.

③ '찬성'이 아니면 '반대'라 생각하고 있다. 따라서 어떤 집합의 원소가 두 개밖에 없다고 생각하여 이것 아니면 저것이라고 단정적으로 추론하는 오류로 중간 항을 허용하지 않아 생기는 오류인 '흑백 사고의 오류'를 범하고 있다.

④ 두 지역의 정보만을 가지고 성급하게 일반화를 하고 있다. 즉 제한된 정보, 부적합한 증거, 대표성을 결여한 사례 등을 근거로 이를 성급하게 일반화한 오류인 '성급한 일반화의 오류'를 범하고 있다.

정답 ①

PART 2

문학

출제 경향 한눈에 보기

구조도

현대 문학
- 문학 일반론
- 현대 문학사
- 문학의 주요 갈래
  - 시
  - 소설
  - 희곡·시나리오
  - 수필

고전 문학
- 고대의 문학
  - 고대 가요
  - 설화
  - 향가
  - 한문학·한시
- 고려 시대의 문학
  - 고대 가요(속요)
  - 경기체가
  - 한시
  - 패관 문학
  - 가전체 문학
- 조선 시대의 문학
  - 악장
  - 시조
  - 가사
  - 민요
  - 잡가
  - 고대 소설
  - 고대 수필
  - 한문학
  - 판소리
  - 민속극

영역별 학습 목표

1. 문학 일반론과 문학사를 토대로 갈래별 작품을 올바르게 해설할 수 있다.
2. 작품을 감상하는 방법을 익히고, 관점에 따라 작품을 감상할 수 있다.
3. 문학 일반론과 문학사를 토대로 갈래별 작품을 올바르게 해설할 수 있다.
4. 작품을 감상하는 방법을 익히고, 관점에 따라 작품을 감상할 수 있다.

핵심 개념

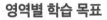

비평 방법	내재적 관점	작품 내적 요소(시어, 운율, 상징 등)
	외재적 관점	① 반영론(시대) ② 표현론(작가)
		③ 효용론(독자)
문예 사조		① 고전주의 ② 낭만주의 ③ 사실주의 ④ 자연주의
		⑤ 유미주의 ⑥ 실존주의 등
발상법		① 감정 이입 ② 주객전도 ③ 패러디 ④ 추상적 관념의 사물화
표현법	비유법	① 직유법 ② 은유법 ③ 의인법 ④ 활유법
		⑤ 대유법 ⑥ 풍유법 ⑦ 중의법
	변화법	① 도치법 ② 설의법 ③ 문답법 ④ 생략법
		⑤ 돈호법 ⑥ 역설법 ⑦ 반어법
	강조법	① 과장법 ② 영탄법 ③ 반복법 ④ 점층법
		⑤ 연쇄법 ⑥ 대조법 ⑦ 비교법 ⑧ 미화법
소설의 구성	구성 3요소	① 인물 ② 사건 ③ 배경
인물 제시 방법		① 직접적 제시 ② 간접적 제시
소설의 시점	1인칭	① 1인칭 주인공 시점 ② 1인칭 관찰자 시점
	3인칭	③ 3인칭 관찰자 시점 ④ 전지적 작가 시점
희곡의 요소	형식 요소	① 해설 ② 대사 ③ 지문
	내용 요소	① 인물 ② 사건 ③ 배경
시나리오의 요소		① 장면 ② 대사 ③ 지시문 ④ 해설(내레이션)

고대 가요	개념	국민학사 최초의 서정시가
향가	개념	최초의 정형화된 서정시가
	종류	① 4구체 ② 8구체 ③ 10구체(4-4-2)
고려 가요	특징	① 3음보 ② 후렴구 ③ 분절체
		※ 경기체가와 동일
경기체가	특징	① 문학성 결여
		② 향가 이후 우리 정서를 표현한 새로운 시형
시조	개념	3장 6구 45자 내외의 정형시
	종류	① 평시조 ② 엇시조 ③ 사설시조 ④ 연시조
가사	특징	4음보 연속체
	기원설	① 고려 속요 기원설 ② 경기체가 기원설
		③ 시조 기원설 등
민요	특징	비전문적 노래
	종류	비기능요
		기능요 ① 노동요 ② 의식요 ③ 유희요
설화	종류	① 신화 ② 전설 ③ 민담
고대 소설	특징	① 편집자적 논평 ② 문어체 ③ 운문체
판소리계 소설	특징	① 문체의 이중성 ② 주제의 양면성
민속극	종류	① 가면극 ② 인형극 ③ 무극

연도별 주요 출제 문항

2023년	• 다음 글을 감상한 내용으로 가장 적절한 것은? • 다음 한시의 시적 자아의 심정으로 가장 적절한 것은? • 밑줄 친 ⊙~@에 대한 설명으로 가장 적절한 것은?	• 다음 시조 중 주된 정조가 가장 다른 것은? • 위 글에 대한 설명으로 가장 적절하지 않은 것은? • ⊙~@ 중 가리키는 대상이 나머지 셋과 다른 것은?
2022년	• <보기>의 밑줄 친 부분에 사용된 표현법과 가장 유사한 것은? • <보기>의 밑줄 친 부분과 표현 방식이 가장 유사한 것은? • <보기>의 밑줄 친 부분을 통해 파악할 수 있는 서술자의 의도로 가장 적절한 것은? • 다음 글에 대한 감상으로 적절하지 않은 것은?	• ⊙~@에 대한 이해로 가장 적절한 것은? • 다음 시에 대한 이해로 적절하지 않은 것은? • 다음 글에 대한 이해로 가장 적절한 것은?
2021년	• 다음 글의 밑줄 친 부분이 지시하는 대상이 다른 것은? • 다음 글의 특징으로 가장 적절한 것은? • 이 작품에 대한 설명으로 적절하지 않은 것은? • ⊙~@에 대한 설명으로 옳지 않은 것은? • (가)~(라)에 대한 이해로 적절하지 않은 것은? • (가)와 (나)에 대한 설명으로 옳은 것은?	• 다음 글에 대한 이해로 가장 적절한 것은? • 다음 시에 대한 독자의 반응으로 적절한 것은? • <보기>의 수사법이 가장 잘 나타난 것은? • (가)와 (나)에 대한 설명으로 적절하지 않은 것은? • ⊙~@에 대한 의미로 옳지 않은 것은?
2020년	• 다음 글에 대한 이해로 가장 적절한 것은? • 다음 글에서 의인화하고 있는 사물은?	• 다음 글에 대한 이해로 적절하지 않은 것은? • <보기>는 다음 한시에 대한 감상이다. ⊙~@ 중 적절하지 않은 것은?

최신 3개년 기출 작품 목록

구분		운문	산문
2023년	고전	작자 미상의 <어이 못 오던가>, 이조년의 <이화에 월백하고~>, 원천석의 <흥망이 유수하니~>, 길재의 <오백 년 도읍지를~>, 정몽주의 <이몸이 죽고죽어~>, 이제현의 <오관산>, 정철의 <사미인곡>, 한림 제유의 <한림별곡>, 작자 미상의 <가시리>, 작자 미상의 <댁들아 동난지이 사오~>	작자 미상의 <춘향전>
	현대	박재삼의 <매미 울음 끝에>, 함민복의 <광고의 나라>, 김선우의 <단단한 고요>, 이병연의 <조발>, 박목월의 <윤사월>, 이육사의 <절정>, 기형도의 <빈집>	김승옥의 <무진기행>, 현진건의 <운수 좋은 날>, 백석의 <흰 바람벽이 있어>, 오정희의 <소음공해>, 전혜린의 <먼 곳에의 그리움>, 채만식의 <논 이야기>, 윤흥길의 <아홉 켤레의 구두로 남은 사내>,
2022년	고전	황진이의 <동짓달 기나긴 밤을~>, 조식의 <산동에 뵈옷 님고~>, 유응부의 <간밤에 부던 부람에~>, 이항복의 <철령 노픈 봉에~>, 계랑의 <이화우 훗뿌릴 제~>	이용휴의 <행교유거기>, 김만중의 <구운몽>
	현대	장만영의 <달, 포도, 잎사귀>, 김지하의 <무화과>, 신동엽의 <봄은>, 김소월의 <산>	권여선의 <손톱>, 스티븐 호킹의 <위대한 설계>, 이태준의 <패강랭>, 황석영의 <삼포 가는 길>
2021년	고전	길재의 <오백 년(五百年) 도읍지를~>, 작자 미상의 <동동(動動)>, 작자 미상의 <정읍사(井邑詞)>, 작자 미상의 <가시리>	작자 미상의 <춘향전>
	현대	조병화의 <나무의 철학>, 나희덕의 <그 복숭아나무 곁으로>	강신재의 <젊은 느티나무>, 박경리의 <토지>, 김훈의 <수박>, 이상의 <권태>, 김정한의 <산거족>, 채만식의 <미스터 방>, 현진건의 <운수 좋은 날> ※ 극: 이강백의 <느낌, 극락 같은>

Unit 01 문학 비평 방법

출제 유형

- 사용된 문학 비평 방법의 명칭을 묻는 유형
- 문학 비평 방법에 따라 감상한 것을 찾는 유형

핵심정리

· 문학 비평 방법

내재적 관점	객관론	= 절대주의적 관점 = 실재론 = 실존론 = 구조론 어조, 운율, 표현 기법 등 작품의 내적인 요소를 중심으로 감상하는 방법
외재적 관점	표현론	= 생산론적 관점 작가의 창작 의도, 전기적 사실, 심리 상태 등 작가와 작품의 관계에 초점을 맞춰 감상하고 비평하는 관점
	효용론	작품이 독자에게 주는 감동과 교훈, 그것을 유발한 요소에 초점을 맞춰 감상하고 비평하는 관점
	반영론	= 모방론적 관점 작품과 현실의 관계에 초점을 맞춰 감상하고 비평하는 관점

심화 Plus

· 효용론

(1) 문학 작품이 독자와 맺는 관계를 중심으로 해석하는 관점을 효용론적 관점, 또는 수용론적 관점이라고 한다. 이에 따르면 시(詩)는 독자에게 교훈을 줄 수도 있고 즐거움을 줄 수도 있다. [16 법원직 9급]

(2) 독자가 작품을 읽는 것은 재미와 감동뿐만 아니라, 가치 있는 경험을 나누어 가짐으로써 삶에 대한 새로운 인식을 하기 위한 것이다. 이와 같은 관점에서 볼 때, 작품의 가치는 독자에게 어떠한 효과를 얼마만큼 주었느냐에 따라 달라진다. [10 법원직 9급]

문학 비평 방법	사용된 문학 비평 방법의 명칭을 묻는 유형

001 ○○○

〈보기〉에 나타난 작품 감상의 관점으로 가장 옳은 것은?

─〈보기〉─

나는 지금도 이광수의 〈무정〉 작품을 읽으면 가슴이 뜨거워지는 것을 느껴. 특히 결말 부분에서 주인공 이형식이 "옳습니다. 우리가 해야지요! 우리가 공부하러 가는 뜻이 여기 있습니다. 우리가 지금 차를 타고 가는 돈이며 가서 공부할 학비를 누가 주나요? 조선이 주는 것입니다. 왜? 가서 힘을 얻어오라고, 지식을 얻어 오라고, 문명을 얻어 오라고 …… 그리해서 새로운 문명 위에 튼튼한 생활의 기초를 세워 달라고 …… 이러한 뜻이 아닙니까?"라고 부르짖는 부분에 가면 금방 내 가슴도 울렁거려 나도 모르게 "네, 네, 네"라고 대답하고 싶단 말이야. 이 작품은 이 소설이 나왔던 1910년대 독자들의 가슴만이 아니라 아직 강대국에 싸여 있는 21세기 우리 시대 독자들에게도 조국을 생각하는 마음에 큰 감동을 주고 있다고 생각해.

① 반영론적 관점   ② 효용론적 관점
③ 표현론적 관점   ④ 객관론적 관점

난이도 ⑤ 중 하

[해설] "나는 지금도 이광수의 〈무정〉 작품을 읽으면 가슴이 뜨거워지는 것을 느껴.", "21세기 우리 시대 독자들에게도 조국을 생각하는 마음에 큰 감동을 주고 있다고 생각해." 등의 내용을 볼 때, 〈보기〉는 '독자'에게 주는 감동과 교훈, 그것을 유발하는 요소에 초점을 맞춰 감상하는 '효용론적 관점'에서 비평한 것이다.

정답 ②

문학 비평 방법	문학 비평 방법에 따라 감상한 것을 찾는 유형

002 ○○○

(가)의 관점에서 (나)를 감상할 때 가장 적절한 것은?

(가) 반영론은 문학 작품이 사회를 반영하여 현실의 문제를 비판적으로 성찰할 수 있게 하는 매개체라는 관점을 취한 비평적 입장이다.

(나) 강나루 건너서 / 밀밭 길을 //
　　구름에 달 가듯이 / 가는 나그네 //
　　길은 외줄기 / 남도 삼백리 //
　　술 익는 마을마다 / 타는 저녁 놀 //
　　구름에 달 가듯이 / 가는 나그네 //

　　　　　　　　　　　　　　- 박목월, 〈나그네〉

① 전통적 민요의 율격을 바탕으로 한 정형적 형식을 통해 정제된 시상이 효과적으로 드러났군.
② 삶의 고통스러운 단면을 외면한 채 유유자적한 삶만을 그린 것은 아닌지 비판할 여지가 있군.
③ 낭만적 감성을 불러일으키는 시적 분위기가 시조에서 보이는 선경후정과 비슷한 양상을 띠는군.
④ 해질 무렵 강가를 거닐며 조망한 풍경의 이미지가 한 폭의 그림을 보는 듯한 감각을 자아내는군.

난이도 상 ○ 하

[해설] (가)는 비평의 방법 중 하나인 '반영론'에 대해 설명한 것이다.
　　(나)의 '나그네'는 유유자적하면서 길을 가고 있다. 그래서 (나)의 주제를 '체념과 달관의 경지'로 본다. 그런데 (가)에 비춰 보자면, (나)의 '나그네'는 삶의 고통스러운 단면을 외면한 것으로 볼 수 있다. 따라서 삶의 고통스러운 단면을 외면한 채 유유자적한 삶만을 그린 것은 아닌지 비판할 여지가 있다는 감상은 옳다.

오답분석 ① '율격', ③ '선경후정', ④ '묘사'는 모두 작품 내적인 요소이다. 이처럼 작품 내적인 요소만을 고려하여 작품을 감상하는 관점을 '내재적 관점'이라 한다.
※ '내재적 관점'을 '절대주의적 관점'으로도 부른다.

정답 ②

작품정보 **박목월, 〈나그네〉**

갈래	자유시, 서정시
성격	향토적, 회화적, 민요적
제재	나그네
주제	체념과 달관의 경지
특징	① 3음보의 전통적 율격을 사용하여 한국적 정서를 표출함. ② 명사로 시상을 마무리하여 여운을 남김.
출전	《청록집》(1946)

다음 글을 감상할 때 작품의 내재적인 면에 주목하여 감상한 것은?

그러한 오봉 선생이 되고 보니, 왜놈들이나 그들의 앞잡이들의 비위에 맞을 리 없었다. 게다가 소위 합방 이후 낙동강 연안 일대의 그 질펀한 갈밭들이 모조리 동척의 손아귀에 들어가고, 이내 그들의 논밭이 되어 가는 꼴을 보고는, 당신은 당신대로 더욱 참을 수가 없는 듯이, 툭하면 구두덜거리며 어디론지 핑 떠나기가 일쑤였다. 그러자니 사실 살림이라고는 깍듯이 돌아볼 경황도 생각도 없었던 것이다. 따라서 집안 식구들도 자연 그렇게 된 어른게 기댈 도리가 없어지고 도리어 세상을 등진 듯 새침하게 세월을 보내는 그의 비위나 거스를까 조마조마할 따름이었다.

"우짜다가 화를 내실 때는 꼭 벼락이라도 떨어지는 것 같더이라. 목소리나 비미이(예사로) 쿳나! '못난 것들!' 하고 호통을 치실 때는 그저 온 집이 쩌렁쩌렁 울리디이라."

할머니는 이런 표현을 하였다. 그러나 그렇게 두려운 반면 자기에게는 이를 수 없이 고마운 시아버님이었다는 말도 잊지는 않았다.

"야아, 춥다, 어서 방에 들어가거라. 와 부엌 사람들한테 일을 맡기지 않고서……."

저녁 일이 늦을 때는 이렇게 나무람 겸 위로를 해 주시더란 것이다. 그러면서도 때로는 가벼운 한숨을 쉬곤 하였다고 한다.

그러나 그렇다고 며느리 가야댁은 일을 덜하지는 않았다. 그 당시만 해도 웬만한 가문의 부녀자들은 비록 굶는 한이 있더라도 손끝 하나 꼼짝하지 않는 것을 무슨 자랑처럼 여기었지만, 그녀는 타고난 천성이 그러질 못했다. 집안 형편을 따라서 진일 마른일 할 것 없이 닥치는 대로 해내었다. 일을 하는 것을 조금도 부끄럽게 여긴다거나 꺼리지는 않았다. 그래서 일찍 배우지 못한 일이라도 이내 손에 익숙해졌다. 머슴이나 부엌 식구들이 도리어 송구스럽게 여길 정도로 부지런했다. 벌써 그녀는 한다한 양반의 집 맏며느리가 아니라, 흔해 빠진 농사꾼의 마누라처럼 되어 갔다.

남편인 명호 양반은 그저 미안스런 눈치만 보였다. 그는 소위 양반의 집 맏아들로서 충충시하에 눌려 살아온 처지라 대소사를 막론하고 어른들의 눈치나 살필 일이지, 이러쿵저러쿵하지는 않았다. 게다가 사실 그는 부인 가야댁보다 나이도 두어 살 아래였을 뿐 아니라 이녁 할아버지나 오봉 선생에 비하면, 위인이 그저 순하기만 했지 아직은 무슨 일을 이래라 저래라 할 처지가 못 되었다.

시아버지 오봉 선생이 멀리 출타를 할 때는 마누라보다 자부인 가야 부인을 꼭 불렀다.

"야아, 내 옷 좀 챙겨 오너라. 여분이 한 불쯤 더 있었음 좋겠다."

애당초 어디로 간다는 말을 하지 않았다. 언제 돌아오겠다는 말도, 누가 따르기는커녕, 배웅도 멀리 못 나오게 했다.

"아부이 잘 다녀오이소."

대문 밖에서 그저 이럴라치면

"오냐, 집 잘 지켜라."

하고는 돌아도 안 보고 횡 떠나는 것이었다.

그렇게 해서 시아버지가 안 계시면 가야 부인이 실제 주인 구실을 하였다. 그럴 수밖에 없는 것이, 명호 양반은 아직 글만 읽는 서생인 데다 시할머니는 일찍 돌아가셨고 시어머니는 워낙 눌려서만 살아오던 분이 돼서 매사에 자기의 의견이라고는 내세우는 일이 거의 없었기 때문이다. 그래도 시어머니라고 의향을 물으면,

"내가 머 아나. 니가 알아서 해라."

고작 이런 투였다. 〈중략〉

이런 꼴로 가야 부인의 시댁뿐 아니라 부락 자제들도 아직 신통한 해방 덕을 못 보았다. 첫째, 징용을 끌려간 사람들이 제대로 돌아오질 않았다. 어쩌다가 돌아오는 사람은 거지가 되어 오거나 병신이 되어 왔다. 더구나 '여자 정신대'에 나간 처녀들은 한 사람도 돌아오지 않았다. '설마?' 하고 기다리는 판이었다. 그래서 부락들은 역시 걱정에 싸여 있는 셈이었다.

그러나 한편 불행하리라 믿었던 이와모도 참봉의 집은 반대로 활짝 꽃이 피었다. 고등계 경부로 있었던 맏아들은 해방 직후에 코끝도 안 보이고 어디에 숨어 있느니 어쩌느니 하는 소문만 떠돌더니, 뜻밖에 다시 경찰 간부가 되었다고 했다. 그러고 몇 해 뒤엔 어마어마하게도 국회의원으로 뽑혔다.

명호 양반은 아버지 오봉 선생을 닮아서 다시 두문불출을 하다시피 구겨지고, 아들 가운데서 제일 똑똑하다고 하던 막내도 결국 반거충이가 되어 어딜 돌아다니기만 했다.

"애닯기도 하제. 즈그 할배나 징조 할배가 그렇기 훌륭하고 독립운동도 많이 했다는데."

마을 사람들은 이렇게들 안타까워했다. 양 접장이 살아 있었더람 뭐라고 할는지 사람들은 이렇게 궁금하게 여겼다. 가야 부인의 머리에 흰 털이 부쩍 늘어난 것도 이 막내 때문이라고 했다. 그러나 가야 부인은 아무런 내색도 하지 않고 집에 있을 땐 돌아가신 시어머니처럼 천수나 치고, 미륵당에 나가면 미륵불 앞에 앉아서 가만히 눈을 감았다. 그럴 때마다 그녀의 머릿속에서는 곧잘 자줏빛 모란꽃잎이 뚝뚝 떨어지곤 하였다.

"석이 안 왔나?"

가야 부인은 겨우 눈을 또 뜨곤 막내아들의 이름을 불렀다. 벌써 몇 번째인지 모른다. 멀리서 또 포성이 쿵! 울려왔다. 왜 사람들은 싸우지 않음 안 될까? 가야 부인은 무슨 말을 할 듯이 입을 약간 우물다 만다. 이마에서 잇달아 솟는 땀이 드디어 그녀의 최후를 알리는 것 같았다.

– 김정한, 〈수라도(修羅道)〉

① 사투리를 사용하여 등장인물에 생생함을 부여하고 있다.

② 두 집안의 흥망성쇠를 대조하여 해방 직후의 사회상을 표현하고 있다.

③ 격동의 역사를 살아온 인물의 생애를 통해 참다운 삶의 자세를 배울 수 있다.

④ 주인공의 비극적 죽음을 통해 민족사에 대한 작가의 비판적 인식을 드러내고 있다.

TIP 작품의 '내재적인 면'은 작품의 내적인 요소인 '어조, 운율, 표현 기법' 등을 의미한다.

해설 작품의 내재적인 면에 주목하여 감상하는 것은 ①이다. ①에서는 작품에서 등장하는 인물들이 '사투리'를 사용하여 생생함을 부여하고 있다고 하였다. '사투리'는 소설에 나타난 '표현'에 해당하기 때문에 작품의 내적인 요소에 주목하여 작품을 감상했다고 볼 수 있다.

오답분석 ② '해방 직후'라는 표현을 볼 때, 작품과 현실의 관계에 초점을 맞춰 감상하고 비평하는 관점인 '반영론적 관점'으로 감상한 것이다.

③ '배울 수 있다'라는 표현을 볼 때, 독자에게 주는 감동과 교훈, 그것을 유발하는 요소에 초점을 맞춰 감상하고 비평하는 관점인 '효용론적 관점'으로 감상한 것이다.

④ '작가의 비판적 인식'이라는 표현을 볼 때, 작가의 창작 의도, 심리 상태 등 작가와 작품의 관계에 초점을 맞춰 감상하고 비평하는 관점인 '표현론적 관점'으로 감상한 것이다.

정답 ①

작품정보 **김정한, 〈수라도〉**

갈래	중편 소설, 가족사 소설, 종교 소설
성격	회고적, 고발적
시점	3인칭 작가 관찰자 시점 ※ 부분적으로 전지적 작가 시점의 혼합
주제	민족적 수난에 대응하는 가야 부인과 오봉 선생의 인고(忍苦), 지절(志節), 초월(超越)의 정신

다음 작품을 절대주의적 관점으로 이해하지 않은 것은?

> 먼 후일 당신이 찾으시면
> 그때에 내 말이 "잊었노라."
>
> 당신이 속으로 나무라면
> "무척 그리다가 잊었노라."
>
> 그래도 당신이 나무라면
> "믿기지 않아서 잊었노라."
>
> 오늘도 어제도 아니 잊고
> 먼 후일 그때에 "잊었노라."
>
> - 김소월, 〈먼 후일〉

① 가정적 상황을 통해 화자의 정서를 드러내고 있다.

② 대상인 '당신'에 화자가 꿈꾸던 조국 광복을 투영하고 있다.

③ 반어적 진술을 활용하여 화자의 정서를 강조하고 있다.

④ 반복과 변조의 기법을 사용하여 시상을 전개하고 있다.

해설 '절대주의적 관점'은 어조, 운율, 표현 기법 등 작품의 내적인 요소를 중심으로 감상하는 방법이다. 그런데 ②는 작품이 창작된 시대적 상황을 고려했다는 점에서, 작품의 내적 요소가 아닌 작품의 외재적 요소 중심의 '외재적 관점'으로 작품을 감상한 것이다. ②처럼 작품이 창작된 시대적 배경을 고려한 것은 '반영론'이다.

오답분석 나머지는 '정서, 표현법, 시상 전개 방식' 등 작품 자체만으로 작품을 비평했기 때문에 '절대주의적 관점'이 맞다.

정답 ②

작품정보 **김소월, 〈먼 후일〉**

성격	애상적, 민요적
율격	3음보
주제	떠난 임에 대한 강한 그리움
특징	① 반어적 진술에 의존하고 있음. ② 반복과 변조의 기법이 돋보임. ③ 하나의 연속에서 과거 시제와 미래 시제가 공존하는 시제상의 모순이 나타남.

〈보기〉는 문학의 소통 구조이다. 표현론적 관점에서 이 작품을 감상한 것으로 가장 적절한 것은?

(가) "장인님! 인젠 저……."

내가 이렇게 뒤통수를 긁고, 나이가 찼으니 성례를 시켜 줘야 하지 않겠느냐고 하면, 그 대답은 늘,

"이 자식아! 성례구 뭐구 미처 자라야지!"

하고 만다. 이 자라야 한다는 것은 내가 아니라 장차 내 안해가 될 점순이의 키 말이다.

내가 여기에 와서 돈 한 푼 안 받고 일하기를 삼 년 하고 꼬박이 일곱 달 동안을 했다. 그런데 미처 못 자랐다니까 이 키는 언제야 자라는 겐지 짜증 영문도 모른다. 일을 좀더 잘 해야 한다든지, 혹은 밥을 (많이 먹는다고 노상 걱정이니까) 좀 덜 먹어야 한다든지 하면 나도 얼마든지 할 말이 많다. 허지만, 점순이가 안죽 어리니까 더 자라야 한다는 여기에는 어째 볼 수 없이 고만 병병하고 만다.

(나) 내가 머리가 터지도록 매를 얻어맞은 것이 이 때문이다. 그러나 여기가 또한 우리 장인님이 유달리 착한 곳이다. 여느 사람이면 사경을 주어서라도 당장 내쫓았지, 터진 머리를 불솜으로 손수 지져 주고, 호주머니에 히연 한 봉을 넣어 주고 그리고,

"올 갈엔 꼭 성례를 시켜 주마. 암말 말구 가서 뒷골의 콩밭이나 얼른 갈아라."

하고 등을 뚜덕여 줄 사람이 누구냐. 나는 장인님이 너무나 고마워서 어느덧 눈물까지 났다.

점순이를 남기고 이젠 내쫓기려니 하다 뜻밖의 말을 듣고,

"빙장님! 인제 다시는 안 그러겠어유……."

이렇게 맹세를 하며 부랴사랴 지게를 지고 일터로 갔다.

(다) 그러나 이때는 그걸 모르고 장인님을 원수로만 여겨서 잔뜩 잡아다렸다.

"아! 아! 이놈아! 놔라, 놔……."

장인님은 헛손질을 하며 솔개미에 챈 닭의 소리를 연해 질렀다. 놓긴 왜, 이왕이면 호되게 혼을 내 주리라 생각하고 짓궂이 더 댕겼다마는, 장인님이 땅에 쓰러져서 눈에 눈물이 피잉 도는 것을 알고 좀 겁도 났다.

"할아버지! 놔라, 놔, 놔, 놔놔." 그래도 안 되니까,

"얘 점순아! 점순아!"

(라) 이 악장에 안에 있었던 장모님과 점순이가 헐레벌떡하고 단숨에 뛰어나왔다. 나의 생각에 장모님은 제 남편이니까 역성을 하는지도 모른다. 그러나 점순이는 내 편을 들어서 속으로 고수해서 하겠지……. 대체 이게 웬 속인지(지금까지도 난 영문을 모른다.) 아버질 혼내 주기는 제가 내래 놓고 이제 와서는 달겨들며

"에그머니! 이 망할 게 아버지 죽이네!"

하고 내 귀를 뒤로 잡아당기며 마냥 우는 것이 아니냐. 그만 여기에 기운이 탁 꺾이어 나는 얼빠진 등신이 되고 말았다. 장모님도 덤벼들어 한쪽 귀마저 뒤로 잡아채면서 또 우는 것이다.

(마) 이렇게 꼼짝도 못하게 해놓고 장인님은 지게 막대기를 들어서 사뭇 나려조겼다. 그러나 나는 구태여 피하려지도 않고 암만해도 그 속 알 수 없는 점순이의 얼굴만 멀거니 들여다 보았다.

"이 자식! 장인 입에서 할아버지 소리가 나오도록 해?"

- 김유정, 〈봄봄〉

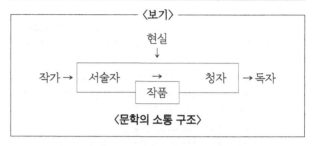

〈문학의 소통 구조〉

① 이 작품은 1930년대 일제 강점기 하층민들이 소작농으로 전락해 어떤 삶을 살았는지를 알 수 있게 해.

② 작가 김유정은 강원도가 고향이야. 그래서 '짜증, 안죽' 등의 토속적 어휘와 사투리를 사용해 향토적인 느낌을 불러일으켰어.

③ '나'와 장인의 갈등, 점순이의 이중적인 태도로 인한 상황 반전, 절정을 결말에 삽입한 역순행적 구성 등은 작품의 해학성을 부각시키고 있어.

④ '나'와 장인이 화해를 한 것처럼 보이지만 현실의 문제가 근본적으로 해결된 상태가 아니기에 욕심 많은 장인이 앞으로도 '나'를 속일 것이라고 짐작할 수 있어.

난이도 상 ○ 하

해설 '표현론적 관점'은 외재적 관점으로 '작품을 작가와 관련지어 감상하는 방법'이다. 따라서 작가인 '김유정'과 관련지은 ②가 답이다.

**오답
분석** ① 작품이 창작된 1930년대의 '시대적 배경'과 '작품'을 관련지어 감상했다는 점에서 '반영론적 관점'에서 작품을 감상한 것이다.

③ 작품 속 인물들의 갈등과 성격, 구조 등 '작품 내적 요소'만으로 '작품'을 감상했다는 점에서 '내재적 관점'에서 작품을 감상한 것이다.

④ 작품 내의 내용을 언급한 후에 자신이 추측한 내용을 밝히고 있으므로 '내재적 관점'과 작품을 읽은 독자의 관점에서 비평한 '효용론적 관점'으로 모두 볼 수 있다.

정답 ②

작품정보 김유정, 〈봄봄〉

갈래	단편 소설, 농촌 소설, 순수 소설
성격	향토적, 해학적
시점	1인칭 주인공 시점
주제	우직하고 순박한 데릴사위와 그를 이용하는 교활한 장인 간의 갈등
특징	① 시간과 사건의 서술을 역순행적으로 구성함. ② 토속어, 방언, 비속어 등을 사용하여 향토성과 현장감을 느낄 수 있음.

Unit 02 | 문학 독해 1 – 내용 일치

📈 출제 유형

내용 일치	산문 문학	• 현대 산문 문학 작품의 내용과 일치 여부를 묻는 유형 • 고전 산문 문학 작품의 내용과 일치 여부를 묻는 유형
	운문 문학	• 현대 운문 문학 작품의 내용과 일치 여부를 묻는 유형 • 고전 운문 문학 작품의 내용과 일치 여부를 묻는 유형

📈 출제 유형

내용 일치	산문 문학	현대 산문 문학 작품의 내용과 일치 여부를 묻는 유형

006 ○○○   2023 군무원 9급

다음 글에 대한 이해로 가장 적절한 것은?

> 우리 부부는 숙명적으로 발이 맞지 않는 절름발이인 것이다. 내가 아내나 제 거동에 로직(논리)을 붙일 필요는 없다. 변해(辯解)할 필요도 없다. 사실은 사실대로 오해는 오해대로 그저 끝없이 발을 절뚝거리면서 세상을 걸어가면 되는 것이다. 그렇지 않을까?
>
> 그러나 나는 이 발길이 아내에게로 돌아가야 옳은가 이것만은 분간하기가 좀 어려웠다. 가야하나? 그럼 어디로 가나?
>
> 이때 뚜– 하고 정오 사이렌이 울렸다. 사람들은 모두 네 활개를 펴고 닭처럼 푸드덕거리는 것 같고 온갖 유리와 강철과 대리석과 지폐와 잉크가 부글부글 끓고 수선을 떨고 하는 것 같은 찰나, 그야말로 현란을 극한 정오다.
>
> 나는 불현듯이 겨드랑이가 가렵다. 아하 그것은 내 인공의 날개가 돋았던 자국이다. 오늘은 없는 이 날개, 머릿속에서는 희망과 야심의 말소된 페이지가 딕셔너리(사전) 넘어가듯 번뜩였다.
>
> 나는 걷던 걸음을 멈추고 그리고 어디 한번 이렇게 외쳐 보고 싶었다.
>
> 날개야 다시 돋아라.
> 날자. 날자. 날자. 한 번만 더 날자꾸나.
> 한 번만 더 날아 보자꾸나.
>
>   – 이상, <날개>

① 가난한 무명작가 부부의 생활고와 부부애를 다루고 있다.

② 농촌 계몽을 위한 두 남녀의 헌신적 노력과 사랑을 보여준다.

③ 식민지 농촌 사회에서 농민들이 겪는 가혹한 현실을 보여주려 한다.

④ 자아 상실의 무기력한 삶에서 벗어나 본래의 자아를 회복하려는 의지를 보여준다.

             난이도 상 ○ 하

해설 자아의 정체성을 의미하는 '날개'가 돋기를 염원하고 있는데, 이는 무의미한 삶의 도정에서 생의 의미 찾기를 포기하지 않았음을 드러내는 것이다.

오답 분석 ① 생활고와 부부애를 다루고 있지는 않다.

② 농촌 계몽과는 거리가 먼 소설이다.

③ 식민지 도시인 '경성'을 배경으로 하고 있다.

            정답 ④

작품정보 이상, <날개>

갈래	단편 소설, 심리 소설
성격	고백적, 상징적
배경	• 시간: 1930년대 어느 날 • 공간: 경성(서울)
시점	1인칭 주인공 시점
주제	무력한 삶과 자아 분열 속에서 벗어나 본래의 자아를 찾고자 하는 의지
특징	① 내적 독백을 중심으로 주인공의 의식의 흐름에 따라 서술됨. ② 상징적 장치를 통해 식민지 지식인의 어두운 내면을 드러냄.
출전	《조광》(1936)

다음 글에 대한 이해로 가장 적절하지 않은 것은?

(가) 시원한 여름 저녁이었다.

　바람이 불고 시커먼 구름 떼가 서편으로 몰려 달리고 있었다. 그 구름이 몰려 쌓이는 먼 서편 하늘 끝에선 이따금 칼날 같은 번갯불이 번쩍이곤 했다. 이편 하늘의 별들은 구름 사이사이에서 이상스레 파릇파릇 빛났다. 달은 구름 더미를 요리조리 헤치고 빠져나왔다가는, 새로 몰려오는 구름 더미에 애처롭게도 휘감기곤 했다. 집집의 지붕들은 깊숙하고도 싸늘한 빛으로 물들고, 대기에는 차가운 물기가 돌았다.

　땅 위엔 무언지 불길한 느낌이 들도록 차단한 정적이 흘렀다. 철과 나는 베란다 위에 앉아 있었다. 막연한 원시적인 공포감 같은 소심한 느낌에 사로잡혀 무한정 묵묵히 앉아 있었다. 철은 먼 하늘가에 시선을 준 채 연방 담배를 피웠다. 이렇게 한동안 말없이 앉았다가 철은 문득 다음과 같은 얘기를 들려주었다.

(나) 형은 스물일곱 살이었고 동생은 스물두 살이었다.

　형은 둔감했고 위태위태하도록 솔직했고, 결국 조금 모자란 사람이었다.

　해방 이듬해 삼팔선을 넘어올 때 모두 긴장해서 숨도 제대로 쉬지 못하는 판에 큰 소리로,

　"야하, 이기 바루 그 삼팔선이구나이, 야하."

　이래 놔서 일행 모두의 간담을 서늘하게 한 일이 있었다. 아버지는 그때도 형을 쥐어박았고, 형은 엉엉 울었고, 어머니도 찔끔찔끔 울었다. 아버지는 애초부터 이 형을 단념하고 있었고, 어머니는 불쌍해서 이따금씩 찔끔거리곤 했다.

　물론 평소에 동생에 대한 형으로서의 체모나 위신 같은 것도 전혀 신경을 쓰지 않아서, 이미 철들자부터 형을 대하는 동생의 눈언저리와 입가엔 늘 쓴웃음 같은 것이 어리어 있었으니, 하얀 살갗의 여윈 얼굴에 이 쓴웃음은 동생의 오연한 성미와 잘 어울려 있었다.

　어머니는 형에 대한 아버지의 단념이나 동생의 이런 투가 더 서러웠는지도 몰랐다. 그러나 형은 아버지나 어머니나 동생의 표정에 구애 없이 하루하루가 그저 천하태평이었다. 사변이 일어나자 형제가 다 군인의 몸이 됐다.

　1951년 가을, 제각기 북의 포로로 잡혀 북쪽 후방으로 인계돼 가다가 둘은 더럭 만났다. 해가 질 무렵, 무너진 통천(通川)읍 거리에서였다.

　형은 대뜸 울음보를 터뜨렸다. 펄렁한 야전잠바에 맨머리 바람이었고, 털럭털럭한 군화를 끌고 있었다.

　동생도 한순간은 흠칫했으나, 형이 울음을 터뜨리자 난처한 듯 살그머니 외면을 했다. 형에 비해선 주제가 조금 깔끔해서 산뜻한 초록색 군 작업복 차림이었다.

(다) 동생의 눈에선 다시 눈물이 비어져 나왔다.

　형은 별안간 두 눈이 휘둥그레져서 동생의 얼굴을 멀끔히 마주 쳐다보더니,

　"왜 우니, 왜 울어, 왜, 왜. 어서 그치지 못하겠니." 하면서도

　도리어 제 편에서 또 울음을 터뜨리고 있었다.

　이튿날, 형의 걸음걸이는 눈에 띄게 절룸거렸다. 혼잣소리도 풀이 없었다.

　"그만큼 걸었음 무던히 왔구만서두. 에에이, 이젠 좀 그만 걷지덜, 무던히 걸었구만서두."

하고는 주위의 경비병들을 홀끔 곁눈질해 보았다. 경비병들은 물론 알은체도 안 했다. 바뀐 사람들은 꽤나 사나운 패들이었다.

　그날 밤 형은 동생을 향해 쓸쓸하게 웃기만 했다.

　"칠성아, 너 집에 가거든 말이다, 집에 가거든……."

하고는 또 무슨 생각이 났는지 벌쭉 웃으면서,

　"히히, 내가 무슨 소릴 허니. 네가 집에 갈 땐 나두 갈 텐데, 앙 그러니? 내가 정신이 빠졌어."

(라) 한참 뒤엔 또 동생의 어깨를 그러안으면서,

　"야, 칠성아!"

　동생의 얼굴을 똑바로 마주 쳐다보기만 했다.

　바깥은 바람이 세었다. 거적문이 습기 어린 소리를 내며 열리고 닫히곤 하였다. 문이 열릴 때마다 눈 덮인 초라한 들판이 부유스름하게 아득히 뻗었다.

　동생의 눈에선 또 눈물이 비어져 나왔다.

　형은 또 벌컥 성을 내며,

　"왜 우니, 왜? 흐흐흐."

하고 제 편에서 더 더 울었다.

　며칠이 지날수록 형의 걸음은 더 절룩거려졌다. 행렬 속에서도 별로 혼잣소릴 지껄이지 않았다. 평소의 형답지 않게 꽤나 조심스런 낯색이었다. 둘레를 두리번거리며 경비병의 눈치를 홀끔거리기만 했다. 이젠 밤에도 동생의 귀에다 입을 대고 이것저것 지껄이지 않았다. 그러나 먼 개 짖는 소리 같은 것에는 여전히 흠칫흠칫 놀라곤 했다. 동생은 또 참다못해 눈물을 흘렸다. 그러나 형은 왜 우느냐고 화를 내지도 않고 울음을 터뜨리지도 않았다. 동생은 이런 형이 서러워 더 더 흐느꼈다.

(마) 그날 밤, 바깥엔 함박눈이 내렸다.

　형은 불현듯 동생의 귀에다 입을 댔다.

　"너, 무슨 일이 생겨두 날 형이라구 글지 마라, 어엉"

　여느 때답지 않게 숙성한 사람 같은 억양이었다.

　"울지두 말구 모르는 체만 해, 꼭."

　동생은 부러 큰 소리로,

　"야하, 눈이 내린다."

　형이 지껄일 소리를 자기가 지금 대신하고 있다고 생각했다.

　"……."

　그러나 이미 형은 그저 꾹 하니 굳은 표정이었다.

　동생은 안타까워 또 울었다. 형을 그러안고 귀에다 입을 대고,

　"형아, 형아, 정신 차려."

　이튿날, 한낮이 기울어서 어느 영 기슭에 다다르자, 형은 동생의 허벅다리를 쿡 찌르고는 걷던 자리에 털썩 주저앉고 말았다.

　형의 걸음걸이를 주의해 보아 오던 한 사람이 뒤에서 따발총을 휘둘러 쏘았다.

　형은 앉은 채 앞으로 꼬꾸라졌다. 그 사람은 총을 어깨에 둘러메면서,

　"메칠을 더 살겠다구 뻐득대? 뻐득대길."

　　　　　　　　　　　　　　　　　　　　　　　　－ 이호철, <나상>

① '형'은 모두가 긴장한 상황임을 알고 본인도 긴장하여 아무 소리도 내지 못했다.

② '동생'의 울음을 본 '형'은 울지 말라고 하면서 본인도 울음을 터뜨리고 있다.

③ 시간이 지나 '동생'의 귀에 어떤 말도 하지 않는 '형'의 모습을 보며 '동생'은 서러워했다.

④ '형'은 평소와는 다른 억양으로 '동생'에게 자신을 모른 체하라고 했다.

난이도 ⑤ ◯ ⑥

[해설] 해방 이듬해 삼팔선을 넘어올 때 모두 긴장해서 숨도 제대로 쉬지 못하는 판에, 형 혼자서 큰 소리로 말한 것을 볼 때, 적절하지 않은 이해이다.

[오답분석]
② 우는 동생을 보면서, "왜 우니, 왜 울어, 왜, 왜. 어서 그치지 못하겠니." 하면서도 도리어 제 편에서 또 울음을 터뜨리고 있었다는 부분을 통해 알 수 있다.

③ '이젠 밤에도 동생의 귀에다 입을 대고 이것저것 지껄이지 않았다. ~ 동생은 이런 형이 서러워 더 더 흐느꼈다.'를 통해 알 수 있나.

④ 자신에게 무슨 일이 생겨도 형이라고 하지 말라고 한 형의 말을 두고, '여느 때답지 않게 숙성한 사람 같은 억양이었다.'라고 한 것을 통해 알 수 있다.

[정답] ①

작품정보 **이호철, <나상>**

갈래	단편 소설, 액자 소설
성격	비판적
배경	• 시간: 6·25 전쟁 • 공간: 북으로 이송되어 가는 길
시점	바깥 이야기: 1인칭 관찰자 시점 안 이야기: 전지적 작가 시점
주제	극한 상황 속에서 모색하는 올바른 삶의 방향
특징	① 형의 죽음과 대비되는 '눈'을 통해 비극적인 분위기를 강조함. ② 전쟁의 고통과 비극성을 통찰력 있게 그려냄.
출전	《문학 예술》(1957)

다음 글에 대한 이해로 적절하지 않은 것은?

"공부를 많이 한 사람이 어째 해남 대흥사에 있나? 서울 조계사에 있어야지 ……." "에이, 대흥사도 대찰(大刹)이에요." "그래도 중들의 중앙청은 역시 조계사 아닌가?" "스님들에게 중앙청이 어디 있어요? 그거 싫다고 떠난 사람들인데." "그래서 가짜가 많다고 ……." "네?" "책은 많이 썼는가?" "책이라뇨?" "스님들이 책 많이 쓰지 않나, 요즘?" "에이, 지명 스님은 그런 거 안 써요." "그러면 테레비에는 나와?" "테레비에도 안 나와요. 지명 스님, 그런 거 할 사람이 아니에요." "그러면 라디오에는? 요새는 불교방송이라는 라디오 방송도 생겼다는데?" "나대는 스님이 아니라니까요." "에이, 그러면 공부 많이 한 스님이 아니야." "네?"

그는 내 인내를 시험해 보기로 작정했던 모양인가? 이유 없이 따귀를 한 대 맞은 느낌이었다. … (중략) …

나는, 정말이지 가만히 있을 수가 없었다.

"이 세상에는 학생을 가르치는 교수도 있고, 더 잘 가르칠 수 있도록 그런 교수를 가르치는 교수도 있어요. 이 세상에는 중생을 제도하는 스님도 있고 더 잘 제도할 수 있도록 그런 스님을 가르치는 스님도 있어요. 텔레비전 시청자나 라디오 청취자에게 적합한 지식을 가진 사람도 있고, 텔레비전이나 라디오에 나갈 사람을 가르치는 사람도 있어요." "에이, 그것은 못 나간 사람들이 만들어 낸 변명이야."

- 이윤기, <숨은그림찾기1 - 직선과 곡선>

① '나'의 입장에서 볼 때 '조계사'와 '대흥사'는 우열의 관계가 아니다.

② '나'의 입장에서 볼 때 '책'을 쓰는 것은 '공부 많이 한 스님'이 갖추어야 할 조건이다.

③ '그'의 입장에서 볼 때 '지명 스님'은 '못 나간 사람들'에 속한다.

④ '그'의 입장에서 볼 때 '중앙청'에 있는 스님들은 '중앙청'이 아닌 곳에 있는 스님들보다 '공부를 많이 한 사람'이다.

난이도 상 ○ 하

작품정보	이윤기, <숨은그림찾기1 - 직선과 곡선>
갈래	단편 소설
성격	교훈적, 비판적
배경	• 시간: 현대 • 공간: 경주, 경산, 서울
시점	1인칭 주인공 시점
주제	타인의 삶에 대한 깊이 있는 이해의 필요성
특징	① 인물과 관련된 다양한 일화를 제시함. ② 반전의 구성 방식을 활용하여 결말을 제시함. ③ 삶의 이치에 대한 교훈적 의도를 강하게 드러냄.
출전	《세계의 문학》(1997)

[해설] "에이, 그러면 공부 많이 한 스님이 아니야."라고 말한 사람은 '나'가 아니라 '그'이다. '책'을 쓰는 것은 '공부 많이 한 스님'이 갖추어야 할 조건이라는 것은 '나'가 아닌 '그'의 입장이다.

[오답 분석]

① "그래도 중들의 중앙청은 역시 조계사 아닌가?"라는 '그'의 물음에 '나'는 "스님들에게 중앙청이 어디 있어요? 그거 싫다고 떠난 사람들인데."라고 대답하고 있다. 이를 볼 때, '나'에게 '조계사'와 '대흥사'는 우열의 관계가 아님을 알 수 있다.

③ '그'의 "에이, 그러면 공부 많이 한 스님이 아니야.", "에이, 그것은 못 나간 사람들이 만들어 낸 변명이야."라는 말을 볼 때, '그'의 입장에서 '지명 스님'은 '못 나간 사람들'에 속함을 알 수 있다.

④ "그래도 중들의 중앙청은 역시 조계사 아닌가?"라는 '그'의 말을 볼 때, '그'에게 '중앙청'에 있는 스님들은 '중앙청'이 아닌 곳에 있는 스님들보다 '공부를 많이 한 사람'임을 알 수 있다.

정답 ②

다음 글에 대한 이해로 옳은 것은?

> "아니야, S병원으로 가."
> 철호는 갑자기 아내의 죽음을 생각했던 것이었다. 운전수는 다시 휙 핸들을 이쪽으로 틀었다. 운전수 옆에 앉아 있는 조수 애가 한 번 철호를 돌아다보았다. 철호는 뒷자리 한구석에 가서 몸을 틀어박은 채 고개를 뒤로 젖히고 눈을 감고 있었다. 차는 한국은행 앞 로터리를 돌고 있었다. 그때 또 뒤에서 철호가 소리를 질렀다.
> "아니야, X경찰서로 가."
> 눈을 감고 있는 철호는 생각하는 것이었다. 아내는 이미 죽었는데 하고.
> 이번에는 다행히 차의 방향을 바꿀 필요가 없었다. 그냥 달렸다.
> "X경찰서 앞입니다."
> 철호는 눈을 떴다. 상반신을 벌떡 일으켰다. 그러나 곧 털썩 뒤로 기대고 쓰러져버렸다.
> "아니야, 가."
> "X경찰섭니다. 손님."
> 조수 애가 뒤로 몸을 틀어 돌리고 말했다.
> "가자."
> 철호는 여전히 눈을 감고 있었다.
> "어디로 갑니까?"
> "글쎄, 가!"
> "하 참, 딱한 아저씨네."
> "……."
> "취했나?"
> 운전수가 힐끔 조수 애를 쳐다보았다.
> "그런가 봐요."
> "어쩌다 오발탄(誤發彈) 같은 손님이 걸렸어. 자기 갈 곳도 모르게."
>
> — 이범선, <오발탄>

① '철호'는 삶의 의지를 점차 회복하고 있다.
② '운전수'는 '철호'에게 공감의 태도를 보이고 있다.
③ '철호'와 '운전수' 사이의 계급 차이가 잘 드러난다.
④ '철호'는 목적지를 정하지 못한 상태이다.
⑤ 'S병원'과 'X경찰서'는 '철호'가 도달하지 못하는 이상향이다.

해설 "어쩌다 오발탄(誤發彈) 같은 손님이 걸렸어. 자기 갈 곳도 모르게."라는 운전수의 말을 볼 때, '철호'가 목적지를 정하지 못한 상태임을 알 수 있다.

오답 분석
① '철호'는 끝까지 목적지를 정하지 못하고, 그저 '가자'고만 하고 있다. 이를 볼 때, 삶의 의지를 점차 회복하고 있다고 보기 어렵다.
② "어쩌다 오발탄(誤發彈) 같은 손님이 걸렸어. 자기 갈 곳도 모르게."라는 운전수의 말을 볼 때, '운전수'가 '철호'에게 공감의 태도를 보이고 있다고 보기는 어렵다.
③ '운전수'와 '조수 아이'의 위계는 확인이 가능하지만, '철호'와 '운전수' 사이의 계급 차이는 확인할 수 없다.
⑤ 'S병원'과 'X경찰서'가 '철호'의 이상향이었다면, 그곳에 내렸을 것이다. 그러나 '철호'는 그곳에 내리지 않은 것을 볼 때, '철호'가 도달하지 못하는 이상향이라고 보기는 어렵다.

정답 ④

작품정보	이범선, <오발탄>
갈래	단편 소설, 전후 소설
성격	현실 고발적, 비판적, 사실적
배경	• **시간**: 6·25 전쟁 직후 • **공간**: 서울 해방촌 일대
시점	3인칭 관찰자 시점(부분적으로 전지적 작가 시점)
주제	전후 부조리한 사회 속 소시민들의 삶과 비애

다음 글에 대한 이해로 적절하지 않은 것은?

> 정거장에 나온 박은 수염도 깎은 지 오래어 터부룩한 데다 버릇처럼 자주 찡그려지는 비웃는 웃음은 전에 못 보던 표정이었다. 그 다니는 학교에서만 지싯지싯* 붙어 있는 것이 아니라 이 시대 전체에서 긴치 않게 여기는, 지싯지싯 붙어 있는 존재 같았다. 현은 박의 그런 지싯지싯함에서 선뜻 자기를 느끼고 또 자기의 작품들을 느끼고 그만 더 울고 싶게 괴로워졌다.
>
> 한참이나 붙들고 섰던 손목을 놓고, 그들은 우선 대합실로 들어왔다. 할 말은 많은 듯하면서도 지껄여 보고 싶은 말은 골라낼 수가 없었다. 이내 다시 일어나 현은,
>
> "나 좀 혼자 걸어 보구 싶네."
>
> 하였다. 그래서 박은 저녁에 김을 만나 가지고 대동강가에 있는 동일관이란 요정으로 나오기로 하고 현만이 모란봉으로 온 것이다.
>
> 오면서 자동차에서 시가도 가끔 내다보았다. 전에 본 기억이 없는 새 빌딩들이 꽤 많이 늘어섰다. 그중에 한 가지 인상이 깊은 것은 어느 큰 거리 한 뿌다귀*에 벽돌 공장도 아닐 테요 감옥도 아닐 터인데 시뻘건 벽돌만으로, 무슨 큰 분묘와 같이 된 건축이 웅크리고 있는 것이다. 현은 운전사에게 물어보니, 경찰서라고 했다.
>
>   - 이태준, 〈패강랭〉
>
> * 지싯지싯: 남이 싫어하는지는 아랑곳하지 아니하고 제가 좋아하는 것만 짓궂게 자꾸 요구하는 모양
>
> * 뿌다귀: '뿌다구니'의 준말로, 쑥 내밀어 구부러지거나 꺾어져 돌아간 자리

① '현'은 예전과 달라진 '박'의 태도가 자신의 작품 때문이라고 생각하고 있다.

② '현'은 자신과 비슷한 처지에 있는 '박'을 통해 자신을 연민하고 있다.

③ '현'은 새 빌딩들을 보고 도시가 많이 변화하고 있음을 인지하고 있다.

④ '현'은 시뻘건 벽돌로 만든 경찰서를 보고 암울한 분위기를 느끼고 있다.

해설 '현은 박의 그런 지싯지싯함에서 선뜻 자기를 느끼고 또 자기의 작품들을 느끼고 그만 더 울고 싶게 괴로워졌다.'를 볼 때, '박'의 모습에서 자신의 작품을 느끼고 있음은 확인할 수 있다. 그러나 '박'의 달라진 태도가 자신의 작품 때문이라고 생각하는지는 알 수가 없다.

오답분석

② '현은 박의 그런 지싯지싯함에서 선뜻 자기를 느끼고 ~그만 더 울고 싶게 괴로워졌다.'를 통해 알 수 있다.

③ '현'이 자동차에서 내다본 시가를 보면서, '전에 본 기억이 없는 새 빌딩들이 꽤 많이 늘어섰다.'라고 하였다. 이를 통해 새 빌딩들을 보고 도시가 많이 변화하고 있음을 인지하고 있음을 알 수 있다.

④ '현'은 시뻘건 벽돌로 만든 경찰서를 보고 '큰 분묘와 같이 된 건축'이라고 하였다. '분묘(墳墓: 무덤 분, 무덤 묘)'는 '무덤'을 의미한다. 따라서 시뻘건 벽돌로 만든 경찰서를 보고 암울한 분위기를 느끼고 있음을 알 수 있다.

정답 ①

작품정보 이태준, 〈패강랭〉

갈래	단편 소설, 현대 소설
성격	현실 비판적
배경	• 시간: 일제 강점기 • 공간: 평양
시점	전지적 작가 시점
주제	식민지 지식인으로서 느끼는 비감(悲感)
특징	① 일제 강점기의 시대적 상황을 사실적으로 반영함. ② 일제 식민지 정책에 대한 시대적 고뇌를 드러냄.
출전	《삼천리문학》(1938)

다음 글의 내용으로 적절하지 않은 것은?

> 망진자(亡秦者)는 호야(胡也)니라
>
> 일찍이 윤 직원 영감은 그의 소싯적 윤 두꺼비 시절에 자기 부친 말대가리 윤용규가 화적의 손에 무참히 맞아 죽은 시체 옆에 서서, 노적이 불타느라고 화광이 충천한 하늘을 우러러,
>
> "이놈의 세상, 언제나 망하려느냐?"
>
> "우리만 빼놓고 어서 망해라!"
>
> 하고 부르짖은 적이 있겠다요.
>
> 이미 반세기 전, 그리고 그것은 당시의 나한테 불리한 세상에 대한 격분된 저주요, 겸하여 웅장한 투쟁의 선언이었습니다.
>
> 해서 윤 직원 영감은 과연 승리를 했겠다요. 그런데…….
>
> 식구들은 시아버지 윤 직원 영감이 보기가 싫은 건넌방고 씨만 빼놓고, 서울 아씨, 태식이, 뒤채의 두 동서, 모두 안방에 모여 종수를 맞이하는 예를 표하고, 그들의 옹위 아래 윤 직원 영감과 종수는 각기 아랫목과 뒷벽 앞으로 갈라 앉았습니다. 방금 점심 밥상을 받을 참입니다.
>
> "너 경손 애비, 부디 정신 채리라!……" 윤 직원 영감이 종수더러 곰곰이 훈계를 하던 것입니다. 안식구가 있는 데라 점잖게 경손 애비지요.
>
> "…… 정신을 채리야 헐 것이 늬가 암만히여두 네 아우 종학이만 못하여! 종학이는 그놈이 재주두 있구 착실히여서, 너치름 허랑허지두 않구 그럴뿐더러 내년 내후년이먼 대학교를 졸업허잖냐? 내후년이지?"
>
> "네."
>
> "그렇지? 응, 그래, 내후년이면 대학교 졸업을 허구 나와서, 삼 년이나 다직 사 년만 찌들어 나머넌 그놈은 지가 목적헌, 요새 그 목적이란 소리 잘 쓰더구나, 응? 목적…… 목적헌 경부가 되야 각구서, 경찰서장이 된담 말이다! 응? 알었어."
>
> "네."
>
> "그러닝개루 너두 정신을 바짝 채리 각구서, 어서어서 군수가 되야야 않겠냐? …… 아, 동생 놈은 버젓한 경찰서장인디, 형 놈은 게우 군 서기를 댕기구 있담! 남부끄러서 어쩔 티여? 응? …… 아 글씨, 군수 되구 경찰서장 되구 허머넌, 느덜 종구 느덜 호강이지 머, 그 호강 날 주냐? 내가 이렇기 아둥아둥 잔소리를 허넌 것두 다 느덜 위히여서 그러지, 나는 파리 족통만치두 상관 읎어야! 알어듣냐?"
>
> "네."
>
> "그놈 종학이는 참말루 쓰겄어! 그놈이 어려서버텀두 워너니 나를 자별허게 따르구, 재주두 있구 착실허구, 커서두 내 말을 잘 듣구……. 내가 그놈 하나넌 꼭 믿넌다, 꼭 믿어. 작년 올루 들어서 그놈이 돈을 어찌 좀 히피 쓰기는 허넝가 부더라마는, 그것두 허기사 네게다 대머는 안 쓰는 심이지. 사내자식이 너처럼 허랑허지만 말구서, 제 줏대만 실헐 양이면 돈을 좀 써두 괜찮언 법이여……. 그리서 지난달에두 오백 원 꼭 쓸 디가 있다구 펴지히여길래, 두말 않고 보내 주었다!"
>
> – 채만식, 〈태평천하〉

① 윤 직원 영감의 아버지는 화적 떼에게 죽임을 당했다.

② 윤 직원 영감은 종학이 '경부'가 되기를 바라고 있다.

③ 윤 직원 영감은 '군 서기'로 일하는 종수에게 불만을 드러내고 있다.

④ 종수는 윤 직원 영감과 심리적으로 가까운 사이이다.

난이도 ㉠ ○ ㉵

해설 '윤 직원 영감'은 '종수'를 동생 '종학'과 비교하면서 훈계하고 있고, '종수'는 그저 "네" 하고 답할 뿐이다 이를 볼 때, 둘이 심리적으로 가깝다고 보기는 어렵다.

오답 분석
① "일찍이 윤 직원 영감은 ~ 자기 부친 말대가리 윤용규가 화적의 손에 무참히 맞아 죽은 시체 옆에 서서"를 통해 알 수 있다.

② 윤 직원 영감의 말 "그놈(종학)은 지가 목적헌, 요새 그 목적이란 소리 잘 쓰더구나, 응? 목적 …… 목적헌 경부가 되야 각구서"를 통해 알 수 있다.

③ 윤 직원 영감의 말 "형 놈은 게우 군 서기를 댕기구 있담! 남부끄러서 어쩔 티여?"를 통해 알 수 있다.

정답 ④

작품정보 채만식, 〈태평천하〉

갈래	현대 소설, 풍자 소설, 사회 소설
성격	풍자적, 반어적, 비판적
배경	• 시간: 1930년대(구한말 일제 강점기) • 공간: 서울, 한 평민 출신의 집안
주제	윤 직원 일가의 몰락 과정을 통한 식민지 시대의 타락한 삶의 비판
특징	① 반어적 희화화를 통해 인물을 풍자함. ② 판소리 사설의 문체를 사용하여 독자와의 거리를 좁히고 등장인물에 대해서는 비판적인 거리를 취함. ③ 작자의 직접적인 개입이 두드러짐.

다음 글에 대한 이해로 적절하지 않은 것은?

> 촌장: (관객들을 향해) 어서 오십시오, 주민 여러분. 이 애
> 　　가 그 말을 꺼낸 파수꾼입니다. 저기 빙긋 웃고 있는
> 　　식량 운반인, 이 애가 틀림없지요? 네, 그렇다고 확인
> 　　했습니다. 이리떼인지 아니면 흰 구름인지, 직접 이
> 　　아이의 입을 통하여 들어봅시다.
> 　　파수꾼 다는, 쓰러질 것 같은 걸음으로 망루를 향해 걸어간다.
> 　　나가 근심스럽게 쫓아간다.
> 나: 얘야, 괜찮겠니?
> 다: …… 네.
> 나: 아무래도 걱정이 되는구나. 넌 이리떼란 말만 들어도
> 　　벌벌 떠는 겁쟁이인데. 망루 위에 올라가서 엎드리면
> 　　안 돼. 이렇게 많은 사람들이 널 보러 오지 않았니? 얼
> 　　마나 큰 영광이냐. 이 기회에 말이다, 넌 너 자신이 파
> 　　수꾼이라는 걸 힘껏 자랑해야 한다. 알았지, 응?
> 촌장: 그만 올라가게 하십시오.
> 　　파수꾼 다는 망루 위에 올라간다. 긴 침묵. 마침내 부르
> 　　짖는다.
> 다: 이리떼다, 이리떼! 이리떼가 몰려온다!
> 　　파수꾼 가의 손이 번쩍 들려지며 그도 외친다. 파수꾼 나는
> 　　신이 나서 양철북을 두드린다. 북소리, 한동안 계속된다.
> 가: 북소리 중지! 이리떼는 물러갔다.
>
> 　　　　　　　　　　　　　　　　　　　– 이강백, 〈파수꾼〉

① '나'는 양철북을 두드린 인물이다.

② '다'는 이리떼가 몰려온다고 외친 인물이다.

③ '촌장'은 '다'가 망루 위에 올라가는 것을 말린 인물이다.

④ '식량 운반인'은 이전에 '다'를 만난 적이 있는 인물이다.

난이도 (상) ○ 하

[해설] 파수꾼 '다'를 걱정하는 '나'와 달리, '촌장'은 "그만 올라가게 하십시오."라고 말하고 있다. 따라서 '촌장'이 '다'가 망루 위에 올라가는 것을 말린 인물이라는 이해는 적절하지 않다.

[오답분석]
① "파수꾼 나는 신이 나서 양철북을 두드린다."를 통해 알 수 있다.

② 파수꾼 '다'가 "이리떼다, 이리떼! 이리떼가 몰려온다!"라고 말한 것을 통해 알 수 있다.

④ '촌장'의 "식량 운반인, 이 애가 틀림없지요? 네, 그렇다고 확인했습니다."를 볼 때, '식량 운반인'이 이전에 '다'를 만난 적이 있는 인물임을 알 수 있다.

[정답] ③

작품정보 이강백, 〈파수꾼〉

갈래	단막극, 풍자극
성격	풍자적, 교훈적, 상징적, 우화적
배경	• 시간: 근대 • 공간: 어느 마을의 황야에 있는 망루
제재	촌장과 파수꾼의 위선
주제	진실을 향한 열망과 진실이 통하지 않는 사회의 비극
특징	① 이솝 이야기를 바탕으로 현실을 우의적으로 그림. ② 상징성이 강한 인물과 소재를 사용함.
출전	《현대 문학》(1974)

다음 글에 대한 감상으로 적절하지 않은 것은?

> "같이 가시지. 내 보기엔 좋은 여자 같군."
> "그런 거 같아요."
> "또 알우? 인연이 닿아서 말뚝 박구 살게 될지. 이런 때
> 아주 뜨내기 신셀 청산해야지."
> 영달이는 시무룩해져서 역사 밖을 멍하니 내다보았다.
> 백화는 뭔가 쑤군대고 있는 두 사내를 불안한 듯이 지켜보
> 고 있었다. 영달이가 말했다. "어디 능력이 있어야죠."
> "삼포엘 같이 가실라우?"
> "어쨌든……."
> 영달이가 뒷주머니에서 꼬깃꼬깃한 오백 원짜리 두 장을
> 꺼냈다.
> "저 여잘 보냅시다."
> 영달이는 표를 사고 삼립빵 두 개와 찐 달걀을 샀다. 백
> 화에게 그는 말했다.
> "우린 뒤차를 탈 텐데……. 잘 가슈."
> 영달이가 내민 것들을 받아 쥔 백화의 눈이 붉게 충혈되
> 었다. 그 여자는 더듬거리며 물었다.
> "아무도 …… 안 가나요?"
> "우린 삼포루 갑니다. 거긴 내 고향이오."
> 영달이 대신 정 씨가 말했다. 사람들이 개찰구로 나가고
> 있었다. 백화가 보퉁이를 들고 일어섰다.
> "정말, 잊어버리지 …… 않을게요."
> 백화는 개찰구로 가다가 다시 돌아왔다. 돌아온 백화는
> 눈이 젖은 채로 웃고 있었다.
> "내 이름 백화가 아니에요. 본명은요…… 이점례예요."
> 여자는 개찰구로 뛰어나갔다. 잠시 후에 기차가 떠났다.
>
> 　　　　　　　　　　　　　　　　　　– 황석영, 〈삼포 가는 길〉

① 정 씨는 영달이 백화와 함께 떠날 것을 권유했군.

② 백화는 영달의 선택이 어떤 것일지 몰라 불안했군.

③ 영달은 백화를 신뢰할 수 없었기 때문에 같이 떠나지 않았군.

④ 백화가 자신의 본명을 말한 것은 정 씨와 영달에 대한 고마움의 표현이었군.

난이도 (상) ○ 하

[해설] '정 씨'가 '영달'에게 '백화'가 좋은 여자 같으니 같이 가라고 말하자 '영달'은 "어디 능력이 있어야죠."라고 답했다. 이를 볼 때, 영달이 백화와 함께 떠나지 않은 이유를 '백화를 신뢰할 수 없었기 때문'으로 보기는 어렵다.

[오답분석]
① '영달'에게 '정 씨'가 "같이 가시지. 내 보기엔 좋은 여자 같군."라고 말한 것을 통해 알 수 있다.

② '백화는 뭔가 쑤군대고 있는 두 사내를 불안한 듯이 지켜보고 있었다.'는 서술과 "아무도…… 안 가나요?"라는 '백화'의 말을 통해 알 수 있다.

④ '영달'이 내민 표와 빵, 달걀을 받고서 '백화'의 눈이 붉게 충혈된 것과 자신의 본명을 '점례'라고 밝힌 것을 통해 알 수 있다.

[정답] ③

작품정보 **황석영, 〈삼포 가는 길〉**

갈래	단편 소설, 사실주의 소설, 여로형 소설
성격	사실적, 현실 비판적
배경	• **시간**: 1970년대의 겨울날 • **공간**: 공사장에서 삼포로 가는 길
시점	전지적 작가 시점
주제	산업화 과정에서 소외된 사람들의 애환과 연대 의식
특징	① '정 씨'가 고향을 찾아가는 여로를 중심으로 사건이 전개 됨. ② 여운을 남기는 방식으로 결말을 처리함.
출전	《신동아》(1973)

MEMO

다음 글에 대한 이해로 가장 적절한 것은?

구보는, 약간 자신이 있는 듯싶은 걸음걸이로 전차 선로를 두 번 횡단하여 화신상회 앞으로 간다. 그리고 저도 모를 사이에 그의 발은 백화점 안으로 들어서기조차 하였다. 젊은 내외가, 너댓 살 되어 보이는 아이를 데리고 그곳에 가 승강기를 기다리고 있었다. 이제 그들은 식당으로 가서 그들의 오찬을 즐길 것이다. 흘낏 구보를 본 그들 내외의 눈에는 자기네들의 행복을 자랑하고 싶어하는 마음이 엿보였는지도 모른다. 구보는, 그들을 업신여겨 볼까 하다가, 문득 생각을 고쳐, 그들을 축복하여 주려 하였다. 사실, 4, 5년 이상을 같이 살아왔으면서도, 오히려 새로운 기쁨을 가져 이렇게 거리로 나온 젊은 부부는 구보에게 좀 다른 의미로서의 부러움을 느끼게 하였는지도 모른다. 그들은 분명히 가정을 가졌고, 그리고 그들은 그곳에서 당연히 그들의 행복을 찾을게다.

승강기가 내려와 서고, 문이 열려지고, 닫혀지고, 그리고 젊은 내외는 수남이나 복동이와 더불어 구보의 시야를 벗어났다.

구보는 다시 밖으로 나오며, 자기는 어디 가 행복을 찾을까 생각한다. 발 가는 대로, 그는 어느 틈엔가 안전지대에 가 서서, 자기의 두 손을 내려다보았다. 한 손의 단장과 또 한 손의 공책과 — 물론 구보는 거기에서 행복을 찾을 수는 없다.

안전지대 위에, 사람들은 서서 전차를 기다린다. 그들에게, 행복은 알 수 없다. 그러나 그들은 분명히 갈 곳만은 가지고 있었다.

전차가 왔다. 사람들은 내리고 또 탔다. 구보는 잠깐 머엉하니 그곳에 서 있었다. 그러나 자기와 더불어 그곳에 있던 온갖 사람들이 모두 저 차에 오르는 것을 보았을 때, 그는 저 혼자 그곳에 남아 있는 것에 외로움과 애달픔을 맛본다. 구보는, 움직인 전차에 뛰어올랐다. 〈중략〉

구보는 고독을 느끼고, 사람들 있는 곳으로, 약동하는 무리들이 있는 곳으로, 가고 싶다 생각한다. 그는 눈앞에 경성역을 본다. 그곳에는 마땅히 인생이 있을 게다. 이 낡은 서울의 호흡과 또 감정이 있을 게다. 도회의 소설가는 모름지기 이 도회의 항구와 친하여야 한다. 그러나 물론 그러한 직업의식은 어떻든 좋았다. 다만 구보는 고독을 삼등 대합실 군중 속에 피할 수 있으면 그만이다. 그러나 오히려 고독은 그곳에 있었다. 구보가 한 옆에 끼여 앉을 수도 없으시리 사람들은 그곳에 빽빽하게 모여 있어도, 그들의 누구에게서도 인간 본연의 온정을 찾을 수는 없었다. 그네들은 거의 옆의 사람에게 한마디 말을 건네는 일도 없이, 오직 자기네들 사무에 바빴고, 그리고 간혹 말을 건네도, 그것은 자기네가 타고 갈 열차의 시각이나 그러한 것에 지나지 않았다. 그네들의 동료가 아닌 사람에게 그네들은 변소에 다녀올 동안의 그네들 짐을 부탁하는 일조차 없었다. 남을 결코 믿지 않는 그네들의 눈은 보기에 딱하고 또 가엾었다.

구보는 한구석에 가 서서 그의 앞에 앉아 있는 노파를 본다. 그는 뉘 집에 드난을 살다가 이제 늙고 또 쇠잔한 몸을 이끌어 결코 넉넉하지 못한 어느 시골, 딸네 집이라도 찾아가는지 모른다. 이미 굳어 버린 그의 안면 근육은 어떠한 다행한 일에도 펴질 턱없고, 그리고 그의 몽롱한 두 눈은 비록 그의 딸의 그지없는 효양(孝養)을 가지고도 감동시킬

수 없을지 모른다. 노파 옆에 앉은 중년의 시골 신사는 그의 시골서 조그만 백화점을 경영하고 있을 게다. 그의 점포에는 마땅히 주단포목도 있고, 일용 잡화도 있고, 또 흔히 쓰이는 약품도 갖추어 있을 게다. 그는 이제 그의 옆에 놓인 물품을 들고 자랑스러이 차에 오를 게다. 구보는 그 시골 신사가 노파와의 사이에 되도록 간격을 가지려고 노력하는 것을 발견하고, 그리고 그를 업신여겼다. 만약 그에게 얕은 지혜와 또 약간의 용기를 주면 그는 삼등 승차권을 주머니 속에 간수하고 일, 이등 대합실에 오만하게 자리잡고 앉을 게다.

문득 구보는 그의 얼굴에서 부종(浮腫)을 발견하고 그의 앞을 떠났다. 신장염. 그뿐 아니라, 구보는 자기 자신의 만성 위확장을 새삼스러이 생각해 내지 않으면 안 되었다. 그러나 구보가 매점 옆에까지 갔을 때, 그는 그곳에서도 역시 병자를 보지 않으면 안 되었다. 40여 세의 노동자. 전경부(前頸部)의 광범한 팽륭(澎隆). 돌출한 안구. 또 손의 경미한 진동. 분명히 '바세도우씨' 병. 그것은 누구에게든 결코 깨끗한 느낌을 주지는 못한다. 그의 좌우에는 좌석이 비어 있어도 사람들은 그곳에 앉으려 들지 않는다. 뿐만 아니라, 그에게서 두 칸통 떨어진 곳에 있던 아이 업은 젊은 아낙네가 그의 바스켓 속에서 꺼내다 잘못하여 시멘트바닥에 떨어뜨린 한 개의 복숭아가, 굴러 병자의 발 앞에까지 왔을 때, 여인은 그것을 쫓아와 집기를 단념하기조차 하였다.

구보는 이 조그만 사건에 문득, 흥미를 느끼고, 그리고 그의 '대학노트'를 펴 들었다. 그러나 그가, 문 옆에 기대어 섰는 캡 쓰고 린네르 즈메에리 양복 입은 사나이의, 그 온갖 사람에게 의혹을 갖는 두 눈을 발견하였을 때, 구보는 또 다시 우울 속에 그곳을 떠나지 않으면 안 된다.

- 박태원, 〈소설가 구보 씨의 일일〉

① 구보는 '노파'의 가난하고 고된 삶을 상상해 보며, 그녀의 생기 없는 외양에 대해 생각한다.

② 구보는 '중년의 시골 신사'가 삼등 승차권을 가지고 이등 대합실에 자리 잡고 있는 모습을 목격하고 그를 업신여기고 있다.

③ 구보는 만성 위확장을 앓고 있는 '40여 세의 노동자'가 불결한 느낌을 준다고 생각하지만 그의 곁에 가서 앉는다.

④ 구보는 '양복 입은 사나이'가 온갖 사람을 불신하는 모습을 목격하고 분노를 느낀다.

난이도 상 ○ 하

해설 〈중략〉 이후 두 번째 문단에서 '구보'는 '노파'를 관찰하며, '노파'의 가난하고 고된 삶을 상상해 보며, 그녀의 생기 없는 외양에 대해 생각하고 있다.

오답분석
② 구보가 '상상'한 내용일 뿐, 실제로 구보가 목격한 내용이 아니다.
③ "구보는 자기 자신의 만성 위확장을 새삼스러이 생각해 내지 않으면 안 되었다."라는 말을 볼 때, 만성 위확장을 앓고 있는 사람은 '구보'이지, '40여 세의 노동자'가 아니다.
④ "양복 입은 사나이의, 그 온갖 사람에게 의혹을 갖는 두 눈을 발견하였을 때, 구보는 또 다시 우울 속에 그곳을 떠나지 않으면 안 된다."를 볼 때, 구보가 '분노'를 느낀다는 설명은 적절하지 않다.

정답 ①

다음 글의 내용과 부합하지 않는 것은?

> 무슈 리와 엄마는 재혼한 부부다. 내가 그를 아버지라고 부르기 어려운 것은 거의 그런 말을 발음해 본 적이 없는 습관의 탓이 크다.
>
> 나는 그를 좋아할뿐더러 할아버지 같은 이로부터 느끼던 것의 몇 갑절이나 강한 보호 감정 ― 부친다움 같은 것도 느끼고 있다.
>
> 그러나 나는 그의 혈족은 아니다.
>
> 무슈 리의 아들인 현규와도 마찬가지다. 그와 나는 그런 의미에서는 순전한 타인이다. 스물두 살의 남성이고 열여덟 살의 계집아이라는 것이 진실의 전부이다. 왜 나는 이 일을 그대로 알아서는 안 되는가?
>
> 나는 그를 영원히 아무에게도 주기 싫다. 그리고 나 자신을 다른 누구에게 바치고 싶지도 않다. 그리고 우리를 비끄러매는 형식이 결코 '오누이'라는 것이어서는 안 될 것을 알고 있다. 나는 또 물론 그도 나와 마찬가지로 같은 일을 생각하고 있기를 바란다. 같은 일을 ― 같은 즐거움일 수는 없으나 같은 이 괴로움을.
>
> 이 괴로움과 상관이 있을 듯한 어떤 조그만 기억, 어떤 조그만 표정, 어떤 조그만 암시도 내 뇌리에서 사라지는 일은 없다. 아아, 나는 행복해질 수는 없는 걸까? 행복이란, 사람이 그것을 위하여 태어나는 그 일을 말함이 아닌가? 초저녁의 불투명한 검은 장막에 싸여 짙은 꽃향기가 흘러든다. 침대 위에 엎드려서 나는 마침내 느껴 울고 만다.
>
> - 강신재, 〈젊은 느티나무〉

① '나'는 '현규'도 '나'와 같은 감정을 갖고 있기를 기대하고 있다.

② '나'와 '현규'는 혈연적으로는 아무런 관계가 없는 타인이며, 법률상의 '오누이'일 뿐이다.

③ '나'는 '현규'에 대한 감정 때문에 '무슈 리'를 아버지로 부르는 것에 거부감을 갖고 있다.

④ '나'는 사회적 인습이나 도덕률보다는 '현규'에 대한 '나'의 감정에 더 충실해지고 싶어 한다.

난이도 ◯ 중 하

해설 '나'는 '현규'에게 좋은 감정을 갖고 있는 것은 맞다. 그러나 그것 때문에 '무슈 리'를 아버지로 부르기 어렵다는 내용은 나와 있지 않다. 첫 번째 단락의 "무슈 리와 엄마는 재혼한 부부다. 내가 그를 아버지라고 부르기 어려운 것은 거의 그런 말을 발음해 본 적이 없는 습관의 탓이 크다."를 볼 때, 내가 '무슈 리'를 아버지로 부르기 어려운 이유는 그런 말을 해 본 적이 없기 때문이다.

오답 분석
① 다섯 번째 단락의 "나는 또 물론 그도 나와 마찬가지로 같은 일을 생각하고 있기를 바란다."라는 '나'의 서술을 통해 확인할 수 있다.

② 세 번째 단락 "그러나 나는 그의 혈족은 아니다.", 네 번째 단락 "무슈 리의 아들인 현규와도 마찬가지다. 그와 나는 그런 의미에서는 순전한 타인이다."를 통해 '나'와 '현규'는 혈연적으로는 아무런 관계가 없는 타인이며, 법률상의 '오누이'일 뿐임을 알 수 있다.

④ '나'와 '현규'는 혈연적으로는 아무런 관계가 없는 타인이지만 법률상 '오누이'이다. 그렇기 때문에 사회적 인습과 도덕률에 따르면 결코 사랑할 수 없는 관계이다. 그런데 '나'는 "법률상의 '오누이'일 뿐"이라고 표현하면서 '그'와의 사랑을 꿈꾸고 있다. 따라서 '나'는 사회적 인습이나 도덕률보다는 '현규'에 대한 '나'의 감정에 더 충실해지고 싶어 한다는 설명은 옳다.

정답 ③

작품정보 강신재, 〈젊은 느티나무〉

갈래	단편 소설, 성장 소설
성격	회고적, 서정적, 감각적
배경	• 시간: 1950년대 • 공간: 서울에서 떨어진 S촌과 느티나무가 있는 시골
시점	1인칭 주인공 시점
주제	현실의 굴레를 극복하고 순수한 사랑을 성취하는 청춘 남녀의 아름다운 모습

다음 글을 잘못 이해한 것은?

> 서연: 여보게, 동연이.
> 동연: 왜?
> 서연: 자네가 본뜨려는 부처님 형상은 누가 언제 그렸는지
>   몰라도 흔히 있는 것을 베껴 놓은 걸세. 그런데 자네
>   는 그 형상을 또다시 베껴 만들 작정이군. 자넨 의심
>   도 없는가? 심사숙고해 보게. 그런 형상이 진짜 부처
>   님은 아닐세.
> 동연: 나에겐 전혀 의심이 없네.
> 서연: 의심이 없다니……?
> 동연: 무엇 때문에 의심해서 아까운 시간을 낭비해야 하는
>   가?
> 서연: 음…….
> 동연: 공부를 하게, 괜히 의심 말고! (허공에 걸려 있는 탱
>   화를 가리키며) 자넨 얼마나 형상 공부를 했는가? 이
>   십일면관세음보살의 머리 위에는 열한 개의 얼굴들
>   이 있는데, 그 얼굴 하나하나를 살펴나 봤었는가? 귀
>   고리, 목걸이, 손에 든 보병과 기현화란 꽃의 형태를
>   꼼꼼히 연구했었는가? 자네처럼 게으른 자들은 공부
>   는 안 하고, 아무 의미 없다 의심만 하지!
> 서연: 자넨 정말 열심히 공부했네. 그렇다면 그 형태 속에
>   부처님 마음은 어디 있는지 가르쳐 주게.
>
> — 이강백, 〈느낌, 극락 같은〉

① 불상 제작에 대한 동연과 서연의 입장은 다르다.

② 서연은 전해지는 부처님 형상을 의심하는 인물이다.

③ 동연은 부처님 형상을 독창적으로 제작하는 인물이다.

④ 동연과 서연의 대화는 예술에 있어서 형식과 내용의 논쟁을
   연상시킨다.

난이도 ⦿ 중 하

[해설] 서연은 불상을 만드는 동연에게 "자네가 본뜨려는 부처님 형상은 누가 언제 그렸는지 몰라도 흔히 있는 것을 베껴 놓은 걸세. 그런데 자네는 그 형상을 또다시 베껴 만들 작정이군."라고 말하고 있다. 이 말을 통해 동연은 남이 만든 부처님 형상을 그대로 본뜨고 있음을 알 수 있다. 따라서 동연이 부처의 형상을 '독창적'으로 제작하는 인물이라는 이해는 적절하지 않다.

[오답 분석]
① 서연의 두 번째 말을 볼 때, '동연'이 남이 만든 부처님 형상을 그대로 본뜨는 것을 '서연'은 부정적으로 생각하고 있다. 따라서 불상 제작에 대한 두 사람이 입장이 다르다는 이해는 적절하다.

② 서연의 "자네가 본뜨려는 부처님 형상은 누가 언제 그렸는지 몰라도 흔히 있는 것을 베껴 놓은 걸세."라는 말을 볼 때, 서연은 전해지는 부처님 형상을 의심하는 인물임을 알 수 있다.

④ 동연의 마지막 말 "자넨 얼마나 형상 공부를 했는가? 이십일면 관세음보살의 머리 위에는 열한 개의 얼굴들이 있는데, 그 얼굴 하나하나를 살펴나 봤었는가? 귀고리, 목걸이, 손에 든 보병과 기현화란 꽃의 형태를 꼼꼼히 연구했었는가?"를 볼 때, 동연은 불상의 형상, 즉 '형식'을 중시하는 인물이다. 한편, 서연은 '형식'이 아닌 '마음', 즉 '내용'을 중시하는 인물이다. 따라서 동연과 서연의 대화는 예술에 있어서 형식과 내용의 논쟁을 연상시킨다는 이해는 적절하다.

정답 ③

작품정보 이강백, 〈느낌, 극락 같은〉

갈래	희곡
성격	환상적, 비논리적, 비현실적, 실험적
배경	• 시간: 현대 • 공간: 불상 제작가 함묘진의 집, 작업장, 들판
주제	예술의 본질적 가치에 대한 깨달음
출전	《동아일보》(1938)

인물의 심리를 서술하였다. 가장 적절하지 않은 것은?

> 백화가 눈 덮인 길의 고랑에 빠져 버렸다. 발이라도 삐었는지 백화는 꼼짝 못하고 주저앉아 신음을 했다. 영달이가 달려들어 싫다고 뿌리치는 백화를 업었다. 〈중략〉
>
> "무겁죠?"
>
> 영달이는 대꾸하지 않았다. 백화는 어린애처럼 가벼웠다. 등이 불편하지도 않았고 어쩐지 가뿐한 느낌이었다. 〈중략〉
>
> "어깨가 참 넓으네요. 한 세 사람쯤 업겠어."
>
> "댁이 근수가 모자라서 그렇다구."
>
> 그들은 일곱 시쯤에 감천 읍내에 도착했다. 마침 장이 섰었는지 파장된 뒤인데도 읍내 중앙은 홍청대고 있었다. 〈중략〉
>
> 영달이는 이제 백화를 옆에서 부축하고 있었다. 발을 디딜 때마다 여자가 얼굴을 찡그렸다. 정 씨가 백화에게 물었다. "어느 방향이오?" "전라선이에요." 〈중략〉 역으로 가면서 백화가 말했다. "어차피 갈 곳이 정해지지 않았다면 우리 고향에 함께 가요. 내 일자리를 주선해 드릴게."
>
> "내야 삼포로 가는 길이지만, 그렇게 하지?" 정 씨도 영달이에게 권유했다. 영달이는 흙이 덕지덕지 달라붙은 신발 끝을 내려다보며 아무 말이 없었다. 대합실에서 정 씨가 영달이를 한쪽으로 끌고 가서 속삭였다. "여비 있소?" "빠듯이 됩니다. 비상금이 한 천 원쯤 있으니까."
>
> "어디루 가려오?" "일자리 있는 데면 어디든지……. 〈중략〉
>
> 정 씨는 대합실 나무 의자에 피곤하게 기대어 앉은 백화 쪽을 힐끗 보고 나서 말했다.
>
> "같이 가시지, 내 보기엔 좋은 여자 같군."
>
> "그런 거 같아요."
>
> "또 알우? 인연이 닿아서 말뚝 박구 살게 될지. 이런 때 아주 뜨내기 신셀 청산해야지."
>
> 영달이는 시무룩해져서 역사 밖을 내다보았다. 백화가 뭔가 쑤군대고 있는 두 사내를 불안한 듯이 지켜보고 있었다. 영달이가 말했다.
>
> "어디 능력이 있어야죠."
>
> "삼포엘 같이 가실라우?"
>
> "어쨌든……." 〈중략〉
>
> 영달이는 표를 사고 삼립빵 두 개와 찐 달걀을 샀다. 백화에게 그는 말했다. "우린 뒤차를 탈 텐데……. 잘 가슈." 영달이가 내민 것들을 받아 쥔 백화의 눈이 붉게 충혈되었다. 〈중략〉
>
> "정말, 잊어버리지…… 않을게요."
>
> 백화는 개찰구로 가다가 다시 돌아왔다. 돌아온 백화는 눈이 젖은 채로 웃고 있었다.
>
> "내 이름은 백화가 아니에요. 본명은요…… 이점례예요.

① 영달은 백화와의 동행이 마음에 들지 않는다.

② 정 씨 본인은 뜨내기 신세를 면할 수 있다고 생각하고 있다.

③ 백화는 영달의 마음을 가늠하기 힘들어 불안해한다.

④ 백화는 영달에게 호감이 있다.

해설 첫 번째 〈중략〉 바로 앞의 "백화는 어린애처럼 가벼웠다. 등이 불편하지도 않았고 어쩐지 가뿐한 느낌이었다." 부분의 서술을 볼 때, 영달이 백화와의 동행이 마음에 들지 않았다는 설명은 적절하지 않다.

오답 분석
② 자기의 고향에 함께 가자는 백화의 말에 "내야 삼포로 가는 길이지만"라는 정 씨의 말을 볼 때, 정 씨 본인은 뜨내기 신세를 면할 수 있다고 생각하고 있었음을 짐작할 수 있다.

③ "백화가 뭔가 쑤군대고 있는 두 사내를 불안한 듯이 지켜보고 있었다 "를 통해 영달이 마음을 짐작하기 어려워 불안해하는 백화의 심리를 짐작할 수 있다.

④ 백화가 영달에게 갈 곳이 정해지지 않았다면 자기 고향으로 가자고 한 일, 헤어지면서 영달이 건네 준 표와 빵, 달걀을 받고 눈이 붉게 충혈된 일, 개찰구로 가다가 자신의 본명인 '이점례'를 말한 일을 미루어 볼 때 백화는 영달에게 호감이 있음을 짐작할 수 있다.

정답 ①

㉠~㉣에 대한 감상으로 가장 적절한 것은?

> ㉠ "달밤에는 그런 이야기가 격에 맞거든."
> 조 선달 편을 바라는 보았으나, 물론 미안해서가 아니라 달빛에 감동하여서였다. 이지러는졌으나 보름을 가제 지난 달은 부드러운 빛을 흐붓이 흘리고 있다. 대화까지는 칠십 리의 밤길. 고개를 둘이나 넘고 개울을 하나 건너고 벌판과 산길을 걸어야 된다. 길은 지금 긴 산허리에 걸려 있다. 밤 중을 지난 무렵인지 죽은 듯이 고요한 속에서 짐승 같은 달의 숨소리가 손에 잡힐 듯이 들리며, 콩 포기와 옥수수 잎 새가 한층 달에 푸르게 젖었다. 산허리는 온통 메밀밭이어서 피기 시작한 꽃이 소금을 뿌린 듯이 흐붓한 달빛에 숨이 막힐 지경이다. 붉은 대궁이 향기같이 애잔하고, 나귀들의 걸음도 시원하다. 길이 좁은 까닭에 세 사람은 나귀를 타고 외줄로 늘어섰다. 방울 소리가 시원스럽게 딸랑딸랑 메밀 밭께로 흘러간다. 앞장선 허 생원의 이야기 소리는 꽁무니에 선 동이에게는 확적(確的)히는 안 들렸으나, 그는 그대로 개운한 제멋에 적적하지는 않았다.
> "장 선 꼭 이런 날 밤이었네. ㉡ 객줏집 토방이란 무더워서 잠이 들어야지. 밤중은 돼서 혼자 일어나 개울가에 목욕하러 나갔지. 봉평은 지금이나 그제나 마찬가지지. 보이는 곳마다 메밀밭이어서 개울가에 어디 없이 하얀 꽃이야. 돌밭에 벗어도 좋을 것을 달이 너무도 밝은 까닭에 옷을 벗으러 물방앗간으로 들어가지 않았나. 이상한 일도 많지. 거기서 난데없는 성 서방네 처녀와 마주쳤단 말이네. 봉평서야 제일가는 일색이었지."
> "팔자에 있었나 부지."
> 아무렴 하고 응답하면서 말머리를 아끼는 듯이 한참이나 담배를 빨 뿐이었다. 구수한 자줏빛 연기가 밤기운 속에 흘러서는 녹았다.
> "날 기다린 것은 아니었으나, 그렇다고 달리 기다리는 놈팽이가 있은 것두 아니었네. 처녀는 울고 있단 말이야. 짐작은 대고 있었으나 성 서방네는 한창 어려워서 들고 날 판인 때였지. 한집안 일이니 딸에겐들 걱정이 없을 리 있겠나? 좋은 데만 있으면 시집도 보내련만 시집은 죽어도 싫다지…….
> 그러나 처녀란 올 때같이 정을 끄는 때가 있을까. 처음에는 놀라기도 한 눈치였으나 걱정 있을 때는 누그러지기도 쉬운 듯해서 이럭저럭 이야기가 되었네 ……. ㉢ 생각하면 무섭고도 기막힌 밤이었어."
> "제천인지로 줄행랑을 놓은 건 그다음 날이었나?"
> "다음 장(場)도막에는 벌써 온 집안이 사라진 뒤였네. 장판은 소문에 발끈 뒤집혀 고작해야 술집에 팔려가기가 상수라고, 처녀의 뒷공론이 자자들 하단 말이야. 제천 장판을 몇 번이나 뒤졌겠나. 하나 처녀의 꼴은 꿩 궈 먹은 자리야. 첫날밤이 마지막 밤이었지. 그때부터 봉평이 마음에 든 것이 반평생을 두고 다니게 되었네. 평생인들 잊을 수 있겠나."
> "수 좋았지. 그렇게 신통한 일이란 쉽지 않어. 항용 못난 것 얻어 새끼 낳고 걱정 늘고, 생각만 해두 진저리가 나지 ……. 그러나 늘그막바지까지 장돌뱅이로 지내기도 힘드는 노릇 아닌가? 난 가을까지만 하구 이 생애와두 하직하려네. 대화 쯤에 조그만 전방이나 하나 벌이구 식구들을 부르겠어. 사시장철 뚜벅뚜벅 걷기란 여간이래야지."

> "㉣ 옛 처녀나 만나면 같이나 살까 ……. 난 거꾸러질 때까지 이 길 걷고 저 달 볼 테야."

① ㉠: 허 생원은 서정적인 분위기와 어울리지 않는 이야기를 시작하고 있어.

② ㉡: 허 생원은 중요한 사건이 발생한 장소를 직접 알려주고 있어.

③ ㉢: 허 생원은 계획이 완벽하게 성공했다며 자랑하고 있어.

④ ㉣: 허 생원은 소중하게 간직한 추억을 잊지 못하고 있어.

난이도 ⬆ 중 하

해설 "만나면 같이나 살까"라고 말하고 있는 것을 보아, 허 생원은 처녀와의 추억을 소중히 간직하고, 여전히 그녀를 잊지 못하고 있음을 알 수 있다.

오답분석
① '달밤'에 어울리는 이야기를 하고 있다. 따라서 서정적인 분위기와 어울리지 않는 이야기를 시작하고 있다는 감상은 적절하지 않다.

② 중요한 사건이 발생한 곳은 '토방'이 아니라 '물방앗간'이다. 따라서 허 생원은 중요한 사건이 발생한 장소를 직접 알려주고 있다는 감상은 적절하지 않다.

③ ㉢의 말을 볼 때, 계획이 아니라 우연이었음을 알 수 있다. 따라서 허 생원은 계획이 완벽하게 성공했다며 자랑하고 있다는 반응은 적절하지 않다.

정답 ④

작품정보 **이효석, 〈메밀꽃 필 무렵〉**

갈래	단편 소설, 순수 소설, 낭만주의 소설
성격	서정적, 낭만적, 묘사적
배경	• **시간**: 1920년대 어느 여름날의 낮부터 밤까지 • **공간**: 강원도 봉평에서 대화 장터로 가는 길
시점	전지적 작가 시점
주제	떠돌이 삶의 애환과 육친의 정(情)
특징	① 전지적 서술자가 등장인물의 행동과 심리를 서술함. ② 서정적이며 시적인 문체를 구사하여 배경을 낭만적으로 묘사함. ③ 암시와 여운을 남기는 결말 구성을 취함.
출전	《조광》(1936)

다음 글의 공간에 대한 설명으로 적절하지 않은 것은?

시(市)를 남북으로 나누며 달리는 철도는 항만의 끝에 이르러서야 잘려졌다. 석탄을 싣고 온 화차(貨車)는 자칫 바다에 빠뜨릴 듯한 머리를 위태롭게 사리며 깜짝 놀라 멎고 그 서슬에 밑구멍으로 주르르 석탄 가루를 흘려보냈다.

집에 가 봐야 노루 꼬리만큼 짧다는 겨울 해에 점심이 기다리고 있는 것도 아니어서 우리들은 학교가 파하는 대로 책가방만 던져둔 채 떼를 지어 선창을 지나 항만의 북쪽 끝에 있는 제분 공장에 갔다.

제분 공장 볕 잘 드는 마당 가득 깔린 멍석에는 늘 덜 건조된 밀이 널려 있었다. 우리는 수위가 잠깐 자리를 비운 틈을 타서 마당에 들어가 멍석의 귀퉁이를 밟으며 한 움큼씩 밀을 입 안에 털어 넣고는 다시 걸었다. 올올이 흩어져 대글대글 이빨에 부딪치던 밀알들이 달고 따뜻한 침에 의해 딱딱한 껍질을 불리고 속살을 풀어 입 안 가득 풀처럼 달라붙다가 제법 고무질의 질긴 맛을 낼 때쯤이면 철로에 닿게 마련이었다.

우리는 밀 껌으로 푸우푸우 풍선을 만들거나 침목(枕木) 사이에 깔린 잔돌로 비사치기를 하거나 전날 자석을 만들기 위해 선로 위에 얹어 놓았던 못을 뒤지면서 화차가 닿기를 기다렸다.

드디어 화차가 오고 몇 번의 덜컹거림으로 완전히 숨을 놓으면 우리들은 재빨리 바퀴 사이로 기어들어가 석탄 가루를 훑고 이가 벌어진 문짝 틈에 갈퀴처럼 팔을 들이밀어 조개탄을 후벼내었다. 철도 건너 저탄장에서 밀차를 밀며 나오는 인부들이 시커멓게 모습을 나타낼 즈음이면 우리는 대개 신발주머니에, 보다 크고 몸놀림이 잽싼 아이들은 시멘트 부대에 가득 석탄을 팔에 안고 낮은 철조망을 깨금발로 뛰어넘었다.

선창의 간이음식점 문을 밀고 들어가 구석 자리의 테이블을 와글와글 점거하고 앉으면 그날의 노획량에 따라 가락국수, 만두, 찐방 등이 날라져 왔다.

석탄은 때로 군고구마, 딱지, 사탕 따위가 되기도 했다. 어쨌든 석탄이 선창 주변에서는 무엇과도 바꿀 수 있는 현금과 마찬가지라는 것을 우리는 알고 있었고, 때문에 우리 동네 아이들은 사철 검정 강아지였다.

- 오정희, 〈중국인 거리〉

① 철길 때문에 도시가 남북으로 나뉘어 있다.

② 항만 북쪽에는 제분 공장이 있고, 철도 건너에는 저탄장이 있다.

③ 선로 주변에 아이들이 넘을 수 없는 철조망이 있다.

④ 석탄을 먹을거리와 바꿀 수 있는 간이음식점이 있다.

해설 5문단에서 "낮은 철조망을 깨금발로 뛰어넘었다."를 보면 아이들이 넘을 수 없는 철조망이 있다는 설명은 적절하지 않다.

오답 분석

① 1문단의 "시(市)를 남북으로 나누며 달리는 철도"를 통해 철길로 도시가 남북으로 나뉘어 있음을 알 수 있다.

② 2문단의 "항만의 북쪽 끝에 있는 제분 공장에 갔다."를 통해 항만 북쪽에는 제분 공장이 있음을 알 수 있다. 5문단의 "철도 건너 저탄장에서"를 통해 철도 건너에는 저탄장이 있음을 알 수 있다.

④ 6문단의 "긴이음식짐 ~ 그날의 노획량에 따라 가락국수, 민투, 찐빵 등이 날라져 왔다."를 통해 석탄을 먹을거리와 바꿀 수 있는 간이음식점이 있음을 알 수 있다.

정답 ③

작품정보 **오정희, 〈중국인 거리〉**

갈래	단편 소설, 성장 소설
성격	회상적
배경	• 시간: 6·25 전쟁 직후 • 공간: 항구 도시에 위치한 중국인 거리
시점	1인칭 주인공 시점
주제	유년 시절의 체험과 정신적·육체적 성장

다음 글의 공간에 대한 설명으로 적절하지 않은 것은?

75. 북측 초소(밤)

성식: (우진에게 가서 무릎을 꿇고 워커 끈을 풀어서 다시 매 주며) 얌마, 군인이 한 번 가르쳐 주면 제대로 해야지. 언제까지 내가 매 줄 순 (쓸쓸해지며) 없잖아. (워커 끈을 매 주는 안타까운 표정. 일어나며 분위기를 바꾸려는 듯) 참! (봉투에 싼 물건을 꺼내 들고 한 손으로 우진의 어깨를 짚으며 짐짓 느끼한 톤으로) 생일 축하해. 진.

또 한 번 우엑! 하는 수혁. 너무 그러지 말라는 듯 옆에서 톡 치는 경필. 포장을 끄른 우진. 일제 수채화 물감 한 통과 붓 몇 자루를 내려다본다. 〈중략〉

우진: (진정하고, 심각한 표정으로) 나도, 형들 줄려구 준비한 게 있어요.

수혁: 뭔데?

말없이 성식이 앉았던 자리로 와 앉는 우진. 모두들 궁금해 하며 주목한다. 잠시 침묵. 주머니를 뒤지며 시간을 끄는 우진. 찾는 물건이 없다는 듯 고개를 갸우뚱한다. 몸을 한쪽으로 기울이더니, 큰 소리로 방귀를 뀌는 우진. 일동, 좌절하며 고개를 푹 숙인다. 낄낄대는 우진, 일어서서 테이블로 간다. 서랍을 열고 서류철을 꺼내 뭔가를 찾는 우진. 경필, 무표정한 얼굴에서 갑자기 오만상을 찡그리며 고개를 돌린다.

경필: (코를 막으며) 야아, 문 열어!

초소 문을 열러 가는 성식, 손을 내미는 순간 먼저 문이 열린다. 무심코 돌아본 경필, 굳어 버린다.

- 박찬욱 외, 〈공동경비구역 JSA〉

① 성식은 인간적이고 성품이 따뜻하다.

② 우진은 장난스러운 행동으로 해학적인 상황을 만든다.

③ 수혁은 우진의 선물을 궁금해한다.

④ 경필은 참을성이 강하고 포용력이 있다.

난이도 ⑧ ⑧ ⑩

[해설] 제시된 부분에 나타난 '경필'의 말과 행동만으로는 경필이 참을성이 강하고 포용력이 있는 사람인지는 알 수 없다. 따라서 ④의 설명은 적절하지 않다.

[오답분석] ① 성식이 우진의 워커 끈을 풀어서 다시 매 주는 행동과 그의 말을 볼 때, 성식은 인간적이고 성품이 따뜻한 인물임을 알 수 있다.

② 우진이 준비한 것이 있다며 방귀를 뀌며 장난을 치는 장면을 통해 확인할 수 있다.

③ '뭔데?'라는 수혁의 말과 '모두들 궁금해 하며 주목한다.'라는 지문을 통해 확인할 수 있다.

정답 ④

작품정보 **박찬욱 외, 〈공동경비구역 JSA〉**

갈래	시나리오
성격	민족적, 휴머니즘적
배경	• **시간**: 1990년대 • **공간**: 판문점 공동 경비 구역
제재	공동경비구역 내에서 벌어진 총격 사건
주제	분단을 뛰어넘는 남북 병사의 우정
특징	① 사건과 사건을 추리적인 요소로 연결함. ② 희극적 대사와 장면을 통해 긴장감을 해소함. ③ 분단 문제에 대한 휴머니즘적 접근을 보여 줌.

이 글에 대한 설명으로 가장 적절하지 않은 것은?

정작 문제가 터진 건 손님들이 돌아가고 난 후였다. 아들은 민 노인을 하얗게 질린 얼굴로 다잡았다. 아버지는 왜 체면을 판판이 우그러뜨리느냐는 게 항변의 줄거리였다. 그 녀석들은 아버지의 북소리를 꼭 듣고 싶어서 청한 것이 아니라, 그 북을 통해 자기의 면목이나 위치를 빈정대기 위해서 그러는 것임을 왜 모르냐고, 민 노인의 괜찮은 기분을 구석으로 떠밀어 조각을 내었다. 아들 옆에서 입을 꼭 다물고 있는 며느리는, 차라리 더 많은 힐난을 내쏘고 있음을 민 노인은 모르지 않았다. 아들 내외는 요컨대 아버지가 그냥 보통 노인네로 머물러 있기를 바랐다.

〈중략〉

"다음 주 토요일 오후, 우리 서클 아이들이 봉산 탈춤 발표회를 갖기로 했거든요. 학교 축제의 하나예요."

"그런데?"

민 노인의 물음에는, 그것과 나와 무슨 상관이냐는 뜻이 포함되어 있었다.

"할아버지께서 북장단을 맡아 주셨으면 하구요."

"뭐라구? 그건 나와 번지수가 달라. 해 본 적도 없구."

"한두 번만 맞춰 보시면 될 건데요."

"연습까지 하고? 아서라. 더구나 늬 애비가 알면 큰일난다." "염려 마세요. 저하고 비밀만 지키면 되잖아요. 애들한테도 다 말해 놨구, 지도 교수의 허락도 받았다구요."

"임마, 그건 너희들끼리 해도 되잖아. 나까지 끌어내지 않아도."

"누가 그걸 모르나요. 자리를 더 좀 빛내 보자 이겁니다."

"나는 무대나 안방에만 앉아 봤지, 넓은 마당에서는 북을 쳐 본 경험이 없어."

"그게 그거 아닙니까. 말을 안 꺼냈다면 몰라도, 이제 와서 제 체면도 좀 봐 주셔야죠."

"이 녀석들 보게. 애비는 애비대로 내 북 때문에 제 체면이 깎인다는 판에, 자식은 또 북으로 체면을 세워 달라니 무슨 조홧속인지 어지럽다."

"아버지와 저와는 생각이 다르니까요."

"그 말도 못 알아듣겠다."

"설명하자면 길구요. 이번 일은 꼭 좀 해 주셔야겠습니다. 이런 말씀드리기는 뭣하지만, 제 딴에는 모처럼 할아버지께서 신바람 내실 기회를 드리자는 의미도 있습니다."

"얼씨구. 이 녀석 봐라."

① 손자 '성규'는 자신의 입장을 내세워 협조를 부탁하고 있다.

② '민 노인'의 아들은 '민 노인'과의 관계보다 자신의 체면을 중시한다.

③ '민 노인'은 아들과 며느리가 자신을 탐탁지 않게 여기는 것을 알고 있다.

④ 손자 '성규'는 일이 끝난 후 받게 될 혜택을 제시하며 '민 노인'을 설득하고 있다.

난이도 ㉤ ㉥ ○

해설 제시된 작품은 최일남의 〈흐르는 북〉이다. 손자 '성규'는 ④에서 말한 일이 끝난 후 받게 될 혜택이 아닌, "제 체면도 좀 봐 주셔야죠."와 "모처럼 할아버지께서 신바람 내실 기회를 드리자는 의미도 있습니다."라는 말로 '민 노인'을 설득하고 있다.

오답분석 ① 성규는 할아버지에게 '자신의 체면'을 내세우면서 협조를 부탁하고 있다.

② 1문단의 "아들은 민 노인을 하얗게 질린 얼굴로 다잡았다. 아버지는 왜 체면을 판판이 우그러뜨리느냐는 게 항변의 줄거리였다."를 볼 때, '민 노인'의 아들은 '민 노인'과의 관계보다는 자신의 체면을 중시하는 인물임을 알 수 있다.

③ 성규와의 대화에서 "애비는 애비대로 내 북 때문에 제 체면이 깎인다는 판에"와 같이 말한 것을 볼 때, 민 노인은 아들 내외의 속내를 파악하고 있음을 확인할 수 있다.

정답 ④

작품정보	최일남, 〈흐르는 북〉
갈래	단편 소설, 가족사 소설
성격	사실적, 비판적
배경	• 시간: 1980년대 • 공간: 서울의 한 아파트, 대학교
시점	전지적 작가 시점
주제	예술과 삶에 대한 인식의 차이로 인한 세대 간 갈등과 그 극복
특징	① 중심 소재를 통해 세대 간의 갈등 양상을 보여 줌. ② 갈등의 해소를 제시하지 않음으로써 여운을 줌.

내용 일치	산문 문학	고전 산문 문학 작품의 내용과 일치 여부를 묻는 유형

작품정보 김만중, 〈구운몽〉

갈래	국문 소설, 몽자류(夢字類) 소설, 양반 소설, 염정 소설, 영웅 소설
성격	전기적, 이상적, 불교적
시점	전지적 작가 시점
배경	• 시간: 당나라 때 • 공간: 중국 남악 형산 연화봉 동정호(현실), 당나라 서울과 변방(꿈)
제재	꿈을 통한 성진의 득도(得道) 과정
주제	인생무상(人生無常)의 깨달음을 통한 허무의 극복
특징	① '현실 – 꿈 – 현실'의 이원적 환몽 구조를 지닌 일대기 형식을 취함. ② 유교, 불교, 도교 사상이 나타나며, 그중 불교의 공(空) 사상이 중심을 이룸. ③ 설화 '조신의 꿈'의 영향을 받음.

022 ○○○

2022 국가직 9급

다음 글에 대한 이해로 적절하지 않은 것은?

승상이 말을 마치기도 전에 구름이 걷히더니 노승은 간 곳이 없고 좌우를 돌아보니 팔낭자도 간 곳이 없었다. 승상이 놀라 어찌할 바를 모르는 중에 높은 대와 많은 집들이 한순간에 사라지고 자기의 몸은 작은 암자의 포단 위에 앉아 있었는데, 향로의 불은 이미 꺼져 있었고 지는 달이 창가에 비치고 있었다.

자신의 몸을 보니 백팔염주가 걸려 있고 머리를 손으로 만져보니 갓 깎은 머리털이 까칠까칠하더라. 완연한 소화상의 몸이요 전혀 대승상의 위의가 아니었으니, 이에 제 몸이 인간 세상의 승상 양소유가 아니라 연화도량의 행자 성진임을 비로소 깨달았다.

그리고 생각하기를, '처음에 스승에게 책망을 듣고 풍도옥으로 가서 인간 세상에 환도하여 양가의 아들이 되었지. 그리고 장원급제를 하여 한림학사가 된 후 출장입상하고 공명신퇴하여 두 공주와 여섯 낭자로 더불어 즐기던 것이 다 하룻밤 꿈이었구나. 이는 필시 사부가 나의 생각이 그릇됨을 알고 나로 하여금 이런 꿈을 꾸게 하시어 인간 부귀와 남녀 정욕이 다 허무한 일임을 알게 하신 것이로다.'

- 김만중, 〈구운몽〉

① '양소유'는 장원급제를 하여 한림학사가 되었다.

② '양소유'는 인간 세상에 환멸을 느껴 스스로 '성진'의 모습으로 되돌아왔다.

③ '성진'이 있는 곳은 인간 세상이 아니다.

④ '성진'은 자신의 외양을 통해 꿈에서 돌아왔음을 인식한다.

난이도 ⑤ ○ ⑥

[해설] '성진'의 모습으로 되돌아온 것이 '자의(自意: 스스로 자, 뜻 의)'였다면, 주변이 달라졌을 때 '승상'이 놀라 어찌할 바를 모르지 않았을 것이다. 그리고 현실로 돌아왔을 때, 자신이 인간세상의 '양소유'가 아니라 '성진'임을 깨닫지도 않았을 것이다. 따라서 인간 세상에 환멸을 느껴 '양소유'가 스스로 '성진'의 모습으로 되돌아왔다는 이해는 적절하지 않다.

[오답 분석] ① 자신이 '성진'임을 깨닫고 생각한 '장원급제를 하여 한림학사가 된 후'를 통해 알 수 있다.

③ 2문단의 "이에 제 몸이 인간 세상의 승상 양소유가 아니라 연화도량의 행자 성진임을 비로소 깨달았다."를 통해 알 수 있다.

④ 2문단의 전체 내용을 통해 알 수 있다.

[정답] ②

㉠과 ㉡에 대한 설명으로 가장 적절한 것은?

(가) ㉠ 계월이 여자 옷을 벗고 갑옷과 투구를 갖춘 후 용봉황월(龍鳳黃鉞)과 수기를 잡아 행군해 별궁에 자리를 잡았다. 그리고 군사를 시켜 보국에게 명령을 전하니 보국이 전해져 온 명령을 보고 화가 머리끝까지 났다. 그러나 보국은 예전에 계월의 위엄을 보았으므로 명령을 거역하지 못해 갑옷과 투구를 갖추고 군문에 대령했다.

이때 계월이 좌우를 돌아보며 말했다.

"보국이 어찌 이다지도 거만한가? 어서 예를 갖추어 보이라."

호령이 추상과 같으니 군졸의 대답 소리로 장안이 울릴 정도였다. 보국이 그 위엄을 보고 겁을 내어 갑옷과 투구를 끌고 몸을 굽히고 들어가니 얼굴에서 땀이 줄줄 흘러내렸다.

- 작자 미상, 〈홍계월전〉

(나) 장끼 고집 끝끝내 굽히지 아니하여 ㉡ 까투리 홀로 경황없이 물러서니, 장끼란 놈 거동 보소. 콩 먹으러 들어갈 제 열두 장목 펼쳐 들고 꾸벅꾸벅 고개 조아 조츰조츰 들어가서 반달 같은 혀뿌리로 들입다 꽉 찍으니, 두 고패 둥그레지며 〈중략〉 까투리 하는 말이

"저런 광경 당할 줄 몰랐던가. 남자라고 여자의 말 잘 들어도 패가하고, 계집의 말 안 들어도 망신하네."

까투리 거동 볼작시면, 상하평전 자갈밭에 자락머리 풀어 놓고 당글당글 뒹굴면서 가슴치고 일어앉아 잔디풀을 쥐어뜯어 애통하며, 두 발로 땅땅 구르면서 붕성지통(崩城之痛) 극진하니, 아홉 아들 열두 딸과 친구 벗님네들도 불쌍타 의논하며 조문 애곡하니 가련 공산 낙망천에 울음소리뿐이로다.

- 작자 미상, 〈장끼전〉

① ㉠과 ㉡은 모두 상대에 비해 우월한 지위를 가지고 있다.

② ㉠이 상대의 행동을 비판하는 반면, ㉡은 옹호하고 있다.

③ ㉠이 갈등 상황을 타개하는 데 적극적인 반면, ㉡은 소극적이다.

④ ㉠이 주변으로부터 호의적인 반응을 얻은 반면, ㉡은 적대적인 반응을 얻는다.

난이도 상 ○ 하

해설 (가)는 '계월'과 '보국'의 갈등 상황이 드러난다. '계월'은 '보국'을 두고만 보지 않고, '보국'에게 호령하고, 보국은 겁을 내고 '계월'의 명령에 복종하고 있다. 따라서 갈등 상황을 적극적으로 타개하고 있다고 볼 수 있다. 한편, (나)는 '장끼'와 '까투리'의 갈등 상황이 드러난다. '까투리'는 '장끼'를 적극적으로 말리지는 않고 있다. 결국 '장끼'는 자기 고집대로 콩을 먹다가 죽음을 맞이하게 된다. 이를 볼 때, ㉡이 갈등 상황을 타개하는 데 ㉠과 달리 소극적임을 알 수 있다.

① 제시된 부분에서 명령을 통해 상대적으로 우월한 지위를 보이고 있는 것은 ㉠뿐이다. 또한 ㉠과 ㉡ 모두 '아내'이기에 당시 사회상을 고려한다면, '지위 자체'를 '남편'보다 우월하다고 말하기는 어렵다.

② (가)에서 ㉠이 "보국이 어찌 이다지도 거만한가?"를 통해 상대의 행동을 직접 비판하는 것은 맞지만, "계집의 말 안 들어도 망신하네."라는 까투리의 말을 볼 때, ㉡이 상대(장끼)의 행동을 옹호하고 있다고 보기는 어렵다.

④ (가)의 "계월이 좌우를 돌아보며 말했다. ~ 군졸의 대답 소리로 장안이 울릴 정도였다."의 부분을 통해 ㉠이 주변으로부터 호의적 반응을 얻었다고 볼 수 있지만, (나)의 "아홉 아들 열두 딸과 친구 벗님네들도 불쌍타 의논하며 조문 애곡하니 가련 공산 낙망천에 울음소리뿐이다."를 볼 때, ㉡이 주변으로부터 적대적인 반응을 얻고 있다고 보기는 어렵다.

정답 ③

작품정보

(가) 작자 미상, 〈홍계월전〉

갈래	영웅 소설, 군담 소설
성격	영웅적, 일대기적
시점	전지적 작가 시점
배경	• 시간: 명나라 때 • 공간: 중국 형주, 벽파도, 황성
제재	홍계월의 영웅성
주제	여성인 홍계월의 영웅적 활약상
특징	① 영웅의 일대기 구조를 지님. ② 신분을 감추기 위한 남장 화소가 사용됨.
의의	여성이 보조적인 위치에서 벗어나 남자보다 우월한 능력을 가진 영웅으로 등장함.

(나) 작자 미상, 〈장끼전〉

갈래	국문 소설, 우화 소설, 판소리계 소설
성격	우화적, 풍자적, 해학적, 현실 비판적
시점	전지적 작가 시점
주제	남존여비(男尊女卑) 사상과 여성의 개가(改嫁) 금지에 대한 비판과 풍자
특징	① 의인화된 동물에 의해 사건이 전개됨. ② 중국의 고사가 많이 인용됨. ③ 당대의 서민 의식이 반영됨.

밑줄 친 ⑦~㉗에 대한 이해로 적절한 것은?

> 용(龍)은 한반도 곳곳에서 풍요의 신으로 숭배되곤 하였다. 해안 지역의 경우, 물을 관리하는 용의 능력은 곧 어획량을 좌우하는 능력으로 인식되었다. 충남 서산에는 ⑦ 황금산 앞바다의 황룡과 ⑥ 칠산 앞바다의 청룡이 조기 떼를 두고 경쟁하였다는 전설이 있다. 황룡은 공씨 성을 가진 청년에게 청룡을 쏘아 줄 것을 부탁하는데, 이 청년이 실수로 황룡을 쏘는 바람에 황금산 앞바다에서 조기가 잡히지 않게 되었다는 이야기이다. 한편 농경 지역에서도 물의 많고 적음은 농사의 성패로 이어지는 중요한 문제였기에, 용이 풍흉을 결정지을 수 있는 존재로 인식되었다. 황해도 장연군 용정리에는 연못을 두고 ⑥ 젊은 청룡과 싸우던 ⑧ 늙은 황룡을 ⑩ 활 잘 쏘는 청년이 도와준 뒤 기름진 논을 얻었다는 전설이 있으며, 전북 김제에는 ⑪ 벽골제를 수호하는 백룡과 대립하며 ⑦ 가뭄을 발생시키던 청룡이 스스로를 제물로 바친 태수의 외동딸에게 감동하여 물러났다는 전설이 있다.
>
> 한 가지 눈여겨볼 점은 용과 관련된 전설들에서 종종 용들의 대립에 개입하거나 용을 도와주는 인간 존재의 모습이 나타난다는 점이다. 비범한 재주를 지닌 이 인물들은 종종 실패하는 경우도 있지만, 대개의 경우 용을 도와주는 데 성공하고 그 대가로 옥토를 일구거나 높은 지위에 오른다. 이때 용은 풍요의 신에서 권력의 신으로 변형된다. 고려를 건국한 왕건의 경우, 그의 할아버지 ⑧ 작제건이 ⑨ 서해 용왕을 괴롭히던 ㉗ 늙은 여우를 제거하고 용왕의 딸을 아내로 맞이하였다는 전설이 있다. 용이 영웅의 강력한 힘에 대한 증거로, 나아가 왕권의 신성성을 나타내는 상징으로 변화하게 된 것이다.

① ⑦과 ㉗은 선한 용과 대립하는 악한 존재이다.
② ⑥과 ⑦은 풍요의 신에서 권력의 신으로 변형된 존재이다.
③ ⑥과 ⑪은 영웅의 권력을 뒷받침하는 존재이다.
④ ⑧과 ⑨은 인간 존재의 도움을 받은 신적 존재이다.
⑤ ⑩과 ⑧은 용을 도와준 대가로 옥토를 얻는 영웅적 존재이다.

난이도 ⊙ ⊚ ⊕

[해설] ⑧이 포함된 문장 "늙은 황룡을 활 잘 쏘는 청년이 도와준 뒤" 부분을 통해, 신적인 존재 '황룡'이 인간적 존재 '청년'의 도움을 받았음을 알 수 있다. ⑨이 포함된 문장 "작제건이 서해 용왕을 괴롭히던 늙은 여우를 제거하고" 부분을 통해, 신적인 존재 '서해 용왕'이 인간적 존재 '작제건'의 도움을 받았음을 알 수 있다. 따라서 ⑧의 '늙은 황룡'과 ⑨의 '서해 용왕'이 각각 인간 존재 '활 잘 쏘는 청년(⑩)', '작제건(⑧)'의 도움을 받은 신적 존재라는 이해는 적절하다.

오답분석 ① ㉗은 악한 존재로 볼 수 있다. ⑦이 ⑥과 대립 관계인 것은 맞지만, 둘 중 누가 악한 존재라는 설명은 없다.
② ⑥과 ⑦ 모두 풍요의 신에서 권력의 신으로 변형된 존재로 보기는 어렵다.
③ ⑥과 ⑪ 모두 영웅의 권력을 뒷받침하는 존재로 보기는 어렵다.
⑤ ⑩은 용을 도와준 대가로 옥토를 얻었다. 한편, ⑧은 '옥토'가 아니라 '아내'를 얻었다.

정답 ④

[A]에 대한 이해로 가장 적절하지 않은 것은?

> [아니리]
>
> ┌ 방울이 떨렁, 사령 "예이." 야단났지. 홍보가 삼문 간에 들어서 가만히 굽어보니 죄인이 볼기를 맞거늘, 홍보 마음에는 그 사람들도 돈 벌러 온 줄 알고, '저 사람들은 먼저 와서 돈 수백 냥 번다. 나도 볼기 좀 까고 엎저 볼까.' 볼기를 까고 삼문 간에 가 엎드렸제 사령 한 쌍이 나오더니, "병영 생긴 후 볼기전 보는 놈이 생겼구나." 사령 중에 뜻밖에 홍보 씨 아는 사령이 있던가, "아
> [A] 니 박 생원 아니시오?" "알아맞혔구만그려." "당신 곯았소." "곯다니 계란이 곯지, 사람이 곯나. 그게 어떤 말인가?" "박생원 대신이라 하고 어떤 사람이 와서 곤장 열 대 맞고 돈 서른 냥 받아 가지고 벌써 떠나갔소." 홍보가 기가 막혀, "그놈이 어떻게 생겼던가?" "키가 구척이요 방울눈에 기운 좋습디다." 홍보가 말을 듣더니, "허허 그전 밤에 우리 마누라가 밤새도록 울더니마는
> └ 옆집 꾀수 애비란 놈이 알고 발등걸이*를 허였구나."

> [중모리]
>
> "번수네들 그러한가. 나는 가네. 지키기나 잘들 하소. 매품 팔러 왔는데도 손재(損財)가 붙어 이 지경이 웬일이냐. 우리 집을 돌아가면 밥 달라고 우는 자식은 떡 사 주마고 달래고, 떡 사 달라 우는 자식 엿 사 주마고 달랬는데, 돈이 있어야 말을 허지." 그렁저렁 울며불며 돌아온다. 그때에 홍보 마누라는 영감이 떠난 그날부터 후원에 단(壇)을 세우고 정화수를 바치고, 병영 가신 우리 영감 매 한 대도 맞지 말고 무사히 돌아오시라고 밤낮 기도하면서, "병영 가신 우리 영감 하마 오실 제 되었는데 어찌하여 못 오신가. 병영 영문 곤장을 맞고 허약한 체질 주린 몸에 병이 나서 못 오신가. 길에 오다 누웠는가."

> [아니리]
>
> 문밖에를 가만히 내다보니 자기 영감이 분명하것다. 눈물 씻고 바라보니 홍보가 들어오거늘, "여보영감 매 맞았소? 매 맞았거든 어디 곤장 맞은 자리 상처나 좀 봅시다." "놔둬. 상처고 여편네 죽은 것이고, 요망스럽게 여편네가 밤새도록 울더니 돈 한 푼 못 벌고 매 한 대를 맞았으면 인사불성 쇠아들이다." 홍보 마누라 좋아라고,

>   - 작자 미상, 〈홍보가(興甫歌)〉

> * 발등걸이: 남이 하려는 일을 앞질러 하는 행위

① 홍보는 매품팔기에 실패하자 사령을 원망하며 집으로 돌아가고 있다.
② 홍보는 다른 인물과의 대화를 통해 자신이 처한 상황을 인식하게 되었다.
③ 홍보가 처한 비극적 상황을 해학적으로 표현하여 독자의 웃음을 유발하고 있다.
④ 홍보의 매품팔기가 실패하는 것을 통해 당시 서민들의 삶이 몹시 힘들었음을 짐작할 수 있다.

해설 "허허 그전 밤에 우리 마누라가 밤새도록 울더니마는 옆집 꾀수 애비란 놈이 알고 발등걸이를 허였구나." 부분을 볼 때, 홍보는 '사령'이 아니라 '아내'나 '옆집 꾀수 애비'에 원망을 돌리고 있다.

오답 분석
② 사령이 '불기전'이라고 말한 것을 통해 자신이 처한 상황을 인식하게 되었다.

③ 매품팔이를 해야 하는 비극적 상황을 해학적으로 그리고 있다.

④ 매품팔이조차도 경쟁자가 많아서 못하고 돌아온 상황을 통해 당시 서민들의 상황이 몹시 어려웠을 거라 짐작할 수 있다.

정답 ①

작품정보 **작자 미상, 〈흥보가(興甫歌)〉**

갈래	판소리 사설
성격	풍자적, 해학적, 교훈적, 서민적
배경	• 시간: 조선 후기(조선 고종 때) • 공간: 전라도 운봉과 경상도 함양 부근
주제	① 형제간의 우애(友愛)와 인과응보에 따른 권선징악 ② 빈부 간의 갈등
특징	① 3·4조, 4·4조의 운문과 산문이 혼합됨. ② 양반층의 한자어와 평민의 비속어가 같이 쓰임. ③ 일상적 구어와 현재형 시제를 사용하여 사실적으로 표현함. ④ 서민 취향이 강한 작품으로 조선 후기 농민층의 분화를 보여 줌.

---

026 ○○○   2021 국회직 8급

다음 글에 대한 이해로 적절한 것은?

> "주인 마누라 하는 말이, 우리 내외 종살이하면 250냥 준다고 하니 그렇게 합시다. 나는 부엌일하고 서방님은 머슴이 되어, 다섯 해 작정만 하고 보면 만금을 못 벌까? 만 냥 돈만 번다면 그런대로 고향 가서, 이전만큼은 못 살아도 남에게 천대는 안 받으리다. 서방님도 허락하시고 지성으로 돈 벌어봅시다."
>
> "이 사람아, 내 말 듣게. 돈도 돈도 좋지마는 내사 내사 못하겠네. 그런대로 다니면서 빌어먹다가 죽고 말지! 아무리 신세가 곤궁하나 군노(軍奴) 놈의 사환(使喚) 되어, 한 손만 까딱 잘못하면 무지한 욕을 어찌 볼꼬? 내 심사도 할 말 없고 자네 심사 어떠할꼬?"
>
> "어찌 평생을 빌어먹겠다 하시오! 집 지키는 사나운 개가 무섭기도 하고, 누가 우리에게 좋다고 밥을 주랴? 밥은 빌어먹는다 치고, 옷은 누구에게 빌어 입소? 서방님아! 그런 말 말고 이전 일도 생각해 보시오. 우리도 돈 벌어 고향 가면, 이방을 못 하며 호장을 못하겠소? 부러울게 무엇이오?"
>
> "나는 하자면 하지만, 자네는 여인이라 나는 끝내 모르겠네." "나는 조금도 염려 말고 그렇게 결정합시다."
> 주인 불러 말한다.
>
> "우리 사환 일할 것이니, 이백 냥은 우선 주고 선 냥일랑 한 달 지날 때 주오."

> 행주치마 떨쳐입고 부엌으로 내달려, 사발 대접 종지 접시 몇 죽 몇 개 헤아려서 날마다 정돈하여 솜씨 나게 잘도 한다. 우리 서방님 거동 보소! 돈 이백 냥 받아놓고, 일수 월수 체계(遞計) 놀이 제 손으로 적어가며 주머니 속에 간수하고, 석 자 수건 머리에 두르고 마죽 쑤기, 소죽 쑤기, 마당 쓸기, 봉당 쓸기, 평생 않던 일 눈치 보아 잘도 하네. 3년을 나고 보니 만여 금 돈 되었구나! 다섯 해까지 갈 것 없이 빌려준 돈 추심(推尋)을 알뜰히 하여 내년에는 돌아가세.
>
> 그런데 병술년(1886년) 괴질이 닥쳤구나! 안팎 식솔 30여 명이 모두 병들었다가 사흘 만에 깨어나 보니, 다 죽고서 주인 하나 나 하나뿐이라. 수천 호가 다 죽고서 살아난 이 몇 없다네. 이 세상 천지간에 이런 일이 또 있는가?

① 주인공 부부는 과거에 고향에서 빈곤하게 살았다.

② 주인공 부부는 육체노동 외에도 틈틈이 장사를 하여 돈을 모았다.

③ 남편은 무슨 일이든 해서 돈을 벌어 고향에 가서 살고 싶어한다.

④ 남편은 남의 집 종살이하는 것이 여자로서 감당하기 어려운 일이라고 생각하여 망설였다.

⑤ 반복되는 자연 재해로 주인공 부부의 꿈이 좌절되었다.

해설 종살이를 하자는 아내의 말에 남편은 "나는 하자면 하지만, 자네는 여인이라 나는 끝내 모르겠네."라고 말을 하면서 망설이고 있다. 따라서 남편은 남의 집 종살이하는 것이 여자로서 감당하기 어려운 일이라고 생각하여 망설였다는 이해는 적절하다.

오답 분석
① "평생 않던 일 눈치 보아 잘도 하네."라는 말을 볼 때, 이전까지는 여유롭게 생활했음을 짐작할 수 있다. 따라서 과거에 고향에서 빈곤하게 살았다는 이해는 적절하지 않다.

② "행주치마 떨쳐입고 부엌으로 내달려, 사발 대접 종지 접시 몇 죽 몇 개 헤아려서 날마다 정돈하여 솜씨 나게 잘도 한다. 우리 서방님 거동 보소! 돈 이백 냥 받아놓고, 일수 월수 체계(遞計) 놀이 제 손으로 적어가며 주머니 속에 간수하고, 석 자 수건 머리에 두르고 마죽 쑤기, 소죽 쑤기, 마당 쓸기, 봉당 쓸기, 평생 않던 일 눈치 보아 잘도 하네." 부분에서 주인공 부부가 한 일이 나열되어 있다. 주로 주인집 집안일을 한 내용과 일수, 월수 돈놀이일 뿐, 따로 장사를 해서 돈을 벌었다는 내용은 제시되어 있지 않다.

③ 무슨 일이든 해서 돈을 벌어 고향에 가서 살고 싶어 하는 사람은 '남편' 보다는 '아내' 쪽이다.

⑤ '병술년 괴질'이라는 한 번의 재해로 주인공 부부의 꿈이 좌절되었다. 따라서 반복되는 재해라는 이해는 적절하지 않다.

정답 ④

다음 글에 대한 이해로 가장 적절한 것은?

> 용왕의 아들 이목(璃目)은 항상 절 옆의 작은 연못에 있으면서 남몰래 보양(寶壤) 스님의 법화(法化)를 도왔다. 문득 어느 해에 가뭄이 들어 밭의 곡식이 타들어 가자 보양 스님이 이목을 시켜 비를 내리게 하니 고을 사람들이 모두 흡족히 여겼다. 하늘의 옥황상제가 장차 하늘의 뜻을 모르고 비를 내렸다 하여 이목을 죽이려 하였다. 이목이 보양 스님에게 위급함을 아뢰자 보양 스님이 이목을 침상 밑에 숨겨 주었다. 잠시 후에 옥황상제가 보낸 천사(天使)가 뜰에 이르러 이목을 내놓으라고 하였다. 보양 스님이 뜰 앞의 배나무[梨木]를 가리키자 천사가 배나무에 벼락을 내리고 하늘로 올라갔다. 그 바람에 배나무가 꺾어졌는데 용이 쓰다듬자 곧 소생하였다(일설에는 보양 스님이 주문을 외워 살아났다고 한다). 그 나무가 근래에 땅에 쓰러지자 어떤 이가 빗장 막대기로 만들어 선법당(善法堂)과 식당에 두었다. 그 막대기에는 글귀가 새겨져 있다.
>
> – 일연, 《삼국유사》

① 천사의 벼락을 맞은 배나무는 저절로 소생했다.
② 천사는 이목을 죽이려다 실수로 배나무에 벼락을 내렸다.
③ 벼락 맞은 배나무로 만든 막대기가 글쓴이의 당대까지 전해졌다.
④ 제멋대로 비를 내린 보양 스님을 벌하려고 옥황상제가 천사를 보냈다.

난이도 ● ●(중) ●(하)

해설 제시된 글은 선법당과 식당에 있는 '배나무'로 만든 막대기의 유래에 관한 이야기이다. "그 나무가 근래에 땅에 쓰러지자"를 볼 때, 글쓴이의 당대까지는 '벼락 맞은 배나무로 만든 막대기'가 전해졌음을 짐작할 수 있다.

오답분석 ① "배나무가 꺾어졌는데 용이 쓰다듬자(일설에는 보양 스님이 주문을 외워) 곧 소생하였다."를 볼 때, '저절로' 소생했다는 이해는 적절하지 않다.
② 천사는 '배나무[梨木: 배나무 이(리), 나무 목]'를 용왕의 아들 '이목'으로 생각하고 벼락을 내린 것이다. 따라서 이목을 죽이는 과정에서 실수로 '배나무'에 벼락을 내린 것이 아니라 '이무기'에 대한 한자 '이목'과 '배나무'에 대한 한자 '이목'이 동음이의어인 것을 이용한 보양 스님에게 천사가 속은 것이다.
④ 옥황상제가 벌을 내리려던 사람은 '보양 스님'이 아니라 '이목'이다.

정답 ③

참고 〈보양 이목 설화〉

신라 때의 승려 보양이 이무기를 구해 주었다는 설화이다. 보양이 용궁에서 데려온 용왕의 아들 이무기가 날이 가물던 어느 날 비를 내리게 하였다. 천제(옥황상제)가 월권을 이유로 이무기를 죽이려 하자, 보양이 이무기를 숨기고 배나무를 가리켜 이무기라고 속였다는 내용으로 《삼국유사》에 실려 전한다.

이 글에 대한 이해로 가장 적절한 것은?

> 승지가 이 말을 듣고 춘풍의 처를 귀하게 보아 매일 사랑하시더니, 천만의외로 김 승지가 평양 감사가 되었구나. 춘풍 아내, 부인 전에 문안하고 여쭈되,
> "승지 대감, 평양 감사 하였사오니 이런 경사 어디 있사오리까?" 부인이 이른 말이,
> "나도 평양으로 내려갈 제, 너도 함께 따라가서 춘풍이나 찾아 보아라."
> 하니 춘풍 아내 여쭈되,
> "소녀는 고사하옵고 오라비가 있사오니 비장으로 데려가 주시길 바라나이다." / 대부인이 이른 말이,
> "네 청이야 아니 듣겠느냐? 그리하라."
> 허락하고 감사에게 그 말을 하니 감사도 허락하고,
> "회계 비장 하라." / 하니 좋을시고, 좋을시고.
> 춘풍의 아내, 없던 오라비를 보낼쏜가? 제가 손수 가려고 여자의 의복을 벗어 놓고 남복으로 치레하되
> 〈중략〉
> 이때 회계 비장이 춘풍의 하는 일을 다른 사람에게 탐문했구나. 하루는 비장이 추월의 집을 찾아갈 제, 사또께 아뢰고 천천히 찾아가니, 춘풍의 거동이 기구하고 볼만하다. 봉두난발 덥수룩한데 얼굴조차 안 씻어 더러운 때가 덕지덕지. 십 년이나 안 빤 옷을 도롱도롱 누비어서 그렁저렁 얽어 입었으니, 그 추한 형상에 뉘가 아니 침을 뱉으리오? 춘풍이 제 아내인 줄 꿈에나 알랴마는 비장이야 모를쏜가.
> 분한 마음 감추고 추월의 방에 들어가니, 간사한 추월이는 회계 비장 호리려고 마음먹어 회계 비장 엿보면서 교태하여 수작타가 각별히 차담상을 차려 만반진수 들이거늘, 비장이 약간 먹고 사환하는 걸인 놈을 상째로 내어 주며 하는 말이,
> "불쌍하다. 저 걸인 놈아. 네가 본디 걸인이냐 어이 그리 추물이냐?"
> 춘풍이 엎드려 여쭈되,
> "소인도 경성 사람으로서 그리되었으니 사정이야 어찌 다 말씀 드리리까마는 나리님 잡수시던 차담상을 소인 같은 천한 놈에게 상째 물려 주시니 태산 같은 높은 은덕 감사무지하여이다."
> 비장이 미소하고 처소로 돌아와서 수일 후에 분부하여, 춘풍이를 잡아들여 형틀 위에 올려 매고,
> "이놈, 너 들어라. 네가 춘풍이냐? 너는 웬 놈으로 막중한 나랏돈 호조 돈을 빌려 쓰고 평양 장사 내려와서 사오년이 지나가되 일 푼 상납 아니하기로 호조에서 공문을 내려 '너를 잡아 죽이라.' 하였으니 너는 죽기를 사양치 말라."
> 하고 사령에게 호령하여,
> "각별히 매우 쳐라."
> 하니, 사령이 매를 들고 십여 대를 중장하니, 춘풍의 약한 다리에서 유혈이 낭자한지라. 비장이 내려다보고 또 치려 하다가 혼잣말로 '차마 못 치겠다.' 하고 사령을 불러,
> "너 매 잡아라. 춘풍아 너 들어라. 그 돈을 다 어찌하였느냐? 투전을 하였느냐? 주색에 썼느냐? 돈 쓴 곳을 아뢰어라."

춘풍이 형틀 위에서 울면서 여쭈되,
"소인이 호조 돈을 내어 쓰고 평양에 내려와서 내 집 주
인 추월이와 일 년을 함께 놀고 나니 한 푼도 없어지고
이 지경이 되었으니, 나리님 분부대로 죽이거나 살리거
나 하옵소서."

- 〈이춘풍전〉

① '대부인'은 '춘풍 아내'의 청을 흔쾌히 들어주고자 한다.
② '김 승지'는 '춘풍 아내'가 오라비 대신 비장이 될 것을 알고 허락한다.
③ '추월'은 자신의 정체를 속여 '비장'을 돌려보내려 한다.
④ '춘풍'은 자신이 경성 사람임을 '비장'에게 숨기고자 한다.

난이도 상 ○ 하

해설 '대부인'은 자신의 오라비를 '비장'으로 데려가 달라는 '춘풍 아내'
의 청에 "네 청이야 아니 듣겠느냐? 그리하라."라며 대답하고 있
다. 이를 통해 '대부인'은 '춘풍 아내'의 청을 흔쾌히 들어주고자
한다는 것을 알 수 있다.

오답
분석
② '김 승지'에게 자신 대신 오라비를 비장으로 데려가 달라고 부
탁한 후, 직접 자신이 남장을 하여 따르고 있다. 따라서 '김 승
지'는 '춘풍 아내'가 오라비 대신 비장이 될 것을 알고 허락한다
는 설명은 적절하지 않다.
③ 추월은 '기생'이라는 자신의 정체를 이용하여 '비장'을 호리려
고 교태를 부렸다. 따라서 '추월'이 자신의 정체를 속여 '비장'
을 돌려 보내려 한다는 설명은 적절하지 않다.
④ "소인도 경성 사람으로서 그리되었으니"란 춘풍의 말을 볼 때,
'춘풍'이 자신이 경성 사람임을 '비장'에게 숨기고자 한다는 설
명은 적절하지 않다.

정답 ①

작품정보 작자 미상, 〈이춘풍전〉

갈래	판소리계 소설, 풍자 소설
성격	해학적, 교훈적, 풍자적
제재	이춘풍의 방탕한 행적과 춘풍 처의 활약상
주제	허위적인 남성 중심의 사회 비판과 진취적인 여성상의 제시
특징	① 물질 중심적 가치관이 형성되던 시대상을 반영함. ② 두 인물의 상반된 생활 태도와 갈등을 통해 주제를 제시함.

내용 일치	운문 문학	현대 운문 문학 작품의 내용과 일치 여부를 묻는 유형

029 ○○○　　　　　　　　　　　2023 지방직 9급

다음 시를 이해한 내용으로 적절하지 않은 것은?

사랑을 잃고 나는 쓰네

잘 있거라, 짧았던 밤들아
창밖을 떠돌던 겨울 안개들아
아무것도 모르던 촛불들아, 잘 있거라
공포를 기다리던 흰 종이들아
망설임을 대신하던 눈물들아
잘 있거라, 더 이상 내 것이 아닌 열망들아

장님처럼 나 이제 더듬거리며 문을 잠그네
가엾은 내 사랑 빈집에 갇혔네

- 기형도, 〈빈집〉

① 대상들을 호명하며 안타까운 심정을 표현하고 있다.
② '빈집'은 상실감으로 공허해진 내면을 상징하고 있다.
③ 영탄형 어조를 활용해 이별에 따른 정서를 부각하고 있다.
④ 글 쓰는 행위를 통해 잃어버린 사랑의 회복을 열망하고 있다.

난이도 상 ○ 하

해설 1연에서 화자가 처한 상황과 이러한 상황에 대한 화자의 반응으
로 글을 쓰는 행위를 제시한 후, 2연에서는 화자가 쓰는 내용을
구체적으로 나열하고 있다. 마지막 3연에서는 사랑에 대한 단절
과 작별의 태도를 강조하며 시를 마무리하고 있다. 따라서 잃어버
린 사랑의 회복을 열망하고 있다는 설명은 적절하지 않다.

오답
분석
①, ③ '밤들', '안개들', '촛불들', '흰 종이들', '눈물들', '열망들'을 호
명하며 이별의 안타까운 심정을 표현하고 있다.
② 사랑을 잃은 슬픔과 의미를 가졌던 모든 것과의 이별로 인해
공허해진 내면을 '빈집'으로 형상화하고 있다.

정답 ④

작품정보 기형도, 〈빈집〉

갈래	자유시, 서정시
성격	애상적, 비유적, 독백적
제재	사랑의 상실
주제	사랑을 잃은 공허함과 절망
특징	① 화자의 눈에 비치거나 떠오르는 대상을 나열하여 화자의 상실감을 강조함. ② 영탄적 어조를 사용하여 화자의 정서를 부각함.
출전	《입속의 검은 잎》(1989)

다음 시에 대한 이해로 적절한 것만을 <보기>에서 모두 고르면?

> 1
> 첫닭 울고 둘째 닭 울더니
> 작은 별 큰 별 떨어지는데
> 문을 들락거리며
> 살짝이 살짝이 행인은 길 떠날 채비하네
>
> 2
> 나그네 새벽 틈타 떠나렸더니
> 주인은 안 된다며 보내질 않네
> 채찍을 손에 쥔 채 못 이긴 척 돌아서니
> 닭만 괜스레 번거롭게 했구나
>
>   - 이병연, <조발(早發)>

> ───────── 〈보기〉 ─────────
> ㄱ. '첫닭'은 시간적 배경을 드러낸다.
> ㄴ. '나그네'와 '주인'의 관계가 닭 울음으로 인해 달라진다.
> ㄷ. '살짝이 살짝이'는 '행인'의 조심스러운 심리를 나타내고 있다.
> ㄹ. 화자는 '나그네'와 '주인'을 관찰의 대상으로 삼고 있다.

① ㄱ
② ㄴ
③ ㄴ, ㄷ
④ ㄱ, ㄷ, ㄹ
⑤ ㄱ, ㄴ, ㄷ, ㄹ

난이도 (상) ○ (하)

해설 ㄱ. 바로 다음 행의 "작은 별 큰 별 떨어지는데"와 2연의 "나그네 새벽 틈타 떠나렸더니"를 볼 때, '첫닭'은 시간적 배경을 드러냄을 알 수 있다.

ㄷ. 문맥상 '조심히' 정도의 의미이다. 즉 번잡스럽지 않게 떠날 채비를 한다는 내용이므로, '행인'의 조심스러운 심리를 나타낸다고 할 수 있다.

ㄹ. 화자는 '나그네'와 '주인'의 모습을 관찰해서 전달하고 있다는 점에서, 둘을 관찰의 대상으로 삼고 있다는 이해는 옳다.

오답 분석 ㄴ. '닭 울음'으로 인해 둘의 관계가 달라지는지 여부는 작품의 내용으로 알기 어렵다.

정답 ④

다음 중 아래 작품에 대한 설명으로 가장 옳지 않은 것은?

> 모란이 피기까지는,
> 나는 아직 나의 봄을 기다리고 있을 테요.
> 모란이 뚝뚝 떨어져 버린 날,
> 나는 비로소 나의 봄을 여읜 설움에 잠길 테요.
> 오월 어느 날, 그 하루 무덥던 날,
> 떨어져 누운 꽃잎마저 시들어 버리고는
> 천지에 모란은 자취도 없어지고,
> 뻗쳐 오르던 내 보람 서운케 무너졌느니,
> 모란이 지고 말면 그뿐, 내 한 해는 다 가고 말아,
> 삼백 예순 날 하냥 섭섭해 우옵내다.
> 모란이 피기까지는,
> 나는 아직 기다리고 있을 테요, 찬란한 슬픔의 봄을.
>
>   - 김영랑, <모란이 피기까지는>

① 이 시는 '기다림과 상실의 미학'을 노래한 작품이다.

② 이 시의 화자는 모란의 '영원한 아름다움'을 찬양하고 있다.

③ 화자는 모란이 지고 난 뒤의 봄날의 상실감으로 인해 설움에 잠기지만, 그 슬픔과 상실이 주는 역설적인 기다림의 아름다움을 노래하고 있다.

④ 이 시에서 화자는 '모란'의 아름다움이 '한 철'만 볼 수 있는 것이기에 '찬란한 슬픔'이라고 표현하고 있다.

난이도 (상) ○ (하)

해설 '모란이 지고 말면 그뿐, 내 한 해는 다 가고 말아, / 삼백 예순 날 하냥 섭섭해 우옵내다.'를 볼 때, 모란의 '영원한 아름다움'을 찬양하고 있는 작품으로 보기는 어렵다.

오답 분석 ① 제시된 작품에서는 봄을 기대하는 마음과 봄을 보내는 서러움을 모란을 통해 표현함으로써 '기다리는 정서'와 '잃어버린 설움'을 대응시키고 모란으로 상징되는 소망의 실현에 대한 집념을 보이고 있다.

③, ④ 화자에게 '봄'은 모란이 피는 기쁜 시간이지만 모란이 지기 때문에 슬프고 고통스러운 시간이다. 화자는 모란이 피어 있는 잠깐의 시간을 위해 삼백예순 날의 기다림과 고통을 기꺼이 감수하겠다는 자세를 보여 주고 있다. 이러한 화자의 태도는 '찬란한 슬픔의 봄'이라는 역설적 표현으로 축약되어 제시되고 있다.

정답 ②

작품정보	김영랑, <모란이 피기까지는>
갈래	자유시, 서정시
성격	유미적, 낭만적, 탐미적
제재	모란의 개화와 낙화
주제	소망이 이루어지기를 기다림.
특징	① 수미 상관식 구성을 통해 주제를 강조함. ② 섬세하고 아름답게 다듬은 시어를 사용함. ③ 역설적 표현(모순 형용)을 사용함.
출전	《문학》(1934)

(가)와 (나)를 비교 감상한 내용으로 가장 적절한 것은?

> (가) 넓은 벌 동쪽 끝으로
>   옛이야기 지줄대는 실개천이 휘돌아 나가고,
>   얼룩백이 황소가
>   해설피 금빛 게으른 울음을 우는 곳, //
>   ―그곳이 차마 꿈엔들 잊힐 리야. //
>   질화로에 재가 식어지면
>   비인 밭에 밤바람 소리 말을 달리고
>   엷은 졸음에 겨운 늙으신 아버지가
>   짚베개를 돋아 고이시는 곳, //
>   ―그곳이 차마 꿈엔들 잊힐 리야. //
>   흙에서 자란 내 마음
>   파아란 하늘빛이 그리워
>   함부로 쏜 화살을 찾으려
>   풀섶 이슬에 함초롬 휘적시던 곳, //
>   ―그곳이 차마 꿈엔들 잊힐 리야. //
>   전설(傳說) 바다에 춤추는 밤물결 같은
>   검은 귀밑머리 날리는 어린 누이와
>   아무렇지도 않고 예쁠 것도 없는
>   사철 발 벗은 아내가
>   따가운 햇살을 등에 지고 이삭 줍던 곳, //
>   ―그곳이 차마 꿈엔들 잊힐 리야. //
>   하늘에는 성근 별
>   알 수도 없는 모래성으로 발을 옮기고,
>   서리 까마귀 우지짖고 지나가는 초라한 지붕,
>   흐릿한 불빛에 돌아앉아 도란도란거리는 곳, //
>   ―그곳이 차마 꿈엔들 잊힐 리야.
>   - 정지용, 〈향수〉
>
> (나) 고향에 고향에 돌아와도
>   그리던 고향은 아니러뇨. //
>   산꿩이 알을 품고
>   뻐꾸기 제철에 울건만, //
>   마음은 제 고향 지니지 않고
>   머언 항구(港口)로 떠도는 구름. //
>   오늘도 뫼 끝에 홀로 오르니
>   흰 점 꽃이 인정스레 웃고, //
>   어린 시절에 불던 풀피리 소리 아니 나고
>   메마른 입술에 쓰디쓰다. //
>   고향에 고향에 돌아와도
>   그리던 하늘만이 높푸르구나. //
>   - 정지용, 〈고향〉

① (가)와 (나) 모두 과거의 추억을 잃어버린 현실을 씁쓸히 드러내고 있다.

② (나)와 달리 (가)는 고향과의 거리감, 단절감을 드러내고 있다.

③ (가)와 (나) 모두 자연물에 인격을 부여하여 대상을 형상화하고 있다.

④ (나)와 달리 (가)는 다양한 감각적 심상을 통해 화자의 정서를 드러내고 있다.

난이도 (상) ○ (하)

[해설] (가) 〈향수〉는 2연 '옛이야기 지줄대는 실개천'에서, (나) 〈고향〉은 4연 '흰 점 꽃이 인정스레 웃고,'에서 자연물에 인격을 부여하여 대상을 형상화하는 '의인법'을 확인할 수 있다.

[오답분석] ① 과거의 추억을 잃어버린 현실을 씁쓸히 드러내고 있는 작품은 (나)인 〈고향〉뿐이다.

② (가)의 〈향수〉에는 고향과의 거리감, 단절감이 나타나지 않는다.

④ (가)와 (나) 모두 다양한 감각적 심상을 통해 화자의 정서를 드러내고 있다.

※ 감각의 선미(해설피 금빛 게으른 울음, 청각의 시각화)가 나타난 '공감각적 심상'은 〈향수〉에서만 확인할 수 있다.

[정답] ③

작품정보

(가) 정지용, 〈향수〉

갈래	자유시, 서정시
성격	향토적, 묘사적, 감각적
제재	고향
주제	고향에 대한 그리움
특징	① 참신하고 선명한 감각적 이미지를 사용함. ② 후렴구가 반복되는 병렬식 구조를 보임. ③ 향토적 소재와 시어를 구사함.
출전	《조선지광》(1927)

(나) 정지용, 〈고향〉

갈래	자유시, 서정시
성격	회고적, 애상적
제재	고향
주제	돌아온 고향에서 느끼는 상실감
특징	① 수미 상관을 통해 주제 의식을 강조함. ② 자연의 영원성과 인간의 유한함을 대조적으로 나타냄. ③ 다양한 감각적 이미지를 통해 고향의 모습을 형상화함.
출전	《동방평론》(1932)

다음 시에 대한 설명으로 적절한 것은?

> 나는 북관(北關)에 혼자 앓아누워서
> 어느 아침 의원(醫員)을 뵈이었다
> 의원은 여래(如來) 같은 상을 하고 관공(關公)의 수염을 드리워서
> 먼 옛적 어느 나라 신선 같은데
> 새끼손톱 길게 돋은 손을 내어
> 묵묵하니 한참 맥을 짚더니
> 문득 물어 고향이 어데냐 한다
> 평안도 정주라는 곳이라 한즉
> 그러면 아무개 씨 고향이란다
> 그러면 아무개 씰 아느냐 한즉
> 의원은 빙긋이 웃음을 띠고
> 막역지간(莫逆之間)이라며 수염을 쓴다
> 나는 아버지로 섬기는 이라 한즉
> 의원은 또 다시 넌지시 웃고
> 말없이 팔을 잡아 맥을 보는데
> 손길은 따스하고 부드러워
> 고향도 아버지도 아버지의 친구도 다 있었다
>
>   - 백석, 〈고향〉

① 의원은 냉정한 성격의 소유자이다.
② 3인칭 화자의 진술로 시상이 전개되고 있다.
③ 시적 화자는 객지에서 쓸쓸하게 지내고 있다.
④ 의원은 시적 화자와 고향에서 알고 지내던 사이이다.

난이도 상 ○ 하

[해설] 제시된 시는 타향에서 병을 앓다가 만난 의원이 화자가 아버지처럼 섬기는 이(혹은 아버지)와 친구 사이임을 알게 되어, 그를 통해 따스한 고향의 정을 느끼고 고향을 떠올리게 된다는 내용이다. 따라서 화자가 객지에서 쓸쓸하게 지내고 있다는 설명은 적절하다.

[오답분석] ① '나'는 의원을 통해 따스한 고향의 정을 느끼고 있다는 점에서 의원이 냉정한 성격의 소유자라는 설명은 적절하지 않다.
② '나'가 등장하는 것을 보아, 3인칭 화자라는 설명은 적절하지 않다.
④ '그러면 아무개 씰 아느냐 한즉 / 의원은 빙긋이 웃음을 띠고 / 막역지간(莫逆之間)이라며 수염을 쓴다 / 나는 아버지로 섬기는 이라 한즉'을 볼 때, 나와 의원이 고향에서 원래부터 알고 지내던 사이라는 설명은 적절하지 않다.

정답 ③

작품정보 백석, 〈고향〉

갈래	자유시, 서정시
성격	서사적, 회고적
제재	고향
주제	고향과 혈육에 대한 그리움
특징	① 대화 형식의 서사적 구조를 통해 시상을 전개함. ② 다정다감한 어조로 고향과 혈육에 대한 그리움을 환기함.
출전	《동방평론》(1932)

다음 시에 대한 독자의 반응으로 적절한 것은?

> 어느 머언 곳의 그리운 소식이기에
> 이 한밤 소리 없이 흩날리느뇨
>
> 처마 끝에 호롱불 여위어가며
> 서글픈 옛 자췬 양 흰 눈이 내려
>
> 하이얀 입김 절로 가슴이 메어
> 마음 허공에 등불을 켜고
> 내 홀로 밤 깊어 뜰에 내리면
>
> 머언 곳에 여인의 옷 벗는 소리
>
> 희미한 눈발
> 이는 어느 잃어진 추억의 조각이기에
> 싸늘한 추회(追悔) 이리 가쁘게 설레이느뇨
>
> 한줄기 빛도 향기도 없이
> 호올로 차단한 의상을 하고
>
> 흰 눈은 내려 내려서 쌓여
> 내 슬픔 그 위에 고이 서리다

① 이 시는 눈 내리는 아침의 정경 속에 피어오르는 추억을 그리고 있어.
② 눈발이 세차게 날리는 것은 화자의 슬픔이 벅차게 되살아오기 때문이지.
③ 이 시에서 눈이 '그리운 소식', '서글픈 옛 자취', '잃어진 추억의 조각', '차단한 의상'으로 비유되어 있음에 유의해야 해.
④ 이 시에서 '나'를 슬프게 하는 추억, 과거의 경험은 아마도 친구와 관계가 있겠지.
⑤ 마지막 두 줄, '흰 눈은 내려 내려서 쌓여 / 내 슬픔 그 위에 고이 서리다'에서 '눈'은 해소된 슬픔을 의미하지.

난이도 상 ○ 하

[해설]

그리운 소식	"어느 머언 곳의 그리운 소식이기에 / 이 한밤 소리 없이 흩날리느뇨"에서 흩날린다는 표현을 쓴 것을 볼 때, '그리운 소식'은 '눈'을 비유한 표현이다.
서글픈 옛 자취	"서글픈 옛 자췬 양 흰 눈이 내려"에서 '눈'을 '서글픈 옛 자취'에 빗대고 있다.
잃어진 추억의 조각	"희미한 눈발 / 이는 어느 잃어진 추억의 조각이기 에"에서 '희미한 눈발'을 '잃어진 추억의 조각'으로 빗대고 있다.
차단한 의상	"호올로 차단한 의상을 하고 / 흰 눈은 내려 내려서 쌓여"에서 '흰 눈'을 '차단한 의상'에 빗대고 있다.

따라서 눈이 '그리운 소식', '서글픈 옛 자취', '잃어진 추억의 조각', '차단한 의상'으로 비유되어 있음에 유의해야 한다는 반응은 적절하다.

① 1연의 "어느 머언 곳의 그리운 소식이기에 / 이 한밤 소리 없이 흩날리느뇨"를 볼 때, 시간적 배경은 '아침'이 아니라 '밤'이다.

② 4연에서 "회미한 눈발"이라고 하였다. 따라서 눈이 세차게 내린다는 반응은 적절하지 않다.

④ 제시된 작품에서는 눈을 매개로 하여 과거의 서글픈 추억을 떠올리고 있다. 그러나 '친구와의 관계'인지 알 수 있는 정보는 제시되어 있지 않다. 따라서 과거의 경험은 아마도 친구와 관계가 있을 거라는 반응은 적절하지 않다.

⑤ 마지막 연의 '눈'은 '정화된' 슬픔을 의미한다.

정답 ③

작품정보 **김광균, 〈설야〉**

갈래	자유시, 서정시
성격	시각적(회화적), 애상적, 감각적
제재	눈
주제	눈 내리는 밤의 추억과 애상감
특징	① 다양한 비유를 통해 눈을 형상화함. ② 여러 가지 심상(시각적, 청각적, 공감각적)을 통해 애상적 정서를 드러냄.
출전	《와사등》(1939)

내용 일치	운문 문학	고전 운문 문학 작품의 내용과 일치 여부를 묻는 유형

작품정보 최치원, <촉규화(蜀葵花)>

갈래	한시, 5언 율시
성격	애상적, 체념적
제재	촉규화(접시꽃)
주제	자신의 재능을 알아주지 않는 세상에 대한 한탄
특징	① 자연물을 통해 자신의 처지와 상황을 비유적으로 드러냄. ② 선경 후정의 대칭 구조를 보임.
연대	통일 신라 말(9세기)
출전	《동문선》 권 4 '삼한사귀감'

035 ○○○   2022 지방직 7급

⑦~@ 중 적절하지 않은 것은?

寂寞荒田側 적막한 묵정밭 가에
繁花壓柔枝 만발한 꽃이 보드라운 가지를 누르네
香經梅雨歇 향기는 장맛비 지나면 옅어지고
影帶麥風敧 그림자는 보리바람 맞으면 흔들리겠지
車馬誰見賞 수레 탄 사람들이 누가 보아 주리
蜂蝶徒相窺 벌과 나비만 기웃거리는구나
自慙生地賤 천한 땅에 태어난 것 부끄러우니
堪恨人棄遺 사람들에게 버림받은 것 어찌 원망하리오

　　　　　　　　　　　- 최치원, <촉규화(蜀葵花)>

　이 시는 최치원이 당나라 유학 시절, 관직에 오르기 전에 지은 것으로 추정된다. 길가의 촉규화에 자신을 투영하여 출중한 능력에도 원하는 바를 성취할 수 없었던 서글픈 처지를 노래하였다. ⑦ 이 시에서 "만발한 꽃"은 작가 자신이 지니고 있는 빼어난 능력을 가리킨다고 할 수 있다. 그러나 능력이 있다고 해서 곧바로 등용될 수 있는 것은 아니었는데, ⑥ 그에게는 자신의 능력을 알아보고 등용의 기회를 부여해 줄 "수레 탄 사람들"이 필요했다. 뿐만 아니라 ⑥ "수레 탄 사람들"과 자신을 이어줄 수 있는 "벌과 나비" 역시 절실했다. 이 작품에서 ㉣ "천한 땅"은 시적 대상인 촉규화가 피어난 곳을 의미하기도 하고 작가 자신이 태어난 땅을 의미하기도 한다.

① ⑦　　　② ⑥　　　③ ⑥　　　④ ㉣

[원문 독음]

寂莫荒田側	적막황전측
繁花壓柔枝	번화압유지
香輕梅雨歇	향경매우헐
影帶麥風의	영대맥풍의
車馬誰見賞	거마수견상
蜂蝶徒相窺	봉접도상규
自慙生地賤	자참생지천
堪恨人棄遺	감한인기유

난이도 상 ◐ 하

해설 '촉규화'가 만발해 있는 상황에서 그 향기를 알고 '벌'과 '나비'만 기웃거릴 뿐, '수레 탄 사람들'은 자신을 알아보지 않는다고 하고 있다. '벌'과 '나비'는 '수레 탄 사람'과 자신을 이어줄 존재도 아닐 뿐더러, 이미 자신 주변에 있는 존재이므로 '벌'과 '나비' 역시 절실 했다는 감상은 적절하지 않다.

　※ 창작 배경을 고려할 때, '수레 탄 이'는 임금을 비롯한 고관대작, '벌과 나비'는 하찮은 사람으로 볼 수 있다.

정답 ③

다음 작품에 대한 이해로 적절하지 않은 것은?

> 흐느끼며 바라보매
> 이슬 밝힌 달이
> 흰 구름 따라 떠간 언저리에
> 모래 가른 물가에
> 기랑(耆郎)의 모습이올시 수풀이여.
> 일오(逸烏)내 자갈 벌에서
> 낭(郎)이 지니시던
> 마음의 갓을 좇고 있노라.
> 아아, 잣나무 가지가 높아
> 눈이라도 덮지 못할 고깔이여.
>
> － 충담사, <찬기파랑가>

① 기파랑의 부재로 인한 화자의 신세를 한탄하고 있다.

② 10구체 향가로서 내용상 세 부분으로 구성되어 있다.

③ 기파랑의 고매한 인품을 구체적인 자연물에 비유하고 있다.

④ 낙구의 감탄사를 통해 감정을 집약하면서 시상을 마무리하고 있다.

난이도 (상) ○ (하)

[해설] '기파랑'이 부재하는 상황이기는 하다. 그러나 그로 인해 화자의 신세를 한탄하고 있지는 않다. 제시된 작품은 '기파랑'의 고매한 인품을 찬양한 것이다.

[오답 분석] ② 10구체 향가로, 내용상 세 부분으로 나뉘어 있다.

1구~5구	기파랑의 부재에 대한 안타까움
6구~8구	기파랑의 고매한 인품을 따르고 싶은 마음
9구~10구	기파랑의 고고한 절개 예찬

③ 기파랑의 고매한 인품을 '달', '잣나무' 등의 자연물에 비유하고 있다.

④ 낙구에서 '아아'라는 감탄사를 통해 화자의 감정을 집약하면서 시상을 마무리하고 있다.

[정답] ①

작품정보 **충담사, 「찬기파랑가」**

갈래	10구체 향가
성격	추모적, 예찬적, 서정적
제재	기파랑의 인격
주제	기파랑의 고매한 인품에 대한 찬양
의의	'제망매가'와 함께 가장 서정성이 높은 향가로 평가됨.
연대	신라 35대 경덕왕(8세기)
출전	《삼국유사》 권 2

MEMO

(가)와 (나)의 공통점으로 가장 적절한 것은?

(가) 셔경(西京)이 아즐가 셔경(西京)이 셔울히마르는
　　위 두어렁셩 두어렁셩 다링디리
　닷곤 디 아즐가 닷곤 디 쇼셩경 고외마른
　　위 두어렁셩 두어렁셩 다링디리
　여히므론 아즐가 여히므론 질삼뵈 부리시고
　　위 두어렁셩 두어렁셩 다링디리
　괴시란디 아즐가 괴시란디 우러곰 좃니노이다
　　위 두어렁셩 두어렁셩 다링디리
　구스리 아즐가 구스리 바회예 디신들
　　위 두어렁셩 두어렁셩 다링디리
　긴힛똔 아즐가 긴힛똔 그츠리잇가 나는
　　위 두어렁셩 두어렁셩 다링디리
　즈믄 히를 아즐가 즈믄 히를 외오곰 녀신들
　　위 두어렁셩 두어렁셩 다링디리
　신(信)잇돈 아즐가 신(信)잇돈 그츠리잇가 나는
　　위 두어렁셩 두어렁셩 다링디리

　대동강(大同江) 아즐가 대동강(大同江) 너븐디 몰라셔
　　위 두어렁셩 두어렁셩 다링디리
　비 내여 아즐가 비 내여 노흔다 샤공아
　　위 두어렁셩 두어렁셩 다링디리
　네 가시 아즐가 네 가시 럼난디 몰라셔
　　위 두어렁셩 두어렁셩 다링디리
　널 비예 아즐가 널 비예 연즌다 샤공아
　　위 두어렁셩 두어렁셩 다링디리
　대동강(大同江) 아즐가 대동강(大同江) 건넌편 고즐여
　　위 두어렁셩 두어렁셩 다링디리
　비 타들면 아즐가 비 타들면 것고리이다 나는
　　위 두어렁셩 두어렁셩 다링디리
　　　　　　　　　　　　　- 작자 미상, 〈서경별곡(西京別曲)〉

(나) 딩아 돌하 당금(當今)에 계샹이다
　딩아 돌하 당금(當今)에 계샹이다
　션왕셩디(先王聖代)예 노니ᄋᆞ와지이다

　삭삭기 셰몰애 별헤 나는 / 삭삭기 셰몰애 별헤 나는
　구은 밤 닷 되를 심고이다
　그 바미 우미 도다 삭나거시아
　그 바미 우미 도다 삭나거시아
　유덕(有德)ᄒᆞ신 님 여ᄋᆞ와지이다

　옥(玉)으로 련(蓮)ㅅ고즐 사교이다
　옥(玉)으로 련(蓮)ㅅ고즐 사교이다
　바회 우희 졉듀(接柱)ᄒᆞ요이다
　그 고지 삼동(三同)이 퓌거시아
　그 고지 삼동(三同)이 퓌거시아
　유덕(有德)ᄒᆞ신 님 여ᄋᆞ와지이다

므쇠로 텰릭*을 몰아 나는 / 므쇠로 텰릭을 몰아 나는
텰스(鐵絲)로 주룸 바고이다
그 오시 다 헐어시아 / 그 오시 다 헐어시아
유덕(有德)ᄒᆞ신 님 여ᄋᆞ와지이다

므쇠로 한 쇼를 디여다가 / 므쇠로 한 쇼를 디여다가
텰슈산(鐵樹山)애 노호다 /
그 쇼 텰초(鐵草)를 머거아
그 쇼 텰초(鐵草)를 머거아
유덕(有德)ᄒᆞ신 님 여ᄋᆞ와지이다

구스리 바회예 디신들 / 구스리 바회예 디신들
긴힛돈 그츠리잇가
즈믄 히룰 외오곰 녀신들 / 즈믄 히룰 외오곰 녀신들
신(信)잇돈 그츠리잇가
　　　　　　　　　　　- 작자 미상, 〈정석가(鄭石歌)〉

* 텰릭: 철릭. 무관이 입던 공복(公服)

① 시적 대상에 대한 원망의 정서가 드러난다.
② 화자의 생활 터전에 대한 애정이 드러난 부분이 있다.
③ 임과 이별하고 싶지 않아 하는 화자의 모습이 드러난다.
④ 불가능한 상황이 일어나야 이별하겠다고 이야기하며 화자의 의지를 드러내고 있다.

──────────────────────────────

난이도 ⑤ ◯ ⑥

[해설] (가)의 화자는 '서경'과 '길쌈하던 베'를 모두 버릴지언정 '임'과 이별할 수 없기에 뒤따르겠다고 말하고 있다. (나)의 화자는 여러 가지 실현 불가능한 상황을 설정하여 사랑하는 임과 이별하지 않겠다고 말하고 있다. 따라서 (가)와 (나) 모두 임과 이별하고 싶지 않아 하는 화자의 모습이 드러난다.

[오답분석]
① (가)의 화자가 '사공'에 대해 원망하는 정서가 나타나기는 하지만, 두 작품 모두 직접적으로 '임'을 원망하고 있지는 않다.

② (가)의 '닷곤 디 쇼셩경 고요ㅣ 마른(닦은 곳 서경을 사랑하지마는)'에서 생활 터전에 대한 화자의 애정이 나타난다. 그러나 (나)에서는 확인할 수 없다.

④ (나)에서 불가능한 상황이 일어나야 이별하겠다고 이야기하며, 임과의 이별을 거부하겠다는 화자의 의지를 드러내고 있다. (가)의 2연에 (나)와 비슷한 구절이 있기는 하지만, 이는 임에 대한 사랑과 믿음의 맹세일 뿐이다.

[정답] ③

(가) 작자 미상, 〈서경별곡(西京別曲)〉

서경이 서경이 서울이지마는 / 중수(重修)한 곳인 서경을 사랑합니다만 / 임을 이별하기보다는 차라리 / 길쌈하던 베를 버리고서라도 / 저를 사랑해 주신다면 울면서 따라가겠습니다. // 구슬이 바위에 떨어진들 / 끈이야 끊어지겠습니까 / 임과 떨어져 홀로 천 년을 살아간들 / 임을 사랑하고 있는 마음이야 끊어지겠습니까 // 대동강이 넓은 줄을 몰라서 / 배를 내어 놓았느냐 사공아 / 네 아내가 음탕한 짓을 하는 줄도 모르고 / 떠나는 배에 내 임을 태웠느냐 사공아 / (나의 임은) 대동강 건너편 꽃을 / 배를 타면 꺾을 것입니다.

(나) 작자 미상, 〈정석가(鄭石歌)〉

징이여 돌이여 (임금님이) 지금 계십니다. / 징이여 돌이여 (임금님이) 지금 계십니다. / 태평성대에 놓고 싶습니다. // 바삭바삭한 가는 모래 벼랑에 / 바삭바삭한 가는 모래 벼랑에 / 구운 밤 닷 되를 심습니다. / 그 밤에 움이 돋아 싹이 나야만 / 그 밤에 움이 돋아 싹이 나야만 / 덕 있는 임과 이별하고 싶습니다. // 옥으로 연꽃을 새깁니다. / 옥으로 연꽃을 새깁니다. / (그 꽃을) 바위 위에 접붙입니다. / 그 꽃이 세 묶음이 피어야만 / 그 꽃이 세 묶음이 피어야만 / 덕 있는 임과 이별하고 싶습니다. // 무쇠로 철릭을 재단하여 / 무쇠로 철릭을 재단하여 / 철사로 주름을 박습니다. / 그 옷이 다 헐어야만 / 그 옷이 다 헐어야만 / 덕 있는 임과 이별하고 싶습니다. // 무쇠로 큰 소(황소)를 지어다가 / 무쇠로 큰 소(황소)를 지어다가 / 쇠로 된 나무가 있는 산에 놓습니다. / 그 소가 쇠풀을 먹어야만 / 그 소가 쇠풀을 먹어야만 / 덕 있는 임과 이별하고 싶습니다. // 구슬이 바위에 떨어진들(= 이별하게 된들) / 구슬이 바위에 떨어진들 / 끈이야 끊어지겠습니까 / 천 년을 외로이 살아간들 / 천 년을 외로이 살아간들 / (임 향한) 믿음이야 끊어지겠습니까

작품정보

(가) 작자 미상, 〈서경별곡(西京別曲)〉

갈래	고려 가요
성격	서정적, 애상적
제재	임과의 이별
주제	이별의 정한(情恨)
특징	① 설의적 표현의 사용으로 임과의 사랑을 맹세하는 화자의 정서가 효과적으로 드러남. ② 상징적 시어의 사용으로 화자가 처한 이별의 상황을 드러냄.
의의	고려 가요 '가시리'와 함께 이별의 정한을 노래한 작품
연대	고려 시대
출전	《악장가사》, 《시용향악보》

(나) 작자 미상, 〈정석가(鄭石歌)〉

갈래	고려 가요
성격	서정적, 민요적
제재	임에 대한 사랑
주제	태평성대 기원, 임에 대한 영원한 사랑
특징	① 대부분의 고려 가요가 이별이나 향락의 정서를 노래한 데 반해, 이 작품은 임에 대한 영원한 사랑을 노래함. ② 불가능한 상황을 전제하는 역설적 표현으로 임과의 영원한 사랑을 소망하는 시적 화자의 정서가 효과적으로 드러남. ③ 반어적 시구를 반복하여 리듬감을 살리면서 상황과 정서를 강조함.
출전	《악장가사》, 《시용향악보》

---

038 ○○○　　　　2021 경찰 1차

다음 작품은 김삿갓이 주인에게 대접을 받고서 쓴 시이다. 감상으로 가장 적절하지 않은 것은?

> 네 다리 소반에 죽 한 그릇
> 하늘빛과 구름 그림자가 함께 떠도네
> 주인장, 면목 없다 말하지 마오
> 나는 물에 거꾸로 비친 청산이 좋다오.

① 가난한데도 죽이나마 대접하려는 주인의 인정이 따스하다.

② 감사를 전하는 나그네의 모습을 상상할 수 있다.

③ 하늘과 떠도는 구름은 주인의 유유자적한 삶을 의미한다.

④ 나그네의 정서에서 자조나 한탄은 보이지 않는다.

난이도 ㉠ 중 하

해설 여로에 지친 나그네에게 멀건 죽 한 그릇밖에 대접 못하는 농민의 어려운 사정을 엿보고 오히려 그 죽 그릇 안에 거꾸로 비친 청산을 구경하는 것이 더 좋다고 말하는 상황이다. 따라서 하늘과 떠도는 구름은 '주인'이 아니라 '나그네'의 유유자적한 삶을 의미한다.

오답분석

① 주인장은 어렵게 죽 한 그릇을 대접한 것을 보아, 주인장의 따스한 인정을 드러낸다.

② 면목 없어 하는 주인장에 말에 죽 그릇 안에 청산이 있다고 말하면서 감사를 전하는 나그네의 모습을 상상할 수 있다.

④ 나그네의 정서(감정)에서 '스스로를 비웃는' 자조(自嘲)나, '한숨을 쉬며 탄식하는' 한탄(恨歎)은 보이지 않는다.

정답 ③

작품정보	김병연, 〈무제(無題)〉
갈래	한시, 칠언 절구
성격	해학적, 묘사적, 낙관적
제재	가난한 농민의 생활상
주제	속세를 초탈한 인생관과 안분지족의 추구
특징	① 독특한 발상을 통해 유유자적하는 삶의 자세를 표현함. ② 시각적인 이미지를 활용한 해학적 표현을 사용함.
연대	19세기

〈보기〉는 다음 한시에 대한 감상이다. ㉠~㉢ 중 적절하지 않은 것은?

白犬前行黃犬隨	흰둥이가 앞서고 누렁이는 따라가는데
野田草際塚纍纍	들밭머리 풀섶에는 무덤이 늘어서 있네
老翁祭罷田間道	늙은이가 제사를 끝내고 밭 사이 길로 들어서자
日暮醉歸扶小兒	해 저물어 취해 돌아오는 길을 아이가 부축하네

- 이달, 〈제총요(祭塚謠)〉

── 〈보기〉 ──

이달(李達, 1561~1618)이 살았던 시기를 고려할 때, 시인은 임진왜란을 겪었을 것이라 추정된다. ㉠ 이 시는 해질 무렵 두 사람이 제사를 지낸 뒤 집으로 돌아오는 상황을 노래하고 있다. ㉡ 이 시에서 무덤이 들밭머리에 늘어서 있다는 것은 전란을 겪은 마을에서 많은 이들이 갑작스러운 죽음을 맞이했음을 의미한다고 할 것이다. 여기 등장하는 늙은이와 아이는 할아버지와 손자의 관계로 파악할 수 있다. 아마도 이들은 아이의 부모이자 할아버지의 자식에 해당하는 이의 무덤에 다녀오는 길일 것이다. ㉢ 할아버지가 취한 까닭도 죽은 이에 대한 안타까움과 속상함 때문일 것이다. ㉣ 이 시는 전반부에서는 그림을 그리듯이 장면을 묘사하고 후반부에서는 정서를 표출하는 선경후정의 형식을 취하고 있다.

① ㉠   ② ㉡   ③ ㉢   ④ ㉣

난이도 ③ ⑧ ⑨

TIP 정서는 주로 서술어에 나타난다.

해설 제시된 한시에 직접적으로 정서(감정)를 표출한 부분은 없다. 정서는 일반적으로 서술어에 드러나는데 제시된 한시의 해석을 보면 '앞서다, 따르다, 늘어서다, 끝내다, 들어서다, 저물다, 취하다, 돌아오다, 부축하다' 어디에도 정서가 드러나 있지 않다. 따라서 선경후정(먼저 경치를 노래하고 뒤에서 감정을 노래하다)의 일반적 한시의 형식을 취하고 있다는 ㉣의 감상은 적절하지 않다.

오답 분석
① 3구의 "제사를 끝내고"와 4구의 "(늙은이와 아이가) 해 저물어 취해 돌아오는 길"을 통해 알 수 있다.
② "'임진왜란'을 겪었을 것이라 추정된다."라는 〈보기〉의 내용을 고려할 때, 무덤이 늘어서 있다는 것으로 무덤의 주인들이 전란으로 인해 갑작스럽게 죽었음을 짐작(추측)할 수 있다.
③ 〈보기〉에 제시된 바와 같이 무덤은 할아버지의 자식이자 아이의 아버지의 것으로 추정되므로 '할아버지'가 안타까운 마음에 술을 마셨을 거라 짐작할 수 있다.

정답 ④

[원문 독음]

白犬前行/黃犬隨	백견전행/황견수
野田草際/塚纍纍	야전초제/총루루
老翁祭罷/田間道	노옹제파/전간도
日暮醉歸/扶小兒	일모취귀/부소아

[040~041] 다음 글을 읽고 물음에 답하시오.

님다히 쇼식(消息)을 아므려나 아쟈 ᄒᆞ니
오늘도 거의로다. 닉일이나 사롬 올가.
내 ᄆᆞ음 둘 디 업다. 어드러로 가쟛 말고
잡거니 밀거니 놉픈 뫼히 올라가니
구룸은 ᄏᆞ니와 안개는 므스 일고.
산천(山川)이 어둡거니 일월(日月)을 엇디 보며
지쳑(咫尺)을 모르거든 쳔리(千里)롤 ᄇᆞ라보랴.
출하리 믈ᄀᆞ의 가 ᄇᆡ 길히나 보랴 ᄒᆞ니
ᄇᆞ람이야 믈결이야 어둥졍 된뎌이고.
샤공은 어디 가고 빈 ᄇᆡ만 걸렷ᄂᆞᆫ고.
강텬(江天)의 혼쟈 셔셔 디는 ᄒᆡ룰 구버보니
님다히 쇼식(消息)이 더옥 아득ᄒᆞ뎌이고.
모쳠(茅簷) 춘 자리의 밤듕만 도라오니
반벽쳥등(半壁靑燈)은 눌 위ᄒᆞ야 볼갓ᄂᆞᆫ고.
오르며 ᄂᆞ리며 헤쓰며 바니니
져근덧 역진(力盡)ᄒᆞ야 픗ᄌᆞᆷ을 잠간 드니
졍셩(精誠)이 지극ᄒᆞ야 ᄭᅮᆷ의 님을 보니
옥(玉) ᄀᆞᄐᆫ 얼구리 반(半)이나마 늘거셰라.
ᄆᆞ음의 머근 말숨 슬ᄏᆞ장 숣쟈 ᄒᆞ니
눈믈이 바라 나니 말숨인들 어이ᄒᆞ며
졍(情)을 못다ᄒᆞ야 목이조차 몌여ᄒᆞ니
오뎐된 계셩(鷄聲)의 ᄌᆞᆷ은 엇디 ᄭᆡ돗던고.
어와, 허ᄉᆞ(虛事)로다. 이 님이 어디 간고.
결의 니러 안자 창(窓)을 열고 ᄇᆞ라보니
어엿븐 그림재 날 조출 ᄲᅮᆫ이로다.
출하리 ᄉᆡ여디여 낙월(落月)이나 되야이셔
님 겨신 창(窓) 안히 번드시 비최리라.

각시님 돌이야 ᄏᆞ니와 구즌 비나 되쇼셔.

- 정철, 〈속미인곡(續美人曲)〉

제시된 글의 표현상 특징으로 가장 적절한 것은?

① 인물과의 대화를 통해 임에 대한 원망을 드러내고 있다.
② 여성 화자의 목소리를 통해 애절한 마음을 드러내고 있다.
③ 특정한 시어를 반복해 안빈낙도의 염원을 드러내고 있다.
④ 자연과 속세의 대비를 통해 시적 화자의 처지에 대한 만족감을 드러내고 있다.

해설 제시된 작품은 임금을 그리워하는 정을 두 여인의 대화 형식으로 읊은 연군가사이다. 임과 이별한 '여인'을 화자로 설정하여 '임'을 그리워하는 애절한 마음을 드러내고 있다.

오답 분석
① 대화 형식이므로, 인물과의 대화는 나타난다. 그러나 '임'에 대한 원망의 목소리를 찾아볼 수 없다.

③ 특정한 시어를 반복하지도 않았고, 안빈낙도(安貧樂道)의 염원을 노래한 작품도 아니다. 제시된 작품은 '임에 대한 그리움', 작가의 처지를 고려하면 '임금에 대한 그리움'을 노래하고 있다. 따라서 '안빈낙도(安貧樂道)'보다는 '연군지정(戀君之情)'을 노래한 것으로 보는 것이 맞다.

④ 자연과 속세의 대비는 나타나지 않는다. 또한 화자는 임을 그리워하는 상황이므로 자신의 처지에 대해 만족감을 드러내고 있다는 설명도 옳지 않다.

정답 ②

---

041 ○○○　　　　　　　　　　2020 소방직

제시된 글에 대한 설명으로 적절하지 않은 것은?

① 화자는 꿈에서 임과 재회하고 있다.

② 밤에서 새벽으로 시간의 경과가 드러나 있다.

③ 임의 소식을 전해 주는 이는 오늘도 오지 않았다.

④ 사공은 화자의 절박한 상황을 알고 도와주고 있다.

해설 "샤공은 어디 가고 빈 비만 걸렷ᄂᆞᆫ고.(사공은 어디로 가고 빈 배가 걸렸는가?)" 부분에서 '사공'이라는 시어가 등장한다. '사공'이 화자의 상황을 도와주려면 '배'에 화자를 태우고 '임'에게 데려다줘야 한다. 그런데 '사공'이 없다고 했다. 따라서 사공이 화자의 절박한 상황을 알고 도와주고 있다는 설명은 적절하지 않다.

오답 분석
① "져근덧 역진(力盡)ᄒᆞ야 풋ᄌᆞᆷ을 잠간 드니 정셩(精誠)이 지극ᄒᆞ야 꿈의 님을 보니(잠깐 사이에 힘을 다해 풋잠을 잠깐 드니, 정성이 지극했던지 꿈에 임을 보니)"를 통해 임과 꿈에서 재회하고 있음을 알 수 있다.

② "오뎐된 계셩(鷄聲)의 ᄌᆞᆷ은 엇디 ᄭᆡ돗던고(방정맞은 닭 울음소리에 잠은 왜 깬단 말인가?)."를 통해 시간의 흐름이 '새벽'으로 경과했음을 알 수 있다.

③ "님니히 쇼식(消息)을 아므려나 아쟈 ᄒᆞ니 오ᄂᆞᆯ노 거의로다. 뇌일이나 사롬 올가(임 계신 곳의 소식을 어떻게라도 알려고 하니, 오늘도 날이 거의 저물었구나. 내일이나 되어야 사람이 올까?)."를 통해 '임'의 소식을 전해 줄 사람이 오늘도 오지 않았음을 알 수 있다.

정답 ④

[현대어 풀이]

임 계신 곳의 소식을 어떻게 해서라도 알려고 하니
오늘도 거의 저물었구나. 내일이나 임의 소식 전해줄 사람이 올까(있을까)?
내 마음 둘 곳이 없다. 어디로 가자는 말인가?
(나무, 바위 등을) 잡기도 하고 밀기도 하면서 높은 산에 올라가니,
구름은 물론이거니와 안개는 또 무슨 일로 저렇게 끼어 있는고?
산천이 어두운데 해와 달은 어떻게 바라보며,
눈앞의 가까운 곳도 모르는데 천리나 되는 먼 곳을 바라볼 수 있으랴.
차라리 물가에 가서 뱃길이나 보려고 하니
바람과 물결로 어수선하게 되었구나.
뱃사공은 어디 가고 빈 배만 걸려있는고?
강가에 혼자 서서 지는 해를 굽어보니
임 계신 곳의 소식이 더욱 아득하구나.
초가집 찬 잠자리에 한밤중이 돌아오니,
벽 가운데 걸려있는 등불은 누구를 위하여 밝게 켜져 있는가(밝은고)?
산을 오르내리며 (강가 여기저기를)
헤매며 시름없이 오락가락하니
잠깐 사이에 힘이 다하여(잠시 몸이 지쳐) 풋잠을 잠깐 드니,
정성이 지극하여 꿈에 임을 보니
옥과 같이 곱던 모습이 반 넘어 늙었구나.
마음속에 품은 생각을 실컷 아뢰려고 하였더니
눈물이 쏟아지니 말인들 어찌하며
정회도 다 못 풀어 목마저 메니
방정맞은 닭소리에 잠은 어찌 깨버렸는가?
아 허황한 일이로다. 이 임이 어디 갔는가?
즉시 일어나 앉아 창문을 열고 밖을 바라보니,
가엾은 그림자만이 나를 따르고 있을 뿐이로다.
차라리 사라져서(죽어서) 지는 달이나 되어
임이 계신 창문 안에 환하게 비치리라.

각시님, 달은커녕 궂은비나 되십시오.

출제 유형

주제	• 작품의 주제를 묻는 유형 • 주제가 유사한 작품을 찾는 유형
배열과 괄호	• 작품을 조건에 맞게 배열한 것을 찾는 유형 • 들어갈 말이나 위치를 찾는 유형

핵심정리

• **역순행적 구성** [15 경찰 2차]
  자연적인 시간의 흐름과는 달리 현재에서 과거로 거슬러 가는 구성, 혹은 과거로 갔다가 다시 현재로 돌아오는 구성

출제 유형

주제	작품의 주제를 묻는 유형

고득점 GO!

주제를 묻는 문제는 시조나 시랑 같이 나올 수 있어요.

---

042 ○○○   2013 국가직 9급

다음 글의 중심 내용으로 가장 적절한 것은?

행랑채가 퇴락하여 지탱할 수 없게끔 된 것이 세 칸이었다. 나는 마지못하여 이를 모두 수리하였다. 그런데 그중의 두 칸은 앞서 장마에 비가 샌 지가 오래되었으나, 나는 그것을 알면서도 이럴까 저럴까 망설이다가 손을 대지 못했던 것이고, 나머지 한 칸은 비를 한 번 맞고 샜던 것이라 서둘러 기와를 갈았던 것이다. 이번에 수리하려고 본즉 비가 샌 지 오래된 것은 그 서까래, 추녀, 기둥, 들보가 모두 썩어서 못 쓰게 되었던 까닭으로 수리비가 엄청나게 들었고, 한 번밖에 비를 맞지 않았던 한 칸의 재목들은 완전하여 다시 쓸 수 있었던 까닭으로 그 비용이 많이 들지 않았다. 나는 이에 느낀 것이 있었다. 사람의 몸에 있어서도 마찬가지라는 사실을. 잘못을 알고서도 바로 고치지 않으면 곧 그 자신이 나쁘게 되는 것이 마치 나무가 썩어서 못 쓰게 되는 것과 같으며, 잘못을 알고 고치기를 꺼리지 않으면 해(害)를 받지 않고 다시 착한 사람이 될 수 있으니, 저 집의 재목처럼 말끔하게 다시 쓸 수 있는 것이다. 뿐만 아니라 나라의 정치도 이와 같다. 백성을 좀먹는 무리들을 내버려 두었

다가는 백성들이 도탄에 빠지고 나라가 위태롭게 된다. 그런 연후에 급히 바로잡으려 하면 이미 썩어 버린 재목처럼 때는 늦은 것이다. 어찌 삼가지 않겠는가.

– 이규보, 〈이옥설(理屋說)〉

① 모든 일에 기초를 튼튼히 해야 한다.
② 청렴한 인재 선발을 통해 정치를 개혁해야 한다.
③ 잘못을 알게 되면 바로 고쳐 나가는 자세가 중요하다.
④ 훌륭한 위정자가 되기 위해서는 매사 삼가는 태도를 지녀야 한다.

난이도 상 ◐ 하

[해설] 집도 조금 문제가 있을 때 바로 수리하면 비용과 수고가 덜 드는 것처럼, 사람도 잘못이 있을 때 바로 고치는 것이 중요하다는 것이 글의 요지이다. 따라서 중심 내용은 ③이다.

정답 ③

작품정보 이규보, 〈이옥설(理屋說)〉

갈래	고전 한문 수필(패관 문학)
성격	교훈적, 예시적, 경험적
주제	잘못을 미리 알고 그것을 고쳐 나가는 자세의 중요성
특징	유추(類推)의 방식으로 글을 전개함.

※ 이 작품은 인간의 삶의 이치와 나라를 다스리는 경륜을 실생활의 체험을 예로 들어 깨우쳐 주고 있는 짧막한 수필이다. 작은 잘못이라도 그것을 알고 미리 고치지 않으면, 더 큰 문제를 만들게 되고, 그것으로 인하여 크게 낭패를 볼 수 있다는 교훈을 담고 있다.

주제	주제가 유사한 작품을 찾는 유형

다음 중 아래의 작품과 내용 및 주제가 가장 비슷한 것은?

> 동풍(東風)이 건듯 부러 적설(積雪)을 헤텨 내니
> 창 밧긔 심근 매화 두세 가지 픠여셰라
> 갓득 냉담(冷淡)흔디 암향(暗香)은 므스일고
> 황혼의 달이 조차 벼마티 빗최니
> 늣기난 닷 반기난 닷 님이신가 아니신가
> 뎌 매화 것거 내여 님 겨신 듸 보내오져
> 님이 너롤보고 엇더타 너기실고
>
> 곳니고 새 닙 나니 녹음이 빨렷난듸
> 나위(羅幃) 적막흐고 수막(繡幕)이 뷔여 잇다
> 부용(芙蓉)을 거더 노코 공작(孔雀)을 둘러 두니
> 갓득 시룸한듸 날은 엇디 기돗던고
> 원앙금(鴛鴦錦) 버혀 노코 오색선 플텨 내여
> 금자히 견화이셔 님의 옷 지어내니
> 수품(手品)은크니와 제도도 구줄시고
> 산호수 지게 우히 백옥함의 다마 두고
> 님의게 보내오려 님 겨신 듸 바라보니
> 산인가 구름인가 머흐도 머흘시고
> 천리 만리 길히 뉘라셔 차자갈고
> 니거든 여러 두고 날인가 반기실가
>
> - 정철, 〈사미인곡〉

① 고인도 날 몯 보고 나도 고인 몯 뵈
   고인을 몯 뵈도 녀던 길 알픠잇니
   녀던 길 알픠 잇거든 아니 녀고 엇뎔고

② 삼동에 베옷 입고 암혈(巖穴)에 눈비 맞아
   구름 낀 볕뉘도 쬔 적이 없건마는
   서산에 해 지다 하니 눈물 겨워 하노라

③ 묏버들 갈히 것거 보내노라 님의손디
   자시는 창 밧긔 심거두고 보쇼셔
   밤비예 새 닙 곳 나거든 날인가도 너기쇼셔

④ 반중(盤中) 조홍(早紅) 감이 고아도 보이ᄂ다
   유자 아니라도 품엄즉도 ᄒ다마ᄂ
   품어 가 반기 리 업슬새 글노 설워ᄒᄂ이다

난이도 상 ○ 하

해설 제시된 작품은 왕에 대한 자신의 충정을 하소연할 목적으로 지어졌으나 왕과 자신의 관계를 직접적으로 드러내지 않고 자신을 임의 사랑을 받지 못하는 여자로, 임금을 임으로 설정한 후, 사계절의 풍경과 함께 이별한 임을 그리워하는 형식으로 우의적으로 표현한 가사이나. 두 작품 모두 님에게 '꽃(매화, 묏버들)'를 꺾어 보내고 싶다는 내용이 있다. 물론, 전체적으로 '임과의 이별'이라는 내용을 다루고 있다는 점에서 공통되기도 한다. 또 두 작품 모두 '임에 대한 사랑'이라는 주제를 드러내고 있다는 점에서, 가장 유사한 작품은 ③이다.

오답 분석
① 이황의 〈도산십이곡〉의 일부로, 주제는 '학문 수양에의 정진'이다.
② 조식의 시조로, 주제는 '임금(중종)의 승하를 애도함'이다.
④ 박인로의 시조로, 주제는 '돌아가신 부모님에 대한 그리움, 풍수지탄(風樹之嘆)'이다.

정답 ③

작품정보 정철, 〈사미인곡〉

갈래	서정 가사, 양반 가사, 정격 가사
성격	서정적, 여성적, 연모적, 주정적, 의지적
운율	3(4)·4조, 4음보 연속체
제재	임금에 대한 사랑
주제	임금을 향한 일편단심, 연군지정(戀君之情)
특징	① 충신연주지사(忠臣戀主之詞)의 대표적 작품 ② 후편 격인 '속미인곡'과 더불어 가사 문학의 백미를 이룸.
연대	조선 선조(16세기 말)
출전	《송강가사》

① 이황, 〈도산십이곡〉

갈래	연시조(전 12수)
성격	교훈적
제재	학문 수양
주제	학문 수양에의 정진
연대	조선 명종
출전	《진본 청구영언》

② 조식

갈래	평시조, 서정시
성격	우국적, 상징적
제재	중종의 승하
주제	임금(중종)의 승하를 애도함.
특징	상징과 비유의 표현 방법을 사용하여 군신유의(君臣有義)의 유교적 정신을 드러냄.
출전	《병와가곡집》

③ 홍랑

갈래	평시조, 서정시
성격	감상적, 애상적, 여성적, 연정가, 이별가
제재	묏버들, 이별
주제	임에게 보내는 사랑
특징	떠나는 임에 대한 사랑을 소박한 자연물을 통해 드러냄.
연대	조선 선조
출전	《청구영언》

④ 박인로

갈래	평시조, 서정시
성격	교훈적
제재	조홍감(홍시)
주제	돌아가신 부모님에 대한 그리움, 풍수지탄(風樹之嘆)
특징	중국 육적의 회귤 고사(懷橘故事)를 인용하여 부모님에 대한 그리움을 표현함.
연대	조선 선조
출전	《노계집》

다음 글과 주제 면에서 가장 유사한 것은?

(가) 동리자가 북곽 선생에게 청하기를,

　　"선생님의 덕을 오랫동안 흠모하였습니다. 오늘 밤 선생님께서 글 읽는 소리를 듣고 싶사옵니다."

　하니, 북곽 선생이 옷깃을 가다듬고 무릎을 꿇고 앉아서 《시경》을 읊었다.

　　"원앙새는 병풍에 그려져 있고 / 반짝반짝 반딧불 날아다니는데 / 크고 작은 이 가마솥들은 / 어느 것을 모형 삼아 만들었나?"

　그리고 나서

　　"이는 흥(興)이로다."

　하였다.

　다섯 아들들이 서로 말을 주고받기를,

　　"'예기(禮記)'에 과부의 집 문 안에는 들어가지 않는 법이라고 했는데, 북곽 선생님은 현자가 아니신가."

　　"정나라 도읍의 성문이 허물어진 곳에 여우가 굴을 파고 산다더라."

　　"여우가 천년을 묵으면 요술을 부려 사람으로 둔갑할 수 있다더라. 그러니 이는 여우가 북곽 선생으로 둔갑한 게 아닐까?"

〈중략〉

(나) 이에 다섯 아들들이 함께 에워싸고 공격하니, 북곽 선생은 몹시 놀라 뺑소니를 치면서도 남들이 자기를 알아볼까 두려워 하였다. 그래서 다리를 들어 목에 걸치고는 귀신처럼 춤추고 귀신처럼 웃더니, 대문을 나서자 줄달음치다가 그만 들판의 구덩이에 빠져 버렸다. 그 속에는 똥이 가득 차 있었다. 구덩이에서 기어 올라와 고개를 내놓고 바라보았더니, 범이 길을 막고 있었다.

(다) 범은 얼굴을 찌푸리며 구역질을 하고, 코를 막고 고개를 왼쪽으로 돌리며 숨을 내쉬고는,

　　"선비는 구린내가 심하구나!" / 하였다.

　북곽 선생이 머리를 조아리고 기어 와서, 세 번 절하고 무릎을 꿇은 채 고개를 들고는,

　　"범의 덕이야말로 지극하다 하겠사옵니다. 대인(大人)은 그 가죽 무늬가 찬란하게 변하는 것을 본받고, 제왕은 그 걸음걸이를 배우며, 사람의 자식은 그 효성을 본받고, 장수는 그 위엄을 취하지요. 명성이 신령스러운 용과 나란히 드높아, 하나는 바람을 일으키고 하나는 구름을 일으키니, 하계에 사는 이 천한 신하는 감히 그 아랫자리에서 모시고자 하옵니다." / 하였다. 그러자 범은 이렇게 꾸짖었다.

(라) "가까이 오지 마라! 예전에 듣기를 유(儒)는 유(諛)라더니, 과연 그렇구나. 너는 평소에 천하의 못된 이름을 다 모아 함부로 나에게 갖다 붙이다가, 이제 급하니까 면전에서 아첨을 하니, 장차 누가 너를 신뢰하겠느냐?"

① 붉가버슨 兒孩(아해) ㅣ들리 거믜줄 테를 들고 긔川(천)으로 往來(왕래)ᄒᆞ며, 붉가숭아 붉가숭아 져리 가면 죽ᄂᆞ니라. 이리 오면 스ᄂᆞ니라. 부로나니 붉가숭이로다.
　아마도 世上(세상)일이 다 이러ᄒᆞᆫ가 ᄒᆞ노라.

② 宅(댁)들에 동난지이 사오. 저 장사야 네 황화 그 무엇이라 웨는다 사자 外骨內肉(외골내육) 兩目(양목)이 上天(상천) 前行後行(전행후행) 小(소)아리 八足(팔족) 大(대)아리 二足(이족) 淸醬(청장) 아스슥 하는 동난지이 사오
　장사야 하 거북이 웨지 말고 게젓이라 하렴은.

③ 靑天(청천)에 쩟는 기러기 호 雙(쌍) 漢陽城臺(한양성대)에 잠간 들러 쉬여 갈다.
　이리로셔 져리로 갈 제 내 消息(소식) 들어다가 님의게 傳(전)ᄒᆞ고 져리로셔 이리로 올 제 님의 消息(소식) 드러 내손디 브듸 들러 傳(전)ᄒᆞ여 주렴.
　우리도 님 보라 밧비 가는 길히니 傳(전)홀 동 말 동ᄒᆞ여라.

④ 두터비 ᄑᆞ리를 물고 두험 우희 치다라 안자
　것넌 山(산) ᄇᆞ라보니 白松鶻(백송골)이 ᄯᅥ 잇거ᄂᆞᆯ 가슴이 금즉ᄒᆞ여 풀덕 ᄯᅱ여 내ᄃᆞᆺ다가 두험 아래 쟛바지거고 모쳐라 놀랜 낼싀망졍 에헐질 번ᄒᆞ괘라.

난이도 ㉠ ⑥ ㉮

[해설] 제시된 글은 박지원의 한문 소설 〈호질(虎叱: 범 호, 꾸짖을 질)〉로, 제목처럼 호랑이가 양반을 꾸짖는 것을 통해 양반 계급의 허위 의식을 비판한 작품이다. 이와 같이 양반의 허위 의식을 비판한 작품은 ④이다.
　④는 '두꺼비'가 힘없는 '파리'를 괴롭히다가 '백송골' 앞에서는 비굴해지는 모습을 그리고 있다. '두꺼비'는 약자에게는 강하고, 강자에게는 약한 비굴한 모습을 보인다. 그러면서 종장에서 "모쳐라 놀랜 낼싀망졍 에헐진 번ᄒᆞ괘라(마침 내가 나였기에 망정이지 하마터면 다쳐서 멍들 뻔했구나)"라고 말하면서 허세를 부리고 있다. 따라서 제시된 글과 주제가 통한다.

[오답분석]
① '약육강식'의 험난한 세태를 풍자한 작품이다.
② 서민들의 상거래 장면을 통해 현학적인 양반을 흉내 내는 장사꾼을 풍자한 작품이다.
③ 임을 그리워하는 간절한 마음을 노래한 작품이다.

[정답] ④

[현대어 풀이 및 주제]

① 발가벗은 아이들이 거미줄 테를 들고 개천을 왕래하며 / "벌거숭아, 벌거숭아, 저리 가면 죽고 이리 오면 산다." 부르는 것이 벌거숭이 아이들이로구나. / 아마도 세상 일이 다 이런 것인가 하노라.

※ 주제: 약육강식(弱肉強食)의 험난한 세태 풍자

② 여러 사람들이여, 동난젓 사오. 저 장수야, 네 물건 그 무엇이라 외치느냐? 사자. / 겉은 뼈요, 속은 살이고, 두 눈이 하늘로 치솟고, 앞으로도 가고 뒤로도 가는 작은 발 여덟 개 큰 발 두 개 푸른장이 아스슥하는 동난젓 사오. / 장수야, 그렇게 장황하게 말하지 말고 게젓이라 하려무나.

※ 주제: 서민들의 상거래(商去來) 장면을 통해 현학적인 양반을 흉내 내는 장사꾼을 풍자

③ 푸른 하늘에 떠서 울고 가는 외기러기야 날지 말고 내 말 좀 들으렴. / 한양성 내에 잠깐 들러 부디 내 말을 잊지 말고 거듭 외쳐 불러 말하길 "달 뜬 황혼이 지나 갈 때 적막한 빈 방에 던져진 듯 혼자 앉아 임 그리워 차마 살지 못하겠노라." 하고 부디 한 마디 말이라도 전해 주렴. / 우리도 임 보러 바삐 가는 길이라 전할지 말지 하노라.

※ 주제: 임을 그리워하는 간절한 마음

④ 두꺼비가 파리를 물고 두엄 위에 뛰어 올라가 앉아 / 건너편 산을 바라보니 흰 송골매가 떠 있기에 가슴이 섬뜩하여 펄쩍 뛰어 내닫다가 두엄 아래 자빠졌구나. / 마침 날랜 나였기에 망정이지 하마터면 다쳐서 멍들 뻔했구나.

※ 주제: ① 관리 혹은 양반들의 허장성세(虛張聲勢) 풍자
② 약육강식의 험난한 세태 풍자

작품정보 박지원, 〈호질〉

연대	조선 영조 때
갈래	한문 소설, 단편 소설, 풍자 소설
시점	전지적 작가 시점
성격	풍자적
주제	양반 계급의 허위적이고, 이중적인 도덕관을 통렬하게 풍자적으로 비판
특징	① 인간의 부정적 모습을 희화화 ② 등장인물의 대화를 통해 주제를 전달 ③ 서술자의 개입을 통해 등장인물을 소개 ④ 가상의 존재를 등장시키는 환상적 수법 사용

---

045 ○○○　　　　2014 서울시 7급

다음 수필에서 말하고자 하는 바가 가장 잘 드러난 시조는?

　나는 그림은 잘 모른다. 산수화나 수묵화 같은 동양화의 감식 안을 갖추지 못한 나 자신을 부끄러워하는 처지다. 그러나 어느 전시회에서 검정색 하나만을 써서 그린 수묵화 앞에 섰을 때의 감동을 잊지 못한다. 현란한 컬러 텔레비전으로 오염된 나의 시각에, 아직 마비되지 않은 신경 오라기가 몇 줄 남아 있었을까? 검정색 하나의 그 그림에는 기운이 넘치고, 5색 7색의 찬란한 채색화를 능가하는 그 무엇이 있음을 발견했다. 오래 잊었던 잔잔한 호수의 거울같이 평정한 행복감이 수묵화에서 나에게 다가왔다. 병든 현대인에게는 고유한 마음으로 참다운 자기를 되찾게 하는 수묵화의 행복론이 인생의 내면을 살찌게 해 주는 보약이 되지 않을까?

- 신일철, 〈수묵화 행복론〉

① 오백 년 도읍지를 필마로 도라 드니
　산천은 의구하되 인걸은 간듸 업다.
　어즈버 태평연월이 꿈이런가 하노라.

② 이고 진 뎌 늘그니 짐 프러 나를 주오.
　나는 졈엇써니 돌히라 무거울가.
　늘거도 셜웨라커든 짐을 조차 지실가.

③ 이화에 월백하고 은한이 삼경인 제
　일지 춘심을 자규야 알냐마는
　다정도 병인 양하야 좀못 일워 하노라.

④ 추강에 밤이 드니 물결이 초노미라.
　낙시 드리치니 고기 아니 무노미라.
　무심호 돌빗만 싯고 뷘 부 저어 오노라.

⑤ 동지ㅅ돌 기나긴 밤을 한 허리를 버혀 내여
　춘풍 니불 아레 서리서리 너헛다가
　어룬 님 오신 날 밤이여든 구뷔구뷔 펴리라.

난이도 ○ ⑧ ⑨

[해설] "잔잔한 호수의 거울같이 평정한 행복감", "참다운 자기를 되찾게 하는 수묵화"를 통해 수필에서 말하고자 하는 바를 추측할 수 있다. 이 수필은 인간의 행복을 '현란한 컬러 텔레비전'이나 '찬란한 채색화'와 같은 화려한 물질적인 것에서 찾는 것이 아니라, 수묵화와 같이 잔잔함 속에서 진짜 자신, 내면 심리에서 찾을 것을 이야기하고 있다. ④의 월산 대군의 시조로, 물질적인 욕심을 버리고 자연과 하나 되는 것에서 행복을 느끼고 있다. 물질적인 것에 집착하지 않는다는 점에서 제시된 수필의 주제와 가장 유사하다.

[오답분석] ① 길재의 시조로, 인생무상과 함께 고려 망국의 한을 노래하고 있다.

② 정철의 〈훈민가〉의 일부로 경로사상이 나타나 있다.

③ 이조년의 시조로, 배꽃이 활짝 핀 달밤에 들려오는 소쩍새 소리를 들으며 봄의 정취에 빠져 있음을 노래하고 있다.

⑤ 황진이의 시조로, 임을 기다리는 애틋함을 노래하고 있다.

[정답] ④

[현대어 풀이]

① 오백 년 도읍지(고려의 옛 서울)를 한 필의 말에 의지해 돌아보니
　산천은 예나 지금이나 변함이 없는데 당대의 훌륭한 인재들은 간 데 없구나.
　아아, 태평세월을 지냈던 그때가 꿈처럼 허무하기만 하구나.

② 머리에 이고 등에 짐을 진 저 늙은이, 짐을 풀어서 나에게 주오.
　나는 젊었거늘 돌이라도 무겁겠소?
　늙는 것도 서럽다 하는데 무거운 짐까지 지셔야겠소?

③ 하얗게 핀 배꽃에 달빛은 은은히 비추고 은하수는 자정을 알리는 때에
　가지 끝에 맺힌 봄의 정서를 (배꽃 한 가지에 어린 봄날의 정서를) 두견(소쩍새)이 알고서 저리 우는 것일까마는
　다정다감한 나는 (이렇듯 다정다감함) 그것이 병인 듯해서, 잠을 이루지 못하노라.

④ 가을 강에 밤이 오니 물결이 차갑구나.
　낚싯대를 드리워도 고기가 물지 않는다.
　무심한(욕심 없는) 달빛만 싣고 빈 배 저어 돌아간다.

⑤ 동짓달의 기나긴 밤(기다림의 시간, 임의 부재)의 한가운데를 둘로 나누어서
　따뜻한 이불 아래에 서리서리 간직해 두었다가
　정든 임이 오시는 날 밤(만남의 시간)이면 굽이굽이 펴서 더디게 밤을 새리라.

배열과 괄호	작품을 조건에 맞게 배열한 것을 찾는 유형

046 ○○○　　　　　　　　　　　　　　　　2018 국가직 9급

⑤~@을 사건의 시간 순서에 따라 가장 적절하게 배열한 것은?

잔을 씻어 다시 술을 부으려 하는데 ㉠ 갑자기 석양에 막대기 던지는 소리가 나거늘 괴이하게 여겨 생각하되, '어떤 사람이 올라오는고.' 하였다. 이윽고 한 중이 오는데 눈썹이 길고 눈이 맑고 얼굴이 특이하더라. 엄숙하게 자리에 이르러 승상을 보고 예하여 왈,
"산야(山野) 사람이 대승상께 인사를 드리나이다."
승상이 이인(異人)인 줄 알고 황망히 답례하여 왈,
"사부는 어디에서 오신고?"
중이 웃으며 왈,
"평생의 낯익은 사람을 몰라보시니 귀인이 잘 잊는다는 말이 옳도소이다."
승상이 자세히 보니 과연 낯이 익은 듯하거늘 문득 깨달아 능파 낭자를 돌아보며 왈,
"소유가 전에 토번을 정벌할 때 꿈에 동정 용궁에 가서 잔치하고 돌아오는 길에 남악에 가서 놀았는데 한 화상이 법좌에 앉아서 불경을 강론하더니 노부께서 바로 그 노화상이냐?" 중이 박장대소하고 말하되,
"옳다. 옳다. 비록 옳지만 ㉡ 꿈속에서 잠깐 만나본 일은 생각하고 ㉢ 십 년을 같이 살던 일은 알지 못하니 누가 양 장원을 총명하다 하더뇨?"
승상이 어리둥절하여 말하되,
"소유가 ㉣ 열대여섯 살 전에는 부모 슬하를 떠나지 않았고, 열여섯에 급제하여 줄곧 벼슬을 하였으니 동으로 연국에 사신을 갔고 서로 토번을 정벌한 것 외에는 일찍이 서울을 떠나지 않았으니 언제 사부와 십 년을 함께 살았으리오?"
중이 웃으며 왈,
"상공이 아직 춘몽에서 깨어나지 못하였도소이다."
승상이 왈,
"사부는 어떻게 하면 소유를 춘몽에게 깨게 하리오?"
중이 왈,
"어렵지 않으니이다."
하고 손 가운데 돌 지팡이를 들어 난간을 두어 번 치니 갑자기 사방 산골짜기에서 구름이 일어나 누대 위에 쌓여 지척을 분변하지 못했다. 승상이 정신이 아득하여 마치 꿈에 취한 듯하더니 한참 만에 소리 질러 말하되,
"사부는 어찌 소유를 정도로 인도하지 않고 환술(幻術)로 희롱하나뇨?"
대답을 듣기도 전에 구름이 날아가니 중은 간 곳이 없고 좌우를 돌아보니 여덟 낭자 또한 간 곳이 없는지라.
　　　　　　　　　　　　　　　　　　　　　　　- 김만중, 〈구운몽〉

① ㉠ → ㉢ → ㉣ → ㉡
② ㉠ → ㉣ → ㉢ → ㉡
③ ㉢ → ㉣ → ㉡ → ㉠
④ ㉣ → ㉢ → ㉡ → ㉠

난이도 ⑧ ○ ⑨

해설

	제시된 작품은 '현실-꿈-현실'의 환몽 구조를 가지고 있다. '현실'은 '성진'의 삶이고, '꿈'은 '양소유'의 삶이다. 이를 기준으로 ㉠~㉣의 내용을 정리하면 다음과 같다.
1단계	㉠ 양소유로서 '현재' 일어난 일이다.
	㉡ 양소유로서 '과거' 벼슬에 나아간 후 토변을 정벌할 때 꾼 꿈에서 만났던 일이다.
	㉢ 10년을 같이 살던 일은 '성진'으로서의 삶이다. 즉 '꿈'을 꾸기 전이다.
	㉣ 양소유로서 '과거' 벼슬에 나아가기 전의 일이다.
	따라서 시간 순서상 가장 앞서는 것은 ㉢이다.
2단계	㉢을 제외한 '㉠, ㉡, ㉣'은 '꿈속'의 일이므로, '양소유'로서의 삶의 시간 순서대로 전개하면 된다. '벼슬'을 기준으로, '벼슬에 나아가기 전(㉣) → 벼슬에 나아간 후 토변을 정벌한 일(㉡) → 벼슬에서 물러난 현재(㉠)'의 순으로 배열할 수 있다.

이를 종합적으로 고려할 때 사건의 시간 순서대로 배열하면 ③의 '㉢ → ㉣ → ㉡ → ㉠'이 된다.

※ ㉢이 가장 먼저 일어난 사건이고, ㉠이 가장 마지막 사건이다.

정답 ③

작품정보 김만중, 〈구운몽〉

갈래	국문 소설, 몽자류(夢字類) 소설, 양반 소설, 염정 소설, 영웅 소설
성격	전기적, 이상적, 불교적
시점	전지적 작가 시점
제재	꿈을 통한 성진의 득도(得道) 과정
주제	인생무상(人生無常)의 깨달음을 통한 허무의 극복
특징	① 설화 '조신의 꿈'의 영향을 받음. ② '현실 - 꿈 - 현실'의 이원적 환몽 구조를 지닌 일대기 형식을 취함. ③ 유교, 불교, 도교 사상이 나타나며, 그중 불교의 공(空) 사상이 중심을 이룸.

다음 (가)~(마)의 글을 이야기의 흐름에 맞게 배열한 것은?

(가) 누군가 발고랑을 지나 걸어오고 있었다. 해가 떠서 음지와 양지의 구분이 생기자 언덕의 그림자나 숲의 그늘로 가려진 곳에서는 언 흙이 부서지는 버석이는 소리가 들렸으나 해가 내려쪼인 곳은 녹기 시작하여 신발 끝에 벌겋게 붙어 올라온 진흙 뭉치가 걸을 때마다 뒤로 몇 점씩 흩어지고 있었다. 그는 길가에 우두커니 서서 담배를 태우고 있는 영달이 쪽을 보면서 왔다. 그는 키가 홀쩍 크고 영달이는 작달막했다. 그는 팽팽하게 불러오른 맹꽁이 배낭을 한쪽 어깨에 느슨히 걸쳐메고 머리에는 개털모자를 귀까지 가려 쓰고 있었다. 검게 물들인 야전잠바의 깃 속에 턱이 반남아 파묻혀서 누군지 쌍통을 알아 볼 도리가 없었다.

(나) 그가 넉달 전에 이곳을 찾았을 때에는 한참 추수기에 이르러 있었고 이미 공사는 막판이었다. 곧 겨울이 오게 되면 공사가 새 봄으로 연기될 테고 오래 머물 수 없으리라는 것을 그는 진작부터 예상했던 터였다. 아니나 다를까, 현장 사무소가 사흘 전에 문을 닫았고 영달이는 밥집에서 달아날 기회만 노리고 있었던 것이다.

(다) 영달은 어디로 갈 것인가 궁리해보면서 잠깐 서 있었다. 새벽의 겨울바람이 매섭게 불어왔다. 밝아오는 아침 햇볕 아래 헐벗은 들판이 드러났고, 곳곳에 얼어붙은 시냇물이나 웅덩이가 반사되어 빛을 냈다. 바람소리가 먼 데서부터 돌아쳐서 그가 섰는 창공을 베면서 지나갔다. 가지만 남은 나무들이 수십여 그루씩 들판가에서 바람에 흔들렸다.

(라) 그는 털모자를 잠근 단추를 여느라고 턱을 치켜들었다. 그러고 나서 비행사처럼 양쪽 뺨으로 귀가리개를 늘어뜨리면서 벙긋 웃었다.
"천가란 사람, 거품을 물구 마누라를 개패듯 때려잡던데" 영달이는 그를 쏘아보며 우물거렸다.
"내…… 그런 촌놈은 참"
"거 병신 안됐는지 몰라. 머리채를 질질 끌구 마당에 나와선 차구 짓밟고…… 야 그 사람 환장한 모양이더군"
이건 누굴 엿먹이느라구 수작질인가, 하는 생각이 들어서 불끈 했지만 영달이는 애써 참으며 담뱃불이 손가락 끝에 닿도록 쭈욱 빨아 넘겼다.

(마) 그는 몇 걸음 남겨놓고 서더니 털모자의 챙을 이마빡에 붙도록 척 올리면서 말했다.
"천씨네 집에 기시던 양반이군"
영달이도 낯이 익은 서른 댓 되어 보이는 사내였다. 공사장이나 마을 어귀의 주막에서 가끔 지나친 적이 있는 얼굴이었다.
"아까 존 구경 했시다"

- 황석영, 〈삼포 가는 길〉

① (가) - (마) - (라) - (다) - (나)
② (나) - (가) - (다) - (라) - (마)
③ (나) - (가) - (마) - (라) - (다)
④ (다) - (나) - (가) - (마) - (라)
⑤ (다) - (나) - (마) - (라) - (가)

난이도 상 ○ 하

해설

1단계	(다)의 "새벽의 겨울바람이 매섭게 불어왔다." 부분을 통해 시간적 배경이 '새벽'임을 알 수 있다. '새벽'이 시간상 가장 빠르기 때문에 맨 앞에 와야 한다.
	※ 따라서 ①, ②, ③은 답이 될 수 없다.
2단계	(가)의 "해가 떠서 음지와 양지의 구분이 생기자"를 볼 때, 시간의 흐름상 (다) 뒤에 (가)가 와야 한다.
3단계	(가)에서는 정체를 알 수 없던 '그'의 존재가 (마)에서 밝혀지기 때문에 (마)는 (가) 뒤에 와야 한다.
	※ 따라서 ⑤는 답이 될 수 없다.

이를 종합적으로 고려할 때 이야기 흐름에 맞게 배열하면 ④의 '(다) - (나) - (가) - (마) - (라)'의 순서가 된다.

정답 ④

작품정보 황석영, 〈삼포 가는 길〉

갈래	단편 소설, 여로형 소설
성격	사실적, 비판적
배경	· 시간: 70년대 초반 · 공간: 감천역을 향하는 시골길, 감천역
시점	전지적 작가 시점
주제	① 급속한 산업화의 과정으로 정신적 고향을 상실한 현대인들의 애환 ② 산업화로 인한 민중들의 궁핍한 삶, 따뜻한 인정과 연대(連帶) 의식
특징	① '정 씨'가 고향을 찾아가는 여로를 중심으로 사건이 전개됨. ② 여운을 남기는 방식으로 결말을 처리함.

배열과 괄호	들어갈 말이나 위치를 찾는 유형

048 ○○○

바느질과 관련한 사물을 의인화한 다음 소설에서 괄호 안에 들어갈 사물을 순서대로 바르게 나열한 것은?

> ( ) 양각(兩脚)을 빨리 놀려 내다라 이르되,
> "( )아/야, 그대 아모리 마련을 잘 한들 버혀 내지 아니하면 모양 제되 되겠느냐. 내 공과 내 덕이니 네 공만 자랑마라." …
> ( ) 웃고 이르되,
> "고어에 운(云), 닭의 입이 될지언정 소 뒤는 되지 말라 하였으니, ( )은/는 세요의 뒤를 따라 다니며 무삼 말 하시나뇨. 실로 얼골이 아까왜라. 나는 매양 세요의 귀에 질리었으되 낯가족이 두꺼워 견댈 만하고 아모 말도 아니하노라."

① 청홍 각시 – 척 부인 – 감토 할미 – 교두 각시

② 척 부인 – 감토 할미 – 교두 각시 – 청홍 각시

③ 교두 각시 – 척 부인 – 감토 할미 – 청홍 각시

④ 청홍 각시 – 감토 할미 – 교두 각시 – 척 부인

난이도 상 ○ 하

해설	
교두 각시	'양각(兩脚: 두 양(량), 다리 각)'과 '버혀 내지 아니하면(자르지 않으면)'을 볼 때, '가위'를 의인화한 것이므로 '교두 각시'이다.
척 부인	'마련을 잘 한들'을 볼 때, '자'를 의인화한 것이므로 '척 부인'이다.
감토 할미	'낯가족이 두꺼워 견댈 만하고'를 볼 때, '골무'를 의인화한 '감토 할미'이다.
청홍 각시	'( )은/는 세요의 뒤를 따라 다니며'라고 하였다. '세요'는 '바늘'이다. 따라서 '실'을 의인화한 '청홍 각시'이다.

정답 ③

작품정보 **작자 미상, <규중칠우쟁론기(閨中七友爭論記)>**

갈래	국문 수필, 내간체 수필
성격	우화적, 논쟁적, 풍자적, 교훈적
제재	바느질 도구들의 공치사와 불평
주제	① 공치사만 일삼는 이기적인 세태 풍자 ② 역할과 직분에 따른 성실한 삶 추구
특징	① 사물을 의인화하여 세태를 풍자함. ② 3인칭 시점에서 객관적으로 관찰하여 서술함.
의의	봉건적 질서 속에서 변화해 가는 여성 의식을 반영한 내간체임.
출전	《망로각수기(忘老却愁記)》

049 ○○○

다음 글의 괄호 안에 들어갈 말로 가장 적절한 것은?

> 위층의 소리는 멈추지 않았다. 드르륵거리는 소리에 머리카락 올이 진저리를 치며 곤두서는 것 같았다. … 위층으로 올라가 벨을 눌렀다.
> 안쪽에서 "누구세요?" 묻는 소리가 들리고도 십분 가까이 지나 문이 열렸다. '이웃사촌이라는데 아직 인사도 없이…….' 등등 준비했던 인사말과 함께 포장한 슬리퍼를 내밀려던 나는 첫마디를 뗄 겨를도 없이 ( )했다. 좁은 현관을 꽉 채우며 휠체어에 앉은 젊은 여자가 달갑잖은 표정으로 나를 올려다보았다. "안 그래도 바퀴를 갈아 볼 작정이었어요. 소리가 좀 덜 나는 것으로요. 어쨌든 죄송해요. 도와주는 아줌마가 지금 안 계셔서 차 대접할 형편도 안 되네요."
> 여자의 텅 빈, 허전한 하반신을 덮은 화사한 빛깔의 담요와 휠체어에서 황급히 시선을 떼며 나는 할 말을 잃은 채 부끄러움으로 얼굴만 붉히며 슬리퍼 든 손을 뒤로 감추었다.
>
> - 오정희, <소음 공해>

① 역지사지

② 황당무계

③ 자승자박

④ 우두망찰

난이도 상 ○ 하

해설 서술자가 층간 소음 때문에 스트레스를 받아 항의를 하기 위해 위층에 올라갔더니, 휠체어에 앉은 젊은 여성을 마주한 상황이다. 따라서 서술자는 '당황'했을 것이다. 따라서 '정신이 얼떨떨하여 어찌할 바를 모르는 모양'이라는 의미를 가진 '우두망찰'이 들어가는 것이 가장 적절하다.

※ '우두망찰'은 고유어 부사이다.

오답 분석
① 역지사지(易地思之): 처지를 바꾸어서 생각하여 봄.
② 황당무계(荒唐無稽): 말이나 행동 따위가 참되지 않고 터무니없음.
③ 자승자박(自繩自縛): 자기의 줄로 자기 몸을 옭아 묶는다는 뜻으로, 자기가 한 말과 행동에 자기 자신이 옭혀 곤란하게 됨을 비유적으로 이르는 말

정답 ④

작품정보 **오정희, <소음 공해>**

갈래	단편 소설
성격	교훈적, 비판적
배경	• 시간: 현대 • 공간: 아파트
시점	1인칭 주인공 시점
주제	이웃에 무관심한 현대인의 삶의 모습 비판
특징	① 주인공의 심리 묘사가 두드러짐. ② 결말의 극적 반전으로 주제 의식이 강조됨.
출전	《술꾼의 아내》(1993)

다음 글의 괄호 안에 공통으로 들어갈 말로 가장 적절한 것은?

> 그것이 헛된 일임을 안다. 그러나 동경과 기대 없이 살 수 있는 사람이 있을까? 무너져 버린 뒤에도 그리움은 슬픈 아름다움을 지니고 있다. … 먼 곳에의 그리움! 모르는 얼굴과 마음과 언어 사이에서 혼자이고 싶은 마음! … 포장마차를 타고 일생을 전전하고 사는 (　　)의 생활이 나에게는 가끔 이상적인 것으로 생각된다. 노래와 모닥불가의 춤과 사랑과 점치는 일로 보내는 짧은 생활, 짧은 생, 내 혈관 속에서 어쩌면 (　　)의 피가 한 방울 섞여 있을지도 모른다고 혼자 공상해 보고 웃기도 한다.
>
> - 전혜린 <먼 곳에의 그리움>

① 카우보이　　　　② 집시
③ 가수　　　　　　④ 무용수

난이도 상 ○ 하

해설　'일생을 전전하고 사는'이라는 수식어를 볼 때, 괄호 속에는 떠도는 속성을 지닌 말이 들어가야 한다. 따라서 빈칸에는 정처 없이 떠돌아다니며 방랑 생활을 하는 사람을 비유적으로 이르는 말인 '집시'가 가장 어울린다.

정답 ②

작품정보 전혜린, <먼 곳에의 그리움>

갈래	경수필
성격	낭만적, 사변적
제재	새해의 소망
주제	새로운 세계에 대한 동경과 기대
특징	젊음과 열정이 압축된 문장을 통해 새로운 세계에 대한 강렬한 그리움이 드러남.
출전	《그리고 아무 말도 하지 않았다》(1966)

<보기>의 (　　) 안에 들어갈 가장 알맞은 말을 차례로 나열한 것은?

> ─────── 〈보기〉 ───────
>
> 지난여름 작가 회의에서 북한 동포 돕기 시 낭송회를 한 적이 있다. 시인들만 참석하는 줄 알았더니 각계 원로들도 자기가 평소에 애송하던 시를 낭송하는 순서가 있다고, 나한테도 한 편 낭송해 달라고 했다. 내가 (　㉠　) 소리를 듣게 된 것이 당혹스러웠지만, 북한 돕기라는 데 명계를 들러대고 빠질 만큼 빤질빤질하지는 못했나 보다. 하겠다고 했다. 그러나 거역할 수 없는 명분보다 더 중요한 것은 (　㉡　) 아니었을까. 그 무렵 나는 김용택의 '그 여자네 집'이라는 시에 사로잡혀 있었다. 김용택은 내가 좋아하는 시인 중의 한 사람일 뿐 가장 좋아하는 시인이라고는 말 못하겠다. 마찬가지로 '그 여자네 집'이 그의 많은 시 중 빼어난 시인지 아닌지도 잘 모르겠다.

	㉠	㉡
①	원로	낭송하고 싶은 시가 있었다는 게
②	아쉬운	서로가 만족하게 될 실리가
③	시인	잠깐의 수고로 동포를 도울 수 있다는 것이
④	입에 발린	원로들에 대한 예의가

해설　㉠ "각계 원로들도 자기가 평소에 애송하던 시를 낭송하는 순서가 있다고, 나한테도 한 편 낭송해 달라고 했다."를 볼 때, '나'도 '원로'니까 시를 낭송해 달라는 의미의 말임을 알 수 있다. 따라서 내가 당혹스러웠던 것은 '원로' 소리를 들었기 때문이다.

㉡ 시 낭송을 하겠다고 답한 이유를 "그 무렵 나는 김용택의 '그 여자네 집'이라는 시에 사로잡혀 있었다."라고 밝히고 있다. 이를 볼 때, ㉡에는 '낭송하고 싶은 시가 있었다는 게'가 들어가는 게 가장 적절하다.

※ ①을 제외한 나머지 선택지는 "그 무렵 나는 김용택의 '그 여자네 집'이라는 시에 사로잡혀 있었다."와 연결을 짓기에 무리가 있다.

정답 ①

작품정보 박완서, <그 여자네 집>

갈래	단편 소설, 액자 소설
성격	회상적, 서정적, 체험적
배경	• 시간: 일제 강점기, 현대 • 공간: 행촌리, 서울
시점	1인칭 관찰자 시점(부분적으로 전지적 작가 시점)
주제	민족의 비극적 역사 속에서 상처받고 고통을 당한 우리 민족의 비극적인 삶
특징	① '현재-과거-현재'의 역순행적 구성임. ② 극적인 반전을 통해 주제 의식을 드러냄.
출전	《너무도 쓸쓸한 당신》(1998)

출제 유형

현대 문학	· 시어와 시구에 대한 설명이 바른지 아닌지 묻는 유형
고전 문학	

핵심정리

· **객관적 상관물과 감정 이입** [17 지방직 9급]

객관적 상관물	화자의 바깥에 객관적으로 존재하는 사물이 화자로 하여금 어떤 감정을 느끼게 하거나 특정한 생각을 불러일으키는 사물
감정 이입	자신의 감정을 대상으로 이입시키거나 대상의 감정을 자신에게 이입시켜서 서로 공감하는 것

※ '객관적 상관물'은 '감정 이입'을 포함하는 개념이지만 감정 이입 외에도 화자의 정서에 기여하는 모든 대상이나 정황 들을 포괄하는 보다 넓은 범주의 개념이다.

출제 유형

현대 문학	시어와 시구에 대한 설명이 바른지 아닌지 묻는 유형

052 ○○○ 2023 군무원 7급

다음 시구 중 함축하고 있는 의미가 가장 다른 것은?

(가) 매운 계절의 챗죽*에 갈겨
마츰내 北方으로 휩쓸려오다

하늘도 그만 (나) 지쳐 끝난 고원(高原)
(다) 서리빨 칼날진 그우에 서다

어데다 무릎을 꾸려야 하나
(라) 한발 재겨* 디딜 곳조차 없다

이러매 눈감아 생각해볼밖에
겨울은 강철로 된 무지갠가 보다.

\- 이육사 <절정(絶頂)>

* 챗죽: 채찍
* 재겨: 비집고 들어

① (가)   ② (나)   ③ (다)   ④ (라)

난이도 ⑨ ◎ ⑨

[해설] (가)~(다)는 화자가 처한 '현실적 한계 상황'을 보여준 것이다. 즉 가혹한 추위가 지배하는 시간인 일제 강점하의 고통스러운 시련의 시대 상황을 의미한다. 한편, (라)는 화자의 '내면 심리'를 의미한다. 즉 패배를 인정할 수도, 절대적인 존재에게 구원을 빌 수도 없는 극한의 상황에서 화자가 느끼는 심리를 상징한다.

[정답] ④

작품정보	이육사, <절정>
갈래	자유시, 서정시
성격	상징적, 남성적, 지사적
제재	현실의 극한 상황
주제	극한 상황에서의 초월적 인식
특징	① 한시의 '기 - 승 - 전 - 결'의 구조와 유사한 형식임. ② 역설적 표현을 통해 주제를 효과적으로 형상화함. ③ 강렬한 상징어와 남성적 어조로 강인한 의지를 표출함. ④ 현재형 시제를 사용하여 긴박감을 더하고 대결 의식을 드러냄.
출전	《문장》(1940)

[053~054] 다음 글을 읽고 물음에 답하라.

창밖에 밤비가 속살거려
㉠ 육첩방(六疊房)은 남의 나라,

시인이란 슬픈 천명인 줄 알면서도
㉡ 한 줄 시를 적어 볼까,

땀내와 사랑내 포근히 품긴
보내주신 학비 봉투를 받아

대학 노트를 끼고
늙은 교수의 강의 들으러 간다.

생각해 보면 어린 때 동무를
하나, 둘, 죄다 잃어버리고

ⓐ 나는 무얼 바라
ⓑ 나는 다만, 홀로 침전하는 것일까?
인생은 살기 어렵다는데
시가 이렇게 쉽게 씌어지는 것은
㉢ 부끄러운 일이다.

육첩방은 남의 나라
창밖에 밤비가 속살거리는데,

등불을 밝혀 어둠을 조금 내몰고,
시대처럼 올 아침을 기다리는 최후의 ⓒ 나,

ⓓ 나는 ⓔ 나에게 작은 손을 내밀어
눈물과 위안으로 잡는 ㉣ 최초의 악수.

- 윤동주, <쉽게 씌어진 시>

해설 부끄러움을 느끼는 주체는 '나'이다. 따라서 부끄러움의 대상을 '친일파 지식인'으로 본다는 설명은 적절하지 않다.

오답분석 ① '육첩방'은 익숙지 않은 일본식 생활공간으로, 화자를 구속하고 억압하는 시대 상황을 가리킨다. 따라서 '일본'을 '남의 나라'로 직접적으로 드러냈다는 점에서 조선인으로서의 정체성에 대한 인식을 드러낸다고 할 수 있다.

② 시인은 현실에 직접 참여해서 싸우는 이가 아니라 언어를 다루는 사람이다. 즉 암담한 현실에 힘을 발휘하지 못하는 사람이 시인이라는 것을 인식하면서도 시를 쓸 수밖에 없는 괴로움을 '슬픈 천명'으로 표현하고 있다.

④ 이상과 현실의 괴리로 인한 내면적 자아와 현실적 자아의 갈등을 경험해야 했던 화자가, 처음으로 '눈물과 위안'을 통해 화해에 도달하는 과정을 보여 줌으로써, 미래에 대한 희망이 나타나 있다.

정답 ③

---

053 ○○○

㉠~㉣에 대한 설명으로 가장 적절하지 않은 것은?

① ㉠은 조선인으로서의 정체성에 대한 인식을 드러낸다.
② ㉡은 식민지 지식인으로서의 소명 의식을 드러낸다.
③ ㉢은 친일파 지식인에 대한 비판 정신을 보여준다.
④ ㉣은 어두운 현실을 극복하려는 화자의 의지이다.

---

054 ○○○

ⓐ~ⓔ에 대한 설명으로 가장 적절한 것은?

① ⓐ, ⓑ, ⓔ는 현실적 자아이고, ⓒ, ⓓ는 성찰적 자아이다.
② ⓐ, ⓑ는 현실적 자아이고, ⓒ, ⓓ, ⓔ는 성찰적 자아이다.
③ ⓐ, ⓑ, ⓔ는 이상적 자아이고, ⓒ, ⓓ는 현실적 자아이다.
④ ⓐ, ⓑ는 이상적 자아이고, ⓒ, ⓓ, ⓔ는 현실적 자아이다.

해설

1단계	'ⓐ, ⓑ'는 현재 삶에서의 상실감과 회의를 드러낸다는 점에서 '시대처럼 올 아침을 기다리는 최후의'라는 수식을 받는 'ⓒ'와 성격이 다르다는 것은 알 수 있다.
2단계	ⓒ 바로 뒤에 '나'가 '나'에게 손을 내민다는 것을 볼 때, 앞의 '나(ⓓ)'는 'ⓒ'와 성격이 유사하다. 한편, 'ⓔ'은 'ⓐ, ⓑ'와 의미가 유사하다.

따라서 'ⓐ, ⓑ, ⓔ'는 현실적 자아이고, 'ⓒ, ⓓ'는 성찰적 자아이다.

정답 ①

작품정보 윤동주, <쉽게 씌어진 시>

갈래	자유시, 서정시
성격	저항적, 반성적, 미래 지향적
제재	현실 속의 자신의 삶(시가 쉽게 씌어지는 것에 대한 부끄러움)
주제	어두운 시대 현실에서 비롯된 고뇌와 자기 성찰
특징	① 상징적 시어를 대비하여 시적 의미를 강화함. ② 두 자아의 대립과 화해를 통해 시상을 전개함.
출전	《하늘과 바람과 별과 시》(1948)

다음 시의 밑줄 친 ㉠에 대한 설명으로 옳은 것은?

> 흐르는 것이 물뿐이랴
> 우리가 저와 같아서
> 강변에 나가 삽을 씻으며
> 거기 슬픔도 퍼다 버린다
> 일이 끝나 저물어
> ㉠ 스스로 깊어 가는 강을 보며
> 쭈그려 앉아 담배나 피우고
> 나는 돌아갈 뿐이다
> 삽자루에 맡긴 한 생애가
> 이렇게 저물고, 저물어서
> 샛강 바닥 썩은 물에
> 달이 뜨는구나
> 우리가 저와 같아서
> 흐르는 물에 삽을 씻고
> 먹을 것 없는 사람들의 마을로
> 다시 어두워 돌아가야 한다
>
>   - 정희성, <저문 강에 삽을 씻고>

① 자연의 자정 작용에 대한 기대감을 표현한다.
② 현재의 삶에 대한 적극적인 극복 의지를 드러낸다.
③ 사람들의 고통과 슬픔이 깊어지는 상황을 나타낸다.
④ 설의적 표현을 통해 자신의 무기력함을 성찰한다.
⑤ 현실의 갈등이 흐르는 물과 같이 해소되기를 염원한다.

난이도 상 ○ 하

[해설] ㉠은 노동자의 비애가 쌓여 가는 상황을 나타낸다.

[오답 분석] ①, ②, ⑤ 이어지는 시구 '쭈그려 앉아 담배나 피우고 / 나는 돌아갈 뿐이다'를 볼 때, 기대감이나 극복 의지, 해소의 염원이 나타난다고 보기는 어렵다.

④ 설의적 표현이 쓰이지 않았다. 더구나 이어지는 시구 '쭈그려 앉아 담배나 피우고 / 나는 돌아갈 뿐이다'를 볼 때, 무기력함은 느껴지지만, 그것을 성찰한다고 보기는 어렵다.

정답 ③

작품정보 **정희성, <저문 강에 삽을 씻고>**

갈래	자유시, 서정시
성격	성찰적, 회고적
제재	강물
주제	가난한 노동자의 삶의 비애
특징	① 연의 구분이 없는 단연시임. ② 구체적인 삶의 경험을 자연물의 이미지와 결합시킴. ③ 시간의 흐름과 화자의 내면 변화에 따라 시상을 전개함.
출전	《저문 강에 삽을 씻고》(1978)

다음 중 함축적 의미가 다른 하나는?

> 세상의 열매들은 왜 모두
> 둥글어야 하는가
> 가시나무도 향기로운 그의 탱자만은 둥글다
>
> 땅으로 땅으로 파고드는 뿌리는
> 날카롭지만,
> 하늘로 하늘로 뻗어가는 가지는
> 뾰족하지만
> 스스로 익어 떨어질 줄 아는 열매는
> 모가 나지 않는다
>
> 덥석
> 한입에 물어 깨무는
> 탐스런 한 알의 능금
> 먹는 자의 이빨은 예리하지만
> 먹히는 능금은 부드럽다
>
> 그대는 아는가,
> 모든 생성하는 존재는 둥글다는 것을
> 스스로 먹힐 줄 아는 열매는
> 모가 나지 않는다는 것을
>
>   - 오세영, <열매>

① 탱자   ② 가지   ③ 모   ④ 이빨

난이도 상 ○ 하

[해설] "탱자만은 둥글다"라고 한 것을 보아, '탱자'는 긍정의 의미로 쓰이고 있다. 한편, '가지', '모', '이빨'는 모두 뾰족하거나 예리한 것으로, '탱자'와는 상반되는 부정의 의미로 쓰이고 있다. 따라서 함축적 의미가 이질적인 하나는 ①의 '탱자'이다.

정답 ①

작품정보 **오세영, <열매>**

갈래	자유시, 서정시
성격	상징적, 예찬적
특징	① 자연물을 통해 삶의 진리를 깨달음. ② 원과 직선의 대립적 이미지를 통해 시상을 전개함.
주제	열매를 통해 발견하는 삶의 진실한 모습(자기희생적 사랑)

〈보기〉를 고려할 때 다음 글에 대한 감상으로 적절하지 않은 것은?

> 산에는 꽃 피네
> 꽃이 피네
> 갈 봄 여름 없이
> 꽃이 피네
>
> 산에 / 산에
> 피는 꽃은
> 저만치 혼자서 피어 있네
>
> 산에서 우는 작은 새요
> 꽃이 좋아
> 산에서
> 사노라네
>
> 산에는 꽃 지네
> 꽃이 지네
> 갈 봄 여름 없이
> 꽃이 지네
>
> - 김소월, 〈산유화〉

〈보기〉

　자연의 질서는 반복을 통해 지속적으로 재현됨으로써 항구적인 가치를 대표하는 것으로 인식되곤 한다. 특히 시에서는 일시적이고 순간적인 것으로 그려지는 인간의 삶과는 거리가 있는 이상적인 공간으로 그려지기도 한다.

① '산'은 일시적이고 순간적인 인간의 삶을 대변하고 있다.
② '피다'와 '지다'의 반복을 통하여 자연의 영속성을 드러내고 있다.
③ '저만치' 혼자서 피어 있는 '꽃'의 위치를 통해 꽃과 화자와의 거리를 드러내고 있다.
④ '갈 봄 여름'이 작품의 앞과 뒤에 반복되면서 계절의 순환에 대한 화자의 인식을 드러내고 있다.

난이도 상 ○ 하

해설　'산'은 '자연'이다. '자연'은 영원하다. 따라서 '산'을 일시적이고 순간적인 인간의 삶을 대변하고 있다는 감상은 적절하지 않다.

오답분석　② 〈보기〉의 '자연의 질서는 반복을 통해 지속적으로 재현됨으로써 항구적인 가치를 대표하는 것으로 인식되곤 한다.'를 볼 때, '피다'와 '지다'를 반복을 통해 자연의 영속성을 드러내고 있다는 감상은 적절하다.

③ 〈보기〉의 "인간의 삶과는 거리가 있는 이상적인 공간으로 그려지기도 한다."를 볼 때, '저만치' 혼자서 피어 있는 '꽃'의 위치를 통해 꽃과 화자와의 거리를 드러내고 있다는 감상은 적절하다.

④ 계절의 순환은 자연의 질서에 해당한다. 따라서 '갈(가을) 봄 여름'이 작품의 앞과 뒤에 반복되면서 계절의 순환에 대한 화자의 인식을 드러내고 있다는 감상은 적절하다.

정답 ①

작품정보	김소월, 〈산유화〉	
갈래	자유시, 서정시	
성격	관조적, 민요적, 전통적	
제재	산에 피는 꽃	
주제	존재의 근원적 고독	
특징	① 1연과 4연이 내용과 구조 면에서 서로 대응됨. ② 종결 어미 '-네'를 통해 각운의 효과를 얻고 감정의 절제를 보여 줌. ③ 3음보를 여러 행에 걸쳐 배열하거나 한 행에 배열함.	
출전	《진달래꽃》(1925)	

다음 시에 대한 이해로 적절하지 않은 것은?

> 아버지는 두 마리의 두꺼비를 키우셨다
>
> 해가 말끔하게 떨어진 후에야 퇴근하셨던 아버지는 두꺼비부터 씻겨 주고 늦은 식사를 했다 동물 애호가도 아닌 아버지가 녀석에게만 관심을 갖는 것 같아 나는 녀석을 시샘했었다 한번은 아버지가 녀석을 껴안고 주무시는 모습을 보았는데 기회는 이때다 싶어서 살짝 만져 보았다 그런데 녀석이 독을 뿜어내는 통에 내 양 눈이 한동안 충혈되어야 했다 아버지, 저는 두꺼비가 싫어요 아버지는 이윽고 식구들에게 두꺼비를 보여주는 것조차 꺼리셨다 칠순을 바라보던 아버지는 날이 새기 전에 막일판으로 나가셨는데 그때마다 잠들어 있던 녀석을 깨워 자전거 손잡이에 올려놓고 페달을 밟았다
>
> 두껍아 두껍아 헌집 줄게 새집 다오
>
> 아버지는 지난겨울, 두꺼비집을 지으셨다 두꺼비와 아버지는 그 집에서 긴 겨울잠에 들어갔다 봄이 지났으나 잔디만 깨어났다
>
> 내 아버지 양 손엔 우툴두툴한 두꺼비가 살았었다
>
> — 박성우, 〈두꺼비〉

① 화자가 '아버지, 저는 두꺼비가 싫어요'라고 말한 것은 아버지의 고생스러운 삶에서 서러움과 연민을 느꼈기 때문이다.
② 이 시는 아이의 시선과 동요의 가사를 활용하여 아버지의 희생적인 삶을 돌아보게 하면서 감동을 주고 있다.
③ 이 시는 첫 줄과 마지막 줄에 제시된 아버지와 두꺼비의 호응 관계를 통해 시적 의미를 강조하고 있다.
④ 이 시에서 '두꺼비'는 아버지를 기다리는 자식들을 의미한다.
⑤ '아버지는 그 집에서 긴 겨울잠에 들어갔다'는 표현에서 아버지가 돌아가셨다는 것을 알 수 있다.

난이도 상 ○ 하

[해설] 제시된 시에서 '두꺼비'는 갖은 고생으로 우툴두툴해진 아버지의 양손을 의미한다. 따라서 아버지를 기다리는 자식들을 의미한다는 이해는 적절하지 않다.

정답 ④

작품정보 박성우, 〈두꺼비〉

성격	비유적, 회상적, 애상적
주제	고달픈 삶을 살다가 돌아가신 아버지에 대한 회상
특징	① 전래 동요 '두꺼비'를 차용함. ② 계절적 배경을 활용해 시간의 경과를 나타냄. ③ 비유를 통해 평생 고단하게 살다 가신 아버지의 삶을 표현함.

㉠~㉣에 대한 설명으로 적절하지 않은 것은?

> 너무도 여러 겹의 마음을 가진
> 그 복숭아나무 곁으로
> 나는 왠지 가까이 가고 싶지 않았습니다
> ㉠흰꽃과 분홍꽃을 나란히 피우고 서 있는 그 나무는 아마
> ㉡사람이 앉지 못할 그늘을 가졌을 거라고
> 멀리로 멀리로만 지나쳤을 뿐입니다
> 흰꽃과 분홍꽃 사이에 ㉢수천의 빛깔이 있다는 것을
> 나는 그 나무를 보고 멀리서 알았습니다
> 눈부셔 눈부셔 알았습니다
> 피우고 싶은 꽃빛이 너무 많은 그 나무는
> 그래서 외로웠을 것이지만 외로운 줄도 몰랐을 것입니다
> 그 여러 겹의 마음을 읽는 데 참 오래 걸렸습니다
> 흩어진 꽃잎들 어디 먼 데 닿았을 무렵
> ㉣조금은 심심한 얼굴을 하고 있는 그 복숭아나무 그늘에서
> 가만히 들었습니다 저녁이 오는 소리를
>
> — 나희덕, 〈그 복숭아나무 곁으로〉

① ㉠: 외부에서 파악할 수 있는 복숭아나무의 피상적인 모습이다.
② ㉡: 복숭아나무를 바라보는 부정적인 선입견이 드러나 있다.
③ ㉢: 복숭아나무가 가지고 있는 진정한 모습을 드러내고 있다.
④ ㉣: 멀리서도 알아볼 수 있는 복숭아나무의 화려한 모습을 드러내고 있다.

난이도 상 ○ 하

[해설] ㉣은 잎이 떨어진 복숭아나무를 형상화한 것이다. 따라서 복숭아나무의 화려한 모습을 드러내고 있다는 설명은 옳지 않다.

오답분석 ① ㉠은 선입견을 갖고 본 복숭아나무의 모습이다. 따라서 외부에서 파악할 수 있는 복숭아나무의 피상적인 모습이라는 설명은 옳다.

② ㉡은 화자가 복숭아나무에 가졌던 거리감의 표현이다. 따라서 복숭아나무를 바라보는 부정적인 선입견이 드러나 있다는 설명은 옳다.

③ ㉢은 복숭아나무의 본질적 모습을 의미한다. 따라서 복숭아나무가 가지고 있는 진정한 모습을 드러내고 있다는 설명은 옳다.

정답 ④

작품정보 나희덕, 〈그 복숭아나무 곁으로〉

갈래	자유시, 서정시
성격	성찰적, 고백적, 비유적, 여성적
제재	복숭아나무
주제	적당한 간격의 소중함에 관한 깨달음
특징	① 경어체 사용으로 고백적인 어조를 유지함. ② 타인과 통합하는 인식의 과정을 자연물로 표출함. ③ 복숭아나무를 통해 세계를 바라보는 새로운 의미 체계를 획득함.

〈보기〉의 밑줄 친 시어 가운데 내적 연관성이 가장 적은 것은?

───────〈보기〉───────

유리에 차고 슬픈 것이 어린거린다.
열없이 붙어서서 입김을 흐리우니
길들은 양 언 날개를 파다거린다.
지우고 보고 지우고 보아도
새까만 밤이 밀려나가고 밀려와 부디치고,
물먹은 별이, 반짝, 보석처럼 백힌다.
밤에 홀로 유리를 닦는 것은
외로운 황홀한 심사이어니,
고운 폐혈관이 찢어진 채로
아아, 늬는 산ㅅ새처럼 날아갔구나!

- 정지용, 〈유리창 1〉

① 차고 슬픈 것　　　　　② 새까만 밤

③ 물먹은 별　　　　　　　④ 늬

난이도

> **해설** '새까만 밤'은 '죽음의 세계(암담함, 허탈감, 상실감)'를 의미하는
> 시어이다. ②를 제외한 나머지는 모두 '죽은 아이'를 의미하므로,
> 내적 연관성이 가장 적은 것은 '새까만 밤'이다.
>
> **정답** ②

작품정보 정지용, 〈유리창 1〉

갈래	자유시, 서정시
성격	상징적, 회화적, 감각적
제재	어린 자식의 죽음
주제	죽은 아이에 대한 슬픔과 그리움
특징	① 선명하고 감각적인 이미지를 사용함. ② 감정을 절제하여 표현함. ③ 모순 어법을 구사하여 시의 함축성을 높임.
출전	《조선지광》(1930)

밑줄 친 ⑦~⑩에 대한 설명으로 옳지 않은 것은?

지상(地上)에는
아홉 켤레의 신발.
아니 현관에는 아니 들깐에는
아니 어느 ⑦ 시인의 가정에는
알 전등이 켜질 무렵을
문수(文數)가 다른 아홉 켤레의 신발을.

내 ⑥ 신발은
십구 문 반(十九文半).
눈과 얼음의 길을 걸어, / 그들 옆에 벗으면
육 문 삼(六文三)의 코가 납작한
귀염둥아 귀염둥아 / 우리 막내둥아

미소하는
내 얼굴을 보아라
얼음과 눈으로 벽(壁)을 짜올린
여기는
지상.
⑥ 연민한 삶의 길이여.
내 신발은 십구 문 반(十九文半).

아랫목에 모인
아홉 마리의 강아지야
⑩ 강아지 같은 것들아.
굴욕과 굶주림과 추운 길을 걸어
⑩ 내가 왔다. / 아버지가 왔다.
아니 십구 문 반(十九文半)의 신발이 왔다.
아니 지상에는 / 아버지라는 어설픈 것이 / 존재한다.
미소하는 / 내 얼굴을 보아라.

- 박목월, 〈가정〉

---

① ⑦: 시적 화자가 냉정한 현실 속에서 지켜야 할 소중한 공간을 의미한다.

② ⑥: 가장 밑바닥에서 고단한 삶을 함께 하는 동반자로서의 의미가 있다.

③ ⑥: 사랑하는 가족을 만날 수 없는 나약한 아버지의 슬픔이 짙게 배어 있다.

④ ⑩: 보살펴 주어야 할 사랑스럽고 귀여운 자식들을 나타낸다.

⑤ ⑩: 반복을 통해 아버지의 가족에 대한 짙은 애정과 책임감이 부각되고 있다.

난이도 ⑧ ○ ⑩

[해설] 화자는 고단한 하루를 마치고 집에 돌아와, 문 앞에 놓인 아이들의 신발을 바라보고 있다. 마지막 연에서 화자는 자식들에게 "아홉 마리의 강아지야", "내가 왔다. / 아버지가 왔다."라고 표현하는 것을 볼 때, 화자의 집에는 아이들이 머물고 있음을 알 수 있다. 따라서 사랑하는 가족을 만날 수 없는 나약한 아버지의 슬픔이 짙게 배어 있다는 설명은 옳지 않다.

[오답 분석]
① 화자는 '가정'을 지키기 위해 고단하더라도 일을 하고 있는 것이다. 따라서 냉정한 현실 속에서 '지켜야 할 소중한 공간'을 의미한다는 설명은 옳다.

② '신발'은 화자가 고된 일을 하는 중 계속 함께 하는 대상이라는 점에서 가장 밑바닥에서 고단한 삶을 함께 하는 동반자로서의 의미가 있다는 설명은 옳다.

④ '강아지'에 비유한 것은 바로 '귀여운 자식들'이다.

⑤ 자신이 왔다는 표현을 반복을 통해, 가족에 대한 짙은 애정과 책임감을 부각하고 있다.

[정답] ③

작품정보 박목월, 〈가정〉

갈래	자유시, 서정시
성격	상징적, 독백적
주제	가장으로서의 고달픈 삶과 가족에 대한 사랑
특징	다양한 비유와 적절한 상징으로 주제를 전달함.

㉠~㉣에 대한 설명으로 옳지 않은 것은?

> ㉠ 못난 놈들은 서로 얼굴만 봐도 흥겹다
> 이발소 앞에 서서 참외를 깎고
> 목로에 앉아 막걸리를 들이켜면
> 모두들 한결같이 친구 같은 얼굴들
> ㉡ 호남의 가뭄 얘기 조합 빚 얘기
> 약장수 기타 소리에 발장단을 치다 보면
> 왜 이렇게 자꾸만 서울이 그리워지나
> 어디를 들어가 섰다라도 벌일까
> 주머니를 털어 색싯집에라도 갈까
> ㉢ 학교 마당에들 모여 소주에 오징어를 찢다
> 어느새 긴 여름 해도 저물어
> 고무신 한 켤레 또는 조기 한 마리 들고
> ㉣ 달이 환한 마찻길을 절뚝이는 파장
>
> 　　　　　　　　　　　　　　- 신경림, 〈파장〉

① ㉠: 농민들이 서로에게 느끼는 유대감을 보여 준다.

② ㉡: 농민들이 겪는 여러 가지 어려움이 나타난다.

③ ㉢: 어려움을 극복한 농민들의 흥겨움이 드러난다.

④ ㉣: 농촌의 힘겨운 현실을 시적으로 형상화하고 있다.

난이도 ④ ○ ⑤

[해설] ㉢은 현실의 고통을 잊기 위해 농민들이 '소주'와 '오징어'로 일시적으로 위안을 얻는 모습이다. 따라서 ㉢에서 어려움을 극복했다고 볼 수 없으며, 흥겨움 또한 드러나지 않는다.

[오답분석]
① 힘든 시절을 살아가는 농민들이 동료 의식이 느껴지는 부분이다. 따라서 유대감을 보여준다는 설명은 적절하다.

　　※ 유대감(紐帶感, 서로 밀접하게 연결되어 있는 공통된 느낌)

② '가뭄'은 '농사'와 밀접한 관련이 있다. 따라서 '가뭄'은 농민이 겪는 어려움 중 하나이다. '조합 빚' 역시 농민들의 삶을 어렵게 하는 것 중 하나이다. 따라서 ㉡의 '가뭄'과 '조합 빚' 얘기는 농민들이 겪는 여러 가지 어려움을 나타낸 것이다.

④ ㉣은 달이 환한 마찻길로 장 본 것을 들고 절뚝이며 집으로 돌아가는 모습으로, 가난과 소외로 얼룩진 농부들의 삶을 함축한 것이다. 따라서 농촌의 힘겨운 현실을 시적으로 형상화하고 있다는 설명은 적절하다.

　　※ 파장(罷場): 시장, 과장, 백일장 따위가 끝남, 또는 그런 때

정답 ③

작품정보 신경림, 〈파장(罷場)〉

갈래	자유시, 서정시
성격	향토적, 비판적, 서정적
제재	장터의 서민들의 모습
주제	황폐화되어 가는 농촌의 현실을 살아가는 농민들의 애환과 비통함
특징	① 시간의 경과에 따라 시상을 전개함. ② 일상어와 비속어의 적절한 구사로 농민들의 삶을 진솔하게 나타냄
출처	《농무》(1973)

MEMO

063 ○○○   2022 국가직 9급

(가)~(라)의 ㉠~㉣에 대한 설명으로 적절하지 않은 것은?

> (가) 간밤의 부던 ᄇ람에 눈서리 치단 말가
>   ㉠낙락장송(落落長松)이 다 기우러 가노미라.
>   ᄒ믈며 못다 픤 곳이야 닐러 무슴 ᄒ리오.
>
> (나) 철령 노픈 봉에 쉬여 넘는 져 구룸아
>   고신원루(孤臣寃淚)를 비 사마 ᄯ여다가
>   ㉡님계신 구중심처(九重深處)에 ᄲ려 본들 엇드리.
>
> (다) 이화우(梨花雨) 훗쑬릴 제 울며 잡고 이별ᄒ 님
>   추풍낙엽(秋風落葉)에 ㉢저도 날 싱각는가
>   천리(千里)에 외로운 ᄭ움만 오락가락 ᄒ노매.
>
> (라) 삼동(三冬)의 뵈옷 닙고 암혈(巖穴)의 눈비 마자
>   구룸 ᄭ인 볏뉘도 쬔 적이 업건마는
>   서산의 ㉣ᄒ 디다 ᄒ니 그룰 셜워 ᄒ노라.

① ㉠은 억울하게 해를 입은 충신을 가리킨다.

② ㉡은 궁궐에 계신 임금을 가리킨다.

③ ㉢은 헤어진 연인을 가리킨다.

④ ㉣은 오랜 세월을 함께한 벗을 가리킨다.

난이도 상 ○ 하

[해설] '뵈옷', '암혈'은 벼슬을 하지 않고 산림에 은거하는 상태를 의미하고, '구룸 ᄭ인 볏뉘'도 쬔 적이 없다는 것은 벼슬을 하지 않아 임금의 작은 은총도 입지 못했다는 뜻이다. '서산의 ᄒ 디다'는 임금께서 승하하셨음을 의미한다. 즉 제시된 작품은 벼슬을 하지 않아 임금의 은혜를 입은 적은 없지만, 임금의 승하 소식을 듣고 애도하는 마음을 드러낸 것이다. 따라서 ㉣을 '오랜 세월을 함께 한 벗'을 가리킨다는 설명은 적절하지 않다. ㉣은 '임금'을 의미한다.

※ ㉣이 '임금'인 것까지는 못 파악하더라도, 화자가 '햇볕'을 쬔 적이 없지만 '해가 진다는 소식을 듣고 슬퍼한다는 내용만 보더라도 ㉣을 '오랜 세월을 함께 한 벗'으로 보기는 어렵다.

[오답분석]
① '낙락장송(落落長松)'은 '가지가 길게 축축 늘어진 키가 큰 소나무'이다. 문학에서 '소나무'는 '지조'와 '절개'를 상징한다. '바람'과 '눈서리' 때문에 '낙락장송(落落長松)'이 쓰러졌다고 했기 때문에, ㉠은 '억울하게 해를 입은 충신'을 의미한다고 볼 수 있다.

※ 수양 대군이 왕위 찬탈의 뜻을 품고 김종서, 황보인 등 중신들을 죽이고 단종을 폐위시킨 계유정난을 풍자한 작품이다. 따라서 '바람'과 '눈서리'는 '계유정난'을, '낙락장송'은 계유정난으로 해를 입은 '충신'을 의미한다.

② 종장에서 '임'이 '구중심처(九重深處)'에 계신다고 하였다. '구중심처(九重深處: 아홉 구, 거듭 중, 깊을 심, 곳 처)'는 겹겹이 문으로 막은 깊은 궁궐이라는 뜻으로, 임금이 있는 대궐 안을 이르는 말이다. 따라서 ㉡의 '님'은 궁궐의 계신 임금을 가리킨다.

③ ㉢의 '저'는 초장에서 언급한 '이화우(梨花雨) 훗쑬릴 제 울며 잡고 이별ᄒ 님'이다. 따라서 '헤어진 연인'을 가리킨다는 설명은 옳다.

정답 ④

작품정보

(가) 유응부, 〈간밤의 부던 ᄇ람에〉

갈래	평시조, 서정시
성격	우국적, 풍자적
제재	바람(계유정난), 소나무, 꽃
주제	세조의 횡포에 대한 비판과 인재 희생에 대한 걱정
특징	대조적인 소재를 사용하여 주제를 드러냄.
출전	《청구영언》

(나) 이항복, 〈철령 노픈 봉에〉

갈래	평시조, 서정시
성격	연군가, 절의가
제재	고신원루(孤臣寃淚)
주제	임금에 대한 변함없는 충절
특징	자연물에 감정을 이입하여 시적 화자의 고단하고 어려운 처지와 심정을 부각함.
출전	《청구영언》

(다) 계랑, 〈이화우(梨花雨) 훗쑬릴 제〉

갈래	평시조, 서정시
성격	애상적, 감상적, 연정가
주제	이별의 슬픔과 임에 대한 그리움
특징	① 임과 헤어진 뒤의 시간적 거리감과 임과 떨어져 있는 공간적 거리감이 조화를 이룸. ② 시간의 흐름과 하강의 이미지를 통해 시적 화자의 정서를 심화시킴.

(라) 조식, 〈삼동(三冬)의 뵈옷 닙고〉

갈래	평시조, 서정시
성격	우국적, 상징적
제재	중종의 승하
주제	임금(중종)의 승하를 애도함
특징	상징과 비유의 표현 방법을 사용하여 군신유의(君臣有義)의 유교적 정신을 드러냄.
출전	《병와가곡집》

[현대어 풀이]

(가) 지난밤에 불던 모진 바람에 눈과 서리까지 몰아쳤단 말인가?
     낙락장송(落落長松)이 다 쓰러져 가는구나.
     (저렇게 큰 소나무조차 쓰러지니) 하물며 제대로 피지도 못한 꽃이야 말해서 무엇하겠는가?

(나) 철령 높은 봉을 쉬어 넘는 저 구름아,
     외로운 신하의 원 맺힌 눈물을 바로 만들어 띄어다가,
     임 계신 구중궁궐 깊은 곳에 뿌려 본들 어떠리.

(다) 배꽃이 비처럼 흩날리던 때에 서로 울며 손을 잡고 헤어진 임,
     가을바람에 나뭇잎 떨어지는 이 때에 임도 나를 생각하고 계실까?
     천릿길 떨어진 곳에서 외로운 꿈만 오락가락하는구나.

(라) 한겨울에 삼베옷을 입고 바위굴에서 눈비를 맞으며
     구름 사이에 비치는 햇볕도 쬔 적이 없건마는,
     서산에 해가 졌다는 소식을 들으니 눈물을 이기지 못하겠노라.

⊙과 ⓒ에 대한 설명으로 적절한 것은?

> 헌 먼덕¹⁾ 숙여 쓰고 축 없는 짚신에 설피설피 물러오니
>
> 풍채 적은 형용에 ⊙ 개 짖을 뿐이로다
>
> 와실(蝸室)에 들어간들 잠이 와서 누었으랴
>
> 북창(北窓)을 비겨 앉아 새벽을 기다리니
>
> 무정한 ⓒ 대승(戴勝)²⁾은 이내 한을 돋우도다
>
> 종조(終朝) 추창(惆悵)³⁾하며 먼 들을 바라보니
>
> 즐기는 농가(農歌)도 흥 없이 들리나다
>
> 세정(世情) 모르는 한숨은 그칠 줄을 모르도다
>
> — 박인로, 〈누항사(陋巷詞)〉

* 1) 먼덕: 짚으로 만든 모자
  2) 대승(戴勝): 오디새
  3) 추창(惆悵): 슬퍼하는 모습

① ⊙은 실재하는 존재물이고, ⓒ은 상상적 허구물이다.

② ⊙은 화자의 절망을 나타내고, ⓒ은 화자의 희망을 나타낸다.

③ ⊙은 화자의 내면을 상징하고, ⓒ은 화자의 외양을 상징한다.

④ ⊙은 화자의 초라함을 부각시키고, ⓒ은 화자의 수심을 깊게 한다.

난이도 상 ○ 하

[해설] ⊙ 화자의 초라한 모습에 '개'가 짖는다고 했기 때문에 '개'는 화자의 초라함을 부각시키는 존재이다.

ⓒ '대승(戴勝)'은 화자의 '한(恨)'을 돋운다고 했기 때문에 '대승(戴勝)'은 화자의 수심을 깊게 한다.

[오답분석]

① ⊙과 ⓒ은 모두 실재하는 존재물이다.

② ⊙과 ⓒ은 모두 화자의 절망과 관계있다.

③ ⊙은 화자의 외양을 보고 짖고 있는 대상이고, ⓒ은 화자의 내면을 더욱 힘겹게 하는 존재이다.

[정답] ④

작품정보 **박인로, 〈누항사(陋巷詞)〉**

갈래	가사
성격	전원적, 사색적, 사실적
제재	안분지족(安分知足)의 생활
주제	① 자연을 벗 삼아 안빈낙도(安貧樂道)하고자 하는 선비의 궁핍한 생활상 ② 빈이 무원(貧而無怨)하며 충효, 우애, 신의를 나누는 삶의 추구
특징	① 일상생활에 대한 생생한 묘사를 보여 줌. ② 현실적인 언어로 생활 감정을 직접적으로 드러냄.
의의	조선 후기 가사의 새로운 주제와 방향을 제시
연대	조선 후기, 광해군 3년(1611년)
출전	《노계집》

밑줄 친 시어에서 '외롭고 쓸쓸한 화자의 심정'을 나타내기 위해 동원된 객관적 상관물로서 화자 자신과 동일시되는 소재는?

> ⊙春雨暗西池　봄비 내리니 서쪽 못은 어둑한데
>
> 輕寒襲ⓒ羅幕　찬바람은 비단 장막으로 스며드네.
>
> 愁依小ⓒ屛風　시름에 겨워 작은 병풍에 기대니
>
> 墻頭ⓔ杏花落　담장 위에 살구꽃이 떨어지네.

① ⊙　　② ⓒ　　③ ⓒ　　④ ⓔ

난이도 상 ○ 하

[TIP] 객관적 상관물은 감정을 객관화하거나 표현하기 위한 공식 역할을 하는 대상물이다.

[해설] 시에 등장한 객관적 상관물은 3가지로 '春雨(춘우, 봄비), 輕寒(경한, 찬바람), 杏花(행화, 살구꽃)'이다.

3가지의 객관적 상관물 가운데 '화자와 동일시된 것' 즉 '이것이 나와 같아요.'라고 할 수 있는 것은 ⓔ의 '杏花(행화, 살구꽃)'이다. 화자는 계절이 지나가며 떨어지는 살구꽃을, 세월이 흘러 젊음을 잃어 가는 자신의 모습과 동일시(저 떨어지는 살구꽃이 나 같아요.)하고 있다.

[오답분석]

① '春雨(춘우, 봄비)'를 본 것을 계기로 화자가 외롭고 쓸쓸한 심정을 느낀다. 즉 화자의 감정을 불러일으키는 대상물이라는 점에서 ⊙은 객관적 상관물이 맞다. 그러나 화자 자신과 동일시되는 소재는 아니기 때문에 적절하지 않다.

② ⓒ 앞의 '輕寒(경한, 찬바람)'은 화자의 외롭고 쓸쓸한 심정을 느끼게 해준다는 점에서 객관적 상관물이 맞다. 그러나 '羅幕(장막)' 자체로는 외롭고 쓸쓸한 심정을 불러일으키지 않는다. 따라서 객관적 상관물과 관련이 없다. '찬바람' 역시 객관적 상관물이지만, 화자와 동일시되는 대상은 아니다.

③ '屛風(병풍)'은 화자가 시름에 겨워 기대는 대상으로, 객관적 상관물도 화자와 동일시되는 대상도 아니다.

[정답] ④

[원문 독음]

春雨暗西池	춘우암서지
輕寒襲羅幕	경한습라막
愁倚小屛風	수의소병풍
墻頭杏花落	장두행화락

PART 2 문학 해커스공무원 해원국어 기출정해 1000제 1권 비문학·문학

다음 작품에 대한 설명으로 가장 적절하지 않은 것은?

> 흐느끼며 바라보매
> ㉠ 이슬 밝힌 달이
> <u>흰 구름 따라 떠간 언저리에</u>
> 모래 가른 물가에
> 기랑(耆郞)의 모습이올시 수풀이여.
> 일오(逸烏)내 자갈 벌에서
> 낭(郞)이 지니시던
> 마음의 갓을 좇고 있노라.
> ㉡ 아아, 잣나무 가지가 높아
> 눈이라도 덮지 못할 고깔이여.

① 표현 기교가 뛰어난 작품으로 〈제망매가〉와 함께 향가 문학의 백미로 꼽힌다.

② 기파랑이라는 화랑을 추모하면서 그의 높은 덕을 기리고 있는 작품이다.

③ ㉠에서 화자는 지금은 없는 기파랑의 자취를 찾으며 슬퍼하고 있다.

④ ㉡에서 화자는 기파랑의 높은 인품을 잣나무 가지와 눈에 비유하고 있다.

난이도 ⑧ ◐ ⑨

[해설] 제시된 작품은 충담사의 10구체 향가 〈찬기파랑가〉이다. ㉡에서 화자는 '눈'을 이겨내는 '잣나무 가지'에 기파랑을 비유하여 그의 높은 인품을 예찬하고 있다. 따라서 기파랑의 높은 인품을 비유한 것은 '잣나무 가지'뿐이다. '눈'은 '시련, 고난, 역경'을 의미한다.

[오답 분석]
① 제시된 〈찬기파랑가〉는 월명사의 10구체 향가 〈제망매가〉와 함께 향가 문학의 백미로 꼽힌다.

② '기파랑'을 기린(讚: 기릴 찬) 노래란 의미에서 '찬기파랑가(讚耆婆郞歌)'이다.

③ '이슬 밝힌 달'은 기파랑의 고매한 인물을, '흰 구름 따라 떠간'은 기파랑의 죽음을 의미한다. 따라서 ㉠은 화자가 지금은 없는 기파랑의 자취를 찾으며 슬퍼하고 있는 상황임을 알 수 있다.

[정답] ④

작품정보 **충담사, 〈찬기파랑가〉**

갈래	10구체 향가
성격	추모적, 예찬적, 서정적
제재	기파랑의 인격
주제	기파랑의 고매한 인품에 대한 찬양
의의	〈제망매가〉와 함께 가장 서정성이 높은 향가로 평가됨.
연대	신라 35대 경덕왕(8세기)

출제 유형

표현법	현대 문학	• 현대 문학 작품에 나타난 표현법을 묻는 유형
	고전 문학	• 고전 문학 작품에 나타난 표현법을 묻는 유형
	• 동일한 표현법이 사용된 작품을 찾는 유형	

핵심정리

1. 비유법

직유법	'~처럼', '~같이', '~듯이' 등의 연결어를 써서 원관념과 보조 관념을 직접 연결하여 표현하는 방법 예 길은 한 줄기 넥타이처럼 풀어져
은유법	연결어를 통해 직접 연결하지 않고 두 대상이 마치 동일한 것처럼 간접적으로 연결하여 표현하는 방법 예 사랑하는 나의 하나님, 당신은 / 늙은 비애다. 푸줏간에 걸린 커다란 살점이다.
의인법	인간이 아닌 사물이나 관념에 인격을 부여해서 인간적인 요소를 지니게 하는 표현 방법 예 조국을 언제 떠났노. / 파초의 꿈은 가련하다.
풍유법	말하고자 하는 원관념은 숨긴 채 특정 대상을 은근히 비꼬아 속뜻을 짐작하여 깨닫도록 하는 방법 예 야, 이눔아, / 뿌리가 없으면 썩는겨 / 귀신 씨나락 까먹는 소리 허지두 말어.

2. 변화법

도치법	정상적인 문장 성분의 배열 순서나 문장 자체의 순서를 바꾸어 놓는 방법 예 나는 아직 기다리고 있을 테요, 찬란한 슬픔의 봄을
설의법	의문문의 형식으로서, 내용상으로는 의문이 아니고 반어적(反語的)인 표현으로써 상대방을 납득시키는 방법. 예외적으로 반어가 아닌 경우도 존재함. 예 어디 닭 우는 소리 들렸으랴.
역설법	표면적으로는 현실의 논리에 어긋나 모순되어 보이는 진술이지만 내면적으로는 진리와 진실을 담고 있는 표현 방법 예 아아, 님은 갔지마는 나는 님을 보내지 아니하였습니다.
반어법	진술된 것과 진술의 의도가 상반되는 표현 방법(겉뜻 ↔ 속뜻) 예 죽어도 아니 눈물 흘리우리다.

3. 강조법

과장법	사물이나 내용을 실제보다 더 확대(향대 과장)하거나 축소(향소 과장)하여서 의미를 강조하는 방법 예 모란이 지고 말면 그뿐, 내 한 해는 가고 말아, / 삼백 예순날 하냥 섭섭해 우옵내다.
영탄법	어떤 사실을 좀 더 힘 있게, 날카롭게, 그리고 좀 더 깊이 있게 간절한 심정을 나타내려고 할 때, 감탄사·감탄 조사·감탄 형 어미·수사 의문형 형식 등으로 표현하는 방법 예 아! 바람 소리와 함께 부서지고 싶어라, 죽고 싶어라…….
대조법	어떤 사물이나 생각을 표현할 때, 대립되는 의미, 또는 정도가 다른 단어나 어절을 사용하는 표현 방법 예 인생은 짧고, 예술은 길다.

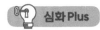

1. 구성법 [15 기상직 9급]

자연적 구성법	시간의 순서, 공간의 순서에 따라 배열하는 방법
논리적 구성법	자연적 질서를 무시하고, 필자의 의도에 따라 논리적 일관성을 유지하면서 제재를 배열하는 방법

2. 표현법 기출 예문

의인법	(1) 솔아 너는 어찌 눈서리를 모르는가 [15 법원직 9급]
	(2) 모든 산맥들이 / 바다를 연모(戀慕)해 휘달릴 때도 [09 국회직 8급]
역설법	(1) 이것은 소리 없는 아우성 [12 서울시 9급]
	(2) 황홀한 비애 [12 서울시 9급]
	(3) 찬란한 슬픔의 봄 [12 서울시 9급]
	(4) 결별이 이룩하는 축복 [12 서울시 9급]
	(5) 우리들의 사랑을 위하여서는 / 이별이, 이별이 있어야 하네. [09 국회직 8급]
반어법	(1) 내 그대를 생각함은 / 항상 그대가 앉아 있는 배경에서 / 해가 지고 바람이 부는 일처럼 사소한 일일 것이나 [09 국회직 8급]
	(2) 먼 훗날 당신이 찾으시면 / 그때에 내 말이 '잊었노라' [09 국회직 8급]
은유법	(1) 내 마음은 호수요 [07 국가직 7급]

출제 유형

표현법	현대 문학	현대 문학 작품에 나타난 표현법을 묻는 유형

067 ○○○　　　2023 국회직 8급

다음 시에 대한 이해로 적절하지 않은 것은?

> 마른 잎사귀에 도토리알 얼굴 부비는 소리 후두둑 뛰어 내려 저마다 멍드는 소리 멍석 위에 나란히 잠든 반들거리는 몸 위로 살짝살짝 늦가을 햇볕 발 디디는 소리 먼 길 날아온 늦은 잠자리 채머리 떠는 소리 맷돌 속에서 껍질 타지며 가슴 동당거리는 소리 사그락사그락 고운 뺏가루 저희끼리 소근대며 어루만져 주는 소리 보드랍고 찰진 것들 물 속에 가라앉으며 안녕 안녕 가벼운 것들에게 이별 인사 하는 소리 아궁이 불 위에서 가슴이 확 열리며 저희끼리 다시 엉기는 소리 식어 가며 단단해지며 서로 핥아 주는 소리
>
> 도마 위에 다갈빛 도토리묵 한 모
>
> 모든 소리들이 흘러 들어간 뒤에 비로소 생겨난 저 고요 저토록 시끄러운, 저토록 단단한,
>
> - 김선우, <단단한 고요>

① '도토리묵'이 만들어지는 과정을 청각적 이미지를 중심으로 형상화하고 있다.

② 나무에 매달린 도토리에서부터 묵으로 엉길 때까지의 과정을 형상화하고 있다.

③ 상반된 시어인 '고요'와 '시끄러운'을 병치시켜 역설의 미학을 보여 주고 있다.

④ 시적 대상인 도토리를 의인화하여 표현하고 있다.

⑤ 자연과의 교감을 통한 인간에 대한 이해를 보여 주고 있다.

난이도 상 ○ 하

[해설] 제시된 작품에서는 우리가 흔히 무르고 연약하며, 밋밋한 것으로 인식하는 '도토리묵'을 의인화와 청각적 이미지 등을 통해 개성적으로 인식하고 있다. 따라서 '인간'에 대한 이해를 보여 주고 있다는 설명은 적절하지 않다.

[오답분석]

①, ② 1연에서 도토리묵이 만들어지는 과정, 특히 도토리가 나무에서 떨어지는 순간부터 묵이 되어 식혀지는 과정을 의인화된 표현과 청각적 이미지, 명사형 종결을 통해 개성적으로 형상화하고 있다.

③ '고요'와 '시끄러운'은 상반되는 의미이다. 그런 두 단어를 모두 '도토리묵'을 나타내는 데 사용하고 있다는 점에서 역설의 미학을 보여준다.

④ 1연에서 시적 대상인 '도토리'를 멍들고, 말리고, 껍질 타지고, 소곤대기도 하고, 서로 어루만지며, 작별 인사도 하고 다시 엉기고 핥아 주는 가련한 대상으로 의인화하고 있다.

[정답] ⑤

작품정보 김선우, <단단한 고요>

갈래	자유시, 서정시
성격	감각적, 창조적, 개성적
제재	도토리묵
주제	도토리묵에 대한 개성적 인식
특징	① 명사형 종결의 반복과 열거, 도치를 통해 시상을 전개함. ② 시적 대상이 만들어지는 과정에 주목하여 시상을 전개함. ③ 시적 대상에 대한 창의적 이미지를 통해 작가의 개성적 인식을 드러냄. ④ 감각적(주로 청각적) 이미지를 사용하여 시적 내상을 효과적으로 표현함.
출전	《도화 아래 잠들다》(2003)

○○○

다음 시에 대한 이해로 적절하지 않은 것은?

> 나무는 자기 몸으로
> 나무이다
> 자기 온몸으로 나무는 나무가 된다
> 자기 온몸으로 헐벗고 零下 十三度
> 零下 二十度 地上에
> 온몸을 뿌리박고 대가리 쳐들고
> 무방비의 裸木으로 서서
> 두 손 올리고 벌 받는 자세로 서서
> 아 벌 받은 몸으로, 벌 받는 목숨으로 起立하여, 그러나
> 이게 아닌데 이게 아닌데
> 온 魂으로 애타면서 속으로 몸속으로 불타면서
> 버티면서 거부하면서 零下에서
> 零上으로 零上 五度 零上 十三度 地上으로
> 밀고 간다, 막 밀고 올라 간다
> 온몸이 으스러지도록
> 으스러지도록 부르터지면서
> 터지면서 자기의 뜨거운 혀로 싹을 내밀고
> 천천히, 서서히, 문득, 푸른 잎이 되고
> 푸르른 사월 하늘 들이받으면서
> 나무는 자기의 온몸으로 나무가 된다
> 아아, 마침내, 끝끝내
> 꽃 피는 나무는 자기 몸으로
> 꽃 피는 나무이다
>
> – 황지우, <겨울 – 나무로부터 봄 – 나무에로>

① 시적 대상을 의인화하여 시상을 전개하고 있다.

② 감탄사를 활용하여 화자의 정서를 표현하고 있다.

③ 시간의 흐름에 따른 시적 대상의 변화 과정을 드러내고 있다.

④ 공감각적 심상을 활용하여 시적 대상이 처한 상황을 보여주고 있다.

난이도 ⑧ ○ ⑩

해설 제시된 작품에서 '공감각적 심상'은 쓰이지 않았다.

오답분석 ①, ③ 추운 겨울을 견뎌 내고 봄을 맞아 꽃을 피우는 나무의 모습을 의인화하여 시상을 전개하고 있다.

② '아', '아아'라는 감탄사를 활용하여 화자의 정서를 표출하고 있다.

정답 ④

작품정보 황지우, <겨울 – 나무로부터 봄 – 나무에로>

갈래	자유시, 서정시
성격	의지적, 역동적, 상징적
제재	겨울나무, 봄 나무
주제	겨울을 이기고 꽃을 피우는 나무의 생명력
특징	① 상징적, 대립적 시어로 시대 현실을 대변함. ② 상승적, 역동적 이미지를 사용하여 굳센 의지를 형상화함. ③ 나무를 의인화하여 나무로부터 바람직한 삶의 태도를 유추함.
출전	《겨울–나무로부터 봄–나무에로》(1985)

⊙~@에 대한 이해로 가장 적절한 것은?

> ⊙ 산(山)새도 오리나무
> 위에서 운다
> 산새는 왜 우노, 시메산골
> 영(嶺) 넘어가려고 그래서 울지
>
> 눈은 내리네, 와서 덮이네
> 오늘도 하룻길은
> ⓛ 칠팔십 리(七八十里)
> 돌아서서 육십 리는 가기도 했소
>
> ⓒ 불귀(不歸), 불귀, 다시 불귀
> 삼수갑산에 다시 불귀
> 사나이 속이라 잊으련만
> 십오 년 정분을 못 잊겠네
>
> 산에는 오는 눈, 들에는 녹는 눈
> 산새도 오리나무
> @ 위에서 운다
> 삼수갑산 가는 길은 고개의 길
>
> - 김소월, 〈산〉

① ⊙은 시적 화자와 상반되는 처지에 놓여 있다.
② ⓛ은 시적 화자에게 놓인 방랑길을 비유한다.
③ ⓒ은 시적 화자의 이국 지향 의식을 강조한다.
④ @은 시적 화자가 지닌 분노의 정서를 대변한다.

난이도 ⑧ ○ ⑩

[해설] ⓛ은 머물지 못하고 떠나야 하는 화자에게 놓인 '방랑길'을 의미한다.

오답 분석
① 화자는 자연물인 '산새'가 우는 이유를 자신과 비슷하다고 생각하고 있다. 즉 자연물인 '산새'에 화자는 감정을 이입하고 있다. 따라서 화자와 상반되는 처지에 놓여 있다는 이해는 적절하지 않다.
③ '불귀(不歸: 아닐 불, 돌아갈 귀)'는 다시 돌아가지 못한다는 의미이다. ⓒ에서 '불귀'를 반복하여 돌아가지 못함에 대한 안타까움을 드러내고 있다.
④ @에서 '슬픔'의 정서(운다)는 확인할 수 있으나 화자의 '분노'의 정서는 확인할 수 없다.

정답 ②

작품정보 **김소월, 〈산〉**

갈래	서정시, 자유시
성격	민요적, 향토적, 애상적
제재	산
주제	① 떠나야 하는 상황과 미련 ② 이별의 정한과 그리움

다음 시에 대한 이해로 적절하지 않은 것은?

> 봄은 / 남해에서도 북녘에서도
> 오지 않는다.
>
> 너그럽고 / 빛나는
> 봄의 그 눈짓은, / 제주에서 두만까지
> 우리가 디딘 / 아름다운 논밭에서 움튼다.
>
> 겨울은, / 바다와 대륙 밖에서
> 그 매운 눈보라 몰고 왔지만
> 이제 올 / 너그러운 봄은 삼천리 마을마다,
> 우리들 가슴속에서 / 움트리라.
>
> 움터서, / 강산을 덮은 그 미움의 쇠붙이들
> 눈 녹이듯 흐물흐물 / 녹여버리겠지.
>
> - 신동엽, 〈봄은〉

① 현실을 초월한 순수 자연의 세계를 노래하고 있다.
② 희망과 신념을 드러내는 단정적 어조로 표현하고 있다.
③ 시어들의 상징적인 의미를 통해 주제를 형성하고 있다.
④ 봄과 겨울의 이원적 대립으로 시상을 전개하고 있다.

난이도 ⑧ ○ ⑩

[해설] '통일'을 염원하고 있다는 점에서 '현실'을 초월한 순수 자연 세계를 노래한다고 보기는 어렵다.

오답 분석
② 통일에 대한 희망과 반드시 그 날이 올 것이라는 신념을 단정적(움튼다, 움트리라, 녹여버리겠지)인 어조로 드러내고 있다.
③, ④ 분단의 현실을 '겨울', 통일의 시대를 '봄'으로 상징한다. '봄'과 '겨울'의 대립적이고 상징적인 이미지로 '자주적이고 평화적인 통일에 대한 염원'이라는 주제를 형성하고 있다.

정답 ①

작품정보 **신동엽, 〈봄은〉**

갈래	자유시, 참여시
성격	상징적, 저항적, 참여적, 의지적
제재	겨울과 봄(분단과 통일)
주제	자주적이고 평화적인 통일에 대한 염원
특징	① '봄'과 '겨울'의 대립적이고 상징적인 이미지로 시상을 전개함. ② 단정적 어조로 통일에 대한 화자의 확고한 믿음과 의지를 표현함. ③ 상징법, 대유법, 대조법 등 다양한 표현 방법을 사용함.
출전	《한국일보》(1968)

〈보기〉의 시에 대한 이해로 가장 적절한 것은?

> ─────── 〈보기〉 ───────
>
> 돌담 기대 친구 손 붙들고
> 토한 뒤 눈물 닦고 코 풀고 나서
> 우러른 잿빛 하늘
> 무화과 한 그루가 그마저 가려섰다.
>
> 이봐 / 내겐 꽃 시절이 없었어
> 꽃 없이 바로 열매 맺는 게
> 그게 무화과 아닌가
> 어떤가 / 친구는 손 뽑아 등 다스려 주며
> 이것 봐 / 열매 속에서 속꽃 피는 게
> 그게 무화과 아닌가 / 어떤가
>
> 일어나 둘이서 검은 개굴창가 따라
> 비틀거리며 걷는다
> 검은 도둑괭이 하나가 날쌔게
> 개굴창을 가로지른다.

① 잿빛 하늘은 화자가 처한 현실의 반어적 형상이다.
② 화자는 굳은 의지로 전망 부재의 현실에 저항하고 있다.
③ 속으로 꽃이 핀다는 것은 화자가 내면화된 가치를 지녔음을
    뜻한다.
④ 도둑괭이는 현실의 부정에 적극 맞서야 함을 일깨우는 존재다.

───────────────────────────

난이도 ⑤ ○ ⑩

해설 '열매 속에서 속꽃 피는 게 / 그게 무화과 아닌가'를 볼 때, 속으로
꽃이 핀다는 것은 화자가 내면화된 가치를 지녔음을 뜻함을 알 수
있다.

오답
분석
  ① '잿빛 하늘'은 비유적이기는 하지만, 화자가 처한 현실을 그대
    로 보여준 것이다. 따라서 '반어적 형상'이라는 이해는 적절하
    지 않다.
  ② 화자의 저항 의지는 전혀 나타나지 않는다.
  ④ '도둑괭이'를 수식하는 '검은'이라는 말을 볼 때, 긍정적인 존재
    로 보기는 어렵다.

정답 ③

───────────────────────────

작품정보 **김지하, 〈무화과〉**

갈래	자유시, 참여시
성격	상징적, 대화적, 비유적, 현실 비판적
제재	무화과
주제	암울한 현실에서 고통스럽게 살아가는 삶에 대한 회한과 위로
특징	① 대화체를 통해 시상을 전개함. ② 동일한 대상에 대한 시각차를 보임. ③ 어두운 이미지의 시어를 통해 당대 현실을 우회적으로 드러냄.

다음 글의 특징으로 가장 적절한 것은?

> 살아가노라면
> 가슴 아픈 일 한두 가지겠는가
>
> 깊은 곳에 뿌리를 감추고
> 흔들리지 않는 자기를 사는 나무처럼
> 그걸 사는 거다
>
> 봄, 여름, 가을, 긴 겨울을
> 높은 곳으로
> 보다 높은 곳으로, 쉬임 없이
> 한결같이
>
> 사노라면
> 가슴 상하는 일 한두 가지겠는가
>
>   - 조병화, 〈나무의 철학〉

① 문답법을 통해 과거의 삶을 반추하고 있다.
② 반어적 표현을 활용하여 슬픔의 정서를 나타내고 있다.
③ 사물을 의인화하여 현실을 목가적으로 보여 주고 있다.
④ 설의적 표현을 활용하여 삶의 깨달음을 강조하고 있다.

───────────────────────────

난이도 ⑤ ○ ⑩

해설 1연의 "살아가노라면 / 가슴 아픈 일 한두 가지겠는가"와 마지막
연의 "사노라면 / 가슴 상하는 일 한두 가지겠는가"에서 설의적
표현(의문문의 형식, 답을 알 수 있음)을 확인할 수 있다. 설의적
표현을 활용하여 흔들리면서도, '쉼 없이(쉬임 없이), 한결같이' 높
은 곳을 향해 살아가야 한다는 깨달음을 강조하고 있다.

오답
분석
  ① 제시된 작품의 화자는 과거의 삶을 반추하고 있지는 않다.
  ② 슬픔의 정서는 나타난다고 볼 수도 있다. 그러나 반어적 표현
    을 활용하고 있지는 않다.
  ③ 현실을 목가적(농촌처럼 소박하고 평화로우며 서정적인)으로
    보여 주고 있지는 않다.

정답 ④

다음 작품에 대한 설명으로 가장 적절하지 않은 것은?

> 가을 햇볕에 공기에
> 익는 벼에
> 눈부신 것 천지인데,
> 그런데,
> 아, 들판이 적막하다 ─
> 메뚜기가 없다!
>
> 오 이 불길한 고요 ─
> 생명의 황금 고리가 끊어졌느니…….

① 화자의 인식이 변화하는 지점이 있다.
② 공간의 변화에 따라 시상이 전개되고 있다.
③ 1~4행이 '에'로 끝나면서 각운을 형성하고 있다.
④ 비유적인 시구를 사용하여 주제를 드러내고 있다.

난이도 ⑤ ⑧ ⑲

해설 공간적 배경은 '들판'만 나타날 뿐, 공간의 변화는 나타나지 않는다.

오답 ① '들판'을 보면서 "그런데 ~ 메뚜기가 없다."라고 화자의 인식이
분석   변화하고 있다.

③ '각운'은 시가에서, 구나 행의 끝에 규칙적으로 같은 운의 글자를 다는 일이다. 1~4행이 '에'로 끝나기 때문에 각운을 형성하고 있다.

④ '생명의 황금 고리'는 은유법 'A는 B이다/A의 B/B' 중의 하나인 'A의 B'로 보아 '생명이 황금 고리이다.'라고 해석할 수 있다. 마지막 행에서 "생명의 황금 고리가 끊어졌느니……."라는 비유적인 시구를 통해 '생태계가 파괴된 현실에 대한 비판'이라는 주제를 드러내고 있다.

정답 ②

작품정보 **정현종, 〈들판이 적막하다〉**

갈래	자유시, 서정시
성격	상징적, 비판적
제재	메뚜기, 적막한 들판
주제	생태계가 파괴된 현실에 대한 비판
특징	① 느낌표, 말줄임표 등을 통해 시적 화자의 정서를 효과적으로 제시하고 있음. ② 풍요로운 가을 들판의 모습과 메뚜기가 없는 들판의 모습을 대비하여 시적 상황을 강조하고 있음.
출전	《한 꽃송이》(1992)

출제 유형

표현법	고전 문학	고전 문학 작품에 나타난 표현법을 묻는 유형

(가)와 (나)를 이해한 내용으로 적절하지 않은 것은?

> (가) 청산(靑山)은 내 뜻이오 녹수(綠水)는 님의 정(情)이
>   녹수(綠水) ㅣ 흘너간들 청산(靑山)이야 변(變)홀손가
>   녹수(綠水)도 청산(靑山)을 못 니저 우러 녜여 가는고.
>
> (나) 청산(靑山)는 엇뎨ᄒᆞ야 만고(萬古)애 프르르며
>   유수(流水)는 엇뎨ᄒᆞ야 주야(晝夜)애 긋디 아니는고
>   우리도 그치디 마라 만고상청(萬古常靑)ᄒᆞ리라.

① (가)는 '청산'과 '녹수'의 대조를 활용하여 화자가 처한 상황을 제시하고 있다.
② (나)는 시각적 심상과 청각적 심상을 활용하여 주제를 강조하고 있다.
③ (가)와 (나) 모두 대구를 활용하여 시상을 전개하고 있다.
④ (가)와 (나) 모두 설의적 표현을 활용하여 화자의 정서를 드러내고 있다.

난이도 ⑧ ⑤ ⑲

해설 푸른 산과 흐르는 물 모두 '시각적 심상'으로, (나)에서 '청각적 심상'을 활용하고 있지는 않다.

오답 ① (가)의 초장에서 변치 않는 존재인 '청산'은 화자의 보조 관념으
분석   로, 임에 대한 화자의 영원한 사랑을 상징하며, 변화하는 존재인 '녹수'는 임의 보조 관념으로 순간적이고 유동적인 존재, 변해 버린 임의 정을 상징한다. 중장에서는 '녹수'에 대해 부연하면서 '녹수(임)'가 흘러가도 '청산(화자)'은 변하지 않을 것임을 노래하였다.

③, ④ (가)는 중장, (나)는 초장과 중장에서 확인할 수 있다.

정답 ②

[현대어 풀이]

> (가) 청산은 변함없는 내 마음과 같고 쉬지 않고 흘러가는 푸른 시냇물은 임의 정과 같다.
>   푸른 시냇물이야 흘러가 버리지만 청산이야 변할 수 있겠는가?
>   하지만 흐르는 시냇물도 청산을 잊지 못해 울면서 흘러가는구나.
>
> (나) 청산은 어찌하여 항상 푸르며,
>   흐르는 물은 또 어찌하여 밤낮으로 그치지를 아니하는가?
>   우리도 저 물과 같이 그치지 말아서 영원히 높고 푸르게 살아가리라(학문에의 의지).

(가) 황진이

갈래	평시조, 서정시
성격	감상적, 상징적, 은유적, 연정가
제재	청산, 녹수
주제	임을 향한 변함없는 사랑
특징	불변성을 상징하는 청산과 가변성을 상징하는 녹수를 대조하여 표현함.
연대	조선 중종
출전	《청구영언》, 《해동가요》, 《대동풍아》

(나) 이황, <도산십이곡>

갈래	연시조(전 12수)
성격	교훈적, 회고적
제재	자연, 학문
주제	자연 친화적 삶의 추구와 학문 수양에 대한 변함없는 의지
특징	① 도학자의 자연 관조적 자세와 학문 정진에 대한 의지가 잘 나타남. ② 어려운 한자어가 많이 사용되었으며, 반복법, 설의법, 대구법 등을 통해 주제를 부각함.
연대	조선 명종
출전	《진본 청구영언》

다음 글을 감상한 내용으로 가장 적절한 것은?

> 어이 못 오던가 무슴 일로 못 오던가
> 너 오는 길 위에 무쇠로 성(城)을 쓰고 성안에 담 쓰고 담 안에란 집을 짓고 집 안에란 뒤주 노코 뒤주 안에 궤를 노코 궤 안에 너를 결박(結縛)ᄒ여 너코 쌍(雙)비목 외걸쇠에 용(龍)거북 ᄌ믈쇠로 수기수기 ᄌᆷ갓더냐 네 어이 그리 아니 오던가
> 혼 돌이 서른 날이여니 날 보라 올 하루 업스랴
>
>   - 작자 미상

① 동일 구절을 반복하여 '너'에 대한 섭섭한 감정을 표출하고 있다.

② 날짜 수를 대조하여 헤어진 기간이 길다는 것을 강조하고 있다.

③ 동일한 어휘를 연쇄적으로 나열하여 감정의 기복을 표현하고 있다.

④ 단계적으로 공간을 축소하여 '너'를 만날 수 있다는 희망을 표현하고 있다.

난이도 ⓢ ○ ⓗ

해설 제시된 작품에서는 오랫동안 자신을 찾아오지 않는 '너(임)'에 대한 섭섭한 감정을 표현하고 있다.

오답분석
② 종장은 한 달에 하루도 시간을 낼 수 없느냐고 한탄함으로써 오지 않는 임에 대한 원망과 탄식을 드러낸 것이다. 헤어진 기간이 길다는 것을 강조하기 위함이 아니다.

③ 일관되게 '너(임)'에 대한 섭섭한 감정을 표현하고 있기 때문에, 감정의 기복을 표현하고 있다는 감상은 적절하지 않다.

④ 중장에서 단계적으로 공간을 축소하고 있다고 볼 수는 있다. 이는 중장에서는 사물을 연쇄적으로 나열함으로써 그런 것들 때문에 오지 못하느냐고 묻고 있는 것이지, '너'를 만날 수 있다는 희망을 표현한 것은 아니다.

정답 ①

작품정보 **작자 미상, <어이 못 오던다~>**

갈래	사설시조
성격	해학적, 과장적
제재	오지 않는 임
주제	임을 기다리는 안타까운 마음
특징	열거법, 연쇄법 등을 사용하여 리듬감을 형성함.
출전	《진본 청구영언》

다음 시조에 대한 이해로 적절하지 않은 것은?

> 한숨아 셰 한숨아 네 어니 틈으로 드러온다
> 고모장조 셰살장조 가로다지 여다지에 암돌져귀 수돌져
> 귀 비목걸새 뚝닥 박고 용(龍) 거북 조물쇠로 수기수기 초
> 엿눈듸 병풍(屏風)이라 덜걱 져븐 족자(簇子) ㅣ라 되디글
> 문다 네 어니 틈으로 드러온다
> 어인지 너 온 날 밤이면 줌 못 드러 ᄒᆞ노라
>
>   - 작자 미상

① 부사어를 활용하여 시적 대상의 존재를 부각하고 있다.

② 의인화한 시적 대상과의 대화를 통해 시상을 전개하고 있다.

③ 동일한 구절을 반복하여 시적 대상에 대한 화자의 감정을 강조하고 있다.

④ 유사한 종류의 사물들을 열거하여 시적 대상을 향한 화자의 의지를 나타내고 있다.

난이도 ⓈⒸⒽ

[해설] '한숨'을 의인화하여 청자로 설정하고는 있다. 그러나 화자가 대상인 '한숨'과 대화를 주고받고 있지는 않다.

오답 분석
③ 초장과 중장에서 '네 어니 틈으로 드러온다'라는 구절을 반복하여 시적 대상인 '한숨'에 대한 화자의 감정을 강조하고 있다.

④ 중장에서 유사한 종류의 사물을 열거하여 꼼꼼한 문단속을 통해 한숨이 들어오지 못하도록 하고 있다. 즉 시름에서 벗어나고자 하는 화자의 의지를 드러내고 있는 것이다.

정답 ②

작품정보 작자 미상, <한숨아 셰 한숨아~>

갈래	사설시조
성격	수심가(愁心歌)
제재	한숨, 시름
주제	시름과 삶의 답답함에서 벗어나고 싶은 마음
특징	의인법, 반복법, 열거법 등 다양한 표현법을 사용하여 화자의 답답한 마음을 야단스럽게 표현함.
출전	《청구영언》

㉠~㉣에 대한 이해로 적절하지 않은 것은?

有此茅亭好	이 멋진 ㉠ 초가 정자 있고
綠林細徑通	수풀 사이로 오솔길 나 있네
微吟一杯後	술 한 잔 하고 시를 읊조리면서
高座百花中	온갖 꽃 속에서 ㉡ 높다랗게 앉아 있네
丘壑長看在	산과 계곡은 언제 봐도 그대로건만
樓臺盡覺空	㉢ 누대는 하나같이 비어 있구나
莫吹紅一點	붉은 꽃잎 하나라도 흔들지 마라
老去惜春風	늙어갈수록 ㉣ 봄바람이 안타깝구나

           - 심환지, <육각지하화원소정염운(六閣之下花園小亭拈韻)>

① ㉠: 시간적 흐름에 따른 시상 전개를 매개하고 있다.

② ㉡: 시적 화자의 초연한 태도를 드러내고 있다.

③ ㉢: 자연에 대비되는 쇠락한 인간사를 암시하고 있다.

④ ㉣: 꽃잎을 흔드는 부정적 이미지로 기능하고 있다.

난이도 ⓈⒸⒽ

[해설] '초가 정자'는 '공간'이다. 따라서 '시간적 흐름'에 따른 시상 전개를 매개로 하고 있다는 이해는 적절하지 않다.

오답 분석
② 술 한 잔 하고 시를 읊조리면서 온갖 꽃 속에서 '높다랗게' 앉아 있다고 하였다. 즉 화자는 현실에서 벗어나 자연에 묻혀 있는 상태이다. 따라서 ㉡에는 화자의 초연한 태도가 드러난다.

※ 초연하다: 어떤 현실 속에서 벗어나 그 현실에 아랑곳하지 않고 의젓하다.

③ '산과 계곡은 언제 봐도 그대로건만 / 누대는 하나같이 비어 있구나'라고 하였다. '산과 계곡'은 자연이다. 따라서 '누대'가 자연과 대비되는 쇠락한 인간사를 암시하고 있다는 이해는 적절하다.

④ '붉은 꽃잎 하나라도 흔들지 마라'라고 했는데, '봄바람'은 그 꽃잎을 흔드는 대상이다. 따라서 '봄바람'이 부정적 이미지로 기능하고 있다는 이해는 적절하다.

정답 ①

[가]
내 버디 몃치나 ᄒ니 수석(水石)과 송죽(松竹)이라
동산(東山)의 (   ) 오르니 긔 더욱 반갑고야
두어라 이 다숫밧긔 또 더ᄒ야 머엇ᄒ리

구룸 비치 조타 ᄒ나 검기를 ᄌ로 ᄒ다
ᄇ람 소리 ᄆ다 ᄒ나 그칠 적이 하노매라
조코도 그츨 뉘 업기는 믈뿐인가 ᄒ노라

고즌 므스 일로 퓌며셔 쉬이 디고
플은 어이ᄒ야 프르는 둧 누르ᄂ니
아마도 변티 아닐손 바회뿐인가 ᄒ노라

더우면 곳 퓌고 치우면 닙 디거ᄂᆞᆯ
솔아 너는 엇디 눈서리를 모ᄅᆞᆫ다
구천(九泉)에 불휘 고ᄃᆞᆫ 줄을 글로 ᄒ야 아노라

나모도 아닌 거시 플도 아닌 거시
곳기는 뉘 시기며 속은 어이 뷔연ᄂᆞᆫ다
뎌러코 사시(四時)예 프르니 그를 됴하ᄒ노라

[나]
쟈근 거시 노피 떠서 만믈(萬物)을 다 비취니
밤듕의 광명(光明)이 너만ᄒ니 ᄯᅩ 잇ᄂ냐
보고도 말 아니ᄒ니 내 벋인가 ᄒ노라

- 윤선도, 〈오우가(五友歌)〉

작품의 내용으로 볼 때 (가) 부분의 역할로 가장 적절한 것은?

① 앞으로 등장할 대상들을 소개하는 성격을 지니고 있다.
② 수미상관의 표현 기법을 통해 형태적 안정감을 주고 있다.
③ 점층적인 시상 전개로 주제를 요약적으로 제시하고 있다.
④ 문답법과 설의법을 활용하여 시적 대상을 모호화하고 있다.

난이도 상 ○ 하

해설 (가)에서는 앞으로 등장할 대상, 즉 '벗'인 '수석(水石: 물, 돌)', '송죽(松竹: 소나무, 대나무)', '달'을 소개하고 있다.

오답분석
② 수미상관의 표현 기법을 사용하면 형태적 안정감을 줄 수 있다. 그러나 (가)에 수미상관의 표현 기법은 쓰이지 않았다.
③ 다섯이 벗이라고 제시했다는 점에서 주제를 요약적으로 제시하고 있다고 볼 수 있다. 그러나 점층적인 시상 전개는 나타나지 않는다.
④ '문답법(몃치나?)'과 '설의법(머엇ᄒ리?)'은 나타난다. 그러나 앞으로 등장할 대상을 소개한 것이기 때문에, 시적 대상을 '모호화'하고 있다는 설명은 적절하지 않다.

정답 ①

(나)를 통해 볼 때 (가)의 (   ) 안에 들어갈 말로 가장 적절한 것은?

① 히   ② 뫼   ③ ᄃᆞᆯ   ④ 별

난이도 상 ○ 하

해설 높이 떠서 만물을 비추고, 밤하늘에 밝게 빛나는 것은 '달'이다. 따라서 (가)의 빈칸에 들어갈 말은 'ᄃᆞᆯ(달)'이다.

정답 ③

[현대어 풀이]

나의 벗이 몇인가 헤아려 보니 수석과 송죽이라.
동산에 달이 밝게 떠오르니 그것은 더욱 반가운 일이로다.
나머지는 그냥 두어라. 이 다섯 외에 더 있으면 무엇하겠는가?

구름의 빛깔이 깨끗하다고 하지만 자주 검어지네.
바람 소리가 맑다지만, 그칠 때가 많도다.
깨끗하고도 그칠 때가 없는 것은 물뿐인가 하노라.

꽃은 무슨 까닭에 피자마자 쉬이(쉽게) 져 버리고,
풀은 또 어찌하여 푸른 듯하다가 이내 누른빛을 띠는가?
아마도 변하지 않는 것은 바위뿐인가 하노라.

따뜻해지면 꽃이 피고, 추워지면 잎이 떨어지는데,
소나무야, 너는 어찌하여 눈서리를 모르고 살아가는가?
깊은 땅 속(혹은 저승)까지 뿌리가 곧게 뻗은 것을 그것으로 하여 알겠노라.

나무도 아니고 풀도 아닌 것이, 곧게 자라기는 누가 시켰으며,
또 속은 어찌하여 비어 있는가?
저렇고도 사철 늘 푸르니, 나는 그것을 좋아하노라.

작은 것이 높이 떠서 온 세상을 다 비추니
한밤중에 광명이 너보다 더한 것이 또 있겠느냐?(없다)
보고도 말을 하지 않으니 나의 벗인가 하노라.

작품정보 윤선도, 〈오우가(五友歌)〉

갈래	연시조(전 6수)
성격	예찬적, 찬미적(讚美的)
제재	물, 바위, 소나무, 대나무, 달
주제	오우(五友; 수·석·송·죽·월) 예찬
특징	① 대상의 속성을 예찬의 근거로 제시함. ② 자연물에 가치를 부여하는 인간 중심의 가치관을 드러냄.
연대	조선 인조
출전	《고산유고》

(가)~(라)에 대한 이해로 적절하지 않은 것은?

> (가) 반중(盤中) 조홍(早紅)감이 고아도 보이ᄂ다
> 유자 안이라도 품엄즉도 ᄒ다마ᄂ
> 품어 가 반기리 업슬새 글노 설워ᄒᄂ이다
>
> (나) 동짓ᄃᆞᆯ 기나긴 밤을 한 허리를 버혀 내여
> 춘풍 니불 아래 서리서리 너헛다가
> 어론 님 오신 날 밤이여든 구뷔구뷔 펴리라
>
> (다) 말 업슨 청산(靑山)이오 태(態) 업슨 유수(流水)로다
> 갑 업슨 청풍(淸風)이오 님ᄌᆞ 업슨 명월(明月)이로다
> 이 중에 병 업슨 이 몸이 분별 업시 늘그리라
>
> (라) 농암(籠巖)에 올라보니 노안(老眼)이 유명(猶明)이로다
> 인사(人事)이 변ᄒᆞᆫ 들 산천이ᄯᆞᆫ 가샐가
> 암전(巖前)에 모수 모구(某水 某丘)이 어제 본 ᄃᆞᆺ ᄒᆞ예라

① (가)는 고사의 인용을 통해 돌아가신 부모님에 대한 그리움을 표현하고 있다.

② (나)는 의태적 심상을 통해 임에 대한 기다림을 표현하고 있다.

③ (다)는 대구와 반복을 통해 자연에 귀의하려는 의지를 표현하고 있다.

④ (라)는 자연과의 대조를 통해 허약해진 노년의 무력함을 표현하고 있다.

난이도 ⑤ ○ 하

[해설] 중장의 "인사(人事)이 변ᄒᆞᆫ 들 산천이ᄯᆞᆫ 가샐가(사람의 일은 변하지만, 산천이야 변하겠는가)" 부분에서 '인간'과 '자연'을 대조하고 있다. 그러나 허약해진 노년의 무력함을 표현한 작품은 아니다. (라)는 고향에서의 한정과 자연 귀의를 노래한 작품이다.

[오답분석]
① (가)는 박인로의 시조로, 중국 육적의 회귤 고사(懷橘故事)를 인용하여 부모님에 대한 그리움을 표현한 작품이다.

② (나)는 황진이의 시조로, '서리서리', '구뷔구뷔'라는 의태적 심상을 활용하여 임을 기다리는 간절한 마음을 표현한 작품이다.

③ (다)는 성혼의 시조로, 초장에서는 '말'과 '태', '청산'과 '유수'가 대구를 이루며, 중장에서는 '갑'과 '님ᄌᆞ', '청풍'과 '명월'이 대구를 이룬다. 종장에서 자연의 일부로서 자연과 조화되어 세속적인 근심 걱정을 잊고 살겠다는 의지를 표현한 작품이다.

정답 ④

[현대어 풀이]

> (가) 소반 가운데 놓인 일찍 익은 감이 먹음직스럽게도 보이는구나.
> 이것이 비록 귤이나 유자는 아니라도 품에 품고 돌아갈 만도 하지만 품 안에 넣고 가도 반가워할 이가 없으니, 그것을 서러워한다.
> (나) 동짓달 긴긴 밤의 한 가운데를 베어 내어
> 봄바람처럼 따뜻한 이불 아래에 서리서리 넣어 두었다가
> 정든 임이 오신 밤이면 굽이굽이 펼쳐 내어 그 밤이 더디 세게 이으리라.
> (다) 말이 없는 청산이요, 모양이 없는 것은 흐르는 물이로다.
> 값이 없는 것은 바람이요, 주인 없는 것은 밝은 달이로다.
> 이 아름다운 자연에 묻혀, 병 없는 이 몸은 걱정 없이 늙으리라.
> (라) (고향에 돌아와) 농암에 올라서서 보니 이 늙은이의 눈이 밝게 보이는구나. / 사람의 일은 변하지만 산천이야 변하겠는가.
> 바위 앞에 이름 모를 물과 언덕이 어제 본 듯이 변함이 없구나.

(가)와 (나)에 대한 설명으로 적절하지 않은 것은?

> (가) 오백 년 도읍지를 필마로 돌아드니
> 산천은 의구하되 인걸은 간 데 없네.
> 어즈버 태평연월이 꿈이런가 하노라.
>
> (나) 벌레먹은 두리기둥 빛 낡은 단청(丹靑) 풍경 소리 날려 간 추녀 끝에는 산새도 비둘기도 둥주리를 마구쳤다. 큰 나라 섬기다 거미줄 친 옥좌(玉座) 위엔 여의주(如意珠) 희롱하는 쌍룡(雙龍) 대신에 두 마리 봉황(鳳凰)새를 틀어 올렸다. 어느 땐들 봉황이 울었으랴만 푸르른 하늘 밑 추석을 밟고 가는 나의 그림자. 패옥(佩玉) 소리도 없었다. 품석(品石) 옆에서 정일품(正一品) 종구품(從九品) 어느 줄에도 나의 몸둘 곳은 바이 없었다. 눈물이 속된 줄을 모를 양이면 봉황새야 구천(九泉)에 호곡(呼哭)하리라.

① (가)는 '산천'과 '인걸'을 대비함으로써 인생의 무상함을 드러내고 있다.

② (나)는 '쌍룡'과 '봉황'을 대비함으로써 사대주의적 역사에 대한 비판적 시각을 드러내고 있다.

③ (가)와 (나) 모두 선경후정의 기법을 사용하고 있다.

④ (가)와 (나) 모두 정해진 율격과 음보에 맞춰 시상을 전개하고 있다.

난이도 ⑤ ○ 하

[해설] (가)는 '시조'이다. '시조'는 정형시이기 때문에 정해진 율격과 음보에 맞춰 시상을 전개한다. 한편, (나)는 정해진 율격과 음보가 없는 '자유시'이다. 따라서 (가)와 (나) 모두 정해진 율격과 음보에 맞춰 시상을 전개하고 있다는 설명은 적절하지 않다.

[오답분석]
① '산천'은 유구한 자연을, '인걸'은 유한한 인간사를 의미한다. 자연은 그대로인데, 인간사는 그렇지 않음을 대비적으로 드러냄으로써 '인생의 무상함'을 드러내고 있다.

② '쌍룡'은 중국 황제의 휘장, '봉황새'는 우리나라 왕의 휘장이다. 따라서 각각 '중국'과 '우리나라'를 의미한다. 둘째 문장 "큰 나라 섬기다 거미줄 친 옥좌(玉座) 위엔 여의주(如意珠) 희롱하는 쌍룡(雙龍) 대신에 두 마리 봉황(鳳凰)새를 틀어 올렸다."에서 큰 나라(중국) 섬기다 옥좌에 거미줄을 쳤다고 했기 때문에, 중국을 섬기던 과거 우리나라의 사대주의에 대한 비판 의식이 담겨 있다는 설명은 옳다.

③ (가) 초장과 중장에서는 고려의 옛 도읍지의 모습(선경)을, 종장에서 고려 왕조의 융성했던 옛 시절이 한바탕 꿈에 지나지 않는다는 허무함(후정)을 드러내고 있다. (나)의 첫 번째와 두 번째 문장에서 퇴락한 고궁의 모습(선경)을, 세 번째~여섯 번째 문장에서 퇴락한 고궁의 모습을 보고 비애감에 젖어 있는 화자의 내면 심리(후정)를 제시하고 있다. 따라서 (가)와 (나) 모두 선경후정의 기법을 사용하고 있다는 설명은 옳다.

정답 ④

[현대어 풀이]

> (가) 오백 년 이어 온 도읍지(고려의 옛 서울)를 한 필의 말을 타고 돌아보니 산천의 모습은 예전과 다를 바가 없는데, (그때의) 훌륭한 인재들은 간데없다.
> 아아 (고려의) 태평했던 시절이 꿈이었는가 하노라

작품정보

(가) 길재

갈래	평시조, 서정시
성격	회고적, 감상적
제재	고려의 옛 도읍지
주제	망국의 한과 인생무상
특징	비유적 표현과 대구법, 영탄법을 사용하여 고려 왕조 멸망의 한을 노래함.
출선	《병와가곡집》

(나) 조지훈, 〈봉황수〉

갈래	산문시, 서정시
성격	우국적, 전통적, 고전적
제재	퇴락한 고궁
주제	망국(亡國)의 비애
특징	① 선경 후정(先景後情)으로 시상을 전개함. ② 역사에 대한 화자의 비판 의식이 드러남. ③ 시적 화자의 정서를 봉황새에 이입시킴.
출전	《문장》(1940)

(가)와 (나)에 대한 설명으로 옳은 것은?

(가) 둘하 노피곰 도두샤
    어긔야 머리곰 비취오시라
    어긔야 어강됴리
    아으 다롱디리
    져재 녀러신고요
    어긔야 즌 디룰 드디욜셰라
    어긔야 어강됴리
    어느이다 노코시라
    어긔야 내 가논 디 졈그룰셰라
    어긔야 어강됴리
    아으 다롱디리

                  - 작자 미상, 〈정읍사(井邑詞)〉

(나) 가시리 가시리잇고 나는
    부리고 가시리잇고 나는
    위 증즐가 대평셩디(大平盛代)

    날러는 엇디 살라 ᄒ고
    부리고 가시리잇고 나는
    위 증즐가 대평셩디(大平盛代)

    잡수와 두어리마ᄂᆞᆫ
    선ᄒ면 아니 올셰라
    위 증즐가 대평셩디(大平盛代)

    셜온 님 보내ᄋᆞᆸ노니 나는
    가시는 둣 도셔 오쇼셔 나는
    위 증즐가 대평셩디(大平盛代)

                  - 작자 미상, 〈가시리〉

① (가)는 대상에 대한 원망과 비판이 담겨 있다.
② (나)는 4음보 율격을 기본으로 분연체를 이룬다.
③ (가)는 떠난 임과의 대화를 통해 정서를 고조하고 있다.
④ (나)는 이별의 정한을 담고 있는 민요적 시가이다.

난이도 ❸ ○ ⓗ

[해설] (나)는 우리 민족의 전통적인 정서인 이별의 정한을 노래한 대표 작품이다.

[오답분석] ① (가)에는 대상인 '임'에 대한 원망과 비판의 내용은 담겨 있지 않다. 오히려 '임'의 안전을 기원하고 있다.

② (나)가 분연체인 것은 맞다. 그러나 4음보가 아니라 3음보의 율격이 나타난다.

③ (가)에는 화자의 독백만 나타난다. 따라서 임과의 대화를 통해 정서를 고조하고 있다는 설명은 옳지 않다.

[정답] ④

[현대어 풀이]

(가) 달님이시여! 높이높이 돋으시어
    멀리멀리 비춰 주소서.//
    시장에 가 계신가요?
    위험한 곳을 디딜까 두렵습니다.//
    어느 곳에나 (짐을) 놓으십시오.
    당신(임) 가시는 곳에 (날이) 저물까 두렵습니다.

(나) 가시겠습니까, (진정으로 떠나) 가시겠습니까?
    (나를 버리고) 가시겠습니까?
    나는 어찌 살라 하고 버리고 가시렵니까?
    (생각 같아서는) 붙잡아 둘 일이지마는 (혹시나 임께서 행여) 서운하면 (다시는) 아니 올까 두렵습니다.
    (떠나 보내기) 서러운 임을 (어쩔 수 없이) 보내옵나니,
    가자마자 곧 (떠날 때와 마찬가지로 총총히) 가시는 것처럼 돌아서서 오십시오.

작품정보

(가) 작자 미상, 〈정읍사(井邑詞)〉

갈래	고려 가요
성격	서정적, 민요적, 애상적
제재	임과의 이별
주제	이별의 정한(情恨)
특징	간결한 형식과 소박한 시어를 사용하여 이별의 감정을 절묘하게 표현
의의	① 우리 민족의 전통적인 정서인 이별의 정한을 노래한 대표 작품 ② 여성적 정조의 원류가 되는 작품
출전	《악장가사》

(나) 작자 미상, 〈가시리〉

갈래	고대 가요, 서정시
성격	서정적, 여성적, 기원적
제재	남편에 대한 염려
주제	남편의 안전을 바라는 여인의 간절한 마음
특징	후렴구 사용
의의	① 시조 형식의 기원이 되는 작품 ② 한글로 기록되어 전하는 고대 가요 중 가장 오래된 작품
연대	백제 시대로 추정
출전	《악학궤범》

(가) ~ (라)에 대한 설명으로 적절하지 않은 것은?

> (가) 고인(古人)도 날 몯 보고 나도 고인(古人) 몯 뵈
> 　　고인(古人)을 몯 뵈도 녀던 길 알픠 잇닉
> 　　녀던 길 알픠 잇거든 아니 녀고 엇뎔고
>
> (나) 술은 어이ᄒᆞ야 됴ᄒᆞ니 누룩 섯글 타시러라
> 　　국은 어이ᄒᆞ야 됴ᄒᆞ니 염매(鹽梅) 톨 타시러라
> 　　이 음식 이 뜯을 알면 만수무강(萬壽無疆)ᄒᆞ리라
>
> (다) 우레ᄀᆞᆺ치 소릭나는 님을 번기ᄀᆞᆺ치 번뜻 만나
> 　　비ᄀᆞᆺ치 오락기락 구름ᄀᆞᆺ치 헤여지니
> 　　흉중(胸中)에 ᄇᆞ룸ᄀᆞᆺ튼 ᄒᆞᆫ숨이 안기 피듯 ᄒᆞ여라
>
> (라) 하하 허허 흔들 내 우음이 졍 우움가
> 　　하 어쳑 업서셔 늣기다가 그리 되게
> 　　벗님닉 웃디들 말구려 아귀 픠여디리라

① (가): 연쇄법을 활용하여 고인의 길을 따르겠다는 의지를 드러내고 있다.

② (나): 문답법과 대조법을 활용하여 임의 만수무강을 기원하고 있다.

③ (다): '곳치'를 반복적으로 표현하여 운율감을 더하고 있다.

④ (리): 냉소적 어조를 통해 상대에 대한 불편한 심기를 표출하고 있다.

난이도 ⑤ ○ ⑥

[해설] (나)는 임의 만수무강을 기원하며, 술과 국의 맛이 좋은 이유를 설명하고 있다. (나)에 문답법은 쓰였지만, 대조법(차이점을 드러냄)은 쓰이지 않았다.

[오답분석]
① '말이 꼬리에 꼬리를 잇는 연쇄법을 활용하여 고인의 길을 따르겠다는 의지를 드러내고 있다.

③ 초장, 중장, 종장에서 모두 '곳치(같이)'를 반복하여 운율을 형성하고 있다.
※ 반복의 효과: 강조+운율감

④ '하 어쳑 업서셔 늣기다가 그리 되게' 부분에서 냉소적 어조가 드러난다. 또 '벗님닉 웃디들 말구려 아귀 픠여디리라(벗님들 웃지를 말구려. 아귀가 찢어지리라.)'를 보아, 불편한 심기를 표출하고 있다는 설명도 옳다.

정답 ②

[현대어 풀이]

> (가) 옛 어른도 나를 보지 못하고 나도 그분들을 보지 못하네(대구법).
> 　　하지만 그분들이 행하던 길(학문 수양의 길)은 지금도 가르침으로 남아 있네.
> 　　이렇듯 올바른 길(책)이 우리 앞에 있는데 따르지 않고 어쩌겠는가
> (설의법, 학문 수양에의 다짐)?   - 이황, 〈도산십이곡〉中 제9곡
>
> (나) 술은 어찌하여 좋은가? 누룩을 섞은 탓이로다.
> 　　국은 어찌하여 맛이 좋은가? 소금을 타서 맛을 낸 탓이로다.
> 　　이 음식의 원리를 아시면 (나라를 다스림에) 만수무강하오리다.
>   - 윤선도, 〈초연곡〉中 제2수
>
> • 술과 국: '임금의 덕'을 상징
> • 누룩과 소금(염매): '어진 신하의 보필'을 비유
> → 어진 신하의 보필을 받아야만 나라가 평안할 수 있다는 의미
>
> (다) 우레같이 소리 나는 임(비유, 늠름한 임)을 번개같이 번뜻 만나(얼떨결에 만남)
> 　　비같이 오락가락(비가 오락가락하듯 사랑을 주고받음) 구름같이 헤어지니
> (구름이 흘러가듯 헤어짐)
> 　　가슴속에 바람 같은 한숨이 안개 피듯 하여라(이별 후의 괴로움).
>   - 작자 미상
>
> (라) 하하 허허(부정적 현실에 대한 쓴웃음) 하고 있다고 해서 내 웃음이 정말 웃음인가?
> 　　하도 어처구니없어서(정치 현실 풍자) 느끼다가 그리 웃네(문답법).
> 　　사람들아(부정적 상황을 야기한 주체들), 웃지를 말구려. 아귀가 찢어질지 모르네(과장법).   - 권섭

다음 글에서 의인화하고 있는 사물은?

> 　姓은 楮요, 이름은 白이요, 字는 無玷이다. 회계 사람이고, 한나라 중상시 상방령 채륜의 후손이다. 태어날 때 난초탕에 목욕하여 흰 구슬을 희롱하고 흰 띠로 꾸렸으므로 빛이 새하얗다. …(중략)… 성질이 본시 정결하며 武人을 좋아하지 않고 文士와 더불어 노니는데 毛學士가 그 벗으로 매양 친하게 어울려서 비록 그 얼굴에 점을 찍어 더럽혀도 씻지 않았다.

① 대나무   ② 백옥   ③ 엽전   ④ 종이

난이도 ○ ⑧ ⑥

[해설] "姓은 楮요"에서 '楮(종이 저)'가 쓰인 것을 보아, 제시된 글에서 의인화하는 사물은 '종이'임을 짐작할 수 있다. 또 "毛學士가 그 벗으로 매 양 친하게 어울려서 비록 그 얼굴에 점을 찍어 더럽혀도 씻지 않았다." 부분을 통해 '붓'으로 '종이'에 글을 쓴다는 내용을 짐작할 수 있다. 이를 통해 제시된 글에서 의인화하는 사물은 '종이'임을 짐작할 수 있다.

정답 ④

작품정보 이첨, 〈저생전〉

갈래	가전
성격	계세적, 교훈적, 의인적
주제	문신(文臣)으로서의 올바른 삶

표현법	동일한 표현법이 사용된 작품을 찾는 유형

085 ○○○　　　　　　　　　　2023 국회직 8급

㉠과 같은 표현 기법이 활용된 것은?

> 아아 ㉠ 광고의 나라에 살고 싶다
> 사랑하는 여자와 더불어
> 행복과 희망만 가득찬
> 절망이 꽃피는, 광고의 나라
>
>   - 함민복, <광고의 나라>

① 나 보기가 역겨워 가실 때에는 / 죽어도 아니 눈물 흘리오리다

② 이 마을 전설이 주저리주저리 열리고

③ 내 마음은 나그네요 / 그대 피리를 불어주오

④ 구름에 달 가듯이 / 가는 나그네

⑤ 어둠은 새를 낳고, 돌을 / 낳고, 꽃을 낳는다

난이도 ⦿ ◐ ◯

[해설] '절망이 꽃피는, 광고의 나라'라는 시구를 볼 때, ㉠의 '광고의 나라'는 화자가 진정으로 살고 싶은 나라가 아니다. 즉 화자의 의도를 반어적으로 표현한 것이다. 이처럼 반어법이 활용된 것은 ①이다. ①의 화자도 임이 떠날 때 정말로 슬퍼하지 않겠다고 말한 것이 아니다. 임이 떠나지 않았으면 하는 화자의 의도를 반어적으로 표현한 것이다.

[오답분석]
② 추상적 개념인 '전설'을 구체적인 대상인 열매처럼 '열린다'고 표현하고 있다. 따라서 추상적 개념의 구체화가 사용되었다. 또 '주저리주저리'라는 의태어를 사용하고 있다는 점에서 '의태법'으로도 볼 수 있다.

③ 'A는 B'라는 구조로, 은유법이 사용되었다.

④ '구름이 달 가듯이'의 '-듯이'를 볼 때, 직유법이 사용되었다.

⑤ 무생물인 '어둠'에게 '낳다'라는 표현을 사용했다는 점에서, 활유법이 사용되었다.

[정답] ①

---

086 ○○○　　　　　　　　　　2014 서울시 9급

다음 <보기>와 같은 수사법이 쓰인 것은?

> ─── <보기> ───
>
> 우리 옹기는 양은 그릇에 멱살을 잡히고, 플라스틱류에 따귀를 얻어맞았다.

① 그는 30년 동안 입고 있던 유니폼을 벗고서 붓을 들기 시작했다.

② 지금껏 역사를 굽어본 강물은 말없이 흐른다.

③ 돈을 잃는 것은 적게 잃는 것이지만 명예를 잃는 것은 많이 잃는 것이고 건강을 잃는 것은 모든 것을 잃는 것이다.

④ 보고 싶어요, 붉은 산이, 그리고 흰 옷이.

⑤ 내 마음은 호수요 그대 노 저어 오오.

난이도 ⦿ ◯ ◐

[해설] <보기>는 '옹기'가 '멱살을 잡히고', '따귀를 얻어맞았다.'와 같이 사람이 아닌 것을 사람처럼 표현한 '의인법'이 사용되었다. '의인법'이 사용된 문장은 '강물'을 '굽어본다, 말없다.'로 표현한 ②이다.

[오답분석]
① **대유법**: '유니폼'과 '붓'의 속성을 통해 '직업', '글'이라는 의미를 표현하고 있다.

③ **점층법, 대조법**: 뒤로 갈수록 의미가 점점 강해지며(점층), 돈보다 명예를, 명예보다 건강을 잃는 것이 훨씬 많은 것을 잃는 것을 '대조'하여 보여 주고 있다.

④ **도치법, 대유법**: 문장의 순서를 뒤집어 강조하고 싶은 '붉은 산, 흰 옷' 부분을 뒤에 표현하고 있으며(도치) '붉은 산, 흰 옷'은 '우리나라와 우리 민족'을 나타내고 있다(대유).

⑤ **은유법**: 'A(원관념)는 B(보조 관념)이다.'의 은유법을 사용하였다.

※ 대유법에는 ㉠ 제유법(일부를 가지고 전체를 대표하는 비유법), ㉡ 환유법(속성을 가지고 전체를 대표하는 비유법)이 있는데 ①, ④의 대유는 '환유법'에 속한다.

[정답] ②

다음 밑줄 친 부분과 그 수사(修辭)적 유형이 같은 것은?

> 내 마음은 호수요,
> 그대 노 저어 오오.
> 나는 그대의 흰 그림자를 안고 옥같이
> 그대의 뱃전에 부서지리다.
>
>   - 김동명, 〈내 마음은〉

① 아랫목에 모인 / 아홉 마리의 강아지야.
   <u>강아지 같은 것들아,</u>
   굴욕(屈辱)과 굶주림과 추운 길을 걸어
   내가 왔다. / 아버지가 왔다.

② 님의 사랑은 뜨거워
   <u>근심 산(山)을 태우고 한(恨) 바다를 말리는데</u>

③ 가려다 오고 오려다 가는 것은 나에게 <u>목숨을 빼앗고</u>
   <u>죽음도 / 주지 않는것입니다.</u>

④ 산산이 부서진 이름이여!
   허공중(虛空中)에 헤어진 이름이여!

난이도 ○ 중 하

[해설] '내 마음은 호수'는 'A는 B'의 구성이므로, 원관념과 보조 관념을 나란히 등장시켜 비유하는 수사법인 은유법이다. 이와 수사적 유형의 같은 것은 ②이다. '근심(원관념):산(보조 관념)', '한(원관념):바다(보조 관념)'가 이에 해당한다. 의미상 '근심(의) 산', '한(의) 바다'로 해석이 된다.

※ 은유에는 'A는 B이다. / A의 B / B'의 방식이 있다.

[오답분석] ① '강아지 같은'에 '직유법'이 쓰였다. 원관념은 '자식'이다.

※ '강아지야'에서 원관념 '자식'이 없이 표현된 은유가 사용되었다고 볼 수도 있으나, 예문에 나타난 'A는 B이다.'의 형태가 선택지에 있기 때문에 답이 될 수 없다. 물론 속성을 들어 표현했다고 본다면 '환유법'이 사용되었다고도 할 수 있다.

③ '목숨을 빼앗고 죽음도 주지 않는'은 내용의 모순이므로 '역설법'이 쓰였다.

④ 느낌표(!)와 함께 영탄법과 '이름이여'를 반복하여 '반복법'이 사용되었다.

[정답] ②

작품정보 **김동명, 〈내 마음은〉**

갈래	자유시, 서정시
성격	낭만적, 비유적, 상징적
제재	'나'의 마음
주제	사랑의 기쁨과 애달픔
특징	① 다양한 비유적 심상으로 '나'의 마음을 드러냄. ② 부드럽게 호소하는 듯한 독백적인 어조

표현 방법(심상과 역설법)

• 작품에 나타난 심상(이미지)을 파악하는 유형
• 역설적인 표현 방법을 파악하는 유형

핵심정리

• **공감각적 심상과 복합 심상** ✎ 공감각적 심상이 되려면 감각의 전이(존재하는 감각 → 존재하지 않는 감각)가 꼭 나타나야 해요.
전이가 없다면 '감각의 나열'로 '복합 감각'에 해당하지요.

공감각적 심상	표현하려는 대상이 하나인데, 대상이 본래 지니고 있는 심상이 아닌 다른 심상으로 전이하여 나타낸 것	
	시각의 청각화	• 이것은 소리 없는 아우성(유치환, 〈깃발〉) • 금으로 타는 태양의 즐거운 울림(박남수, 〈아침 이미지〉)
	시각의 후각화	관이 향기로운 너는(노천명, 〈사슴〉)
	청각의 시각화	분수처럼 흩어지는 푸른 종소리(김광균, 〈외인촌〉)
	청각의 후각화	나는 향기로운 님의 말소리에 귀먹고(한용운, 〈님의 침묵〉)
	촉각의 시각화	동해 쪽빛 바람에(유치환, 〈울릉도〉)
	촉각의 미각화	매운 계절의 채찍에 갈겨(이육사, 〈절정〉)
복합적 심상	표현하려는 대상이 둘 이상인데, 각각의 심상을 단순히 나열한 것 예 빨간 쟁반에 담긴 향긋한 사과 　　→ 시각적 심상, 후각적 심상	

심화 Plus

1. 선경후정 [21 지방직 9급]
　시에서, 앞부분에 자연 경관이나 사물에 대한 묘사를 먼저하고 뒷부분에 자기의 감정이나 정서를 그려내는 구성

2. 수미상관 [15 기상직 9급]
　머리와 꼬리가 서로 상관되는 방법이라는 뜻으로, 시의 처음과 끝에 같은 구절을 반복하여 배치하는 기법

3. 역설법 [12 서울시 9급]
　논리적으로 모순된 진술을 통해 오히려 어떤 중요한 진리를 드러내고자 하는 방법

표현 방법	작품에 나타난 심상(이미지)을 파악하는 유형

088 ○○○   2018 국회직 9급

다음 시의 밑줄 친 어구에서 사용한 표현 방법이 나타난 것은?

> 내 죽으면 한 개 바위가 되리라. 〈중략〉
> 비와 바람에 깎이는 대로
> 억년 비정의 緘默(함묵)에
> 안으로 안으로만 채찍질하여
> 드디어 생명도 망각하고
> 흐르는 구름 / <u>머언 遠雷(원뢰)</u>
>
> 꿈꾸이도 노래하지 않고
> 두 쪽으로 깨뜨려져도
> 소리하지 않는 바위가 되리라.
>
> — 유치환, 〈바위〉

① 남몰래 흘리는 눈물
② 창문을 두드리는 낙숫물 소리
③ 피도야 어쩌란 말이냐
④ 찬란한 슬픔의 봄
⑤ 빼앗긴 들에도 봄은 오는가

난이도 ⓼ ○ ⓗ

[해설] '머언 원뢰(遠雷, 멀리서 울려 퍼지는 천둥소리)'는 '머언(멀다)'과 '遠(멀 원)'에 의미의 중복이 나타난다. 이와 같이 의미의 중복이 보이는 표현은 ②의 '낙숫물'로 '낙수(落水)'의 '水(물 수)'와 '물'이 겹쳐 표현되었다.

※ 다만, 제시된 문제는 '머언 원뢰'를 '천둥소리(청각)가 멀다(멀리 보이다, 시각).'의 '청각의 시각화'로 해석하고, '창문을 두드리는(모습, 시각) 낙숫물 소리(청각)'를 '청각의 시각화'로 다소 확장된 공감각으로 풀이하는 것도 가능하다.

[오답분석]
① 시각적 심상만 나타난다.
③ 의인법, 영탄법이 쓰인 표현이다.
④ '찬란한'과 '슬픔'은 논리적 모순을 가지므로 '역설법'이 쓰였다.
⑤ '빼앗긴 들'은 '빼앗긴 조국'을 의미하므로 '대유법'이 그리고 의문의 형식을 차용한 '설의법'이 쓰였다.

[정답] ②

작품정보 **유치환, 〈바위〉**

갈래	자유시, 서정시
성격	의지적, 남성적, 상징적
제재	바위
주제	초극적인 삶의 추구
특징	① 대상을 의인화하여 표현함. ② 자연물의 속성을 통해 화자의 의지를 형상화함.
출전	《삼천리》(1941)

089 ○○○   2017 사회복지직 9급

밑줄 친 부분에 사용한 표현 방법과 가장 거리가 먼 것은?

> 넓은 벌 동쪽 끝으로
> 옛이야기 지줄대는 실개천이 회돌아 나가고,
> 얼룩백이 황소가
> <u>해설피 금빛 게으른 울음을 우는 곳,</u>
> — 그 곳이 참하 꿈엔들 잊힐리야.
>
> — 정지용, 〈향수〉

① 어느 집 담장을 넘어 달겨드는 / 이것은, / 치명적인 냄새
② 멍석 위에 나란히 잠든 반들거리는 몸 위로 살짝살짝 늦가을 햇볕 발 디디는 소리
③ 나는 한 마리 어린 짐승, / 젊은 아버지의 서느런 옷자락에 / 열(熱)로 상기한 볼을 말없이 부비는 것이었다.
④ 피아노에 앉은 / 여자의 두 손에서는 / 끊임없이 / 열마리씩 / 스무 마리씩 / 신선한 물고기가 / 튀는 빛의 꼬리를 물고 / 쏟아진다.

난이도 ⓼ ○ ⓗ

[해설] '울음'은 청각적 심상이다. 그런데 '금빛 게으른 울음'으로 표현했다. '금빛'은 시각적 심상이다. 존재하는 '울음(청각적 심상)'을 '금빛(시각적 심상)'으로 전이해 표현했기 때문에 밑줄 친 '금빛 게으른 울음'은 '청각의 시각화'가 나타난 공감각적 심상에 해당한다. ③에서는 '서느런 옷자락'과 '열로 상기한 볼'에서 촉각적 심상만 확인할 수 있다. 감각의 전이가 일어나지 않았기 때문에 공감각적 심상이 쓰이지 않았다.

[오답분석]
① '냄새(후각)가 담장을 넘어 달겨든다(시각)'고 표현했기 때문에 '후각의 시각화'로 공감각적 심상에 해당한다.
② 멍석 위에 놓은 도토리 알이 햇빛에 말라 가는 모습(시각)을 '햇볕 발 디디는 소리'라면서 '청각'으로 표현하고 있다. 따라서 '시각의 청각화'로 공감각적 심상에 해당한다.
④ 피아노의 선율(청각)이 꼬리를 물고 쏟아진다고 시각적으로 표현하고 있다. 따라서 '청각의 시각화'로 공감각적 심상에 해당한다.

[정답] ③

작품정보 **정지용, 〈향수〉**

갈래	자유시, 서정시
성격	향토적, 묘사적, 감각적
제재	고향
주제	고향에 대한 그리움
특징	① 참신하고 선명한 감각적 이미지를 사용함. ② 후렴구가 반복되는 병렬식 구조를 보임. ③ 향토적 소재와 시어를 구사함.

다음 글에 대한 설명으로 적절하지 않은 것은?

> 우리집도 아니고
> 일갓집도 아닌 집
> 고향은 더욱 아닌 곳에서
> 아버지의 침상(寢床) 없는 최후(最後)의 밤은
> 풀벌레 소리 가득 차 있었다.
>
> 노령(露領)을 다니면서까지
> 애써 자래운 아들과 딸에게
> 한마디 남겨 두는 말도 없었고,
> 아무을만(灣)의 파선도
> 설룽한 니코리스크의 밤도 완전히 잊으셨다.
> 목침을 반듯이 벤 채.
>
> 다시 뜨시잖는 두 눈에
> 피지 못한 꿈의 꽃봉오리가 갈앉고,
> 얼음장에 누우신 듯 손발은 식어갈 뿐
> 입술은 심장의 영원한 정지(停止)를 가리켰다.
> 때늦은 의원(醫員)이 아모 말 없이 돌아간 뒤
> 이웃 늙은이 손으로
> 눈빛 미명은 고요히
> 낯을 덮었다.
>
> 우리는 머리맡에 엎디어
> 있는 대로의 울음을 다아 울었고
> 아버지의 침상 없는 최후의 밤은
> 풀벌레 소리 가득 차 있었다.
>
> - 이용악, 〈풀벌레 소리 가득 차 있었다〉

① 어조를 절제하면서 화자의 정서를 드러내고 있다.

② 수미상관의 구조를 활용하여 주제를 강조하고 있다.

③ 다양한 감각적 심상을 사용하여 시적 대상을 형상화하고 있다.

④ 대조적인 의미의 시어를 반복하여 시대 상황을 나타내고 있다.

난이도 상 ○ 하

해설　단지 '풀벌레 소리'가 아버지의 죽음과 대비를 이뤄, 아버지의 죽음에 대한 비극성을 드러내고 있으나, 대조적 의미의 시어로 시대 상황을 드러내는 부분은 찾아볼 수 없으므로 ④의 설명은 적절하지 않다.

　※ 다만, '노령(露領, 시베리아 일대), 아무을만, 니코리스크'와 같은 낱말을 통해 공간적 배경(러시아 일대, 즉 고향이 아님.)을 추측하게 하고 있다.

오답분석　① 아버지의 비참한 죽음과 유랑민의 비애를 노래한 시인데, 직접적으로 감정을 드러낸 시어는 없다. 단지 '풀벌레 소리'를 통해 간접적으로 드러낼 뿐이다. 따라서 어조를 절제하면서 화자의 정서를 드러낸다는 설명은 적절하다.

　② "아버지의 침상 없는 최후의 밤은 / 풀벌레 소리 가득 차 있었다."가 1연과 4연에서 반복되어 수미 상관의 구조가 활용되었음을 알 수 있고, 이는 '아버지의 비참한 죽음과 유랑민의 비애'라는 주제를 강조하는 역할을 한다.

　③ '풀벌레 소리'를 비롯한 청각적 심상, 시각적 심상 등 다양한 감각적 심상을 사용하여 대상을 형상화하고 있다. "풀벌레 소리 가득 차 있었다."는 청각의 시각화가 이루어진 '공감각적 심상'으로 볼 수 있다.

정답 ④

작품정보	**이용악, 〈풀벌레 소리 가득 차 있었다〉**
갈래	자유시, 서정시
성격	비유적, 애상적, 서정적, 사실적, 서사적, 회상적
제재	아버지의 죽음
주제	아버지의 비참한 임종과 유랑민의 비애
특징	① 수미 상관식 구성 ② 상황의 객관적 묘사 ③ 서글프면서도 절제된 어조 ④ 청각적인 표현을 통한 비극성 강조

다음 중 수사법이 다른 하나는?

① 이것은 소리 없는 아우성

② 황홀한 비애

③ 찬란한 슬픔의 봄

④ 해설피 금빛 게으른 울음을 우는 곳

⑤ 결별이 이룩하는 축복

난이도 상 ○ 하

해설　④는 '공감각적 심상'으로 '청각의 시각화'가 표현되었다. 나머지는 모두 '역설법'이 나타난다.

　※ 역설(逆說): 논리적으로 모순된 진술을 통해 오히려 어떤 중요한 진리를 드러내고자 하는 방법

오답분석　① '아우성'은 떠들썩한 소리인데, '소리 없다'고 표현했기 때문에 '역설법'이다.

　※ 시각적으로 표현할 수 있는 '이것'을 청각인 '아우성'으로 표현했다는 점에서 공감각적 심상(시각의 청각화)이 나타난다고 볼 수도 있다. 다만, ④에는 '역설법'이 확실히 쓰이지 않았기 때문에 상대적으로 명확한 정답은 ④이다.

　② '황홀함'과 '비애(슬프고 서러움)'는 서로 상충되는 감정이므로 '역설법'이 쓰인 표현이다.

　③ '찬란하다'와 '슬픔'은 서로 상충되는 표현이므로 '역설법'이 쓰였다.

　⑤ '결별'은 슬픈 것인데 '축복'이라 표현했다는 점에서 '역설법'이 쓰인 표현이다.

정답 ④

표현 방법	역설적인 표현 방법을 파악하는 유형

092 ○○○

⊙과 같은 표현 방법에 해당하지 않는 것은?

> 매운 계절(季節)의 채찍에 갈겨
> 마침내 북방(北方)으로 휩쓸려오다.
>
> 하늘도 그만 지쳐 끝난 고원(高原)
> 서릿발 칼날진 그 위에 서다
>
> 어데다 무릎을 꿇어야 하나?
> 한 발 재겨 디딜 곳조차 없다.
>
> 이러매 눈 감아 생각해 볼밖에
> ⊙ 겨울은 강철로 된 무지갠가 보다.
>
> — 이육사, 〈절정〉

① 두 볼에 흐르는 빛이
　정작으로 고와서 서러워라

　　　　　　　　　　　　　　— 조지훈, 〈승무〉

② 아아 님은 갔지만 나는 님을 보내지 아니하였습니다

　　　　　　　　　　　　　— 한용운, 〈님의 침묵〉

③ 나는 아직 기다리고 있을 테요 찬란한 슬픔의 봄을

　　　　　　　　　　　　— 김영랑, 〈모란이 피기까지는〉

④ 나 보기가 역겨워 가실 때에는
　죽어도 아니 눈물 흘리우리다

　　　　　　　　　　　　　　— 김소월, 〈진달래꽃〉

난이도 ○ ⑧ ⑨

[해설] 제시된 시의 화자는 극한 상황에서 참된 삶을 추구하는 의지와 희망을 회복하는 화자의 현실 인식을 '겨울은 강철로 된 무지개'라는 역설적인 표현으로 나타내고 있다.

제시된 시의 '역설적인 표현'이 쓰이지 않은 것은 ④이다. ④에는 실제로는 울고 있지만 "죽어도 아니 눈물 흘리오리다(안 울어요)."라고 말하고 있으므로 겉뜻과 속뜻이 반대인 '반어적 표현'이 나타난다.

※ '겨울'은 '일제 강점하'를 상징하고 '무지개'는 '희망, 즉 광복'을 상징한다고 보면 '일제 강점하는 희망이다.'라고 말하고 있는 셈이다. '일제 강점하'는 '희망'이 될 수 없다. 다만 화자는 이러한 표현을 통해 '일제 강점하에도 광복을 향한 의지를 버리지 않겠다.'는 자신의 의지를 표현하고 있는 것이다.

[오답분석] ① '곱다'와 '서럽다'가 서로 함께 있어 상충되는(고운데 서러운 것은 불가능하다.) 표현이 된다. 역설적(모순적)인 표현이다.

② '갔지만, 보내지 않았다'가 상충되므로(갔는데 안 보냈다는 것은 불가능하다.) 역설적인 표현이다.

③ '찬란하다'와 '슬픔'이 상충되므로(찬란한데 슬프다는 것은 말이 안 된다.) 역설적인 표현이다.

[정답] ④

[참고] 반어 & 역설

• 반어(反語)

TIP 표현하고 있는 내용과 속마음이 반대!

속마음과 반대되는 표현을 쓰는 수사법. 그 결과 의미가 분명해지고 강한 인상을 남길 수 있다.

[예] 실수한 사람에게 "잘한다."(겉뜻: 잘한다 ↔ 속뜻: 죽을래?)

• 역설(逆說)

TIP 내용이 말이 안 돼!

내용상 모순을 일으키기는 하지만 그 속에 중요한 진리가 함축되어 있는 표현법

[예] • 이것은 소리 없는 아우성
　　　(해석: 소리가 없는데 어떻게 아우성이 될 수 있어? 말이 안 돼.)
　　• (음주 운전으로 걸렸는데) 술은 먹었지만, 음주 운전은 하지 않았습니다.

정서와 태도

출제 유형

• 시에 대한 감상을 묻는 유형
• 화자(서술자)의 정서와 태도가 유사한 작품을 찾는 유형 ⟋ '화자'나 '서술자'는 '작가'가 아니에요!

출제 유형

정서와 태도	시에 대한 감상을 묻는 유형

093 ○○○   2020 지방직 9급

다음 시에 대한 감상으로 적절하지 않은 것은?

> 네 집에서 그 샘으로 가는 길은 한 길이었습니다. 그래서 새벽이면 물 길러 가는 인기척을 들을 수 있었지요. 서로 짠 일도 아닌데 새벽 제일 맑게 고인 물은 네 집이 돌아가며 길어 먹었지요. 순번이 된 집에서 물 길어 간 후에야 똬리 끈 입에 물고 살짝 들어서시는 어머니나 물지게 진 아버지 모습을 볼 수 있었지요. 집안에 일이 있으면 그 순번이 자연스럽게 양보되기도 했었구요. 넉넉하지 못한 물로 사람들 마음을 넉넉하게 만들던 그 샘가 미나리꽝에서는 미나리가 푸르고 앙금 내리는 감자는 잘도 썩어 구린내 혹 풍겼지요.
>
>   - 함민복, 〈그 샘〉

① '샘'을 매개로 공동체의 삶을 표현했다.
② 과거 시제로 회상의 분위기를 표현했다.
③ 공감각적 이미지로 이웃 간의 배려를 표현했다.
④ 구어체로 이웃 간의 정감 어린 분위기를 표현했다.

난이도 ⊛ ⊛ ㉵

[해설] 제시된 작품은 이웃끼리 서로 배려하며 물을 길어 먹었던 마을 사람들의 모습을 통해 이웃 간의 훈훈한 인정과 공동체 생활이 지닌 미덕을 효과적으로 형상화하고 있다. 제시된 작품의 내용을 볼 때, 이웃 간의 배려는 나타난다. 그러나 '공감각적 이미지'는 쓰이지 않았다.

오답분석
① 유년 시절 하나의 '샘'의 샘물을 네 집이 나누어 먹으면서 느꼈던 공동체의 따뜻한 정과 삶을 표현하고 있다.
② '길이었습니다.', '들을 수 있었지요.' 등 과거 시제로 유년 시절을 회상하는 분위기를 형상화하고 있다.
④ '-지요', '-구요'와 같은 구어체의 종결 방식을 통해 정감 어린 분위기를 표현하고 있다.

정답 ③

작품정보	함민복, 〈그 샘〉
갈래	서정시, 산문시
성격	회상적, 향토적, 전통적
제재	고향 마을에 있던 '그 샘'
주제	샘을 통해 느낄 수 있었던 이웃 간의 배려와 훈훈한 정
특징	① 구어체의 종결 방식을 통해 정감 어린 분위기를 형성하고 있음. ② 향토적인 시어들을 사용하여 시골 마을의 따뜻한 인정을 드러내고 있음.
출전	《말랑말랑한 힘》(2005)

094 ○○○

밑줄 친 ㉠과 가장 유사한 정서가 드러나는 것은?

임이여 강을 건너지 마오	公無渡河
임은 마침내 강을 건너는구료	公竟渡河
물에 빠져 죽으니	墮河而死
㉠ 이 내 임을 어이할꼬	當奈公何

　　　　　　　　　　　　- 작자 미상, <공무도하가>

① 혹시나 하고 나는 밖을 기웃거린다/나는 풀이 죽는다/빗발은 한 치 앞을 못 보게 한다/왠지 느닷없이 그렇게 퍼붓는다/지금은 어쩔 수가 없다고

　　　　　　　　　　　　- 김춘수, <강우>

② 겨울 되자 온 세상 수북이 눈은 내려/저마다 하얗게 하얗게 분장하지만/나는/빈 가지 끝에 홀로 앉아/말없이/먼 지평선을 응시하는 한 마리/검은 까마귀가 되리라

　　　　　　　　　　　　- 오세영, <자화상 2>

③ 그런 사람들이/이 세상에서 일파이고/고귀한 인류이고/영원한 광명이고 다름 아닌 시인이라고

　　　　　　　　　　　　- 김종삼, <누군가 나에게 물었다>

④ 동방은 하늘도 다 끝나고/비 한 방울 내리잖는 그때에도/오히려 꽃은 빨갛게 피지 않는가/내 목숨을 꾸며 쉬임 없는 날이여

　　　　　　　　　　　　- 이육사, <꽃>

난이도 상 ○ 하

> 해설 '이 내 임을 어찌할꼬'에는 '체념'의 정서가 드러난다. ①의 '지금은 어쩔 수가 없다고'에서도 화자의 '체념'의 정서를 확인할 수 있다.

정답 ①

작품정보 백수 광부의 아내, <공무도하가>

갈래	고대 가요, 한역 시가
성격	개인적, 서정적, 체념적, 애상적
제재	물을 건너는 임
주제	임을 여읜 슬픔(이별의 한)
특징	① 집단 가요에서 개인적 서정시로 넘어가는 과도기적 작품 ② 고조선 시대의 노래로 우리나라 최고(最古; 가장 오래된)의 서정시
출전	《해동역사》

[현대어 풀이]

公無渡河	공무도하
公竟渡河	공경도하
墮河而死	타하이사
當奈公何	당내공하

다음 시조 중 주된 정조(情調)가 가장 다른 것은?

(가) 이화에 월백하고 은한(銀漢)이 삼경인제
    일지춘심(一枝春心)을 자규야 아랴마는
    다정도 병인양 하여 잠 못 들어 하노라

(나) 흥망이 유수하니 만월대도 추초(秋草)로다
    오백 년 왕업이 목적(牧笛)에 부쳤으니
    석양에 지나는 객이 눈물계워 하노라

(다) 오백 년 도읍지를 필마로 돌아드니
    산천은 의구하되 인걸은 간 데 없다
    어즈버 태평연월이 꿈이런가 하노라

(라) 이 몸이 죽고 죽어 일백 번 고쳐 죽어
    백골이 진토 되어 넋이라도 있든 없든
    임 향한 일편단심이야 가실 줄 있으랴

---

① (가)   ② (나)   ③ (다)   ④ (라)

난이도 상 ○ 하

해설 (나)~(라)는 '망해 가는' 또는 '망해 버린' 나라에 대한 화자의 마음이 드러나 있다. 그런데 (가)는 봄밤의 애상과 우수에 잠겨 잠을 못 이루는 한 개인의 심정을 담고 있다. 따라서 정조가 가장 이질적인 것은 (가)이다.

정답 ①

[현대어 풀이]

(가) 하얀 배꽃에 달이 환하게 비치고 은하수는 삼경(23시~01시, 깊은 밤)을 알리는 때에,
배나무 한 가지에 어려 있는 봄날의 정서를 소쩍새가 알고서 우는 것이랴마는
정이 많은 것도 병인 듯싶어 잠을 이루지 못하노라.

(나) (나라가) 흥하고 망하는 것이 다 운수에 매여 있으니, 고려의 옛 왕궁 터인 만월대에 가을 풀만 우거졌도다.
고려 오백 년 왕조의 업적이 이제는 한낱 목동의 피리 소리에 깃들여 있으니,
석양 무렵 이곳을 지나는 나그네(고려 유신)가 눈물을 참을 수가 없구나.

(다) 오백 년이나 이어 온 고려의 옛 서울(송도, 개성)에 한 필의 말을 타고 들어가니
산천의 모습은 예나 다름없으나, 인걸은 간 데 없다.
아, (슬프다!) 고려의 태평한 시절이 한낱 꿈처럼 허무하도다.

(라) 이 몸이 죽고 죽어 일백 번 고쳐 죽어
백골이 진토 되어 넋이라도 있고 없고
임 향한 일편단심이야 가실 줄이 있으랴.

작품정보

(가) 이조년, <이화에 월백하고~>

갈래	평시조, 서정시
성격	애상적, 감각적, 다정가(多情歌)
제재	배꽃, 달, 은하수, 자규
주제	봄날 밤에 느끼는 애상적인 정서
특징	시각적 심상과 청각적 심상의 조화를 통한 감각적 표현이 뛰어남.
연대	고려 말
출전	《청구영언》

(나) 원천석, <흥망이 유수하니~>

갈래	평시조, 서정시
성격	회고적, 감상적
제재	만월대
주제	고려 왕조의 멸망에 대한 탄식과 무상감
특징	① 시각적·청각적 이미지로 인생무상의 정서를 표현함. ② 비유적 표현과 중의적 표현을 통해 주제를 형상화함.
출전	《청구영언》

(다) 길재, <오백 년 도읍지를~>

갈래	평시조, 서정시
성격	회고적, 감상적
제재	고려의 옛 도읍지
주제	망국의 한과 인생무상
특징	비유적 표현과 대구법, 영탄법을 사용하여 고려 왕조 멸망의 한을 노래함.
출전	《병와가곡집》

(라) 정몽주, <이 몸이 죽고 죽어~>

갈래	평시조, 서정시
성격	직설적, 의지적, 단심가(丹心歌)
제재	일편단심(一片丹心), 절개
주제	고려의 왕에 대한 변함없는 충절
특징	직설적인 언어와 반복법, 점층법, 설의법 등의 표현 기교를 통해 자신의 굳은 의지를 강하게 드러냄.
연대	고려 말
출전	《청구영언》

다음 글에 나타난 시적 화자의 정서와 가장 유사한 것은?

> 흰 구름 뿌연 연하(煙霞) 푸른 것은 산람(山嵐)이라
> 천암만학(千巖萬壑)을 제 집으로 삼아 두고
> 나명성 들명성 이래도 구는지고
> 오르거니 내리거니 장공(長空)에 떠나거니 광야(廣野)로
> 건너거니
> 푸르락 붉으락 엷으락 짙으락
> 사양(斜陽)과 섞어지어 세우(細雨)조차 뿌리는가.
> <중략>
> 초목 다 진 후의 강산(江山)이 매몰커늘
> 조물(造物)이 헌사하여 빙설(氷雪)로 꾸며 내니
> 경궁요대(瓊宮瑤臺)와 옥해은산(玉海銀山)이 안저(眼
> 底)의 벌렸구나.
> 건곤(乾坤)도 가암열사* 간 데마다 경이로다.
>   - 송순, 〈면앙정가〉
>
> * 가암열사: 풍성하다는 뜻

① 수간모옥(數間茅屋)을 벽계수(碧溪水) 앞에 두고 송죽(松竹) 울울리(鬱鬱裏)에 풍월주인(風月主人) 되어셔라.

② 이 술 가져다가 사해(四海)에 고루 나누어 억만창생(億萬蒼生)을 다 취(醉)케 만든 후에 그제야 고쳐 만나 또 한 잔 하잤고야.

③ 모첨(茅簷) 찬 자리에 밤중만 돌아오니 반벽청등(半壁靑燈)은 눌 위하여 밝았는고.

④ 종조추창(終朝惆愴)하며 먼 들을 바라보니 즐기는 농가(農歌)도 흥(興) 없어 들리나다.

난이도 상 ○ 하

[해설] 제시된 부분의 화자는 자연의 풍류를 즐기고 있다. ①은 정극인의 〈상춘곡〉으로, 몇 칸 안 되는 작은 초가집을 시냇물 앞에 지어 두고 빽빽한 소나무 우거진 속에서 자연의 주인이 되었다며 자연의 풍류를 즐기고 있다. 따라서 제시문과 시적 화자의 정서가 가장 유사한 것은 ①이다.

[오답 분석]
② 정철의 〈관동별곡〉의 일부로, 백성을 돌보는 일을 먼저 한 후에 개인적인 즐거움을 누리겠다는 '선공후사(先公後私)'의 자세가 드러나 있다.

③ 정철의 〈속미인곡〉의 일부로, 밤중에 집에 돌아와 혼자 외로움을 느끼고 있는 내용이다.

④ 박인로의 〈누항사〉의 일부로, 아침이 끝날 때까지 슬퍼하며 먼 들을 바라보고 있자니 즐거워 부르는 농부들의 노래도 흥이 없게 들린다고 하면서 슬픔으로 인해 흥겨움을 느끼지 못하고 있는 내용이다.

[정답] ①

작품정보 송순, 〈면앙정가〉

갈래	서정 가사, 양반 가사, 은일 가사, 강호 한정가
성격	서정적, 묘사적, 자연 친화적
운율	3(4)·4조, 4음보 연속체
제재	면앙정 주변의 아름다운 자연 풍경
주제	자연을 즐기는 강호가도와 군은(君恩)에 대한 감사
특징	① 사계절의 변화에 따라 내용을 전개함. ② 비유·대구·반복 등의 다양한 표현 방법을 사용함.
의의	조선 전기 시기의 핵심인 강호가도를 확립한 노래
연대	조선 중종(16세기)

다음 작품의 화자가 지닌 정서나 태도와 가장 유사한 것은?

前腔	내님을그리ᄉ와우니다니
中腔	山접동새난이슷ᄒ요이다
後腔	아니시며거츠르신ᄃᆯ아으
附葉	殘月曉星이아르시리이다
大葉	넉시라도님은ᄒᆞᆫ디녀겨라아으
附葉	벼기더시니뉘러시니잇가
二葉	過도허믈도千萬업소이다
三葉	믈힛마리신뎌
四葉	슬웃븐뎌아으
附葉	니미나롤ᄒᆞ마니ᄌ시니잇가
五葉	아소님하도람드르샤괴오쇼셔

① 추강(秋江)에 밤이 드니 물결이 차노매라
　낚시 드리치니 고기 아니 무노매라
　무심한 달빛만 싣고 빈 배 저어 오노라

② 내 일 망녕된 줄 나라 하여 모를 손가
　이 마음 어리기도 님 위한 탓이로세
　아무가 아무리 일러도 임이 헤아리소서

③ 천만 리 머나먼 길에 고운 님 여의옵고
　내 마음 둘 데 없어 냇가에 앉았으니
　저 물도 내 안 같아야 울어 밤길 예놋다

④ 수양산(首陽山) 바라보며 이제(夷齊)를 한하노라
　주려 죽을진들 채미(採薇)도 하는 것가
　비록애 푸새엣 것인들 긔 뉘 땅에 났나니

⑤ 흥망이 유수(有數)하니 만월대도 추초(秋草)로다
　오백 년 왕업이 목적(牧笛)에 부쳐시니
　석양에 지나는 객이 눈물계워 하노라

난이도 (상)○(하)

[해설] 제시된 작품은 정서의 〈정과정〉이다. "벼기더시니 뉘러시니잇가 (우기던 이, 그 누구입니까?) / 過도 허믈도 千萬 업소이다.(잘못도 허물도 전혀 없습니다.) ~ 아소 님하, 도람 드르샤 괴오쇼셔(아! 임이시여, 내 사연 들으시고 다시 사랑해 주소서)" 부분에서 화자는 '임'에게 다시 사랑해 해달라고 호소하고 있다. 이와 정서나 태도가 유사한 것은 ②이다. ②의 화자 역시, 임을 향한 자신의 사랑을 알아달라고 호소하고 있다.
※《고려사》 악지에 따르면, '임'은 '임금(고려 의종)'으로 파악할 수 있다.

[오답분석] ① 한적한 가을밤의 풍취를 드러내어 물욕과 명리를 벗어난 탈속의 정서를 노래하고 있다.
③ 임금(단종)과 이별한 애절한 마음을 노래하고 있다.
④ 죽음을 각오한 굳은 지조와 절의를 노래하고 있다.
⑤ 고려 왕조의 멸망에 대한 탄식과 무상감을 노래하고 있다.
※ 출전: ① 월산대군, 〈추강에 밤이 드니~〉, ② 윤선도, 〈견회요〉, ③ 왕방연, 〈천만리 머나먼 길에~〉, ④ 성삼문, 〈수양산 바라보며~〉, ⑤ 원천석, 〈흥망이 유수하니~〉

[정답] ②

[현대어 풀이]

① 가을 강에 밤이 드니 물결이 차갑구나.
　낚시를 들이쳐 놓으니 고기는 물지 않는구나.
　욕심이 없는 달빛만 싣고 빈 배를 저어 오는구나.
② 내 일이 망령된 것인 줄 나라고 하여 몰랐던가.
　이 마음이 어리석었던 것도 임을 위한 탓이로세.
　누가 무엇이라고 말해도 임께서 헤아려 보소서.
③ 천만 리 멀고 먼 길에 고운 님(단종) 여의옵고
　내 마음 둘 데 없어 냇가에 앉았더니
　저 물도 내 마음과 같아서 울면서 밤길을 흘러가는구나.
④ 수양산을 바라보면서 백이와 숙제를 한탄하노라.
　굶어 죽을지언정 고사리를 뜯어 먹어서야 되겠는가.
　비록 푸성귀라 할지라도 그것이 누구의 땅에서 났단 말인가.
⑤ 흥하고 망함이 하늘에 달렸으니 만월대도 가을 풀만 우거져 있다.
　오백 년 왕업이 목동의 피리 소리에 담겨 있으니
　석양에 지나는 객이 눈물겨워 하노라.

작품정보 정서, 〈정과정〉

갈래	고려 가요, 향가계 고려 가요
성격	애상적
제재	임과의 이별
주제	임금을 향한 변함없는 충절
특징	① 향가의 전통을 이음. ② 내용이 신충의 '원가(怨歌)'와 통함. ③ 감정 이입을 통해 정서를 표현함.
의의	① 고려 가요 중 작가가 밝혀진 유일한 작품 ② 유배 문학의 효시 ③ 향가의 잔영이 엿보임.

[현대어 풀이]

내 임을 그리워하며 울고 지내더니
접동새와 나와는 (그 울고 지내는 모양이) 비슷합니다.
(나를 참소하는 말이) 옳지 않으며 거짓인 줄을, 아아!
지내는 새벽달과 새벽별만이 아실 것입니다.
죽은 혼이라도 임과 한자리에 가고 싶습니다. 아아!
(나에게 허물이 있다고) 우기던 사람이 누구였습니까?
(나는) 잘못도 허물도 전혀 없습니다.
뭇 사람의 (나를 모함하는) 말이로구나.
사라지고 싶어라, 아아!
임이 벌써 나를 잊으셨습니까?
(그렇게 하지) 마소서 임이시여, (마음을) 돌이켜 (내 말을) 들으시어 (나를) 사랑하소서.

다음 시조와 가장 유사한 정서가 나타난 것은?

> 방(房) 안에 혓는 촛불 눌과 이별 ᄒ엿관디
> 것츠로 눈물 디고 속 타는 줄 모르는고.
> 뎌 촛불 날과 갓트여 속 타는 줄 모르도다.

① 이화에 월백ᄒ고 은한이 삼경인 제
　임지춘심을 자규야 알랴마ᄂ
　다정도 병인냥ᄒ여 줌 못 드러 ᄒ노라.

② 혼 손에 막디 잡고 ᄯ 혼 손에 가식 쥐고
　늙는 길은 가식로 막고 오는 백발은 막디로 칠엿튼이
　백발이 제 몬져 알고 지름길로 오건야.

③ 이화우 홋쑤릴 제 울며 잡고 이별ᄒ 님
　추풍낙엽에 저도 날 싱각ᄂ가.
　천리에 외로운 꿈만 오락가락 ᄒ노매.

④ 무 읠 사룸들아 올ᄒᄒ 일 ᄒ쟈ᄉ라.
　사룸이 되어 나셔 올티옷 못ᄒ면
　무쇼롤 갓 곳갈 싀워 밥머기나 다르랴.

난이도 ⦿ 중 하

해설 제시된 시조에서는 '촛불'에 감정을 이입하여 임과 이별한 후의 '나'의 안타까움과 슬픔의 정서를 나타내고 있다. 이와 정서가 유사한 것은 ③이다. ③에서도 이별 후의 안타까움과 슬픔의 정서가 드러난다.

오답 분석
① 봄밤에 느끼는 정서를 노래하고 있다.
② 늙음에 대한 한탄을 웃음으로 승화한 작품이다.
④ 정철의 〈훈민가〉의 일부로 옳은 일을 하자는 권계(勸戒)의 노래이다. 제시된 시와 유사한 정서는 드러나지 않고 있다.
※ 출전: ① 이조년, ② 우탁, ③ 계랑, ④ 정철의 〈훈민가〉

정답 ③

[현대어 풀이]

> ① 배꽃에 달빛이 하얗게 비치고 은하수 가득한 자정인데
> 　나뭇가지 하나에 어린 봄의 정서를 두견새가 알겠냐마는
> 　정이 많은 것도 병인 듯하여 잠 못 이루는구나.
> ② 한 손에 막대기를 잡고 또 한 손에는 가시를 쥐고
> 　늙는 길은 가시로 막고 오는 백발은 막대기로 치려고 하였더니
> 　백발이 제 먼저 알고 지름길로 오더라.
> ③ 배꽃이 비 내리듯 흩날릴 때, 울면서 소매를 부여잡고 이별한 임
> 　가을바람에 낙엽이 지는 이때에 임도 나를 생각하고 있을까?
> 　천리나 되는 머나먼 길에 외로운 꿈만 오락가락 하는구나.
> ④ 마을 사람들아, 옳은 일 하자꾸나.
> 　사람으로 태어나서 옳지 못하면
> 　말과 소에게 갓이나 고깔을 씌워 놓고 밥을 먹이는 것과 다를 게 무엇이 있겠는가?

작품정보 **이개, 〈방(房) 안에 혓는 촛불~〉**

갈래	평시조, 서정시
성격	여성적, 애상적, 감상적, 연군가
제재	촛불
주제	임(단종)과 이별한 슬픔
특징	① 여성적 어조의 완곡한 표현으로 자신의 절의를 드러냄. ② 의인법을 사용하여 시적 화자의 감정을 특정한 대상(촛불)에 이입함.
연대	조선 세조
출전	《청구영언》

[현대어 풀이]

> 방 안에 켜 있는 촛불, 누구와 이별하였기에
> 겉으로 눈물을 흘리면서도 속이 타들어 가는 줄을 모르는가?
> 저 촛불도 나와 같아서 속이 타는 줄 모르는구나.

밑줄 친 ㉠에 나타난 '노인'의 정서가 가장 잘 드러난 것은?

"우린 뒤차를 탈 텐데…… 잘 가슈."

영달이가 내민 것들을 받아 쥔 백화의 눈이 붉게 충혈되었다. 그 여자는 더듬거리며 물었다. "아무도…… 안 가나요."

"우린 삼포루 갑니다. 거긴 내 고향이오."

영달이 대신 정 씨가 말했다. 사람들이 개찰구로 나가고 있었다. 백화가 보통이를 들고 일어섰다.

"정말, 잊어버리지…… 않을게요."

백화는 개찰구로 가다가 다시 돌아왔다. 돌아온 백화는 눈이 젖은 채 웃고 있었다.

"내 이름 백화가 아니예요. 본명은요…… 이점례예요."

여자는 개찰구로 뛰어나갔다. 잠시 후에 기차가 떠났다. 그들은 나무 의자에 기대어 한 시간쯤 잤다. 깨어 보니 대합실 바깥에 다시 눈발이 흩날리고 있었다. 기차는 연착이었다. 밤차를 타려는 시골 사람들이 의자마다 가득 차 있었다. 두 사람은 말 없이 담배를 나눠 피웠다. 먼 길을 걷고 나서 잠깐 눈을 붙였더니 더욱 피로해졌던 것이다.

영달이가 혼잣말로 / "쳇, 며칠이나 견디나……." / "뭐라구?"

"아뇨, 백화란 여자 말요. 저런 애들…… 한 사날두 시골 생활 못 배겨나요."

"사람 나름이지만 하긴 그럴 거요. 요즘 세상에 일이 년 안으루 인정이 휙 변해 가는 판인데……."

정 씨 옆에 앉았던 노인이 두 사람의 행색과 무릎 위의 배낭을 눈여겨 살피더니 말을 걸어 왔다.

"어디 일들 가슈?" / "아뇨, 고향에 갑니다."

"고향이 어딘데……." / "삼포라구 아십니까?"

"어 알지, 우리 아들놈이 거기서 도자를 끄는데……."

"삼포에서요? 거 어디 공사 벌릴 데나 됩니까. 고작해야 고기 잡이나 하구 감자나 매는데요."

"어허! 몇 년 만에 가는 거요?" / "십 년."

노인은 그렇겠다며 고개를 끄덕였다.

"말두 말우 거긴 지금 육지야. 바다에 방둑을 쌓아 놓구, 추럭이 수십 대씩 돌을 실어 나른다구."

"뭣땜에요?" / "낸들 아나, 뭐 관광호텔을 여러 채 짓는담서 복잡하기가 말할 수 없데."

"동네는 그대루 있을까요?"

"그대루가 뭐요. 맨 천지에 공사판 사람들에다 장까지 들어섰는 걸." / "그럼 나룻배두 없어졌겠네요."

"바다 위로 신작로가 났는데, 나룻배는 뭐에 쓰오. ㉠ 허허 사람이 많아지니 변고지, 사람이 많아지면 하늘을 잊는 법이거든." 작정하고 벼르다 찾아가는 고향이었으나, 정 씨에게는 풍문마저 낯설었다. 옆에서 잠자코 듣고 있던 영달이가 말했다.

"잘 됐군. 우리 거기서 공사판 일이나 잡읍시다."

그때에 기차가 도착했다. 정 씨는 발걸음이 내키질 않았다. 그는 마음의 정처를 잃어버렸던 때문이었다. 어느 결에 정 씨는 영달이와 똑같은 입장이 되어 버렸다.

기차는 눈발이 날리는 어두운 들판을 향해서 달려갔다.

---

① 비료 값도 안 나오는 농사 따위야
아예 여편네에게나 맡겨 두고
쇠전을 거쳐 도수장 앞에 와 돌 때
우리는 점점 신명이 난다.

② 발바닥이 다 닳아 새 살이 돋도록 우리는
우리의 땅을 밟을 수밖에 없는 일이다.
숨결이 다 타올라 새 숨결이 열리도록 우리는
우리의 하늘 밑을 서성일 수밖에 없는 일이다.

③ 성북동 산에 번지가 새로 생기면서
본래 살던 성북동 비둘기만이 번지가 없어졌다.
새벽부터 돌 깨는 산울림에 떨다가
가슴에 금이 갔다.

④ 저무는 섬진강을 따라가며 보라
어디 몇몇 애비 없는 후레자식들이
퍼 간다고 마를 강물인가를

난이도 상 ○ 하

TIP 출전: ① 신경림의 〈농무〉, ② 조태일의 〈국토 서시〉, ③ 김광섭의 〈성북동 비둘기〉, ④ 김용택의 〈섬진강 1〉

해설 제시문은 황석영의 〈삼포 가는 길〉 중 일부이다. ㉠에서 노인은 자연의 순리를 거스르는 급격한 산업화 과정 속에서 사람들의 마음도 황폐해 가는 세태를 근심하고 있다. ③ 역시 '돌 깨는 산울림'으로 표현되는 산업화와 도시 문명에 의해 비둘기의 삶의 터전이 상실되고 자연의 순수성이 파괴되는 현장을 고발하고 있다.

오답분석
① '산업화 - 도시화' 과정에서 소외되어가는 농민의 울분과 한을 담고 있다.
② 국토에 대한 헌신적 사랑과 새 역사의 도래를 소망을 노래한 작품이다.
④ 흐르는 섬진강의 호탕한 기세와 생명력을 통해, 어떠한 부정적 세력이 위협하더라도 훼손될 수 없는 민중의 소박한 삶과 생명력을 담고 있다.

정답 ③

작품정보 **황석영, 〈삼포 가는 길〉**	
갈래	단편 소설, 사실주의 소설, 여로형 소설
성격	사실적, 현실 비판적
배경	• **시간**: 1970년대의 겨울날 • **공간**: 공사장에서 삼포로 가는 길
시점	전지적 작가 시점
주제	산업화 과정에서 소외된 사람들의 애환과 연대 의식
특징	① '정 씨'가 고향을 찾아가는 여로를 중심으로 사건이 전개됨. ② 여운을 남기는 방식으로 결말을 처리함.
출전	《신동아》(1973)

| Unit 08 | **시점과 기술 방식** |

 출제 유형

• 작품의 시점과 기술 방식을 묻는 유형

 핵심정리

1. 소설의 시점과 인물의 제시 방법

구분	내면	외면
1인칭	1인칭 주인공 시점	1인칭 관찰자 시점
3인칭	전지적 작가 시점	3인칭 관찰자 시점
인물 제시	**직접 제시(telling 기법, 말하기 기법)** : 분석적, 요약적, 해설적 제시	**간접 제시(showing 기법, 보여 주기 기법)** : 극적 제시

2. 편집자적 논평

'편집자적 논평'은 '서술자의 개입'으로도 불러요! 엄격히 따지면, '서술자의 개입' 방식 중의 하나가 '편집자적 논평'이지만 시험장에서 문제를 풀 때에는 굳이 이 둘을 구별하지 않아도 괜찮아요.

작가가 소설의 서사 내용에 직접 간여하는 현상을 의미한다. 특히 3인칭 전지적 시점에서는 이 같은 현상이 많이 나타난다. 조선 시대의 고전 소설과 개화기 소설에 있어서는 이러한 현상이 심했다.

심화 Plus

• **의식의 흐름 기법** [15 경찰 2차]

인물이 겪은 일, 그 일을 통해 떠오르는 과거의 경험, 생각, 느낌 등을 떠오르는 그대로 써내려 가는 기법

100 ○○○○   2022 지역 인재 9급

다음 글에 대한 이해로 적절하지 않은 것은?

[앞부분 줄거리] 1930년대 서울, 지주이자 구두쇠인 윤 직원 영감은 손자들이 출세하여 가문을 빛내기를 바란다. 하지만 어느 날 일본 유학 중인 손자 종학이 경시청에 체포되었다는 전보를 받는다.

윤 직원 영감은 팔을 부르걷은 주먹으로 방바닥을 땅 치면서 성난 황소가 영각*을 하듯 고함을 지릅니다.

"화적패가 있너냐아? 부랑당 같은 수령(守令)들이 있더냐? …… 재산이 있대야 도적놈의 것이요, 목숨은 파리 목숨 같던 말세넌 다 지나가고오 ……. 자 부아라, 거리거리 순사요, 골골마다 공명한 정사(政事), 오죽이나 좋은 세상이여 ……. 남은 수십만 명 동병(動兵)*을 히여서, 우리 조선 놈 보호히여 주니, 오죽이나 고마운 세상이여? 으응 ……? 제 것 지니고 앉어서 편안허게 살 태평 세상, 이걸 태평천하라구 허는 것이여, 태평천하 ……! 그런디 이런 태평천하에 태어난 부자 놈의 자식이, 더군다나 왜 지가 떵떵거리구 편안허게 살 것이지, 어찌서 지가 세상 망쳐 놀 부랑당 패에 참섭을 헌담 말이여, 으응?"

땅 방바닥을 치면서 벌떡 일어섭니다. 그 몸짓이 어떻게도 요란스럽고 팔팔한지, 방금 발광이 되는가 싶습니다. 아닌 게 아니라 모여 선 가권*들은 방바닥 치는 소리에도 놀랐지만, 이 어른이 혹시 상성*이 되지나 않는가 하는 의구의 빛이 눈에 나타남을 가리지 못합니다.

"…… 착착 깎어 죽일 놈! …… 그놈을 내가 핀지히여서, 백 년 지녁을 살리라구 헐걸! 백 년 지녁 살리라구 헐 테여 ……. 오냐, 그놈을 삼천 석 거리는 직분[分財]히여 줄라구 히였더니, 오냐, 그놈 삼천 석 거리를 톡톡 팔어서, 경찰서으다가 사회주의 허는 놈 잡어 가두는 경찰서으다가 주어 버릴걸! 으응, 죽일 놈!"

– 채만식, <태평천하>

* 영각: 소가 길게 우는 소리
* 동병: 군사를 일으킴.
* 가권: 식구
* 상성: 본래의 성질을 잃어 버리고 전혀 다른 사람처럼 됨.

① '윤 직원'은 편협하고 이기적인 현실 인식을 보이고 있다.

② 서술자는 인물을 묘사하여 인물의 심리적 상태를 제시하고 있다.

③ '윤 직원'은 상속을 통해 가문을 유지하려고 했음을 밝히고 있다.

④ 서술자는 경어체를 사용하여 인물과의 심리적 거리를 가깝게 하고 있다.

난이도 상 ● 하

해설 '~입니다', '~습니다' 등의 경어체를 사용하여, 독자와의 거리를 좁히면서 작중 인물에 대한 풍자·조롱을 극대화하고 있다. 따라서 '인물'이 아닌 '독자'와의 심리적 거리를 가깝게 하고 있다고 해야 적절한 이해이다.

오답 분석

① '윤 직원'은 식민지 사회를 '태평천하'로 바라보는 왜곡된 가치관을 가지고 있는 것을 통해 알 수 있다.

② '윤 직원'의 묘사하여, 인물의 심리적 상태를 제시하고 있다.

③ 앞부분 줄거리 '1930년대 서울, 지주이자 구두쇠인 윤 직원 영감은 손자들이 출세하여 가문을 빛내기를 바란다.'를 볼 때, 적절한 이해이다.

정답 ④

작품정보 채만식, <태평천하>

갈래	중편 소설, 풍자 소설
성격	풍자적, 반어적
배경	• 시간: 1930년대 후반 • 공간: 서울의 어느 대지주 집안
시점	전지적 작가 시점
주제	일제 강점기 한 지주 집안의 세대 간 갈등과 이로 인한 가족의 붕괴
특징	① 비유, 과장, 반어, 희화화 등을 통해 대상을 격하하고 독자의 웃음을 유발함. ② 일제 강점기를 태평천하로 믿는 윤 직원을 통해 당시의 현실을 풍자함. ③ 경어체를 사용하여 판소리 창자(唱者)와 같은 효과를 냄.
출전	《조광》(1938)

---

101 ○○○○   2022 국회직 9급

다음 글에 대한 이해로 옳지 않은 것은?

이때에 빽빽 소리가 응아 소리로 변하였다. 개똥이가 물었던 젖을 빼어 놓고 운다. 운대도 온 얼굴을 찡그려 붙여서 운다는 표정을 할 뿐이다. 응아 소리도 입에서 나는 게 아니고 마치 뱃속에서 나는 듯하였다. 울다가 울다가 목도 잠겼고 또 올 기운조차 시진한 것 같다.

발로 차도 그 보람이 없는 걸 보자 남편은 아내의 머리맡으로 달려들어 그야말로 까치집 같은 환자의 머리를 꺼들어 흔들며,

"이년아, 말을 해, 말을! 입이 붙었어, 이 오라질 년!"

"……."

"으응, 이것 봐, 아무 말이 없네."

"……."

"이년아, 죽었단 말이냐, 왜 말이 없어."

"……."

"으응, 또 대답이 없네. 정말 죽었나버이."

이러다가 누운 이의 흰 창을 덮은, 위로 치뜬 눈을 알아보자마자,

"이 눈깔! 이 눈깔! 왜 나를 바라보지 못하고 천장만 보느냐, 응."

하는 말끝엔 목이 메었다. 그러자 산 사람의 눈에서 떨어진 닭의 똥 같은 눈물이 죽은 이의 뻣뻣한 얼굴을 어룽어룽 적시었다. 문득 김 첨지는 미친 듯이 제 얼굴을 죽은 이의 얼굴에 한데 비비대며 중얼거렸다.

"설렁탕을 사다 놓았는데 왜 먹지를 못하니, 왜 먹지를 못하니…… . 괴상하게도 오늘은! 운수가, 좋더니만…… ."

- 현진건, <운수 좋은 날>

① 반어적 기법이 나타난다.
② 대화를 통해 등장인물 간의 갈등이 해소되고 있다.
③ 비속어를 사용하여 인물의 삶을 사실적으로 그리고 있다.
④ 음성 상징어를 사용하여 표현의 효과를 높이고 있다.
⑤ '설렁탕'은 비극적 상황을 강조하는 소재이다.

난이도 ⓢ ○ ⓗ

해설 '김 첨지'가 '아내'를 향해 말을 하고는 있지만, '아내'는 대답이 없다. 사실상 독백이나 다름없다. 더구나 갈등이 해소되고 있지도 않다.

오답분석 ① 아내가 죽은 날이기 때문에, "오늘은! 운수가, 좋더니만…… ."에서 '운수가 좋은 날'은 반어적인 표현이다.
③ "이년아, 말을 해, 말을! 입이 붙었어, 이 오라질 년!"에서 비속어를 사용하여 당시 도시 하층민의 삶을 사실적으로 그리고 있다.
④ '이때에 빽빽 소리가 응아 소리로 변하였다.'의 '빽빽', '눈물이 죽은 이의 뻣뻣한 얼굴을 어룽어룽 적시었다'의 '어룽어룽'에서 음성 상징어를 사용하여 표현의 효과를 높이고 있다.
⑤ 중병을 앓고 있던 아내는 '설렁탕'을 먹어 보는 것이 소원이었다. '설렁탕'을 김 첨지가 사 온 날 아내는 죽음을 맞이한다는 점에서, '설렁탕'은 비극적 상황을 강조하는 소재이다.

정답 ②

작품정보 **현진건, <운수 좋은 날>**

갈래	단편 소설, 사실주의 소설
성격	사실적, 반어적, 비극적
배경	• 시간: 일제 강점하의 어느 비 오는 겨울날 • 공간: 서울 빈민가
시점	전지적 작가 시점(부분적으로 3인칭 관찰자 시점이 보임)
주제	일제 강점기 하층민의 비참한 생활상

다음 글에 대한 이해로 가장 적절한 것은?

암소의 뿔은 수소의 그것보다도 한층 더 겸허하다. 이 애상적인 뿔이 나를 받을 리 없으니 나는 마음 놓고 그 곁 풀밭에 가 누워도 좋다. 나는 누워서 우선 소를 본다.

소는 잠시 반추를 그치고 나를 응시한다.

'이 사람의 얼굴이 왜 이리 창백하냐. 아마 병인인가 보다. 내 생명에 위해를 가하려는 거나 아닌지 나는 조심해야되지.' 이렇게 소는 속으로 나를 심리하였으리라. 그러나 오 분 후에는 소는 다시 반추를 계속하였다. 소보다도 내가 마음을 놓는다.

소는 식욕의 즐거움조차를 냉대할 수 있는 지상 최대의 권태자다. 얼마나 권태에 지질렸길래 이미 위에 들어간 식물을 다시 게워 그 시큼털털한 반소화물의 미각을 역설적으로 향락하는 체해 보임이리오?

소의 체구가 크면 클수록 그의 권태도 크고 슬프다. 나는 소 앞에 누워 내 세균 같이 사소한 고독을 겸손하면서 나도 사색의 반추는 가능할는지 불가능할는지 몰래 좀 생각해 본다.

① 대상의 행위를 통해 글쓴이의 심리가 투사되고 있다.
② 과거의 삶을 회상하며 글쓴이의 처지를 후회하고 있다.
③ 공간의 이동을 통해 글쓴이의 무료함을 표현하고 있다.
④ 현실에 대한 글쓴이의 불만이 반성적 어조로 표출되고 있다.

난이도 ○ ⓜ ⓗ

해설 되새김질하는 '소'에 권태로운 '나'의 심리를 투사하고 있다. 따라서 대상의 행위를 통해 글쓴이의 심리가 투사되고 있다는 설명은 옳다.

오답분석 ② 과거의 삶을 회상하고 있지도 않고, 글쓴이 자신의 처지를 후회하고 있지도 않다.
③ 서술자인 '나'는 계속 '풀밭'에 있기 때문에 공간의 이동은 없다.
④ 반성적 어조가 쓰이지는 않았다.

정답 ①

작품정보 **이상, <권태>**

갈래	경수필
성격	지적, 초현실주의적
제재	여름날 벽촌에서의 생활
주제	일상적인 생활의 연속 속에서 느끼는 권태로움
특징	① 주관적이고 개성적으로 대상들을 바라봄. ② 다양한 대상들을 바라보는 서술자의 심리가 만연체의 문장으로 나열되고 있음.

이 글의 서술상 특징에 대한 설명으로 가장 적절한 것은?

"호오, 호오." 어린 마음에 할머니나 어머니의 입김이 와 닿기는 비단 다쳐서 아파할 때만이 아니었다. 화롯불에 파묻어 말랑말랑 익힌 감자나 밤을 꺼내 껍질을 벗겨 주시면서도 "호오, 호오." 입김을 불어 알맞게 식혀 주셨고, 끓는 국이나 찌개도 그렇게 식혀 주셨다. 먹고 싶은 걸 참느라 침을 꼴깍 삼키며 그분들의 입을 쳐다보면서도 어린 마음속엔 그분들에 대한 신뢰감이 싹텄었다.

어찌 상처나 뜨거운 먹을 것에만 그분들의 입김이 서렸을까? 그분들의 입김은 온 집안에 서렸었다. 학교 갔다가 집에 돌아왔을 때 간혹 어머니가 집에 안 계시면 나는 그것을 대문간에 들어서자마자 알아맞힐 수가 있었다. 집안 전체가 썰렁했다. 썰렁하다는 건 실제의 기온과는 상관없는 순전히 마음의 느낌이었고, 이 마음의 느낌은 한 번도 어긋난 적이 없었다. 학교에서 먹는 도시락에도 어머니의 입김은 서려 있었고, 입고 다니는 옷에도 어머니의 입김은 서려 있었다. 나는 그때 '다꾸앙'이나 달고 끈적끈적해 보이는 멸치볶음, 콩자반 등등 반찬 가게에서 파는 도시락 찬만 가지고 다니는 아이를 속으로 무척 불쌍하게 여기고 나중엔 경멸하는 마음까지 품었던 것이 지금까지 생각난다. 어머니의 입김이 들어가지 않은 걸 허구한 날 먹는 아이가 마치 헐벗은 아이처럼 보였던 것이다.

어린 날, 내가 누렸던 평화를 생각할 때마다 어린 날의 커다란 상처로부터 일용할 양식, 필요한 물건, 입고 다니던 옷, 그리고 식구들 사이, 집안 속 가득히 고루 스며있던 어머니의 입김, 그 따스한 숨결이 어제인 듯 되살아난다. 그것을 빼놓고 평화란 상상도 할 수 없다. 싸우지 않고 다투지 않고 슬퍼하지 않은 어린 날이 어디 있으랴. 다만 그런 일이 어머니의 입김 속에서 이루어졌기 때문에 행복과 평화로 회상되는 것이 아닐까?

그러고 보니 내 자식들이나 내 손자들이 훗날 그들의 어린 날을 어떻게 기억할지 문득 궁금하고 한편 조심스러워진다. 나보다는 내 자식들이, 내 자식들보다는 내 손자들이 따뜻한 입김의 덕을 덜 보고 자라는 게 아닌가 싶다. 하지만 그것이 부모의 허물만은 아니다. 요즘에는 아이들에게 필요한 모든 것이 구태여 입김을 거칠 필요 없이 대량으로 생산되기 때문이다. 아이들을 가르치는 법까지도 매스컴이나 그 밖의 정보를 통해 대량으로 전달되기 때문에 집집마다 대대로 물려오는 입김이 서린 가풍(家風)마저 소멸해가고 있다. 아이들은 어머니의 입김이 서리지 않은 음식을 먹고도 배부르고, 어머니의 입김이 서리지 않은 옷을 입고도 등이 따뜻하고 예쁘다.

다쳐서 피가 났을 때 입김보다는 충분한 소독과 적당한 약이 더 좋다는 것도 잘 알고 있다. 그러나 텔레비전과 냉장고 속에 먹을 것만 있다면 어머니의 입김이 서리지 않은 집에서도 허전한 걸 모르는 아이들이 많아져 가고 있다는 것은 문제가 아닐 수 없다. 그런 아이는 처음부터 입김이 주는 살아 있는 평화를 모르는 아이일지도 모르기 때문이다. 입김이란 곧 살아 있는 표시인 숨결이고 사랑이 아닐까? 싸우지 않고 미워하지 않고 심심해하지 않는 것이 평화가 아니라 그런 일이 입김 속에서, 즉 사랑 속에서 될 수 있는 대로 활발하게 일어나는 것이 평화가 아닐는지.

세상이 아무리 달라져도 사랑이 없는 곳에 평화가 있다는 것은 억지밖에 안 되리라. 숨결이 없는 곳에 생명이 있다면 억지인 것처럼.

- 박완서, 〈사랑의 입김〉

① 과거와 현재의 대비를 통해 주제 의식을 부각하고 있다.
② 내부의 이야기와 외부의 이야기를 반복적으로 교차하고 있다.
③ 공간적 배경을 구체적으로 묘사하여 인물의 성격 변화를 강조하고 있다.
④ 어린 시절의 경험을 바탕으로 인물 간의 갈등을 직접적으로 드러내고 있다.

난이도 상 ⑧ 하

해설 서술자의 과거인 '어린 시절'과 현재를 대비하여 '사랑의 가치와 중요성'이라는 주제를 부각하고 있다.

오답분석 ② 제시된 작품은 '액자식 구성'도 아니고, 이야기를 교차하고 있지도 않다.
※ 액자식 구성: 이야기 속에 또 하나의 이야기가 액자처럼 들어 있는 구성 방식이다. 즉 외부 이야기 속에 내부 이야기가 들어 있는 형태로, 외부 이야기가 일종의 액자의 역할을 하고 내부 이야기가 사건의 중심이 된다.
③ 공간적 배경을 구체적으로 묘사하지도 않았고, 인물의 성격 변화를 강조하고 있지도 않다.
④ 어린 시절의 경험을 바탕으로 '사랑의 가치와 중요성'이라는 주제를 드러내고 있을 뿐, 인물 간의 갈등을 직접적으로 드러내고 있지는 않다.

정답 ①

작품정보 박완서, 〈사랑의 입김〉

갈래	경수필
성격	회상적, 비판적, 비유적
제재	입김
주제	사랑의 가치와 중요성
특징	① 글쓴이의 어린 시절과 오늘날 가정의 모습을 대조적으로 제시하고 있음. ② 설의적 표현을 활용하여 글쓴이의 생각을 강조하고 있음.
출전	《아름다운 것은 무엇을 남길까》(2000)

다음 글에 대한 이해로 적절하지 않은 것은?

> 우리 장인님은 약이 오르면 이렇게 손버릇이 아주 못됐다. 또 사위에게 이 자식 저 자식 하는 이놈의 장인님은 어디 있느냐. 오죽해야 우리 동리에서 누굴 물론하고 그에게 욕을 안 먹는 사람은 명이 짜르다 한다. 조그만 아이들까지도 그를 돌아세 놓고 욕필이(본 이름이 봉필이니까), 욕필이, 하고 손가락질을 할 만치 두루 인심을 잃었나. 하나 인심을 정말 잃었다면 욕보다 읍의 배참봉 댁 마름으로 더 잃었다. 번이 마름이란 욕 잘 하고 사람 잘 치고 그리고 생김 생기길 호박개 같아야 쓰는 거지만 장인님은 외양에 똑 됐다. 장인께 닭 마리나 좀 보내지 않는다든가 애벌논 때 품을 좀 안 준다든가 하면 그해 가을에는 영락없이 땅이 뚝뚝 떨어진다. 그러면 미리부터 돈도 먹이고 술도 먹이고 안달재신으로 돌아치던 놈이 그 땅을 슬쩍 돌아앉는다.
>
> — 김유정, 〈봄봄〉

① 마름의 특성을 동물의 외양에 빗대어 낮잡아 표현했다.

② 비속어와 존칭어를 혼용하여 해학적 표현을 구사했다.

③ 여러 정황을 거론하며 장인의 됨됨이가 마땅치 않음을 드러냈다.

④ 장인과 소작인들 사이의 뒷거래 장면을 생생하게 묘사하여 제시했다.

난이도 ⑤ ○ ⑥

해설 '마름'인 장인이 미리부터 돈도 먹이고 술도 먹이고 하던 사람에게 소작을 준다는 내용(장인과 소작인들 사이의 뒷거래)이 "미리부터 돈도 먹이고 술도 먹이고 안달재신으로 돌아치던 놈이 그 땅을 슬쩍 돌아앉는다."라는 '나'의 서술에 나와 있기는 하지만(telling, 말하기), 이를 생생하게 묘사(showing, 보여주기)하여 제시하고 있지는 않다. 따라서 장인과 소작인들 사이의 뒷거래 장면을 생생하게 묘사하여 제시했다는 ④의 이해는 적절하지 않다.

**오답
분석**
① "번이 마름이란 욕 잘 하고 사람 잘 치고 그리고 생김 생기길 호박개 같아야 쓰는 거지만 장인님은 외양에 똑 됐다." 부분에서 '마름'의 특성을 '호박개'에 빗대어 낮잡아 표현하고 있다.

※ 호박개: 뼈대가 굵고 털이 북슬북슬한 개

② "이놈의 장인님" 부분에서 '놈'이라는 비속어와 '님'이라는 존칭어를 혼용하여 사용하고 있다. 이 부분을 통하여 해학적 표현이 구사되었음을 알 수 있다.

③ 손버릇이 못된 점, 욕을 하는 점, 마름이라는 지위를 이용하여 재물을 착취하는 점 등의 여러 정황을 거론하며 장인의 됨됨이가 마땅치 않음을 드러내고 있다.

정답 ④

작품정보	김유정, 〈봄봄〉
갈래	단편 소설, 농촌 소설, 순수 소설
성격	향토적, 해학적
배경	• 시간: 1930년대 • 공간: 강원도 농촌마을
시점	1인칭 주인공 시점
주제	우직하고 순박한 데릴사위와 그를 이용하는 교활한 장인 간의 갈등
특징	① 시간과 사건의 서술을 역순행적으로 구성함 ② 토속어, 방언, 비속어 등을 사용하여 향토성과 현장감을 느낄 수 있음.

다음 글에 대한 설명으로 가장 적절한 것은?

> 나는 이때 온몸으로, 그리고 마음속으로 절절히 느끼게 되었다. 집착이 괴로움인 것을. 그렇다. 나는 난초에게 너무 집념해 버린 것이다. 이 집착에서 벗어나야겠다고 결심했다. 난을 가꾸면서는 산철에도 나그넷길을 떠나지 못한 채 꼼짝을 못 했다. 밖에 볼일이 있어 잠시 방을 비울 때면 환기가 되도록 들창문을 열어 놓아야 했고, 분(盆)을 내놓은 채 나가다가 뒤미처 생각하고는 되돌아 와 들여놓고 나간 적도 한두 번이 아니었다.
>
> 우리들의 소유 관념이 때로는 우리들의 눈을 멀게 한다. 그래서 자기의 분수까지도 돌볼 새 없이 들뜬다. 그러나 우리는 언젠가 한 번은 빈손으로 돌아갈 것이다. 내 이 육신마저 버리고 홀홀히 떠나갈 것이다. 하고많은 물량일지라도 우리를 어떻게 하지 못할 것이다.
>
> 크게 버리는 사람만이 크게 얻을 수 있다는 말이 있다. 물건으로 인해 마음을 상하고 있는 사람들에게는 한번쯤 생각해 볼 말씀이다. 아무것도 갖지 않을 때 비로소 온 세상을 갖게 된다는 것은 무소유의 역리(逆理)이니까.
>
> － 법정, 〈무소유〉

① 역설과 예시를 사용해 주제를 강조하고 있다.

② 전문적인 지식을 통해 논증을 뒷받침하고 있다.

③ 난초를 의인화하여 소유의 가치를 깨우치고 있다.

④ 단호한 어조로 독자의 반성을 촉구하고 있다.

난이도 상 ● 하

작품정보	**법정, 〈무소유〉**
갈래	경수필
성격	사색적, 체험적, 교훈적
제재	난과 관련된 생활 체험
주제	진정한 자유와 무소유의 의미
특징	① 고백적인 말하기로 자신의 체험을 서술함. ② 역설적인 표현을 통해 진리를 전달함.

해설

역설	"크게 버리는 사람만이 크게 얻을 수 있다."와 "아무것도 갖지 않을 때 비로소 온 세상을 갖게 된다."에서 '역설'을 사용하였다. ※ 역설은 모순되기는 하지만, 그 속에 중요한 진리가 함축되어 있다.
예시	난과 관련된 자신의 생활 체험을 '예시'로 들고 있다.

제시된 작품은 ①의 설명처럼 '역설'과 '예시'를 통해 '무소유의 의미, 소유에서 벗어난 삶의 자세'라는 주제를 강조하고 있다는 설명은 옳다.

오답 분석

② 전문적인 지식이 아니라 '자신의 체험'을 통해 논증을 뒷받침하고 있다.

③ 난초를 의인화하지 않았다. 또 '소유'가 아니라 '무소유'의 가치를 깨우치고 있는 글이다.

④ 고백적 어조를 사용하여 독자에게 깨달음을 주고 있다. 제시된 글에서는 단호한 어조를 사용한 부분과, 독자의 반성을 촉구한 부분은 찾을 수 없다. 필자 본인의 반성만 나타날 뿐이며, "크게 버리는 사람만이 ~ 생각해 볼 말씀이다."를 통해 간접적으로(돌려서) 언급하고 있다.

정답 ①

다음 글에 나타난 서술자에 대한 설명으로 가장 옳은 것은?

> 내 이상과 계획은 이렇거든요.
>
> 우리집 다이쇼*가 나를 자별히 귀애하고 신용을 하니까 인제 한 십 년만 더 있으면 한밑천 들여서 따로 장사를 시켜 줄 그런 눈치거든요.
>
> 그러거들랑 그것을 언덕삼아 가지고 나는 삼십 년 동안 예순 살 환갑(還甲)까지만 장사를 해서 꼭 십만 원을 모을 작정이지요. 십만 원이면 죄선* 부자로 쳐도 천석꾼이니, 뭐 떵떵거리고 살 게 아니라구요?
>
> 그리고 우리 다이쇼도 한 말이 있고 하니까, 나는 내지인* 규수한테로 장가를 들래요. 다이쇼가 다 알아서 얌전한 자리를 골라 중매까지 서준다고 그랬어요. 내지 여자가 참 좋지요.
>
> 나는 죄선 여자는 거저 주어도 싫어요.
>
> 구식 여자는 얌전은 해도 무식해서 내지인하고 교제하는 데 안 됐고, 신식 여자는 식자나 들었다는 게 건방져서 못쓰고, 도무지 그래서 죄선 여자는 신식이고 구식이고 다 세 바리여요.
>
> 내지 여자가 참 좋지 뭐. 인물이 개개 일자로 이쁘겠다, 얌전하겠다, 상냥하겠다, 지식이 있어도 건방지지 않겠다, 좀이나 좋아!
>
> 그리고 내지 여자한테 장가만 드는 게 아니라 성명도 내지인 성명으로 갈고 집도 내지인 집에서 살고 옷도 내지 옷을 입고 밥도 내지식으로 먹고 아이들도 내지인 이름을 지어서 내지인 학교에 보내고……
>
> 내지인 학교라야지 죄선 학교는 너절해서 아이들 버려 놓기나 꼭 알맞지요.
>
> 그리고 나도 죄선말은 싹 걷어치우고 국어만 쓰고요.
>
> 이렇게 다 생활법식부터도 내지인처럼 해야만 돈도 내지인처럼 잘 모으게 되거든요.
>
> * 다이쇼: 주인
> * 죄선: 조선
> * 내지인: 일본인

① 서술자가 내지인을 비판함으로써 자기 주장을 강화하고 있다.

② 서술자가 전지적 존재로서 인물과 사건을 모두 조망할 수 있다.

③ 서술자가 작품 속에 등장하는 다른 인물의 내면을 추리하고 있다.

④ 서술자가 신뢰할 수 없는 존재로서, 독자로 하여금 서술자를 비판적으로 바라보게 한다.

해설   서술자 '나'는 내지인 여자와 결혼하여 내지인처럼 살고 싶어 한다. 당시 시대상을 비춰봤을 때 '나'는 역사의식이라곤 조금도 없는 인물로 비판을 받아 마땅한 인물이다. 즉 '나'가 자신의 주장을 내세울수록 독자는 '나'를 더욱 신뢰할 수 없는 인물로 단정하게 되고, 그 희화성도 더 강화된다. 그러므로 ④의 진술은 적절하다.

오답분석

① 서술자는 내지인 여자와 결혼하여 내지인처럼 살고자 한다. 따라서 서술자가 '내지인(일본인)'을 비판하고 있다는 진술은 적절하지 않다.

② 서술자는 전지적 존재가 아니라, 작품 속에 등장하는 인물이다. 따라서 전지적 존재로서 인물과 사건을 모두 조망할 수 있다는 설명은 적절하지 않다. 제시된 작품은 '1인칭 관찰자 시점'에 해당한다.

③ 제시된 부분에서는 자신에 대해서만 이야기하고 있기 때문에 적절하지 않은 진술이다.

정답 ④

작품정보 채만식, 〈치숙〉

갈래	단편 소설, 풍자 소설
성격	풍자적, 비판적
배경	• 시간: 일제 강점기 • 공간: 서울
시점	1인칭 관찰자 시점
주제	일제 식민 통치에 순응하려는 '나'와 사회주의 사상을 가진 아저씨의 갈등
특징	① 신빙성 없는 서술자를 통해 현실을 이중적으로 풍자함. ② 대화적 문체를 통해 '나'와 '아저씨'의 가치관을 비교함.
출전	《동아일보》(1938)

다음 작품에 대한 설명으로 가장 적절한 것은?

> 그 녀석은 박 씨 앞에 삿대질을 하듯이 또 거센 소리를 질렀다. 검초록색 잠바에 통이 좁은 깜장색 바지 차림의 서른 남짓 되어 보이는 사내였다. 짧게 깎은 앞머리가 가지런히 일어 서 있고 손에는 올이 굵은 깜장 모자를 들었다. 칼칼하게 야윈 몸매지만 서슬이 선 눈매를 지녔고, 하관이 빠르고 얼굴색도 까무잡잡하다. 앞니에 금니 두 개를 해 박았다. 구두가 인상적으로 싸늘하게 생겼다. 구둣방에 진열되어 있는 구두는 구두에 불과하지만 일단 사람의 발에 신기면 구두도 그 주인의 위인과 더불어 주인을 닮아 가게 마련이다. 끝이 뾰족하고 반들반들 윤기를 내고 있다.
>
> 헤프고 사근사근하고, 무르고, 게다가 병역 기피자인 박 씨는 대번에 꺼칠한 얼굴이 되었다. 처음부터 나오는 것이 예사 손님 같지는 않다.
>
> "글쎄, 앉으십쇼, 빨리 해 드릴 테니."
> "얼마나 빨리 되어? 몇 분에 될 수 있소?"
> "허어, 이 양반이 참 급하기도."
> "뭐? 이 양반? 얻다 대구 반말이야? 말 조심해."
>
> 앉았던 손님 두엇이 거울 속에서 힐끗 쳐다보았다. 그리고 거울 속에서 눈길이 부딪힐 듯하자 급하게 외면을 하였다. 세발대의 두 소년도 우르르 머리들을 이편으로 내밀고 구경을 하고 손이 빈 민 씨와 김 씨도 구석 쪽 빈 이발 의자에 앉아 묵은 신문을 보다가 말고 몸체만을 엉거주춤히 돌렸다.
>
> — 이호철, 〈1965년, 어느 이발소에서〉

① 개인과 사회의 갈등을 중심으로 사건이 전개되고 있다.

② 외모와 말투를 통해서 등장인물의 성격이 드러나고 있다.

③ 초점이 되는 인물의 내면 심리를 중심으로 서술되고 있다.

④ 등장인물 중의 하나인 서술자가 자신의 관점에서 상황을 서술하고 있다.

난이도 상 ○ 하

해설 제시된 부분은 '외양 묘사, 대화, 행동'을 통해 등장인물을 소개하는 '간접 제시 방법(showing 기법, 보여 주기 기법)'으로 인물을 보여 주고 있다. '그 녀석, 사내'는 '마르고, 서슬이 선 눈매, 빠른 하관, 까무잡잡한 얼굴'과 '거침없는 말투'를 지녀 '예사롭지 않은 인물'로, '박 씨'는 '헤프고(말이나 행동 따위를 삼가거나 아끼는 데가 없이 마구 하는 듯하고), 사근사근하고(생김새나 성품이 상냥하고 시원스럽고)' 사내를 대하는 말투에 '어려움이 묻어 있는' 인물로 나타나고 있다. 따라서 ②의 설명이 적절하다.

오답 분석 ① 제시된 부분은 '사내'와 '박 씨'의 갈등, 즉 '인물과 인물의 갈등'이 나타나고 있다.

③ 인물의 내면 심리를 중심으로 제시하는 방법은 '직접 제시 방법(telling 기법, 말하기 기법)'으로 제시된 부분에서는 나타나고 있지 않다.

④ 주어진 부분은 외면만 주로 나타난 '관찰자 시점'으로 내면이 제시되는 '주인공 시점'으로 볼 수 없다. 제시된 부분만 본다면 3인칭 관찰자 시점에 해당한다.

정답 ②

작품정보	이호철, 〈1965년, 어느 이발소에서〉
갈래	단편 소설
성격	비판적, 풍자적
배경	• 시간: 1960년대 • 공간: 어느 이발소 안
시점	전지적 작가 시점
주제	부조리한 사회의 부당한 권력과 이에 당당하게 맞서지 못하는 소시민들의 비굴함 비판
특징	① 인물의 외양 묘사를 통해 성격을 표현함. ② 권력 앞에서 두려워하는 소시민의 모습과 부정한 무리의 횡행에 대한 경계와 비판이 드러남.

시점과 기술 방식	고전 문학	작품의 시점과 기술 방식을 묻는 유형

작품정보	작자 미상, <춘향전>	
갈래	판소리계 소설, 염정 소설	
성격	해학적, 풍자적, 평민적	
배경	• **시간**: 조선 숙종 때 • **공간**: 전라도 남원	
시점	전지적 작가 시점	
제재	춘향의 정절	
주제	① 신분을 초월한 남녀 간의 사랑 ② 불의한 지배 계층에 대한 서민의 항거 ③ 신분적 갈등의 극복을 통한 인간 해방	
특징	① 해학과 풍자에 의한 골계미가 나타남. ② 서술자의 편집자적 논평이 자주 드러남. ③ 판소리의 영향으로 운문체와 산문체가 혼합됨.	

108 ○○○ 2023 지방직 9급

다음 글을 이해한 내용으로 적절하지 않은 것은?

> 매우 치라 소리 맞춰, 넓은 골에 벼락치듯 후리쳐 딱 붙이니, 춘향이 정신이 아득하여, "애고 이것이 웬일인가?" 일자(一字)로 운을 달아 우는 말이, "일편단심 춘향이 일정지심 먹은 마음 일부종사 하겠더니 일신난처 이 몸인들 일각인들 변하리까? 일월 같은 맑은 절개 이리 힘들게 말으시오."
>
> "매우 치라." "꽤 때리오." 또 하나 딱 부치니, "애고." 이자(二字)로 우는구나. "이부불경 이내 마음 이군불사의 무엇이 다르리까? 이 몸이 죽더라도 이도령은 못 잊겠소. 이 몸이 이러한들 이 소식을 누가 전할까? 이왕 이리 되었으니 이 자리에서 죽여 주오."
>
> "매우 치라." "꽤 때리오." 또 하나 딱 부치니, "애고." 삼자(三字)로 우는구나. "삼청동 도련님과 삼생연분 맺었는데 삼강을 버리라 하소? 삼척동자 아는 일을 이내 몸이 조각조각 찢겨져도 삼종지도 중한 법을 삼생에 버리리까? 삼월삼일 제비같이 훨훨 날아 삼십삼천 올라가서 삼태성께 하소연할까? 애고애고 서러운지고."
>
> – 작자 미상, <춘향전>

① 동일한 글자를 반복함으로써 리듬감을 조성하고 있다.

② 숫자를 활용하여 주인공이 처한 상황을 제시하고 있다.

③ 등장인물 간의 대화를 통해 주인공의 내적 갈등이 해결되고 있다.

④ 유교적 가치를 담고 있는 말을 활용하여 주인공의 의지를 드러내고 있다.

난이도 ⑧ ○ ⑨

[해설] 제시된 대화를 볼 때, 정절을 지키고자 하는 '춘향'과 그것을 꺾고자 하는 인물 간의 갈등이 드러난다. 춘향은 계속되는 매질에도 자신의 의지를 꺾고 있지 않다. 따라서 대화를 통해 내적 갈등이 해결되고 있다는 이해는 적절하지 않다.

오답분석 ① '매우 치라', '애고' 등의 동일한 글자를 반복함으로써 리듬감을 조성하고 있다.

② '일자(一字)', '이자(二字)', '삼자(三字)'처럼 숫자를 활용하여 주인공인 '춘향'이 처한 상황을 제시하고 있다.

④ '일편단심(一片丹心)', '일부종사(一夫從事)'처럼 유교적 가치를 담고 있는 말을 활용하여, 절개를 꺾지 않겠다는 주인공인 '춘향'의 의지를 드러내고 있다.

정답 ③

'수오재(守吾齋)*'라는 이름은 큰형님이 자기 집에 붙인 이름이다. 나는 처음에 이 이름을 듣고 이상하게 생각했다.

"나와 굳게 맺어져 있어 서로 떨어질 수 없는 사물 가운데 나[吾]보다 더 절실한 것은 없다. 그러니 굳이 지키지 않아도 어디로 가겠는가. 이상한 이름이다."

내가 장기로 귀양 온 뒤에 혼자 지내면서 곰곰이 생각해 보다가, 하루는 갑자기 이 의문점에 대해 해답을 얻게 되었다. 나는 벌떡 일어나서 말했다.

"천하 만물 가운데 지킬 것은 하나도 없지만, 오직 나[吾]만은 지켜야 한다. 내 밭을 지고 달아날 자가 있는가. 밭은 지킬 필요가 없다. 내 집을 지고 달아날 자가 있는가. 집도 지킬 필요가 없다. 내 정원의 여러 가지 꽃나무나 과일나무들을 뽑아 갈 자가 있는가. 그 뿌리는 땅속에 깊이 박혔다. 내 책을 훔쳐 없앨 자가 있는가. 성현의 경전이 세상에 퍼져 물이나 불처럼 흔한데, 누가 감히 없앨 수 있겠는가. 내 옷이나 양식을 훔쳐서 나를 옹색하게 하겠는가. 천하에 있는 실이 모두 내가 입을 옷이며, 천하에 있는 곡식이 모두 내가 먹을 양식이다. 도둑이 비록 훔쳐 간대야 한두 개에 지나지 않을 테니, 천하의 모든 옷과 곡식을 없앨 수 있겠는가. 그러니 천하 만물은 모두 지킬 필요가 없다.

그런데 오직 ㉠나[吾]라는 것만은 잘 달아나서, 드나드는데 일정한 법칙이 없다. 아주 친밀하게 붙어 있어서 서로 배반하지 못할 것 같다가도, 잠시 살피지 않으면 어디든지 못 가는 곳이 없다. 이익으로 꾀면 떠나가고, 위험과 재앙이 접을 주어도 떠나간다. 마음을 울리는 아름다운 음악 소리만 들어도 떠나가며, 눈썹이 새까맣고 이가 하얀 미인의 요염한 모습만 보아도 떠나간다. 한 번 가면 돌아올 줄을 몰라서, 붙잡아 만류할 수가 없다. 그러니 천하에 나[吾]보다 더 잃어버리기 쉬운 것은 없다. 어찌 실과 끈으로 묶고 빗장과 자물쇠로 잠가서 나를 굳게 지키지 않겠는가."

나는 나를 잘못 간직했다가 잃어버렸던 자다. 어렸을 때 과거가 좋게 보여서, 10년 동안이나 과거 공부에 빠져들었다. 그러다가 결국 처지가 바뀌어 조정에 나아가 검은 사모관대*에 비단 도포를 입고, 12년 동안이나 대낮에 미친 듯이 큰길을 뛰어다녔다. 그러다가 또 처지가 바뀌어 한강을 건너고 문경 새재를 넘게 되었다. 친척과 조상의 무덤을 버리고 곧바로 아득한 바닷가의 대나무 숲에 달려와서야 멈추게 되었다. 이때에는 나[吾]에게 물었다.

"너는 무엇 때문에 여기까지 왔느냐? 여우나 도깨비에게 홀려서 끌려왔느냐? 아니면 바다 귀신이 불러서 왔는가? 네 가정과 고향이 모두 초천에 있는데, 왜 그 본바닥으로 돌아가지 않느냐?"

그러나 나[吾]는 끝내 멍하니 움직이지 않으며 돌아갈 줄을 몰랐다. 얼굴빛을 보니 마치 얽매인 곳에 있어서 돌아가고 싶어도 돌아가지 못하는 것 같았다. 그래서 결국 붙잡아 이곳에 함께 머물렀다. 이때 둘째 형님도 나[吾]를 잃고 나를 쫓아 남해 지방으로 왔는데, 역시 나[吾]를 붙잡아서 그곳에 함께 머물렀다.

오직 내 큰형님만 나[吾]를 잃지 않고 편안히 단정하게 수오재에 앉아 계시니, 본디부터 지키는 것이 있어서 나[吾]를 잃지 않았기 때문이 아니겠는가. 이게 바로 큰형님이 그 거실에 수오재라고 이름 붙인 까닭일 것이다.

큰형님은 언제나 말씀하셨다.

"아버님께서 내게 태현(太玄)이라고 자를 지어 주셔서, 나는 오로지 내 태현을 지키려고 했다네. 그래서 내 거실에다가 그렇게 이름을 붙인 거지."

하지만 이것은 핑계다. 맹자가 말씀하시기를 "무엇을 지키는 것이 큰가? 몸을 지키는 것이 크다."라고 했으니, 이 말씀이 진실이다. 내가 스스로 말한 내용을 써서 큰형님께 보이고, 수오재의 기로 삼는다.

- 정약용, <수오재기>

* 수오재: 나를 지키는 집
* 사모관대: 벼슬아치의 예복

109 ○○○

윗글을 이해한 내용으로 가장 적절하지 않은 것은?

① '큰형님'은 자신의 집 거실에 직접 '수오재'라는 이름을 붙였다.

② '나'는 과거에 급제하여 관직에 나아가 10년 이상 나랏일을 했다.

③ '나'는 '수오재'에 대해 생긴 의문에 대한 해답을 장기에 와서 얻는다.

④ '둘째 형님'은 '나'와 마찬가지로 귀양을 왔으나, 깨달음을 얻지 못했다.

난이도 상 ○ 하

해설 "이때 둘째 형님도 나[吾]를 잃고 나를 쫓아 남해 지방으로 오는데, 역시 나[吾]를 붙잡아서 그곳에 함께 머물렀다."를 볼 때, 적절하지 않은 이해이다.

오답 분석 ① "'수오재(守吾齋)'라는 이름은 큰형님이 자기 집에 붙인 이름이다."를 통해 알 수 있다.

② "그러다가 결국 처지가 바뀌어 조정에 나아가 검은 사모관대에 비단 도포를 입고, 12년 동안이나 대낮에 미친 듯이 큰길을 뛰어다녔다."를 통해 알 수 있다.

③ "'수오재(守吾齋)'라는 이름은 큰형님이 자기 집에 붙인 이름이다. 나는 처음에 이 이름을 듣고 이상하게 생각했다. ~ 내가 장기로 귀양 온 뒤에 혼자 지내면서 곰곰이 생각해 보다가, 하루는 갑자기 이 의문점에 대해 해답을 얻게 되었다."를 통해 알 수 있다.

정답 ④

㉠에 대한 설명으로 가장 적절한 것은?

① 누가 훔쳐 가기 쉬운 밭과 달리, 스스로 달아나기를 잘한다.

② 나를 옹색하게 만드는 옷과 달리, 유혹에 쉽게 떠나가지 않는다.

③ 널리 퍼져 없애기 어려운 책과 달리, 살피지 않으면 금세 달아난다.

④ 누군가 가져가면 돌아오시 잖는 양식과 달리, 띠났더기도 곧 돌아온다.

난이도 ⑧ ○ ⑨

해설 "성현의 경전이 세상에 퍼져 물이나 불처럼 흔한데, 누가 감히 없앨 수 있겠는가~ 그런데 오직 나[吾]'라는 것만은 ~ 잠시 살피지 않으면 어디든지 못 가는 곳이 없다." 부분을 통해 알 수 있다.

오답 분석
① "내 밭을 지고 달아날 자가 있는가. 밭은 지킬 필요가 없다."를 볼 때, 적절하지 않은 설명이다.

②, ④ "내 옷이나 양식을 훔쳐서 나를 옹색하게 하겠는가. 천하에 있는 실이 모두 내가 입을 옷이며, 천하에 있는 곡식이 모두 내가 먹을 양식이다. 도둑이 비록 훔쳐 간대야 한두 개에 지나지 않을 테니, 천하의 모든 옷과 곡식을 없앨 수 있겠는가. 그러니 천하 만물은 모두 지킬 필요가 없다."를 볼 때, 적절하지 않은 설명이다.

정답 ③

작품정보 **정약용, <수오재기>**

갈래	한문 수필, 기(記)
성격	반성적, 회고적, 교훈적, 자경적(自警的)
제재	'수오재'라는 집의 이름
주제	본질적 자아를 지키는 것의 중요함.
특징	① 자문자답을 통해 사물의 의미를 도출함. ② 의문에서 출발하여 깨달음을 얻는 과정을 드러냄으로써 독자의 공감을 유도함.
출전	《여유당전서(與猶堂全書)》

다음 중 아래 글에 대한 이해로 가장 적절하지 않은 것은?

어떤 사람은 이곳이 옛 전쟁터였기 때문에 물소리가 그렇다고 말하나 그래서가 아니라 물소리는 듣기 여하에 달린 것이다.

나의 집이 있는 산속 바로 문 앞에 큰 내가 있다. 해마다 여름철 폭우가 한바탕 지나가고 나면 냇물이 갑자기 불어나 늘 수레와 말, 대포와 북의 소리를 듣게 되어 마침내 귀에 못이 박힐 정도가 되어 버렸다.

나는 문을 닫고 드러누워 그 냇물 소리를 구별해서 들어본 적이 있었다. 깊숙한 솔숲에서 울려 나오는 솔바람 같은 소리, 이 소리는 청아하게 들린다. 산이 찢어지고 언덕이 무너지는 듯한 소리, 이 소리는 격분해 있는 것처럼 들린다. 뭇 개구리들이 다투어 우는 듯한 소리, 이 소리는 교만한 것처럼 들린다. 수많은 축(筑)이 번갈아 울리는 듯한 소리, 이 소리는 노기에 차 있는 것처럼 들린다. 별안간 떨어지는 천둥 같은 소리, 이 소리는 놀란 듯이 들린다. 약하기도 세기도 한 불에 찻물이 끓는 듯한 소리, 이 소리는 분위기 있게 들린다. 거문고가 궁조(宮調) · 우조(羽調)로 울려 나오는 듯한 소리, 이 소리는 슬픔에 젖어 있는 듯이 들린다. 종이 바른 창문에 바람이 우는 듯한 소리, 이 소리는 회의(懷疑)스러운 듯 들린다. 그러나 이 모두가 똑바로 듣지 못한 것이다. 단지 마음속에 품은 뜻이 귀로 소리를 받아들여 만들어 낸 것일 따름이다.

- 박지원, <일야구도하기>

① 직유와 은유를 활용하여 대상을 묘사하였다.
② 세심한 관찰을 통해 사물의 본질을 이해할 수 있음을 역설하였다.
③ 일상에서의 경험을 자기 생각의 근거로 제시하였다.
④ 다른 이의 생각을 반박하기 위하여 서술하였다.

난이도 ④ ○ ④

[해설] 글쓴이의 생각은 글의 마지막 부분 "그러나 이 모두가 똑바로 듣지 못한 것이다. 단지 마음속에 품은 뜻이 귀로 소리를 받아들여 만들어 낸 것일 따름이다."에 드러난다. 이를 볼 때, 글쓴이는 외물, 즉 관찰을 통한 인식에 현혹될 수 있다고 말하면서, 외물에 현혹되지 않는 삶의 자세를 강조하고 있다.

[오답 분석]
① 2문단에서 '물소리'를 '수레와 말의 소리', '대포와 북의 소리'에 빗대고 있다. 따라서 '은유법'을 확인할 수 있다. 3문단에서 물소리를 직접 빗대고 있기 때문에 '직유법'이 쓰였다.
③ 글쓴이는 자신의 구체적인 경험을 바탕으로 결론을 이끌어내고 있다.
④ 1문단의 "어떤 사람은 이곳이 옛 전쟁터였기 때문에 물소리가 그렇다고 말하나 그래서가 아니라 물소리는 듣기 여하에 달린 것이다."에서 다른 이의 생각을 반박하고 있다.

[정답] ②

작품정보 박지원, <일야구도하기>

갈래	한문 수필, 기행 수필
성격	체험적, 사색적, 분석적, 교훈적
제재	하룻밤에 아홉 번 강을 건넌 체험
주제	① 외물(外物)에 현혹되지 않는 삶의 자세 ② 이목(耳目)에 구애됨이 없는 초연한 마음 ③ 마음을 다스리는 일의 중요성
특징	① 구체적인 경험을 바탕으로 자연스럽게 결론을 이끌어 냄. ② 치밀하고 예리한 관찰력으로 사물의 본질을 꿰뚫어 봄.
연대	조선 영조 때
출전	《열하일기(熱河日記)》 중 '심세편(審勢篇)'

다음 글에 대한 설명으로 가장 적절한 것은?

> 집에 오래 지탱할 수 없이 퇴락한 행랑채 세 칸이 있어서 나는 부득이 그것을 모두 수리하게 되었다. 이때 그중 두 칸은 비가 샌 지 오래되었는데, 나는 그것을 알고도 어물어물하다가 미처 수리하지 못하였고, 다른 한 칸은 한 번밖에 비를 맞지 않았기 때문에 급히 기와를 갈게 하였다.
>
> 그런데 수리하고 보니, 비가 샌 지 오래된 것은 서까래·추녀·기둥·들보가 모두 썩어서 못 쓰게 되었으므로 경비가 많이 들었고, 한 번밖에 비를 맞지 않은 것은 재목들이 모두 완전하여 다시 쓸 수 있었기 때문에 경비가 적게 들었다.
>
> 나는 여기에서 이렇게 생각한다. 사람의 몸도 역시 마찬가지다. 잘못을 알고서도 곧 고치지 않으면 몸이 패망하는 것이 나무가 썩어서 못 쓰게 되는 이상으로 될 것이고, 잘못이 있더라도 고치기를 꺼려하지 않으면 다시 좋은 사람이 되는 것이 집 재목이 다시 쓰일 수 있는 이상으로 될 것이다.
>
> 이뿐만 아니라, 나라의 정사도 이와 마찬가지다. 모든 일에서, 백성에게 심한 해가 될 것을 머뭇거리고 개혁하지 않다가, 백성이 못살게 되고 나라가 위태하게 된 뒤에 갑자기 변경하려 하면, 곧 붙잡아 일으키기가 어렵다. 삼가지 않을 수 있겠는가?
>
> — 이규보, 〈이옥설(理屋說)〉

① 시간의 순서에 따라 사건의 추이를 서술하고 있다.

② 일상의 경험으로부터 깨달음을 확장해 나가고 있다.

③ 특정한 현상을 일으킨 다양한 원인을 제시하고 있다.

④ 상반되는 세 가지 경험을 제시하고, 차이점을 분석하고 있다.

난이도 ○ ❸ ❺

[해설] 제시된 작품은 퇴락한 행랑채를 수리한 경험에서 얻은 깨달음을 인간의 삶과 정치 현실에 적용한 교훈적 수필이다.

[오답분석] ① '경험' 부분에 시간 순서에 따른 전개가 나타난다. 그러나 '깨달음' 부분과는 관련이 없는 설명이다.

③ 현상이 일어난 '다양한 원인'을 제시한 글이 아니다.

④ '하나의 경험'에서 얻은 '깨달음을 확장'하고 있다는 점에서 적절하지 않은 설명이다.

[정답] ②

작품정보 이규보, 〈이옥설(理屋說)〉

갈래	한문 수필, 설(說)
성격	교훈적, 경험적, 유추적
제재	행랑채를 수리한 일
주제	잘못을 미리 알고 고쳐 나가는 자세의 중요성
특징	① '사실 - 의견'의 구성 방식을 취함. ② 유추의 방법으로 글을 전개함.
출전	《동국이상국집》

다음 글에 대한 설명으로 가장 적절한 것은?

> 나는 나를 잘못 간직했다가 잃어버렸던 자다. 어렸을 때 과거가 좋게 보여서, 10년 동안이나 과거 공부에 빠져들었다. 그러다가 결국 처지가 바뀌어 조정에 나아가 검은 사모관대에 비단 도포를 입고, 12년 동안이나 대낮에 미친 듯이 큰길을 뛰어다녔다. 그러다가 또 처지가 바뀌어 한강을 건너고 문경 새재를 넘게 되었다. 친척과 조상의 무덤을 버리고 곧바로 아득한 바닷가의 대나무 숲에 달려와서야 멈추게 되었다. 이때에는 나에게 물었다.
>
> "너는 무엇 때문에 여기까지 왔느냐? 여우나 도깨비에게 홀려서 끌려왔느냐? 아니면 바다 귀신이 불러서 왔는가? 네 가정과 고향이 모두 초천에 있는데, 왜 그 본바닥으로 돌아가지 않느냐?"
>
> 그러나 나는 끝내 멍하니 움직이지 않으며 돌아갈 줄을 몰랐다. 얼굴빛을 보니 마치 얽매인 곳에 있어서 돌아가고 싶어도 돌아가지 못하는 것 같았다.
>
> — 정약용, 〈수오재기(守吾齋記)〉

① 지난 행적을 떠올리며 지금의 자신을 성찰하고 있다.

② 인물 간의 갈등이 시간 순서대로 명료하게 해소되고 있다.

③ 타인의 심리를 추측하고 그 행동의 이유를 탐색하고 있다.

④ 주변 인물과의 대화를 통해 사건이 전개된 양상을 드러내고 있다.

난이도 ❸ ○ ❺

[해설] 자신의 지난 행적을 떠올리며 '나'에게 질문을 던지고, '나'의 모습을 살펴보면서 자신을 성찰하고 있다.

[오답분석] ② 제시된 글의 등장인물은 '나' 혼자뿐이다. 따라서 인물 간의 갈등이 드러난다는 설명은 옳지 않다.

※ 인물 간 갈등은 드러나지 않지만 서술자 '나'의 내적 갈등은 드러난다.

③ 제시된 글에는 서술자가 스스로의 삶을 성찰하는 내용만 나와 있다. 따라서 타인의 심리를 추측하고 그 행동의 이유를 탐색하고 있다는 설명은 적절하지 않다.

④ 서술자는 '나' 자신에게 묻고 있을 뿐, 제시된 글에는 주변 인물과의 대화는 나타나지 않는다. 따라서 주변 인물과의 대화를 통해 사건이 전개된 양상을 드러내고 있다는 설명은 적절하지 않다.

[정답] ①

작품정보 정약용, 〈수오재기(守吾齋記)〉

갈래	고전 수필, 기(記)
성격	교훈적, 성찰적, 경험적
주제	① '나'를 지킨다는 것에 대한 진정한 깨달음 ② 참된 자아를 지키는 것의 중요성 ③ 본질을 지키는 것의 중요성
특징	① 글쓴이의 경험을 바탕으로 삶에 대해 성찰하고 교훈을 전달하는 글 ② 관념적인 '나의 마음'을 구체화하여 대화하는 방식으로 전개함. ③ 자문자답의 형식으로 자신의 생각을 강조함. ④ 설의적 표현으로 깨달음의 과정을 드러냄. ⑤ 비유적 표현으로 의지를 드러냄.

⊙~②에 대한 설명으로 옳지 않은 것은?

이때는 오월 단옷날이렷다. 일 년 중 가장 아름다운 시절이라. ⊙ 이때 월매 딸 춘향이도 또한 시서 음률이 능통하니 천중절을 모를쏘냐. 추천을 하려고 향단이 앞세우고 내려올 제, 난초같이 고운 머리 두 귀를 눌러 곱게 땋아 봉황새긴 비녀를 단정히 매었구나. 〈중략〉 장림 속으로 들어가니 ⓛ 녹음방초 우거져 금잔디 좌르르 깔린 곳에 황금 같은 꾀꼬리는 쌍쌍이 날아든다. 버드나무 높은 곳에서 그네 타려 할 때, 좋은 비단 초록 장옷, 남색 명주 홑치마 훨훨 벗어 걸어 두고, 자주색 비단 꽃신을 썩썩 벗어 던져두고, 흰 비단 새 속옷 턱밑에 훨씬 추켜올리고, 삼 껍질 그넷줄을 섬섬옥수 넌지시 들어 두 손에 갈라 잡고, 흰 비단 버선 두 발길로 홀쩍 올라 발 구른다. 〈중략〉 ⓒ 한 번 굴러 힘을 주며 두 번 굴러 힘을 주니 발밑에 작은 티끌 바람 쫓아 펄펄, 앞뒤 점점 멀어 가니 머리 위의 나뭇잎은 몸을 따라 흔들흔들. 오고갈 제 살펴보니 녹음 속의 붉은 치맛자락 바람결에 내비치니, 높고 넓은 흰 구름 사이에 번갯불이 쏘는 듯 잠깐 사이에 앞뒤가 바뀌는구나. 〈중략〉 무수히 진퇴하며 한참 노닐 적에 시냇가 반석 위에 옥비녀 떨어져 쟁쟁하고, '비녀, 비녀' 하는 소리는 산호채를 들어 옥그릇을 깨뜨리는 듯. ② 그 형용은 세상 인물이 아니로다.

- 작자 미상, 〈춘향전〉

① ⊙: 설의적 표현을 통해 춘향이도 천중절을 당연히 알 것이라는 점을 서술하고 있다.

② ⓛ: 비유법을 사용하고 음양이 조화를 이룬 아름다운 봄날의 풍경을 서술하고 있다.

③ ⓒ: 음성상징어를 사용하여 춘향의 그네 타는 모습을 시각적으로 서술하고 있다.

④ ②: 서술자의 편집자적 논평을 통해 춘향이의 내면적 아름다움을 서술하고 있다.

난이도 ⓢ ⓩ ⓗ

[해설] 서술자가 직접 인물인 '춘향'에 대해 세상 인물이 아니라고 평을 하고 있기 때문에 '편집자적 논평'은 맞다. 그러나 춘향의 '내면적' 아름다움이 아니라 '외적인' 아름다움을 서술하고 있다.

[오답분석]
① "춘향이도 또한 ~ 천중절을 모를쏘냐."은 결국 춘향이도 안다는 의미이다. 따라서 설의적 표현을 통해 춘향이도 천중절을 당연히 알 것이라는 점을 서술하고 있다는 설명은 옳다.

② "황금 같은 꾀꼬리"에서 비유법을 사용하고 있다. 꾀꼬리 한 마리가 아니라 '쌍쌍이' 날아든다고 했기 때문에 음양이 조화를 이룬 아름다운 풍경을 서술하고 있다는 설명은 옳다.

※ 다만, '녹음방초(綠陰芳草)'는 '푸르게 우거진 나무와 향기로운 풀'로 주로 '여름'의 묘사에 많이 쓰이는 말이다. 늦봄에도 간혹 사용 가능하기 때문에 '봄날'에 연결이 아주 불가능한 것은 아니나, 제시된 박스 첫 문장에 "이때는 오월 단옷날이렷다."에서 보이듯 음력 5월은 여름에 해당한다[음력으로 1, 2, 3(봄)/4, 5, 6(여름)/7, 8, 9(가을)/10, 11, 12(겨울)]. 따라서 '문제의 내용상의 오류'라고 주장할 수 있으나, 시험장에서 수험생은 문제를 '상대적'으로 풀어야 한다!

③ "펄펄", "흔들흔들"과 같은 음성 상징어를 사용하여 춘향의 그네 타는 모습을 시각적으로 서술하고 있다.

정답 ④

작품정보 작자 미상, 〈춘향전〉

갈래	판소리계 소설, 염정 소설
성격	해학적, 풍자적, 평민적
시점	전지적 작가 시점
배경	• 시간: 조선 숙종 때 • 공간: 전라도 남원
제재	춘향의 정절
주제	① 신분을 초월한 남녀 간의 사랑 ② 불의한 지배 계층에 대한 서민의 항거 ③ 신분적 갈등의 극복을 통한 인간 해방
특징	① 해학과 풍자에 의한 골계미가 나타남. ② 서술자의 편집자적 논평이 자주 드러남. ③ 판소리의 영향으로 운문체와 산문체가 혼합됨.

다음 글에 드러난 서술상의 특징으로 알맞지 않은 것은?

> 이튿날 출근 끝에 가까운 읍의 수령들이 모여든다. 운봉의 장관, 구례, 곡성, 순창, 옥과, 진안, 장수 원님이 차례로 모여든다. 왼쪽에 행수 군관, 오른쪽에 청령, 사령이 있고 본관 사또는 주인이 되어 한가운데 있어 하인 불러 분부하되,
> "관청색 불러 다과를 올리라. 육고자 불러 큰 소를 집고, 예방(禮房) 불러 악공을 대령하고, 승발 불러 천막을 대령하라. 사령 불러 잡인을 금하라."
> 이렇듯 요란할 제 온갖 깃발이며 삼현육각 풍류 소리 공중에
> 떠 있고, 붉은 옷 붉은 치마 입은 기생들은 흰 손 비단 치마 높이 들어 춤을 추고, 지화자 둥덩실 하는 소리에 어사의 마음이 심란하구나.
> "여봐라 사령들아, 너의 사또에게 여쭈어라. 먼 데 있는 걸인이 좋은 잔치에 왔으니 술과 안주나 좀 얻어먹자고 여쭈어라." 저 사령의 거동 보소.
> "우리 사또님이 걸인을 금하였으니, 어느 양반인지는 모르오만 그런 말은 내지도 마오."
> 등을 밀쳐 내니 어찌 아니 명관(名官)인가.
> 운봉 영장이 그 거동을 보고 본관 사또에게 청하는 말이,
> "저 걸인의 의관은 남루하나 양반의 후예인 듯하니 말석에 앉히고 술잔이나 먹여 보냄이 어떠하뇨?"
> 본관 사또 하는 말이,
> "운봉의 소견대로 하오마는."
> '마는' 하는 끝말을 내뱉고는 입맛이 사납겠다. 어사또 속으로, "오냐, 도적질은 내가 하마. 오라는 네가 받아라."
> 운봉 영장이 분부하여,
> "저 양반 듭시라고 하여라."
>
> — 작자 미상, 〈춘향전(春香傳)〉

① 잔치가 열리는 장면이 묘사되어 있다.
② 인물의 심리가 표면적으로 드러나 있다.
③ 인물의 말과 행동을 통해 갈등이 해소되고 있다.
④ 서술자는 직접 말을 건네며 독자와의 거리를 좁히고 있다.

난이도 ○ 중 하

해설 〈춘향전〉의 전체 내용을 보면 갈등은 해소된다. 그러나 제시된 부분에서 '갈등의 해소'는 확인할 수 없다. 따라서 인물의 말과 행동을 통해 갈등이 해소되고 있다는 것은 제시된 글의 서술상 특징으로 적절하지 않다.

오답분석
① "이렇듯 요란할 제 ~ 지화자 둥덩실 하는 소리" 부분에서 서술자는 잔치가 열리는 장면을 묘사하고 있다.
② "어사의 마음이 심란하구나."라며 인물의 심리를 표면적으로 드러내고 있다.
④ 서술자는 "저 사령의 거동 보소.", "등을 밀쳐 내니 어찌 아니 명관(名官)인가." 등의 부분에서 독자에게 직접 말을 건네면서, 독자와의 거리를 좁히고 있다.

정답 ③

⊙~㉣ 중 서술자가 개입되어 있지 않은 것은?

> 이때 춘향이는 사령이 오는지 군노가 오는지 모르고 주야로 도련님을 생각하여 우는데, ⊙ 생각지 못할 우환을 당하려 하니 소리가 화평할 수 있겠는가. 한때나마 빈방살이할 계집아이라 목소리에 청승이 끼어 자연히 슬픈 애원성이 되니 ⓒ 보고 듣는 사람의 심장인들 아니 상할 것인가. 임 그리워 서러운 마음 밥맛없어 밥 못 먹고 불안한 잠자리에 잠 못 자고 도련님 생각으로 상처가 쌓여 피골이 상접하고 양기가 쇠진하여 진양조 울음이 되어 노래를 부른다. 갈까 보다 갈까 보다, 임을 따라 갈까 보다. 천 리라도 갈까 보다. 만 리라도 갈까 보다. 바람도 쉬어 넘고 수진이 날진이 해동청 보라매도 쉬어 넘는 높은 고개 동선령 고개라도 임이 와 날 찾으면 신발 벗어 손에 들고 아니 쉬고 달려가리. ⓒ 한양 계신 우리 낭군 나와 같이 그리워하는가, 무정하여 아주 잊고 나의 사랑 옮겨다가 다른 임을 사랑하는가? ㉣ 이렇게 한참을 서럽게 울 때 사령 등이 춘향의 슬픈 목소리를 들으니 목석이라도 어찌 감동을 받지 않겠는가? 봄눈 녹듯 온몸에 맥이 탁 풀렸다.
>
> — 작자 미상, 〈춘향전(春香傳)〉

① ⊙   ② ⓒ   ③ ⓒ   ④ ㉣

난이도 ○ 중 하

해설 서술자 개입은 작가가 소설의 서사 내용에 직접 간여하는 것으로 '편집자적 논평'으로도 부른다. ⓒ은 춘향이 자신의 마음을 드러낸 부분으로, 서술자의 개입은 나타나지 않았다.

정답 ③

PART 2 문학 해커스공무원 해원국어 기출정해 1000제 1권 비문학·문학

〈보기〉에 대한 설명으로 가장 옳은 것은?

〈보기〉

　대저 이 세상같이 억울하고 고르지 못한 세상이 없는지라. 가난코 약한 사람은 그 부모가 낳은 몸과 하늘이 주신 귀중한 목숨도 보전치 못하고, 심청 같은 출천대효가 필경 임당수 물에 가련한 몸을 잠겼도다. 그러나 그 잠긴 곳은 이 세상을 이별하고 간 상계니, 하나님의 능력이 한없이 큰 세상이라. 이욕에 눈이 어둔 세상 사람과 말 못하는 부처는 심청을 도웁지 못하였거니와, 임당수 물귀신이야 어찌 심청을 모르리오.

① 서술자가 개입하여 자신의 견해를 나타내고 있다.
② 대화를 통해 인물 간 대립의 양상을 드러내고 있다.
③ 인물의 외양 묘사를 통해 인물의 심리를 보여 주고 있다.
④ 서술자가 주인공으로 등장하여 자신의 체험을 서술하고 있다.

난이도 (상) ○ (하)

[해설] 서술자가 직접 개입하여 '심청'이 물에 빠지는 상황에 대한 안타까움을 드러내고 있다. 따라서 제시된 글에 대한 설명으로 가장 옳은 것은 ①이다.

[오답분석]
② 〈보기〉에 '대화'는 나타나지 않는다. 따라서 대화를 통해 인물 간 대립 양상을 드러내고 있다는 설명은 옳지 않다.
③ 〈보기〉에는 인물의 외양을 묘사한 부분은 없다. 따라서 인물의 외양 묘사를 통해 인물의 심리를 보여 주고 있다는 설명은 옳지 않다.
④ 〈보기〉는 전지적 작가 시점이다. 따라서 서술자가 주인공이라는 설명은 옳지 않다. 주인공은 '심청'이다.
　※ 고전 소설은 대개 '전지적 작가 시점'이다.

[정답] ①

작품정보	작자 미상, 〈심청전〉
갈래	윤리 소설, 설화 소설, 판소리계 소설
성격	교훈적, 비현실적, 환상적
시점	전지적 작가 시점
배경	• 시간: 중국 송나라 말 • 공간: 황주 도화동
제재	심청의 효(孝)
주제	① 부모에 대한 지극한 효심 ② 인과응보(因果應報)
특징	① 유교적 덕목인 '효'를 강조함. ② 유불선(儒佛仙) 사상이 복합적으로 드러남. ③ 현실 세계를 중심으로 펼쳐지는 전반부와 환상적인 이야기 중심의 후반부로 내용이 구분됨.

다음 글에 대한 설명으로 적절하지 않은 것은?

회사정에서 다행히 대인(大人)을 만나고, 늙은 재상은 옥문관으로 귀양을 가다.

　각설. 이때 충렬은 모친을 잃고 물에 빠져 살길이 없었다. 그러다가 문득 두 발이 닿아 자세히 살펴보니 물속의 큰 바위였다. 그 위에 올라앉아 하늘을 우러러 어미를 찾았으나 간 데 없고, 사방을 돌아보니 푸른 산이 은은하고 다만 물새 소리만 들릴 뿐이었다. 강가에서 수많은 원숭이들이 밤늦도록 슬피 우니, 충렬이 통곡하며 바위 위에 서 있더라.
　이때 남경의 장사꾼들이 재물을 많이 싣고 복경으로 가면서 회수에 배를 띄워 놓고 두둥실 중류로 내려가는데, 처량한 울음소리가 바람을 타고 들려오는지라. 뱃사람들이 이상하게 생각하여 배를 바삐 저어 우는 곳을 찾아가니, 과연 한 동자 물에 서서 슬피 울고 있었다. 급히 건져 배 안에 올려놓고 사연을 물으니, "해상에서 수적을 만나 어미를 잃고 웁니다." 하는지라. 뱃사람들이 슬픔에 젖어서 충렬을 물가에 내려놓고 가고 싶은 대로 가라고 한 후 배를 띄워 북경으로 향하더라.

　충렬은 뱃사람들과 이별하고 정처 없이 다니었다. 이 마을 저 마을을 돌아다니면서 구걸하여 먹고, 아무 데서나 빌어서 잠을 자곤 했다. 아침에는 동쪽에 있고 저녁에는 서쪽에 있으니 가을 바람에 흩날리는 낙엽이요, 오가는 데 종적이 없으니 푸른 하늘을 떠다니는 뜬구름이었다. 얼굴이 비쩍 말라 죽은 사람 같고 차림새가 말이 아니었다. 가슴 속의 대장성은 때 속에 묻혀 있고 등 위의 삼태성은 헌 옷 속에 묻혔으니, 활달한 기남자(奇男子)가 도리어 걸인이 되었구나. 담장만 쌓던 부열(傅說)이도 은(殷)나라 고종인 무정(武丁)을 만났고, 밭만 갈던 이윤(伊尹)도 은나라 왕인 성탕(成湯)을 만났으며, 위수(渭水)의 여상(呂尙)도 주(周)나라의 문왕(文王)을 만났는데, 세월은 물같이 흘러가서 충렬의 나이도 어느덧 열네 살이 되었더라.

① 편집자적 논평을 통해 주인공의 심리를 직접 제시하고 있다.
② 사건을 빠른 속도로 서술하여 요약적으로 제시하고 있다.
③ 고전 소설의 우연적 성격을 엿볼 수 있는 부분이 있다.
④ 회장체 소설 형식을 취하고 있다.

난이도 (상) ○ (중) (하)

[해설] 일반적으로 고전 소설에 편집자적 논평이 자주 등장하기는 한다. 그런데 제시된 부분에서는 찾아볼 수 없다.

[오답분석]
② 인물 간의 대화가 아닌 서술자의 말에 의해 사건이 전개되고 있기 때문에 사건의 속도가 빠르다.
③ 충렬과 뱃사람들의 만남 등을 통해 고전 소설의 우연적 성격을 엿볼 수 있다.
④ 회장체 소설이란 몇 개의 회(回)로 구성된 소설이다. 맨 앞에 소제목으로 시작한 점을 통해 회장체 소설 형식임을 추측할 수 있다.

[정답] ①

작품정보 **작자 미상, 〈유충렬전〉**

갈래	국문 소설, 영웅 소설, 군담 소설, 적강 소설
성격	전기적, 비현실적, 영웅적
시점	전지적 작가 시점
배경	• **시간**: 중국 명나라 시대 • **공간**: 명나라 조정과 중국 대륙
제재	유충렬의 영웅적 일대기
주제	유충렬의 고난과 영웅적 행적
특징	① 천상계와 지상계로 이원적 공간이 설정됨. ② 유교, 불교, 도교 사상을 바탕으로 함.
의의	영웅 소설의 전형적 요소를 갖춘 대표적인 작품임.

MEMO

MEMO

📈 출제 유형

• 작품의 주제와 관련된 한자 성어를 찾는 유형
• 작품 속 인물이 처한 상황과 관련된 한자 성어를 찾는 유형

📈 **출제 유형**

문학과 한자 성어	작품의 주제와 관련된 한자 성어를 찾는 유형

119 ○○○

2020 소방직

다음 작품과 가장 관련 있는 한자 성어는?

> 이고 진 저 늙은이 짐 풀어 나를 주오
> 나는 젊었거늘 돌인들 무거울까
> 늙기도 설워라커늘 짐을조차 지실까
>
> - 정철, 〈훈민가〉

① 朋友有信 　　　　② 長幼有序

③ 君臣有義 　　　　④ 夫婦有別

난이도 ⑧ ⑤ ⑤

해설　제시된 작품에서 젊은이는 늙은이를 향해 자신이 짐을 대신 지겠다고 노래하고 있다. 즉 제시된 작품에서는 노인을 공경하고 도와주어야 한다는 경로사상(敬老思想)을 말하고 있다. 따라서 제시된 작품과 가장 관련이 깊은 한자 성어는 어른과 어린이 사이의 도리는 엄격한 차례가 있고 복종해야 할 질서가 있음을 이르는 말인 **長幼有序(장유유서: 길 장, 어릴 유, 있을 유, 차례 서)**'이다.

오답
분석
① 朋友有信(붕우유신: 벗 붕, 벗 우, 있을 유, 믿을 신): 벗과 벗 사이의 도리는 믿음에 있음.

③ 君臣有義(군신유의: 임금 군, 신하 신, 있을 유, 옳을 의): 임금과 신하 사이의 도리는 의리에 있음.

④ 夫婦有別(부부유별: 지아비 부, 아내 부, 있을 유, 나눌 별): 남편과 아내 사이의 도리는 서로 침범하지 않음에 있음.

정답 ②

120 ○○○

2019 서울시 9급(2월)

〈보기〉와 가장 관련이 없는 고사성어는?

> ─── 〈보기〉 ───
> 섶 실은 천리마(千里馬)를 알아 볼 이 뉘 있으리
> 십년(十年) 역상(櫪上)에 속절없이 다 늙도다
> 어디서 살진 쇠양마(馬)는 외용지용 하느니

① 髀肉之嘆 　　　　② 招搖過市

③ 不識泰山 　　　　④ 麥秀之嘆

난이도 ⑧ ○ ⑤

해설　초장에서 화자는 자신을 땔나무를 실은 천리마에 비유하고 있다. '천리마'는 좋은 말을 이르는 말인데, 엄청난 일을 하는 게 아니라 '땔나무'를 싣는 일을 하고 있다. 이를 볼 때, 제 능력을 발휘하지 못하는 자신의 처지를 나타낸 것이다. 한편, 종장에서 '살진 쇠양마'는 외용지용(우쭐거린다) 한다고 말하고 있다. 문맥상 '쇠양마'는 '천리마'와 대비되는 능력은 없으면서 우쭐거리기만 하는 사람들, 시대적 배경을 고려하자면 능력은 없으면서 우쭐거리기만 하는 양반들 정도로 이해할 수 있다.

'**麥秀之嘆(맥수지탄: 보리 맥, 빼어날 수, 갈 지, 탄식할 탄)**'은 고국의 멸망을 한탄하는 말이다. 제시된 작품에는 이와 관련된 내용이 나와 있지 않다. 따라서 〈보기〉와 가장 관련이 없는 고사성어는 '맥수지탄(麥秀之嘆)'이다.

오답
분석
① '**髀肉之嘆(비육지탄: 넓적다리 비, 고기 육, 갈 지, 탄식할 탄)**'은 재능을 발휘할 때를 얻지 못하여 헛되이 세월만 보내는 것을 한탄함을 이르는 말이다. 초장과 중장의 내용을 볼 때, 화자는 능력이 있음에도 10년의 세월을 보내 버렸음을 알 수 있다.

---

② '招搖過市(초요과시: 부를 초, 흔들릴 요, 지날 과, 시장 시)'는 남의 눈을 끌기 위해 과시하며 거리를 지나가는 것을 이르는 말이다. 이는 종장과 관련이 있다. 종장에서 능력 없는 양반들이 우쭐거린다는 것을, 살진 쇠양마가 외용지용 한다고 표현하고 있다.

③ '不識泰山(불식태산: 아닐 불, 알 식, 클 태, 산 산)'은 태산을 몰랐다는 의미로, 그 사람의 진면목을 알아보지 못했다는 의미이다. 화자는 스스로를 '천리마'에 빗대는 것을 볼 때, 능력이 있는 인물임을 짐작할 수 있다. 그러나 화자의 능력을 알아봐 주는 사람이 없어 그 능력을 펼치지 못했음을 중장의 내용을 통해 짐작할 수 있다.

정답 ④

---

121 ○○○ 2019 소방직

다음 시조에 드러나는 주제 의식과 관련된 사자성어로 적절한 것은?

> 십년(十年)을 경영(經營)ᄒᆞ여 초려삼간(草廬三間) 지여 내니
> 나 ᄒᆞᆫ 간 ᄃᆞᆯ ᄒᆞᆫ 간에 청풍(淸風) ᄒᆞᆫ 간 맛져 두고
> 강산(江山)은 들일 ᄃᆡ 업스니 둘러 두고 보리라
>
> - 송순의 시조

① 敎學相長　　　　② 安貧樂道
③ 走馬看山　　　　④ 狐假虎威

난이도 상 ○ 하

[해설] 다음 작품의 화자는 자연 속에서의 삶을 노래하고 있다. 따라서 제시된 작품에 드러나는 주제 의식과 관련된 사자 성어는 '가난한 생활을 하면서도 편안한 마음으로 도를 즐겨 지킴'을 이르는 '安貧樂道(안빈낙도: 편안할 안, 가난할 빈, 즐길 낙(락), 길 도)'이다.

[오답 분석]
① **敎學相長(교학상장**: 가르칠 교, 배울 학, 서로 상, 길 장): 가르치고 배우는 과정에서 스승과 제자가 함께 성장함.

③ **走馬看山(주마간산**: 달릴 주, 말 마, 볼 간, 산 산): 말을 타고 달리며 산천을 구경한다는 뜻으로, 자세히 살피지 아니하고 대충대충 보고 지나감을 이르는 말

④ **狐假虎威(호가호위**: 여우 호, 거짓 가, 범 호, 위엄 위): 남의 권세를 빌려 위세를 부림.

정답 ②

작품정보 송순

성격	전원적, 풍류적, 낭만적, 한정가
주제	자연애와 안빈낙도(安貧樂道)
특징	① 자연을 소유의 대상으로 생각하지 않았던 동양의 자연관이 잘 드러남. ② 의인법과 강산을 병풍처럼 둘러 두고 보겠다는 기발한 발상을 통해 자연과 혼연일체(渾然一體)된 모습을 효과적으로 표현함.

[현대어 풀이]

> 십 년을 준비하여 초가삼간 지어 내니
> 나 한 칸, 달 한 칸에 맑은 바람 한 칸 맡겨 두고
> 강산은 들일 곳 없으니 이대로 병풍처럼 둘러 두고 보리라

---

122 ○○○ 2018 지방직 7급

다음 글의 중심 생각을 표현한 성어는?

> 내 집이 산속에 있는데 문 앞에 큰 개울이 있다. 해마다 여름철에 소낙비가 한 차례 지나가면, 개울물이 갑자기 불어 언제나 수레 소리, 말 달리는 소리, 대포 소리, 북소리를 듣게 되어 마침내 귀에 못이 박혔다. 내가 일찍이 문을 닫고 누워서 소리의 종류를 비교해 들어 보았다. 깊은 솔숲에서 솔바람 소리 이는 듯하니 이 소리는 청아하게 들린다. 산이 찢어지고 언덕이 무너지는 것 같으니 이 소리는 격분한 듯 들린다. 개구리들이 다투어 우는 듯하니 이 소리는 교만하게 들린다. 많은 축(筑)이 차례로 연주되는 것 같으니 이 소리는 성난 듯이 들린다. 번개가 치고 우레가 울리는 것 같으니 이 소리는 놀란 듯 들린다. 약한 불 센 불에 찻물이 끓는 듯하니 이 소리는 아취 있게 들린다. 거문고가 궁조(宮調)와 우조(羽調)에 맞게 연주되는 것 같으니 이 소리는 슬프게 들린다. 종이 창문에 바람이 문풍지를 울게 하는 듯하니 이 소리는 의아하게 들린다.
>
> - 박지원, 〈일야구도하기(一夜九渡河記)〉

① 以心傳心　　　　② 心機一轉
③ 人心不可測　　　④ 一切唯心造

난이도 상 ○ 하

[해설] 제시문은 글쓴이가 집 앞에 큰 개울이 있어 문을 닫고 누워 소리만 들어보니, 마음 상태에 따라 그 소리가 달리 들린다는 내용이다. 따라서 제시문의 중심 생각을 표현한 성어로는 모든 일에 마음가짐이 중요함을 뜻하는 말인 ④의 '**一切唯心造(일체유심조**: 하나 일, 온통 체, 오직 유, 마음 심, 지을 조)'가 적절하다.

[오답 분석]
① **以心傳心(이심전심**: 써 이, 마음 심, 전할 전, 마음 심): 마음과 마음으로 서로 뜻이 통함.

② **心機一轉(심기일전**: 마음 심, 틀 기, 하나 일, 구를 전): 어떤 동기가 있어 이제까지 가졌던 마음가짐을 버리고 완전히 달라짐.

③ **人心不可測(인심불가측**: 사람 인, 마음 심, 아닐 불, 옳을 가, 헤아릴 측): 사람의 마음은 그 깊이를 헤아릴 수 없다는 말

정답 ④

문학과 한자 성어	작품 속 인물이 처한 상황과 관련된 한자 성어를 찾는 유형

123 ○○○   2023 국회직 8급

㉠, ㉡에 들어갈 한자 성어로 적절한 것은?

김 첨지도 이 불길한 침묵을 짐작했는지도 모른다. 그렇지 않으면 대문에 들어서자마자 전에 없이, "이 난장맞을 년, 남편이 들어오는데 나와 보지도 않아, 이 오라질 년." 이라고 고함을 친게 수상하다. 이 고함이야말로 제 몸을 엄습해 오는 무시무시한 증을 쫓아 버리려는 (㉠)인 까닭이다.

하여간 김 첨지는 방문을 왈칵 열었다. 구역을 나게 하는 추기 ─ 떨어진 삿자리 밑에서 나온 먼지내, 빨지 않은 기저귀에서 나는 똥내와 오줌내, 가지각색 때가 켜켜이 앉은 옷내, 병인의 땀 썩은 내가 섞인 추기가 무딘 김 첨지의 코를 찔렀다.

방 안에 들어서며 설렁탕을 한구석에 놓을 사이도 없이 주정꾼은 목청을 있는 대로 다 내어 호통을 쳤다. "이런 오라질 년. (㉡) 누워만 있으면 제일이야! 남편이 와도 일어나

지를 못해?"라는 소리와 함께 발길로 누운 이의 다리를 몹시 찼다. 그러나 발길에 차이는 건 사람의 살이 아니고 나뭇등걸과 같은 느낌이 있었다.

- 현진건, <운수 좋은 날>

	㉠	㉡
①	노심초사(勞心焦思)	주야불식(晝夜不息)
②	허장성세(虛張聲勢)	전전반측(輾轉反側)
③	절치부심(切齒腐心)	전전반측(輾轉反側)
④	노심초사(勞心焦思)	주야장천(晝夜長川)
⑤	허장성세(虛張聲勢)	주야장천(晝夜長川)

난이도 상 ● 하

해설 ㉠ "이 고함이야말로 제 몸을 엄습해 오는 무시무시한 증을 쫓아 버리려는"이라는 말을 볼 때, 실속은 없으면서 큰소리치거나 허세를 부림을 의미하는 '허장성세(虛張聲勢)'가 어울린다.

㉡ 문맥상 '항상 누워만 있지 말고 일어나라는 의미이다. 따라서 '밤낮으로 쉬지 아니하고 연달아'라는 의미를 가진 '주야장천(晝夜長川)'이 어울린다.

오답 분석 ㉠ 노심초사(勞心焦思): 몹시 마음을 쓰며 애를 태움.
절치부심(切齒腐心): 몹시 분하여 이를 갈며 속을 썩임.

㉡ 주야불식(晝夜不息): 밤낮으로 쉬지 아니함.
전전반측(輾轉反側): 누워서 몸을 이리저리 뒤척이며 잠을 이루지 못함.

정답 ⑤

작품정보 현진건, <운수 좋은 날>

갈래	단편 소설, 사실주의 소설
성격	사실적, 반어적, 비극적
배경	• **시간**: 일제 강점기 어느 비오는 날 • **공간**: 서울의 한 가난한 마을
시점	전지적 작가 시점(부분적으로 3인칭 관찰자 시점)
주제	일제 강점기 하층민의 비참한 생활상
특징	운수 좋은 날 아내가 죽는 상황을 통해 가난한 사람들의 비극적 삶을 극적으로 표현하고 있음.

124 ○○○   2022 간호직 8급

(가)에 들어갈 한자 성어로 적절한 것은?

"말을 해 보아, 말을. 찍소같이 그렇게 버티고 앉아 있지만 말고. 네가 아직도 잘했다고 생각허는 것이냐?" 그제서야 효원이 고개를 든다. 물론 감히 똑바로 시어머니를 바라보는 것도 아니요, 목소리 또한 불손하지 않았다. "어머님. 사람이 무슨 일을 할 때는 큰일이든 작은 일이든 자기 속에 심중을 가지고 할 것입니다. 심중을 가지고 한 일이라면, 남이 무어라고 한다 해서 쉽사리 [(가)], 주견도 없이 남의 의견을 따라 이리저리 흔들리는 것은 아예 처음부터 하지 않음만 못합니다. 이번 제가 한 일이 설령 어머님 보시기에 잘못되었다고 하더라도, 그것은 평소에 제 생각이 그랬던 것이라 아직은 잘못이라고 깨닫지 못하겠습니다. 속으로는 자기가 잘했다고 생각하면서 겉으로만 용서를 빈다는 것은 오히려 어른께 욕되는 처사가 아니겠습니까. 그것은, 속으로는 비웃으면서 겉으로만 아부하는 것과 조금도 다를 바 없으니, 어른을 능멸하는 일입니다. 그저 앉은 자리나 모면하자는 얕은 잔꾀로 어머님께 마음에도 없는 말씀을 드리는 것은 도리가 아니라고 생각합니다."

- 최명희, <혼불>

① 파죽지세(破竹之勢)

② 부화뇌동(附和雷同)

③ 격물치지(格物致知)

④ 순망치한(脣亡齒寒)

난이도 상 ● 하

해설 (가) 뒤의 '주견도 없이 남의 의견을 따라 이리저리 흔들리는 것은 아예 처음부터 하지 않음만 못합니다.'를 볼 때, (가)에는 '줏대 없이 남의 의견에 따라 움직임'을 의미하는 '**부화뇌동(附和雷同**: 붙을 부, 화할 화, 우레 뇌(뢰), 같을 동)'이 들어가야 한다.

오답 분석 ① **파죽지세(破竹之勢**: 깨뜨릴 파, 대나무 죽, 갈 지, 형세 세): 대를 쪼개는 기세라는 뜻으로, 적을 거침없이 물리치고 쳐들어가는 기세를 이르는 말

③ **격물치지(格物致知**: 격식 격, 물건 물, 이룰 치, 알 지): 실제 사물의 이치를 연구하여 지식을 완전하게 함.

④ **순망치한(脣亡齒寒**: 입술 순, 망할 망, 이 치, 찰 한): 입술이 없으면 이가 시리다는 뜻으로, 서로 이해관계가 밀접한 사이에 어느 한쪽이 망하면 다른 한쪽도 그 영향을 받아 온전하기 어려움을 이르는 말

정답 ②

작품정보 최명희, 〈혼불〉

갈래	장편 소설, 대하소설, 가족사 소설
성격	전통적, 묘사적
배경	• 시간: 일제 강점기인 1930년대 • 공간: 전라도 남원의 매안 마을
시점	전지적 작가 시점
주제	가문을 지켜 나가는 3대에 걸친 여인들의 삶을 통해 드러나는 우리 민족의 얼과 혼
출전	《혼불》(2001)

해설 황거칠 씨는 애써 만든 산수도를 포기하게 되고 '마삿등'은 한때 도로 물 없는 지대가 되고 말 것을 알면서도 하는 수 없이 담당 경사의 타협안에 도장을 찍을 수밖에 없었다. 따라서 '황거칠'이 처한 상황에는 "손을 묶은 것처럼 어찌할 도리가 없어 꼼짝 못 함."이라는 의미를 가진 '束手無策(속수무책: 묶을 속, 손 수, 없을 무, 꾀 책)'이 가장 어울린다.

※ 萬不得已(만부득이: 일만 만, 아닐 부, 얻을 득, 이미 이): 마지못하여 하는 수 없이

오답 분석
① 同病相憐(동병상련: 같을 동, 병 병, 서로 상, 불쌍히 여길 련): 같은 병을 앓는 사람끼리 서로 가엾게 여긴다는 뜻으로, 어려운 처지에 있는 사람끼리 서로 가엾게 여김을 이르는 말

③ 自家撞着(자가당착: 스스로 자, 집 가, 칠 당, 붙을 착): 같은 사람의 말이나 행동이 앞뒤가 서로 맞지 아니하고 모순됨.

④ 輾轉反側(전전반측: 돌아누울 전, 구를 전, 돌이킬 반, 겯 측): 누워서 몸을 이리저리 뒤척이며 잠을 이루지 못함.

정답 ②

작품정보 김정한, 〈산거족〉

갈래	단편 소설
성격	현실 비판적
배경	• 시간: 1960년대 • 공간: 부산 낙동강 인근의 마삿등
주제	소외당한 사람들의 생존 문제와 부조리한 현실에 대한 저항
특징	① 인물의 특징과 내력이 요약적으로 제시됨. ② 방언과 비속어를 사용하여 생생한 현장감을 줌. ③ 전지적 작가 시점으로 인물의 정서를 사실적으로 전달함. ④ 특정 인물을 초점 화자로 설명하여 그의 시각에서 사건을 서술함.

---

125 ○○○

다음 글에서 '황거칠'이 처한 상황에 어울리는 한자 성어로 가장 적절한 것은?

> 황거칠 씨는 더 참을 수가 없었다. 그는 거의 발작적으로 일어섰다.
> "이 개 같은 놈들아, 어쩌면 남이 먹는 식수까지 끊으려노?"
> 그는 미친 듯이 우르르 달려가서 한 인부의 괭이를 억지로 잡아서 저만큼 내동댕이쳤다. 〈중략〉
> 경찰은 발포를 — 다행히 공포였지만 — 해서 겨우 군중을 해산시키고, 황거칠 씨와 청년 다섯 명을 연행해 갔다. 물론 강제집행도 일시 중단되었었다.
> 경찰에 끌려간 사람들은 밤에도 풀려나오지 못했다. 공무집행 방해에다, 산주의 권리행사 방해, 그리고 폭행죄까지 뒤집어쓰게 되었던 것이다. 그래서 그 이튿날도 풀려 나오질 못했다. 쌍말로 썩어 갔다.
> 황거칠 씨는 모든 죄를 자기가 안아맡아서 처리하려고 했다. 그러나 그것이 뜻대로 되지 않았다. 면회를 오는 가족들의 걱정스런 얼굴을 보자, 황거칠 씨는 가슴이 아팠다. 그는 만부득이 담당 경사의 타협안에 도장을 찍기로 했다. 석방의 조건으로서, 다시는 강제집행을 방해하지 않겠다는 각서였다.
> 이리하여 황거칠 씨는 애써 만든 산수도를 포기하게 되고 '마삿등'은 한때 도로 물 없는 지대가 되고 말았다.
> - 김정한, 〈산거족〉

① 同病相憐　　　　② 束手無策
③ 自家撞着　　　　④ 輾轉反側

다음 글을 읽은 독자의 반응으로 가장 적절한 것은?

[중중모리]

홍보 마누라 나온다. 홍보 마누라 나온다. "아이고 여보 영감. 영감 오신 줄 내 몰랐소. 어디 돈, 어디 돈 허고 돈 봅시다, 돈 봐." "놓아두어라 이 사람아. 이 돈 근본(根本)을 자네 아나. 못난 사람도 잘난 돈, 잘난 사람은 더 잘난 돈, 이놈의 돈아, 아나 돈아, 어디 갔다가 이제 오느냐. 얼씨구나 돈 봐. 어 어 어 얼씨구 얼씨구 돈 봐."

[아니리]

이 돈을 가지고 쌀팔고 고기 사고 고기 죽을 누그름하게 열한 통이 되게 쑤어 가지고 각기 한 통씩 먹여 놓으니, 모두 식곤증이 나서 앉은 자리에서 고자빠기잠*을 자는데, 죽 국물이 코끝에서 쇠죽 후주국 내리듯 댕강댕강 떨어것 것다. 홍보 마누라가 하는 말이, "여보 영감 그런디 돈이 무슨 돈이오? 어떻게 해서 생겨난 돈인지 좀 압시다." "이 돈이 다른 돈이 아닐세. 우리 고을 좌수가 병영 영문에 잡혔는데 대신 가서 곤장 열대만 맞으면 한 대에 석 냥씩 서른 냥을 준다기에 대신 가기로 하고 삯으로 받아 온 돈이제." 홍보 마누라 깜짝 놀라며, "소중한 가장 매품 팔아 먹고산단 말은 고금천지에 어디서 보았소."

[진양]

"가지 마오 가지 마오, 불쌍한 영감, 가지를 마오. 하늘이 무너져도 솟아날 구멍이 있는 법이니, 설마한들 죽사리까. 병영 영문 곤장 한 대를 맞고 보면 죽도록 골병 된답디다. 여보 영감 불쌍한 우리 영감, 가지를 마오."

[아니리]

홍보 아들놈들이 저의 어머니 울음소리를 듣고 물소리들은 거위 모양으로 고개를 들고, "아버지 병영 가시오?" "오냐 병영 간다." "갔다 올 제 떡 한 보따리 사 가지고 오시오."

[중모리]

아침밥을 끓여 먹고 병영 길을 나려간다. 허유허유 나려를 가며 신세자탄(身世自嘆) 울음을 운다. "어떤 사람 팔자 좋아 화려한 집 짓고 잘사는데 내 팔자는 왜 그런고." 병영 골을 당도하여 치어다보니 대장이요, 나려 굽어보니 숙정패로구나. 깊은 산속에 있는 사나운 범의 용맹 같은 용(勇) 자 붙인 군로사령들이 이리 가고 저리 간다. 그때 박홍보는 숫한 사람이라 벌벌 떨며 들어간다.

[아니리]

방울이 떨렁, 사령 "예이." 야단났지. 홍보가 삼문 간에 들어서 가만히 굽어보니 죄인이 볼기를 맞거늘, 홍보 마음에는 그 사람들도 돈 벌러 온 줄 알고, '저 사람들은 먼저 와서 돈 수백 냥 번다. 나도 볼기 좀 까고 업저 볼까.' 볼기를 까고 삼문 간에 가 엎드렸을 제 사령 한 쌍이 나오더니, "병영 생긴 후 볼기전 보는 놈이 생겼구나." 사령 중에 뜻밖에 홍보 씨 아는 사령이 있던가, "아니 박 생원 아니시오?" "알아맞혔구만그려." "당신 곯았소." "곯다니 계란이 곯지, 사람이 곯나. 그게 어떤 말인가?" "박생원

대신이라 하고 어떤 사람이 와서 곤장 열 대 맞고 돈 서른 냥 받아 가지고 벌써 떠나갔소." 홍보가 기가 막혀, "그놈이 어떻게 생겼던가?" "키가 구 척이요 방울눈에 기운 좋습디다." 홍보가 말을 듣더니, "허허 그전 밤에 우리 마누라가 밤새도록 울더니마는 옆집 꾀수 애비란 놈이 알고 발등걸이*를 허였구나."

[중모리]

"번수네들 그러한가. 나는 가네. 지키기나 잘들 하소. 매품 팔러 왔는데도 손재(損財)가 붙어 이 지경이 웬일이냐. 우리 집을 돌아가면 밥 달라고 우는 자식은 떡 사 주마고 달래고, 떡 사 달라 우는 자식 엿 사 주마고 달랬는데, 돈이 있어야 말을 허지." 그렁저렁 울며불며 돌아온다. 그때에 홍보 마누라는 영감이 떠난 그날부터 후원에 단(壇)을 세우고 정화수를 바치고, 병영 가신 우리 영감 매 한 대도 맞지 말고 무사히 돌아오시라고 밤낮 기도하면서, "병영 가신 우리 영감 하마 오실 제 되었는데 어찌하여 못 오신가. 병영 영문 곤장을 맞고 허약한 체질 주린 몸에 병이 나서 못 오신가. 길에 오다 누웠는가."

[아니리]

문밖에를 가만히 내다보니 자기 영감이 분명하것다. 눈물 씻고 바라보니 홍보가 들어오거늘, "여보영감 매 맞았소? 매 맞았거든 어디 곤장 맞은 자리 상처나 좀 봅시다." "놔둬. 상처고 여편네 죽은 것이고, 요망스럽게 여편네가 밤새도록 울더니 돈 한 푼 못 벌고 매 한 대를 맞았으면 인사불성 쇠아들이다." 홍보 마누라 좋아라고,

- 작자 미상, 〈흥보가(興甫歌)〉

* 고자빠기잠: 나무를 베어 낸 뒤에 남은 밑동처럼 꼿꼿이 앉아서 자는 잠
* 발등걸이: 남이 하려는 일을 앞질러 하는 행위

① 홍보 아내는 홍보가 무사히 돌아오기를 학수고대(鶴首苦待)하고 있군.

② 홍보는 매품을 팔지 못하게 된 상황을 새옹지마(塞翁之馬)로 여기고 있군.

③ 홍보 아들들은 매품을 팔게 된 홍보에 대해 측은지심(惻隱之心)을 갖고 있군.

④ 홍보는 매품을 팔지 못하게 되었다는 사령의 말을 어불성설(語不成說)이라고 생각하는군.

난이도 상 중 **하**

[해설] 두 번째 [중모리]의 "그때에 홍보 마누라는 영감이 떠난 그날부터 후원에 단(壇)을 세우고 정화수를 바치고, 병영 가신 우리 영감 매 한 대도 맞지 말고 무사히 돌아오시라고 밤낮 기도하면서" 부분을 볼 때, 홍보의 아내는 남편이 무사히 돌아오기를 학수고대하고 있음을 알 수 있다.

※ 鶴首苦待(학수고대: 학 학, 머리 수, 쓸 고, 기다릴 대): 학의 목처럼 목을 길게 빼고 간절히 기다림.

[오답분석] ② 홍보가 돈 한 푼 못 벌었다고 불평하는 것을 볼 때, 매품을 팔지 못한 것을 '새옹지마(塞翁之馬)'로 여기고 있다는 반응은 적절하지 않다.

※ 塞翁之馬(새옹지마: 변방 새, 늙은이 옹, 갈 지, 말 마): 인생의 길흉화복은 변화가 많아서 예측하기가 어렵다는 말

③ 아들은 아버지가 매품을 팔러 가는 것도 알지 못한다. 따라서 '측은지심(惻隱之心)'을 갖고 있다는 반응은 적절하지 않다.

※ 惻隱之心(측은지심: 슬퍼할 측, 숨을 은, 갈 지, 마음 심): 불쌍히 여기는 마음

④ 이미 누가 매품을 팔고 갔다는 말을 들은 흥보가 "허허 그전 밤에 우리 마누라가 밤새도록 울더니마는 옆집 꾀수 애비란 놈이 알고 발등걸이를 허였구나."라고 반응한 것을 볼 때, '어불성설(語不成說)'이라고 생각한다는 반응은 적절하지 않다.

※ 語不成說(어불성설: 말씀 어, 아닐 불, 이룰 성, 말씀 설): 말이 조금도 사리에 맞지 아니함.

정답 ①

작품정보 **작자 미상, 〈흥보가(興甫歌)〉**

갈래	판소리 사설
성격	풍자적, 해학적, 교훈적, 서민적
배경	• 시간: 조선 후기(조선 고종 때) • 공간: 전라도 운봉과 경상도 함양 부근
주제	① 형제간의 우애(友愛)와 인과응보에 따른 권선징악 ② 빈부 간의 갈등
특징	① 3·4조, 4·4조의 운문과 산문이 혼합됨. ② 양반층의 한자어와 평민의 비속어가 같이 쓰임. ③ 일상적 구어와 현재형 시제를 사용하여 사실적으로 표현함. ④ 서민 취향이 강한 작품으로 조선 후기 농민층의 분화를 보여 줌.

(가)에 들어갈 한자 성어로 적절한 것은?

> "집안 내력을 알고 보믄 동기간이나 진배없고, 성환이도 이자는 대학생이 됐으니께 상의도 오빠겉이 그렇게 알아 놔라." 하고 장씨 아저씨는 말하는 것이었다. 그러나 상의는 처음 만났을 때도 그랬지만 두 번째도 거부감을 느꼈다. 사람한테 거부감을 느꼈기보다 제복에 거부감을 느꼈는지 모른다. 학교규칙이나 사회의 눈이 두려웠는지 모른다. 어쨌거나 그들은 청춘남녀였으니까. 호야 할매입에서도 성환의 이름이 나오기론 이번이 처음이 아니었다.
> "___(가)___, 손주 때문에 눈물로 세월을 보내더니, 이자는 성환이도 대학생이 되었으니 할매가 원풀이 한풀이를 다했을 긴데 아프기는 와 아프는고, 옛말 하고 살아야 하는 긴데."
>
> — 박경리, 〈토지〉

① 오매불망(寤寐不忘) ② 망운지정(望雲之情)
③ 염화미소(拈華微笑) ④ 백아절현(伯牙絶絃)

난이도 상 ○ 하

해설 "손주 때문에 눈물로 세월을 보냈더니"라는 말을 볼 때, 할머니가 늘 손주 걱정을 하면서 세월을 보냈음을 짐작할 수 있다. 따라서 "자나 깨나 잊지 못함."이라는 의미를 가진 '寤寐不忘(오매불망: 깰 오, 잠잘 매, 아닐 불, 잊을 망)'이 들어가는 것이 가장 적절하다.

오답 분석
② 望雲之情(망운지정: 바랄 망, 구름 운, 갈 지, 뜻 정): 자식이 객지에서 고향에 계신 어버이를 생각하는 마음
③ 拈華微笑(염화미소: 집을 염(념), 빛날 화, 작을 미, 웃을 소): 말로 통하지 아니하고 마음에서 마음으로 전하는 일
④ 伯牙絶絃(백아절현: 맏 백, 어금니 아, 끊을 절, 악기 줄 현): 자기를 알아주는 참다운 벗의 죽음을 슬퍼함.

정답 ①

작품정보 **박경리, 〈토지〉**

갈래	대하소설, 가족사 소설, 연대기 소설
성격	사실적, 민중적, 역사적
배경	• 시간: 1897년 한가위~1945년 해방 • 공간: 경남 하동, 서울, 만주(북간도) 등
시점	전지적 작가 시점
주제	① 한국 근대사의 격변 속에서 인물들이 겪는 고통과 삶 ② 민족적 한(恨)과 그 극복 의지
특징	① 한집안의 몰락과 재기를 민족사의 흐름과 맥을 같이 하여 전개함. ② 방언, 은어, 속어의 사용이 두드러짐.
출전	《토지》(1969~1994)

㉠과 상반되는 뜻을 가진 한자 성어는?

> 미스터 방은 선뜻 쾌한 대답이었다.
> "진정인가?"
> "머, 지끔 당장이래두, 내 입 한번만 떨어진다 치면, 기관총 들멘 엠피가 백 명이구 천 명이구 들끓어 내려가서, 들이 쑥밭을 만들어 놉니다, 쑥밭을."
> "고마우이!"
> 백 주사는 복수하여지는 광경을 선히 연상하면서, 미스터 방의 손목을 덥석 잡는다.
> "㉠ 백골난망이겠네."
> "놈들을 깡그리 죽여 놀 테니, 보슈."
> "자네라면야 어렵겠나."
> "흰말이 아니라 참 이승만 박사두 내 말 한마디면, 고만 다 제바리유."
> ‐ 채만식, 〈미스터 방〉

① 四面楚歌

② 刻骨難忘

③ 九死一生

④ 背恩忘德

난이도 상 ○ 하

[해설] '白骨難忘(백골난망: 흰 백, 뼈 골, 어려울 난, 잊을 망)'은 죽어서 백골이 되어도 잊을 수 없다는 뜻으로, 남에게 큰 은덕을 입었을 때 고마움의 뜻으로 이르는 말이다. 따라서 "남에게 입은 은덕을 저버리고 배신하는 태도가 있음."이라는 의미를 가진 '背恩忘德(배은망덕: 등 배, 은혜 은, 잊을 망, 덕 덕)'과 뜻이 상반된다.

[오답분석] ① 四面楚歌(사면초가: 넉 사, 낯 면, 초나라 초, 노래 가): 아무에게도 도움을 받지 못하는, 외롭고 곤란한 지경에 빠진 형편을 이르는 말

② 刻骨難忘(각골난망: 새길 각, 뼈 골, 어려울 난, 잊을 망): 남에게 입은 은혜가 뼈에 새길 만큼 커서 잊히지 아니함.

③ 九死一生(구사일생: 아홉 구, 죽을 사, 하나 일, 날 생): 아홉 번 죽을 뻔하다 한 번 살아난다는 뜻으로, 죽을 고비를 여러 차례 넘기고 겨우 살아남을 이르는 말

[정답] ④

작품정보 채만식, 〈미스터 방〉

갈래	단편 소설, 세태 소설, 풍자 소설
성격	풍자적, 해학적, 현실 비판적
배경	• 시간: 광복 직후 • 공간: 서울
시점	전지적 작가 시점
주제	권력을 좇아 자신의 이익을 추구하는 당시의 세태와 인간상 비판
특징	① 판소리 사설체를 사용하여 서술자의 개입이 자주 나타남. ② 풍자와 비판의 대상이 되는 인물의 행적을 사실적으로 드러냄.
출전	《대조》(1946)

화자의 상황을 적절하게 표현한 한자 성어는?

> 미인이 잠에서 깨어 새 단장을 하는데
> 향기로운 비단, 보배 띠에 원앙이 수놓였네
> 겹발을 비스듬히 걷으니 비취새가 보이는데
> 게으르게 은 아쟁을 안고 봉황곡을 연주하네
> 금 재갈, 꾸민 안장은 어디로 떠났는가?
> 다정한 앵무새는 창가에서 지저귀네
> 풀섶에 놀던 나비는 뜰 밖으로 사라지고
> 꽃잎에 가리운 거미줄은 난간 너머에서 춤추네
> 뉘 집의 연못가에서 풍악 소리 울리는가?
> 달빛은 금 술잔에 담긴 좋은 술을 비추네
> 시름겨운 이는 외로운 밤에 잠 못 이루는데
> 새벽에 일어나니 비단 수건에 눈물이 흥건하네
> ‐ 허난설헌, 〈사시사(四時詞)〉

① 琴瑟之樂

② 輾轉不寐

③ 錦衣夜行

④ 麥秀之嘆

난이도 상 ○ 하

[해설] "시름겨운 이는 외로운 밤에 잠 못 이루는데" 부분에 화자의 정서가 직접적으로 드러나 있다. 즉 화자는 임을 그리워하는 마음에 잠을 이루지 못하는 상황이다. 따라서 화자의 상황을 표현할 말로는 누워서 몸을 이리저리 뒤척이며 잠을 이루지 못함을 이르는 한자 성어인 '輾轉不寐(전전불매: 돌아누울 전, 구를 전, 아닐 불, 잠잘 매)'가 가장 적절하다.

[오답분석] ① 琴瑟之樂(금슬지락: 거문고 금, 큰 거문고 슬, 갈 지, 즐길 락): 부부간의 사랑

③ 錦衣夜行(금의야행: 비단 금, 옷 의, 밤 야, 다닐 행): 비단옷을 입고 밤길을 다닌다는 뜻으로, 자랑삼아 하지 않으면 생색이 나지 않음을 이르는 말, 아무 보람이 없는 일을 함을 이르는 말

④ 麥秀之嘆(맥수지탄: 보리 맥, 빼어날 수, 갈 지, 탄식할 탄): 고국의 멸망을 한탄함을 이르는 말

[정답] ②

작품정보 허난설헌, 〈사시사(四時詞)〉

갈래	한시(7언 고시)
성격	애상적
주제	임을 그리워하는 마음
특징	① 여성 특유의 우아하고 섬세한 묘사가 돋보임. ② 자연물과 감각적 표현을 활용하여 화자의 정서를 드러냄.

〈보기〉의 밑줄 친 부분과 가장 잘 어울리는 사자성어는?

―――――――― 〈보기〉 ――――――――

나모도 바히돌도 업슨 뫼헤 매게 쪼쪼친 가토릐 안과,
대천(大川) 바다 한가온디 일천(一千)석 시른 비에 노도
일코닷도 일코 뇽총도 근코 돗대도 것고 치도 싸지고 부람
부러 물결 치고 안개 뒤섯계 ᄌᆞ자진 날에 갈 길은 천리만리
나믄듸 사면이 거머어득 져믓 천지적막 가치노을 쩟ᄂᆞᆫ듸
수적 만난 도사공의 안과,

엇그제 님 여흰 내 안히야 엇다가 ᄀᆞ을 ᄒᆞ리오.

① 捲土重來　　② 緣木求魚
③ 前虎後狼　　④ 天衣無縫

난이도 ⓢ ○ ⓗ

[해설] 밑줄 친 부분에서는 사면초가의 위기에 직면한 도사공의 절박한 심정이 나타난다. 이와 가장 관련이 있는 사자성어는 앞문에서 호랑이를 막고 있으려니까 뒷문으로 이리가 들어온다는 뜻으로, 재앙이 끊일 사이 없이 닥침을 비유적으로 이르는 말인 ③의 '前虎後狼(전호후랑: 앞 전, 범 호, 뒤 후, 이리 랑)'이다.

오답분석
① **捲土重來(권토중래:** 말 권, 흙 토, 거듭 중, 올 래): 땅을 말아 일으킬 것 같은 기세로 다시 온다는 뜻으로, 한 번 실패하였으나 힘을 회복하여 다시 쳐들어옴을 이르는 말, 어떤 일에 실패한 뒤에 힘을 가다듬어 다시 그 일에 착수함을 비유하여 이르는 말
② **緣木求魚(연목구어:** 인연 연, 나무 목, 구할 구, 물고기 어): 나무에 올라가서 물고기를 구한다는 뜻으로, 도저히 불가능한 일을 굳이 하려 함을 비유적으로 이르는 말
④ **天衣無縫(천의무봉:** 하늘 천, 옷 의, 없을 무, 꿰맬 봉): 천사의 옷은 꿰맨 흔적이 없다는 뜻으로, 일부러 꾸민 데 없이 자연스럽고 아름다우면서 완전함을 이르는 말, 완전무결하여 흠이 없음을 이르는 말

[정답] ③

작품정보 작자 미상, 〈나모도 바히돌도~〉

갈래	사설시조
성격	수심가, 이별가
제재	임과의 이별
주제	임을 여읜 슬픔
특징	① 수다스럽고 과장된 표현을 통해 해학성을 드러냄. ② 열거법, 비교법, 과장법, 점층법 등 다양한 표현법을 사용하여 화자의 심정을 강조함.

다음 글에 대한 설명으로 가장 적절한 것은?

　광문은 외모가 극히 추악하고, 말솜씨도 남을 감동시킬 만하지 못하며, 입은 커서 두 주먹이 들락날락하고, 만석희*를 잘하고 철괴무*를 잘 추었다. 우리나라 아이들이 서로 욕을 할 때면, "네 형은 달문(達文)이다."라고 놀려 댔는데, 달문은 광문의 또 다른 이름이었다.

　광문이 길을 가다가 싸우는 사람을 만나면 그도 역시 옷을 훌훌 벗고 싸움판에 뛰어들어, 뭐라고 시부렁대면서 땅에 금을 그어 마치 누가 바르고 누가 틀리다는 것을 판정이라도 하는 듯한 시늉을 하니, 온 저자 사람들이 다 웃어 대고 싸우던 자도 웃음이 터져, 어느새 싸움을 풀고 가 버렸다. 광문은 나이 마흔이 넘어서도 머리를 땋고 다녔다. 남들이 장가를 가라고 권하면, "잘생긴 얼굴은 누구나 좋아하는 법이다. 그러나 사내만 그런 것이 아니라 비록 여자라도 역시 마찬가지다. 그러기에 나는 본래 못생겨서 아예 용모를 꾸밀 생각을 하지 않는다." 하였다. 남들이 집을 가지라고 권하면,

　"나는 부모도 형제도 처자도 없는데 집을 가져 무엇하리. 더구나 나는 아침이면 소리 높여 노래를 부르며 저자에 들어갔다가, 저물면 부귀한 집 문간에서 자는 게 보통인데, 서울 안에 집 호수가 자그마치 팔만 호다. 내가 날마다 자리를 바꾼다 해도 내 평생에는 다 못 자게 된다." 하고 사양하였다.

　서울 안에 명기(名妓)들이 아무리 곱고 아름다워도, 광문이 성원해 주지 않으면 그 값이 한 푼어치도 못 나갔다.

　예전에 궁중의 우림아(羽林兒), 각 전(殿)의 별감(別監), 부마도위(駙馬都尉)의 청지기들이 옷소매를 늘어뜨리고 운심(雲心)의 집을 찾아간 적이 있다. 운심은 유명한 기생이었다. 대청에서 술자리를 벌이고 거문고를 타면서 운심더러 춤을 추라고 재촉해도, 운심은 일부러 늑장을 부리며 선뜻 추지를 않았다. 광문이 밤에 그 집으로 가서 대청 아래에서 어슬렁거리다가, 마침내 자리에 들어가 스스로 상좌(上座)에 앉았다. 광문이 비록 해진 옷을 입었으나 행동에는 조금의 거리낌도 없이 의기가 양양하였다. 눈가는 짓무르고 눈곱이 끼었으며 취한 척 구역질을 해 대고, 헝클어진 머리로 북상투를 튼 채였다. 온 좌상이 실색하여 광문에게 눈짓을 하며 쫓아내려고 하였다. 광문이 더욱 앞으로 나아가 무릎을 치며 곡조에 맞춰 높으락낮으락 콧노래를 부르자, 운심이 곧바로 일어나 옷을 바꿔 입고 광문을 위하여 칼춤을 한바탕 추었다. 그리하여 온 좌상이 모두 즐겁게 놀았을 뿐 아니라, 또한 광문과 벗을 맺고 헤어졌다.

- 박지원, 〈광문자전(廣文者傳)〉

＊만석희: 개성 지방에서 연희되던 인형극
＊철괴무: 거지의 형상을 하고 쇠 지팡이를 짚고 추는 춤

---

① 아이들이 싸울 때 상대방을 광문에 빗대어 욕하는 것은 아이들이 광문을 낭중지추(囊中之錐)로 보고 있기 때문이겠군.

② 길거리에서 싸우던 사람들이 광문의 개입으로 싸움을 멈추는 것은 그들이 광문의 교언영색(巧言令色)에 넘어갔기 때문이겠군.

③ 집을 가지라는 주변 사람들의 말에 대한 광문의 대답은 그가 안분지족(安分知足)의 삶을 추구하고 있음을 보여 주는군.

④ 기생이 광문에 호응하여 칼춤을 추는 것을 보고 즐겁게 놀았던 손님들이 광문과 벗을 맺는 것은 구밀복검(口蜜腹劍)의 행태라 하겠군.

난이도 ⑧ ○ ⑨

[해설] "나는 부모도 형제도 처자도 없는데 집을 가져 무엇하리. 더구나 나는 아침이면 소리 높여 노래를 부르며 저자에 들어갔다가, 저물면 부귀한 집 문간에서 자는 게 보통인데, 서울 안에 집 호수가 자그마치 팔만 호다. 내가 날마다 자리를 바꾼다 해도 내 평생에는 다 못 자게 된다."라는 광문의 말을 볼 때, 광문은 **安分知足(안분지족: 편안할 안, 나눌 분, 알 지, 만족 족)**의 삶을 추구하고 있음을 알 수 있다.

[오답분석]

① 아이들이 싸울 때 상대방을 광문에 빗대어 욕하는 이유는 광문의 외모가 극히 추악하고, 말솜씨도 감동시킬 만하지 못하기 때문이다. 따라서 광문을 낭중지추(囊中之錐)로 보고 있다는 설명은 적절하지 않다.

　※ 囊中之錐(낭중지추: 주머니 낭, 가운데 중, 어조사 지, 송곳 추): 주머니 속의 송곳이라는 뜻으로, 재능이 뛰어난 사람은 숨어 있어도 저절로 사람들에게 알려짐을 이르는 말

② 길거리에서 싸우던 사람들이 광문의 개입으로 싸움을 멈추는 것은 광문이 싸움판에 뛰어들어 판정이라도 하는 시늉을 하여 온 저자 사람들은 물론, 싸우던 자도 웃음이 터지기 때문이다. 따라서 광문의 교언영색(巧言令色)에 넘어갔다는 설명은 적절하지 않다.

　※ 巧言令色(교언영색: 공교할 교, 말씀 언, 하여금 영(령), 빛 색): 아첨하는 말과 알랑거리는 태도

④ 기생이 광문에 호응하여 칼춤을 추는 것을 보고 즐겁게 놀던 사람들이 광문과 벗을 맺는 이유는 광문이 쫓겨나려 해도 콧노래를 부르며 놀았고, 사람들을 해치려 하지 않았기 때문이다. 따라서 구밀복검(口蜜腹劍)의 행태라는 설명은 적절하지 않다.

　※ 口蜜腹劍(구밀복검: 입 구, 꿀 밀, 배 복, 칼 검): 입에는 꿀이 있고 배 속에는 칼이 있다는 뜻으로, 말로는 친한 듯하나 속으로는 해칠 생각이 있음을 이르는 말

[정답] ③

작품정보 박지원, 〈광문자전〉

갈래	한문 소설, 단편 소설, 풍자 소설
성격	풍자적, 사실적
시점	전지적 작가 시점
배경	・시간: 조선 후기 ・공간: 한양의 종루 저자
제재	비렁뱅이 광문의 삶
주제	① 정직하고 신의 있는 삶에 대한 예찬 ② 권모술수가 판을 치는 사회에 대한 풍자
특징	① 조선 후기 사회의 모습을 사실적으로 묘사함. ② 거지 '광문(廣文)'의 인품을 예찬함으로써 상대적으로 양반 사회에 대한 풍자 효과를 높임
의의	양반 계층에 대한 부정적 인식에서 표출된 새로운 인간형을 제시함.

(가)~(라)에 나타난 상황을 한자 성어로 표현할 때 적절하지 않은 것은?

(가) 동리자가 북곽 선생에게 청하기를,
　"선생님의 덕을 오랫동안 흠모하였습니다. 오늘 밤 선생님께서 글 읽는 소리를 듣고 싶사옵니다."
하니, 북곽 선생이 옷깃을 가다듬고 무릎을 꿇고 앉아서 '시경'을 읊었다.
　"원앙새는 병풍에 그려져 있고 / 반짝반짝 반딧불 날아다니는데 / 크고 작은 이 가마솥들은 / 어느 것을 모형 삼아 만들었나?"
그러고 나서 "이는 흥(興)이로다."
하였다.
　다섯 아들들이 서로 말을 주고받기를,
　"예기(禮記)'에 과부의 집 문 안에는 들어가지 않는 법이라고 했는데, 북곽 선생님은 현자가 이니신가."
　"정나라 도읍의 성문이 허물어진 곳에 여우가 굴을 파고 산다더라."
　"여우가 천년을 묵으면 요술을 부려 사람으로 둔갑할 수 있다더라. 그러니 이는 여우가 북곽 선생으로 둔갑한 게 아닐까?" 〈중략〉
(나) 이에 다섯 아들들이 함께 에워싸고 공격하니, 북곽 선생은 몹시 놀라 뺑소니를 치면서도 남들이 자기를 알아볼까 두려워하였다. 그래서 다리를 들어 목에 걸치고는 귀신처럼 춤추고 귀신처럼 웃더니, 대문을 나서자 줄달음치다가 그만 들판의 구덩이에 빠져 버렸다. 그 속에는 똥이 가득 차 있었다. 구덩이에서 기어 올라와 고개를 내놓고 바라보았더니, 범이 길을 막고 있었다.
(다) 범은 얼굴을 찌푸리며 구역질을 하고, 코를 막고 고개를 왼쪽으로 돌리며 숨을 내쉬고는,
　"선비는 구린내가 심하구나!"
하였다.
　북곽 선생이 머리를 조아리고 기어 와서, 세 번 절하고 무릎을 꿇은 채 고개를 들고는,
　"범의 덕이야말로 지극하다 하겠사옵니다. 대인(大人)은 그 가죽 무늬가 찬란하게 변하는 것을 본받고, 제왕은 그 걸음걸이를 배우며, 사람의 자식은 그 효성을 본받고, 장수는 그 위엄을 취하지요. 명성이 신령스러운 용과 나란히 드높아, 하나는 바람을 일으키고 하나는 구름을 일으키니, 하계에 사는 이 천한 신하는 감히 그 아랫자리에서 모시고자 하옵니다."
하였다. 그러자 범은 이렇게 꾸짖었다.
(라) "가까이 오지 마라! 예전에 듣기를 유(儒)는 유(諛)라더니, 과연 그렇구나. 너는 평소에 천하의 못된 이름을 다 모아 함부로 나에게 갖다 붙이다가, 이제 급하니까 면전에서 아첨을 하니, 장차 누가 너를 신뢰하겠느냐?"

① (가) - 表裏不同　　② (나) - 命在頃刻
③ (다) - 巧言令色　　④ (라) - 櫛風沐雨

해설 (라)는 호랑이가 '북곽 선생'을 꾸짖는 장면이다. 그런데 '즐풍목우(櫛風沐雨)'는 긴 세월 동안 객지를 떠돌며 고생한다는 의미를 가진 말이므로, (라)에 어울리지 않는다.
※ 櫛風沐雨(즐풍목우: 빗 **즐**, 바람 **풍**, 머리 감을 **목**, 비 **우**): 머리털을 바람으로 빗질하고 몸은 빗물로 목욕한다는 뜻으로, 오랜 세월을 객지에서 방랑하며 온갖 고생을 다 함을 이르는 말

오답분석 ① '북곽 선생'은 현자로 알려진 인물인데, 과부의 집에 드나든다는 점에서 겉과 속이 다른 인물로 볼 수 있다. 따라서 '표리부동(表裏不同)'과 어울린다.
※ 表裏不同(표리부동: 겉 **표**, 속 **리**, 아니 **부**(불), 같을 **동**): 겉으로 드러나는 언행과 속으로 가지는 생각이 다름.
② '북곽 선생'이 도망치는 과정으로, 똥통에도 빠지고 호랑이도 만나는 장면이므로 '거의 죽게 됨'을 의미하는 '명재경각(命在頃刻)'과 어울린다.
※ 命在頃刻(명재경각: 목숨 **명**, 있을 **재**, 잠깐 **경**, 새길 **각**): 거의 죽게 되어 곧 숨이 끊어질 지경에 이름.
③ 살기 위해 '범'에게 아첨하는 상황이므로, '교언영색(巧言令色)'이 어울린다.
※ 巧言令色(교언영색: 공교할 **교**, 말씀 **언**, 하여금 **영**(령), 빛 **색**): 아첨하는 말과 알랑거리는 태도

정답 ④

작품정보 박지원, 〈호질〉

갈래	한문 소설, 단편 소설, 풍자 소설
성격	풍자적, 비판적, 우의적
특징	① 인간의 부정적 모습을 희화화함. ② 등장인물의 대화를 통해 주제를 전달함. ③ 서술자의 개입을 통해 등장인물을 소개함.
주제	① 양반 계급의 허위의식 비판 ② 유학자들의 이중적인 도덕관을 통렬하게 풍자적으로 비판

📈 **출제 유형**

문학과 속담	작품의 주제, 인물의 상황과 관련된 속담을 찾는 유형

133 ○○○
2015 교육행정직 9급

〈보기〉의 속담 중 다음 글의 주제와 관련되는 것끼리 묶은 것은?

─── 〈보기〉 ───

수오재(守吾齋)라는 것은 큰형님이 그 집에 붙인 이름이다. 나는 처음에 의심하며 말하기를, "나와 굳게 맺어져 있어 서로 떨어질 수 없는 것으로는 '나[吾]'보다 절실한 것이 없으니, 비록 지키지 않은들 어디로 갈 것인가. 이상한 이름이다." / 하였다.

내가 장기(長鬐)로 귀양 온 이후 홀로 지내면서 잘 생각해 보았더니, 하루는 갑자기 이러한 의문점에 대해 해답을 얻을 수 있었다. 나는 벌떡 일어나 다음과 같이 스스로 말하였다. "대체로 천하의 만물이란 모두 지킬 것이 없고, 오직 '나'만은 지켜야 하는 것이다. 내 밭을 지고 도망갈 자가 있는가. 밭은 지킬 것이 없다. 내 집을 지고 달아날 자가 있는가. 집은 지킬 것이 없다. 〈중략〉 그런즉 천하의 만물은 모두 지킬 것이 없다. 유독 이른바 '나'라는 것은 그 성품이 달아나기를 잘하여 드나듦에 일정한 법칙이 없다. 아주 친밀하게 붙어 있어서 서로 배반하지 못할 것 같으나 잠시라도 살피지 않으면, 어느 곳이든 가지 않는 곳이 없다. 이익으로 유도하면 떠나가고, 위험과 재화가 겁을 주어도 떠나가며, 심금을 울리는 고운 음악 소리만 들어도 떠나가고, 새까만 눈썹에 흰 이빨을 한 미인의 요염한 모습만 보아도 떠나간다. 그런데 한번 가면 돌아올 줄을 몰라서 붙잡아 데려오기도 어렵다. 그러므로 천하에서 가장 잃어버리기 쉬운 것이 '나' 같은 것이 없다. 어찌 실과 끈으로 매고 빗장과 자물쇠로 잠가서 굳게 지켜야 하지 않겠는가."

나는 '나'를 잘못 간직했다가 잃어버렸던 자이다.

- 정약용, 〈수오재기〉

㉠ 길이 아니면 가지 말고 말이 아니면 듣지 말라.
㉡ 가는 말이 고와야 오는 말이 곱다.
㉢ 강물이 돌을 굴리지 못한다.
㉣ 우물에 가 숭늉 찾는다.

① ㉠, ㉡   ② ㉠, ㉢   ③ ㉡, ㉣   ④ ㉢, ㉣

난이도 ⓐ ⓑ ⓒ

[해설] 제시된 작품에서는 '나'를 지키는 것이 중요하다고 말하고 있다. 〈보기〉 중 '나'를 지키는 것이 중요하다는 의미를 가진 속담은 ㉠과 ㉢이다.

[참고] 어휘

㉠ 길이 아니면 가지 말고 말이 아니면 듣지 말라: 언행을 소홀히 하지 말고, 정도(正道)에서 벗어나는 일이거든 아예 처음부터 하지 말라는 말
㉢ 강물이 돌을 굴리지 못한다: 강물이 아무리 흘러도 돌을 움직여 굴리지는 못한다는 뜻으로, 세태에 흔들리지 아니하고 지조 있게 꿋꿋이 행동함을 비유적으로 이르는 말

[오답분석] ㉡과 ㉣은 제시문을 통해 이끌어 낼 수 있는 교훈이 아니다.

[참고] 어휘

㉡ 가는 말이 고와야 오는 말이 곱다: 자기가 남에게 말이나 행동을 좋게 하여야 남도 자기에게 좋게 한다는 말
㉣ 우물에 가 숭늉 찾는다: 모든 일에는 질서와 차례가 있는 법인데 일의 순서도 모르고 성급하게 덤빔을 비유적으로 이르는 말

[정답] ②

작품정보 **정약용, 〈수오재기〉**

갈래	한문 수필, 기(記)
성격	반성적, 회고적, 교훈적, 자경적(自警的)
제재	'수오재'라는 집의 이름
주제	본질적 자아를 지키는 것의 중요함.
특징	① 자문자답을 통해 사물의 의미를 도출함. ② 의문에서 출발하여 깨달음을 얻는 과정을 드러냄으로써 독자의 공감을 유도함.
출전	《여유당전서(與猶堂全書)》

밑줄 친 문장의 상황에 부합하는 속담으로 가장 적절한 것은?

나는 대뜸 달겨들어서 나도 모르는 사이에 큰 수탉을 단매로 때려 엎었다. 닭은 푹 엎어진 채 다리 하나 꼼짝 못 하고 그대로 죽어 버렸다. 그리고 나는 멍하니 섰다가 점순이가 매섭게 눈을 흡뜨고 닥치는 바람에 뒤로 벌렁 나자빠졌다.

"이놈아! 너, 왜 남의 닭을 때려 죽이니?"

"그럼 어때?" / 하고, 일어나다가

"뭐 이 자식아! 누 집 닭인데?"

하고 복장을 떼미는 바람에 다시 벌렁 자빠졌다. 그리고 나서 가만히 생각을 하니 분하기도 하고 무안도스럽고, 또 한편 일을 저질렀으니 인젠 땅이 떨어지고 집도 내쫓기고 해야 될는지 모른다. / 나는 비슬비슬 일어나며 소맷자락으로 눈을 가리고는 얼김에 엉하고 울음을 놓았다. 그러다 점순이가 앞으로 다가와서

"그럼, 너, 이담부턴 안 그럴 테냐?"

하고 물을 때에야 비로소 살 길을 찾은 듯싶었다. 나는 눈물을 우선 씻고 뭘 안 그러는지 명색도 모르건만

"그래!" / 하고 무턱대고 대답하였다.

"요담부터 또 그래 봐라. 내 자꾸 못살게 굴 테니."

"그래 그래, 인젠 안 그럴 테야."

"닭 죽은 건 염려 마라. 내 안 이를 테니."

그리고 뭣에 떠다밀렸는지 나의 어깨를 짚은 채 그대로 퍽 쓰러진다. 그 바람에 나의 몸뚱이도 겹쳐서 쓰러지며 한창 피어 퍼드러진 노란 동백꽃 속으로 폭 파묻혀 버렸다.

- 김유정, 〈동백꽃〉

① 간에 붙었다 쓸개에 붙었다 하는군.

② 닭 쫓던 개 지붕 쳐다보는 꼴이야.

③ 이건 울며 겨자 먹는 꼴이지 뭐야.

④ 소 잃고 외양간 고치는 격이군.

난이도 상 ○ 하

해설 닭이 죽어 당황한 내게 점순이의 말은 한 줄기 빛과 같았을 것이다. 싫지만 그렇게 대답하지 않으면 안 되는 상황에서 "그래 그래, 인젠 안 그럴 테야."라고 '나'가 말하는 상황으로, 이 경우 속담 '울며 겨자 먹기'가 적절하다.

> **참고 어휘**
>
> 울며 겨자 먹기: 맵다고 울면서도 겨자를 먹는다는 뜻으로, 싫은 일을 억지로 마지못하여 함을 비유적으로 이르는 말

오답 분석

① **간에 붙었다 쓸개에 붙었다 한다**: 자기에게 조금이라도 이익이 되면 지조 없이 이편에 붙었다 저편에 붙었다 함을 비유적으로 이르는 말

② **닭 쫓던 개 지붕 쳐다본다**: 개에게 쫓기던 닭이 지붕으로 올라가자 개가 쫓아 올라가지 못하고 지붕만 쳐다본다는 뜻으로, 애써 하던 일이 실패로 돌아가거나 남보다 뒤떨어져 어찌할 도리가 없게 됨을 비유적으로 이르는 말

④ **소 잃고 외양간 고친다**: 소를 도둑맞은 다음에서야 빈 외양간의 허물어진 데를 고치느라 수선을 떤다는 뜻으로, 일이 이미 잘못된 뒤에는 손을 써도 소용이 없음을 비꼬는 말

정답 ③

작품정보	김유정, 〈동백꽃〉
갈래	단편 소설, 농촌 소설
성격	해학적, 토속적
배경	• 시간: 1930년대 어느 봄 • 공간: 강원도 산골 마을
시점	1인칭 주인공 시점
주제	사춘기 시골 남녀의 순박한 사랑
특징	① 토속적 어휘, 사투리, 비속어, 의성어와 의태어 등을 사용하여 생동감 있게 표현함. ② 현재 → 과거 → 현재의 역순행적 구성으로 전개됨. ③ 우스꽝스런 인물의 행동으로 해학적인 분위기를 조성함.
출전	《조광》(1936)

문학과 속담	작품의 빈칸에 들어갈 속담을 찾는 유형

135 ○○○ 2023 군무원 9급

다음 중 (㉠)에 들어가기에 가장 적절한 속담은?

춘향이가 마지막으로 유언을 허는디,
"서방님!"
"왜야?"
"내일 본관 사또 생신 잔치 끝에 나를 올려죽인다니, 날 올리라고 영이 내리거든 칼머리나들어주고, 나를 죽여 내어놓거든, 다른 사람손 대기 전에 서방님이 삯군인 체 달려들어,

나를 업고 물러나와 우리 둘이 인연 맺든부용당에 나를 뉘고, 옥중에서 서방님을 그려간장 썩은 역류수 땀내 묻은 속적삼 벗겨, 세번 불러 초혼허고, 서방님 속적삼 벗어 나의가슴을 덮어 주오. 수의 입관도 내사 싫소. 서방님이 나를 안고 정결한 곳 찾아가서 은근히묻어 주고, 묘 앞에다 표석을 세워, '수절원사춘향지묘'라 크게 새겨주옵시면, 아무 여한이없겠네라."

어사또 이 말 듣고,
"오, 춘향아! 오냐, 춘향아, 우지 마라. 내일 날이 밝거드면 상여를 탈지, 가마를 탈지 그 속이야 누가 알랴마는, 천붕우출이라, (㉠) 법이요, 극성이면 필패라니, 본관이 네게 너무 극성을 뵈었으니, 무슨 변을 볼지 알겠느냐?"

① 도둑이 제 발 저리는
② 웃는 낯에 침 못 뱉는
③ 모로 가도 서울만 가면 되는
④ 하늘이 무너져도 솟아날 구멍이 있는

난이도 ㊂ ㊥ ㊦

[해설] ㉠ 바로 앞에서 '천붕우출이라'라고 하였다. **'천붕우출(天崩牛出**: 하늘 천, 무너질 붕, 소 우, 날 출)'은 우리나라 속담 '하늘이 무너져도 솟아날 구멍이 있다'를 한문으로 기록한 것이다. 따라서 ㉠에는 들어갈 속담은 ④이다.

오답 분석 ① **도둑이 제 발 저리다**: 지은 죄가 있으면 자연히 마음이 조마조마하여짐을 비유적으로 이르는 말

② **웃는 낯에 침 못 뱉는다**: 웃는 낯으로 대하는 사람에게 침을 뱉을 수 없다는 뜻으로, 좋게 대하는 사람에게 나쁘게 대할 수 없다는 말

③ **모로 가도 서울만 가면 된다**: 무슨 수단이나 방법으로라도 목적만 이루면 된다는 말

정답 ④

작품정보 **작자 미상, <춘향가>**

갈래	판소리 사설
성격	해학적, 풍자적, 평민적
배경	• 시간: 조선 후기(숙종) • 공간: 전라도 남원
제재	춘향의 정절
주제	① 신분을 초월한 남녀 간의 사랑 ② 불의한 지배 계층에 대한 서민의 항거 ③ 신분적 갈등의 극복을 통한 인간 해방
특징	① 해학과 풍자에 의한 골계미가 나타남. ② 언어유희에 의한 말하기 방식이 두드러짐. ③ '춘향'과 '변 사또'를 중심으로 한 갈등 양상이 뚜렷하게 나타남.
의의	현대에도 가장 많은 사랑을 받고 있는 판소리계 사설로서 영화나 뮤지컬, 문학 작품 등으로 꾸준히 재창조되고 있음.

136 ○○○ 2019 경찰 1차

다음 밑줄 친 ㉠에 들어갈 속담으로 가장 적절한 것은?

귀국하고 나서도 아버지는 역시 노동, 어머니는 장사를 했다. 어머니가 장사를 한 것은 귀국 즉시가 아니었고, 한번은 죽은 내 남동생의 주사를 맞히려고 하는데 집에는 돈 한 푼이 없어 이웃에게 빌리려고 했으나 어디 한 군데서도 그것을 못 했다고 한다. 그 약값이 없어 동생은 죽었다. '없으면 문둥이보다 더 더럽다.'라는 것은 당신이 노상 한 말이었고, 그래서 당신 스스로가 장사판에 뛰어든 것이다. <중략>

그러니까 그 덕으로 우리는 살았다. 이때도 생선을 지고 그 뒤치다꺼리는 아버지가 했다. 그 장사를 몇 년 했다. 형이 장가든 것도, 내가 그런 것도, 또 밑으로 누이동생 둘이 시집간 것도, 다 어머니가 장사를 한 덕을 입었다. 큰 벌이는 아니었으나 그동안 먹고 지낸 것, 우리들 사 남매를 장가가고 시집가게 한 조그만 힘은 되었다. <중략>

어머니는 숱한 고생 속에서 세월을 보냈다. 그 어머니의 말대로, '㉠ _____'였다. 자신의 노력이 하나도 드러나지 않는 것이었다. 지지리도 고생스러운 나날이었다.

① 비단옷 입고 밤길 걷기
② 솔밭에 가서 고기 낚기
③ 원님 덕에 나팔 분다.
④ 굽은 나무가 선산을 지킨다.

해설 ㉠ 다음의 "자신의 노력이 하나도 드러나지 않는 것이었다." 부분을 볼 때, ㉠에는 노력했음에도 보람이 없음을 의미하는 속담이 들어가는 것이 적절하다. 따라서 ㉠에는 생색이 나지 않는 공연한 일에 애쓰고도 보람이 없는 경우를 비유적으로 이르는 말인 '비단옷 입고 밤길 걷기'가 들어가는 것이 가장 적절하다.

※ 박재삼의 〈추억에서〉와 관련된 수필이다.

오답분석
② 솥밭에 가서 고기 낚기: 도저히 불가능한 일을 하려고 애쓰는 어리석음을 비유적으로 이르는 말

③ 원님 덕에 나팔 분다: 남의 덕으로 당치도 아니한 행세를 하게 되거나 그런 대접을 받고 우쭐대는 모양을 비유적으로 이르는 말

④ 굽은 나무가 선산을 지킨다: 쓸모없어 보이는 것이 도리어 제 구실을 하게 됨을 비유적으로 이르는 말

정답 ①

---

137 ○○○

다음 중 문맥상 ㉠에 들어갈 표현으로 가장 적절한 것은?

> "아가 아가, 우지 마라. 아무리 젖을 달란들 무엇 먹고 젖이 나며 밥을 아무리 달란들 어데서 쌀이 나랴."
> 이처럼 달랠 제 흥부 마음 인후(仁厚)하여 청산유수요 곤륜백옥(崑崙白玉)이라. 성덕을 본을 삼고 악한 일 멀리하며 물욕에 탐이 없고 주색(酒色)에 무심한지라. 마음이 이러하니 부귀를 바랄소냐. 흥부 아내 이른 말이,
> "여보 아이 아버지, 내 말씀 들어 보시오. 부질없이 청렴한체 마오. 안자(顔子)의 누항단표(陋巷簞瓢) 주린 염치 삼십에 조사(早死)하고 백이숙제 주린 염치 수양산에 아사(餓死)하니 청루 소부 울었으매 부질없는 청렴 말고 저 자식들 살려 보사이다. 저 건너 아주버님 댁에 가서 쌀이 되나 돈이 되나 양단간에 얻어 옵소." / 흥부 하는 말
> "형님 댁에 갔다가 보리나 타고 오게?"
> 흥부 아내 착한 마음에 보리라 하니까 먹는 보리로만 알고 하는 말이, / "여보, 배부른 소리 작작하오. 보리는 흉년 곡식이라 느루 먹기는 정말 쌀보다 낫습네다."
> 흥부 하는 말이, / "여보 마누라, 보리라니까 갈보리, 봄보리, 늦보리로 아나 보오그려. 우리 형님이 음식 끝을 볼 양이면 사촌을 몰라보고 가사 목이나무 푸레 몽치로 함부로 치는 성품이니 그런 보리를 어떤 놈이 탄단 말인가."
> 흥부 아내 하는 말이,
> "애고, 이 말이 웬 말이오. 상담(常談)에 (㉠)는 말이 있지 않소. 맞으나 아니 맞으나 쏘아 보다가 그만둡소." 흥부 이 말 듣고 마지못하여 형의 집으로 건너간다.

① 포도청의 문고리라도 잡아 빼라.

② 동냥은 아니 주더라도 쪽박은 깨지 말라.

③ 마당 벌어진 데 웬 솔뿌리 걱정이냐.

④ 자식 죽는 건 봐도 곡식 타는 건 못 본다.

⑤ 하루 죽을 줄은 모르고 열흘 살 줄만 안다.

해설 제시문은 고전 소설 〈흥부전〉의 일부이다. 문맥상 '사촌을 몰라보고 함부로 치는 형'이라는 흥부의 말에 흥부 아내는 그럴 리가 없다면서 반박을 한다. 이러한 상황에서 흥부의 아내가 할 수 있는 말에 해당하는 것은 '남을 도와주지는 못할망정 방해는 말라.'는 의미의 ② '동냥은 아니 주더라도 쪽박은 깨지 말라.'가 적절하다.

오답분석
① 포도청의 문고리라도 잡아 빼라: 대담하고 겁이 없게 행동하라는 말

③ 마당 벌어진 데 웬 솔뿌리 걱정이냐: 마당이 벌어졌는데 그릇이 터졌을 때 필요한 솔뿌리를 걱정한다는 뜻으로, 당치도 아니한 것으로 사건을 수습하려 하는 어리석음을 비웃는 말

④ 자식 죽는 건 봐도 곡식 타는 건 못 본다: 농부들이 농사짓는 일에 온 정성을 다함을 이르는 말

⑤ 하루 죽을 줄은 모르고 열흘 살 줄만 안다: 언제 죽을지 모르는 덧없는 세상에서 자기만은 얼마든지 오래 살 것처럼 행동하는 사람을 보고 이르는 말

정답 ②

작품정보 〈흥부전〉

갈래	판소리계 소설, 국문 소설
성격	풍자적, 해학적, 교훈적
시점	전지적 작가 시점
배경	・시간: 조선 후기 ・공간: 전라도 운봉과 경상도 함양 부근
주제	형제간의 우애와 권선징악(勸善懲惡)
특징	① 서술자의 편집자적 논평이 자주 드러남. ② 판소리의 영향으로 운문체와 산문체가 혼합 ③ 해학과 풍자에 의한 골계미가 나타남.

CHAPTER 4 문학의 이해

 Unit 11 시대적 배경

출제 유형

• 작품의 시대적 배경이 유사한 작품을 판별하는 유형

출제 유형

시대적 배경	작품의 시대적 배경이 유사한 작품을 판별하는 유형

138 ○○○
2019 서울시 7급(2월)

〈보기〉와 시대적 배경이 같은 작품은?

─── 〈보기〉 ───

하꼬방 유리 딱지에 애새끼들
얼굴이 불타는 해바라기마냥 걸려 있다.

내려 쪼이던 햇발이 눈부시어 돌아선다.
나도 돌아선다.

울상이 된 그림자 나의 뒤를 따른다.
어느 접어든 골목에서 걸음을 멈춰라.

잿더미가 소복한 울타리에
개나리가 망울졌다.

① 김승옥의 〈무진기행〉
② 황석영의 〈삼포 가는 길〉
③ 이문구의 〈우리 동네 김씨〉
④ 황순원의 〈나무들 비탈에 서다〉

난이도 (상) ○ (하)

TIP 작품을 모르더라도, '하꼬방(판잣집)', '잿더미가 소복한 울타리' 등의 시구를 통해 제시된 작품의 시대적 배경이 '6·25 전쟁'임을 짐작할 수 있다.

해설 〈보기〉는 구상의 〈초토의 시 1〉(1956)이다. 〈초토의 시 1〉은 6·25 전쟁 직후, 아직 아물지 않은 민족의 상처를 있는 그대로 담아내고 있는 작품이다. 따라서 〈보기〉와 시대적 배경이 같은 작품은 ④의 황순원의 〈나무들 비탈에 서다〉이다.

오답분석 ① 김승옥의 〈무진기행〉(1964)은 1960년대를 배경으로 하는 소설이다.
② 황석영의 〈삼포 가는 길〉(1973)은 1970년대를 배경으로 하는 소설이다.
③ 이문구의 〈우리 동네 김씨〉(1977)는 1970년대를 배경으로 하는 소설이다.

정답 ④

작품정보 **구상, 〈초토의 시 1〉**

갈래	자유시, 서정시
성격	현실적, 희망적
제재	6·25 전쟁 직후의 상황
주제	전란의 폐허 속에서 갖는 조국의 미래에 대한 희망
특징	① 직유법을 통해 시상을 선명하게 드러냄. ② 절망에서 희망으로의 시적 전환이 이루어짐으로써 역동적으로 시상을 전개함. ③ 시적 화자의 분신인 '그림자'를 의인화함으로써 화자의 심정을 효과적으로 드러냄.

139 ○○○　　2018 서울시 9급(6월)

6·25 전쟁과 가장 거리가 먼 소설은?

① 손창섭, 〈비 오는 날〉

② 박경리, 〈토지〉

③ 장용학, 〈요한시집〉

④ 박완서, 〈엄마의 말뚝〉

난이도 상 ○ 하

[해설] 박경리의 〈토지〉(1969~1994)는 '구한말부터 1945년 해방'에 이르기까지를 시간적 배경으로 하고 '진주 부근 하동 평사리에서 만주, 그리고 다시 한반도' 등으로 이어지는 광범위한 공간을 무대로 하여 다양한 인물들이 등장하는 장대한 규모의 대하소설이다. 따라서 6·25 전쟁과 거리가 먼 작품은 ②이다.

오답 분석
① 손창섭의 〈비 오는 날〉(1953)은 6·25 전쟁의 후유증으로 인하여 무기력한 삶을 살아가는 사람들의 우울한 내면 심리와 허무 의식을 다룬 전후 소설이다.

③ 장용학의 〈요한시집〉(1955)은 6·25 전쟁을 소재로 하여 전쟁이라는 상황이 인간에게 어떻게 작용하는지를 형상화한 작품이다.

④ 박완서의 〈엄마의 말뚝〉(1979)은 일제 강점기부터 해방, 6·25 전쟁 등 민족의 수난기를 배경으로 하여 이로 인해 한 가족이 겪어야 했던 비극적 상황을 형상화한 작품이다.

 ②

출제 유형

• 한국 문학사의 특징을 묻는 유형

핵심정리

• **문학사 기출**

(1) [15 기상 9급]

1910년대	전근대적 사회를 극복하고자 하였으며, 서구 문학의 유입에 따라 우리 민족의 역량을 길러야 한다는 민족주의적 계몽주의가 주류를 이루었다.
1920년대	《백조》, 《장미촌》, 《폐허》 등과 같은 문예 동인지가 발간되면서 전문적인 문인들이 등장하여 문학의 저변이 확대되었다.
1930년대	문학의 순수성과 예술성을 지향하는 문인들이 문단의 주류를 형성하였고, 브나로드 운동의 영향으로 농촌 계몽을 목적으로 하는 문학이 등장하였다.
1950년대	정치적 격동기를 배경으로 사회 현실에 대한 통찰과 인식, 역사에 대한 반성과 비판을 주류로 하는 참여 문학이 형성되었다.

(2) [15 경찰 2차]

1930년대	이 시기 계급 문학과 모더니즘 문학, 그리고 새로이 순수 문학파가 대두되면서 나름대로 견제와 균형이 이루어졌고, 작품 경향도 기존의 역사, 정치, 사회, 이념 등을 다루던 데에서 나아가 일상, 개인의 내면과 욕망, 여성 등으로 다양화되는 경향이 있었다.
1960년대	① 이 시기 소설은 황순원, 안수길 같은 기성 작가들의 활발한 활동이 있었으며, 〈무진기행〉의 김승옥, 〈병신과 머저리〉의 이청준, 서정인, 박태순 등 지식인의 세련된 감수성과 언어 구사를 보여 주는 작가들이 등장하기도 했다. ② 이 시기 시는 사회의 부조리에 대한 비판과 고발을 주된 내용으로 하는 현실 참여시와 언어의 예술성과 기교를 바탕으로 전통적 서정을 노래하는 순수 서정시가 양대 산맥을 형성하면서 발전하였다. ③ 이 시기 문학은 4·19 혁명, 5·16 군사 정변의 역사적 체험을 바탕으로 동시대의 삶의 문제를 깊이 탐구하면서 본격적으로 성장하였고 산업화에 따른 여러 가지 문제 등을 중심으로 문학 활동이 전개되었다.

(3) [14 서울시 9급]

1930년대	① 동반자 작가들이 활동했다. ② 예술성을 강조하는 순수 문학이 크게 유행했다. ③ 모더니즘 문학이 도입되고 다양한 기법이 실험되었다. ④ 전원파, 청록파, 생명파 등이 등장했다. ⑤ 일제의 탄압으로 카프(KAPF)가 해체되었다.

| 한국 문학사 | 한국 문학사의 특징을 묻는 유형 |

140 ○○○   2021 경찰 1차

다음 설명 중 가장 적절하지 않은 것은?

① 최남선, 이병기, 이은상은 시조 부흥 운동을 주도하였다.

② 〈춘향전〉, 〈심청전〉, 〈구운몽〉은 판소리계 소설이다.

③ 이상의 〈날개〉는 1930년대 모더니즘 계열 소설이다.

④ 〈호질〉, 〈양반전〉은 박지원의 한문 소설이다.

난이도 ○ 중 하

[해설] 판소리 사설에 영향을 받아 소설로 정착된 것을 '판소리계 소설'
이라 한다. 〈춘향전〉, 〈심청전〉은 판소리계 소설이 맞다. 그러나
조선 시대 김만중의 〈구운몽〉은 판소리계 소설이 아니라 환몽형
구조의 소설이다.

[정답] ②

141 ○○○   2018 서울시 9급(6월)

1960년대 한국 문학의 특징으로 가장 옳지 않은 것은?

① 전후 문학의 한계에 대한 극복이 주요한 과제로 제기되었다.

② 4·19 혁명의 영향으로 현실 비판 문학이 가능하게 되었다.

③ 참여 문학과 순수 문학 진영 간의 논쟁이 발생하였다.

④ 민족 문학과 민중 문학에 대한 논의가 활발히 전개되었다.

난이도 상 ○ 하

[TIP] '민중 문학'이 1970~80년대를 대표하는 문학인 것을 아는지가
문제를 푸는 열쇠다.

[해설] 민중 문학에 대한 논의가 활발히 전개된 것은 1960년대가 아니
라 1970년대의 특징이다. 1970년대는 군사 정권의 독재 아래
산업화가 추진되던 시기로, 자유가 억압되고 빈부 격차가 심화되
어 민주화 운동이 본격화 되었던 시기이다. 이때 민중 문학을 추
구하는 문인들이 많이 등장하였다. 따라서 ④는 1960년대 한국
문학의 특징으로 옳지 않다.

오답
분석
① 한국의 전후 문학은 1950년대 전후에 등장했으며 1960년대
에는 전쟁을 바라보는 객관적 시점이 확보되면서 종래의 반공
의식에서 벗어나 분단 문제를 중립적 시각으로 보려는 경향이
나타나 전후 문학의 한계를 극복하려는 움직임이 나타났다.

② 4·19 혁명의 영향으로 분단 및 독재 체제를 극복하고 시민적
자유와 권리에 대한 열망을 노래하는 현실 비판 문학이 등장하
게 되었다. 신동엽, 김수영 등이 대표적인 작가이다.

③ 순수·참여 논쟁은 1960년대를 전후로 한국 문단에서 일어난
문학 논쟁이다. 작가의 사회적 책임을 내세우는 참여 문학과 문
학의 순수성을 주장하는 순수 문학 진영 간의 논쟁으로, 순수
문학이 우세하던 당시 한국 문단에서 문학의 사회적 기능과 작
가의 역할에 대해 새로운 모색을 했다는 점에서 의의를 지닌다.

[정답] ④

PART

3

고전 문법

CHAPTER 1 | 고전 문법

CHAPTER 2 | 중세국어

출제 경향 한눈에 보기

구조도

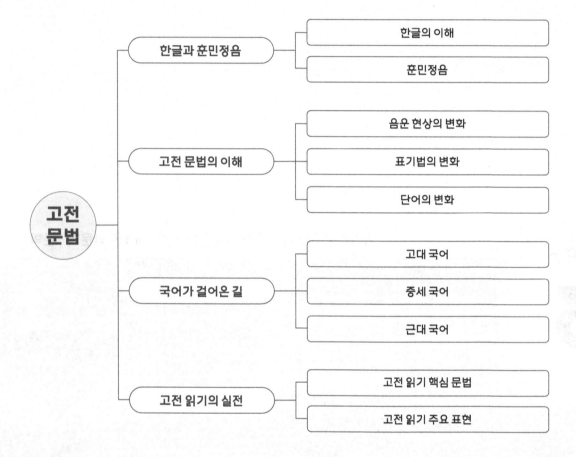

영역별 학습 목표

1. 고전 문법을 익혀 현대어로 해석할 수 있다.
2. 시대의 흐름에 따른 국어의 특징을 이해할 수 있다.
3. 훈민정음의 제자 원리, 표기법 등을 이해한다.

연도별 주요 출제 문항

제자 원리	초성	① 상형 ② 가획 ③ 이체
	중성	① 상형 ② 합성 ③ 합용
	종성	종성부용초성
운용법		① 연서(連書) ② 병서(竝書) ③ 부서(附書) ④ 성음법(成音法) ⑤ 사성(四聲)

연도별 주요 출제 문항

2023년	• 다음 글의 (가)에 들어갈 단어는? • 다음 작품의 언어에 대한 설명으로 옳은 것은? • 밑줄 친 ①~②에 대한 설명으로 가장 적절한 것은? • 〈보기 1〉을 바탕으로 〈보기 2〉를 탐구한 내용으로 가장 적절하지 않은 것은?
2022년	• ①~②의 뜻풀이로 적절하지 않은 것은? • 작품의 내용으로 볼 때 (가) 부분의 역할로 가장 적절한 것은? • (나)를 통해 볼 때 (가)의 빈칸에 들어갈 말로 가장 적절한 것은?
2021년	• ①~②의 의미로 적절하지 않은 것은? • ①~②에 대한 설명으로 옳지 않은 것은? • 〈보기 1〉을 바탕으로 〈보기 2〉의 ①~②을 이해한 것으로 가장 적절하지 않은 것은?
2020년	다음 글에서 알 수 있는 중세 국어의 특징으로 적절하지 않은 것은?
2019년	• 〈보기〉의 밑줄 친 부분에 대한 현대어 해석으로 가장 옳지 않은 것은? • 〈보기〉는 〈훈민정음 언해〉의 한 부분이다. 이에 대한 설명으로 가장 옳은 것은?
2018년	• 밑줄 친 부분에 대한 설명으로 적절한 것은? • 발음 기관에 따라 '아음(牙音)', '설음(舌音)', '순음(脣音)', '치음(齒音)', '후음(喉音)'으로 구별하고 있는 훈민정음의 자음 체계를 참조할 때, 다음 휴대 전화의 자판에 대한 설명으로 옳지 않은 것은? • 〈보기〉는 중세 국어의 표기법에 대한 설명이다. 이에 따른 표기로 가장 옳지 않은 것은? • 중세 국어 표기법에 대한 설명 중 옳은 것을 모두 고른 것은?

Unit 01 차자 표기법

📈 출제 유형

- 차자 표기 방식을 묻는 유형

📖 핵심정리

- **향찰의 표기 방식**: 주로 실질적 의미를 가진 부분은 훈차, 문법적 기능을 가진 부분은 음차를 함.

향찰	善	化	公	主	主	隱
음	선	화	공	주	주	은
뜻	착하다	변하다	공	님	님	숨다

→ 선화공주니믄(선화공주님은)

향찰	他	密	只	嫁	良	置	古
음	타	밀	지	가	량	치	고
뜻	남	그윽하다	단지	어루다	어질다	두다	옛

→ 눔 그스지 얼어 두고(남 몰래 결혼하고)

향찰	薯	童	房	乙
음	서	동	방	을
뜻	마	아이	방	새

→ 맛둥바올(맛둥서방을)

향찰	夜	矣	卯	乙	抱	遣	去	如
음	야	의	묘	을	포	견	거	여
뜻	밤	어조사	토끼	새	안다	보내다	가	다

→ 바미 몰 안고 가다(밤에 몰래 안고 가다.)

차자 표기법	차자 표기 방식을 묻는 유형

다음 작품에 대한 설명 중 가장 적절하지 않은 것은?

> 善化公主主隱
> 他密只嫁良置古
> 薯童房乙
> 夜矣卯乙*乙抱遣去如
>
> * '卯乙'은 '卯'로 판독하는 경우도 있음.

① 《균여전(均如傳)》에 실려 있다.

② 민요적 성격이 강하다.

③ 첫 번째 구의 밑줄 친 '隱'은 음독(音讀)한다.

④ 형식상 〈헌화가〉와 같다.

난이도 (상) ○ (하)

해설 해당 작품은 4구체 향가 〈서동요(薯童謠)〉이다. '서동요'는 《균여전(均如傳)》이 아니라, 《삼국유사》에 실려 있다.

※ 현재 전해지는 향가는 《삼국유사》에 14수, 《균여전》에 11수로, 도합 25수뿐이며, 이 중 《균여전》에 수록된 향가는 고려 초기의 균여대사의 작품으로 10구체의 불교 예찬이다.

오답분석
② '서동요'는 4구체 향가이다. 일반적으로 4구체 향가가 민요에서 정착했다고 보아 민요체 향가라고도 한다.

③ 실질 형태소는 '훈독(訓讀)', 형식 형태소는 '음독(陰毒)'하여 쓰인 것이 향찰의 특징이다. 첫 번째 구는 '선화공주님은'으로 해석된다. 즉 '隱(숨을 은)'은 음독하여 조사로 기능을 하고 있다.

④ 〈헌화가〉도 4구체 향가라는 점에서, 둘의 형식이 같다는 설명은 옳다.

정답 ①

작품정보 〈서동요〉

연대	신라 진평왕 때(599년 이전)
작자	백제 제30대 무왕
갈래	4구체 향가
성격	참요(예언, 암시하는 노래), 동요, 민요
주제	① 선화 공주의 은밀한 사랑 ② 선화 공주에 대한 연모의 정
의의	① 현전(現傳)하는 가장 오랜 향가 ② 4구체 향가가 동요로 정착한 유일한 노래 ③ 배경 설화에 신화적 요소가 있음.

다음 밑줄 친 차자 표기의 차용 방식이 나머지와 다른 것은?

> 吾肸 不喩 慙肸伊賜等   나롤 안디 붓그리샤돈
>   ⊙
> 花肸 折叱可獻乎理音如   고줄 것거 바도림다
>   ⊙⊙   ⊙

① ⊙   ② ⊙   ③ ⊙   ④ ⊙

난이도 ○ (중) (하)

해설 제시된 작품은 4구체 향가 〈헌화가〉의 일부이다. ⊙만 '折(꺾을 절)'의 '꺾다'란 뜻을 차용하여 '훈차'한 것이고, ⊙, ⊙, ⊙은 '음차'한 것이다. 따라서 ③의 ⊙의 차자 표기 방식이 나머지와 다름을 알 수 있다.

오답분석 제시문을 향찰 표기하면 다음과 같다.

구분	吾	肸	不	喩	慙	肸	伊	賜	等
글자 훈음	나 오	소리 올릴 힐	아닐 불	깨우칠 유	부끄러울 참	소리 올릴 힐	저 이	줄 사	무리 등
훈차	나		아닐		붓그				
음차		ㄹ/롤		유		ㄹ	이	샤	돈 (이두 관용)
해석	나를 아니 부끄러워하시면								

구분	花	肸	折	叱	可	獻	乎	理	音	如
글자 훈음	꽃 화	소리 올릴 힐	꺾을 절	꾸짖을 질	옳을 가	드릴 헌	어조사 호	다스릴 리	소리 음	같을 여
훈차	곳		것			받줍				
음차		홀		ㅅ	가		오	리	이	다 (이두 용례)
해석	꽃을 꺾어 바치겠습니다.									

⊙ 賜(줄 사), ⊙ 肸(소리 올릴 힐), ⊙ 可(옳을 가)는 모두 한자의 음을 차용한 음차 표기로, ①, ②, ④는 모두 동일한 차자 표기 방식을 사용하였다.

※ 향찰: 우리 문자가 없던 시기에 우리말을 표기하기 위해 특별히 고안된 표기 방법으로, 한자(漢字)의 음(音)과 훈(訓)을 이용하여 실질 형태소는 물론, 조사와 어미까지 다 표기하는 종합적인 표기 체계

정답 ③

다음 중 〈보기〉의 글을 가장 잘 이해한 사람은?

───〈보기〉───

　새말은 바로 '新村'이나 '新里', '新洞'이 될 것이다. 우리나라에는 수많은 새말이 있다. 특정 마을에서 분파되어 나오면 거기가 새말(새마을)이 되는 셈이다. 새말과 비슷한 또 다른 마을 이름으로 '新基', 혹은 '新基村'이 있다. '新基'라 적고 '새터'라 읽었으며, '新基村'이라 적고 '새터말'이라 읽었다는 것이다. 그 이유를 이제는 알 것이다. 서울 지하철(5~8호선) 역명은 이러한 석독(釋讀)의 정신과 관계된다. 성북구 석관동(石串洞)의 '돌고지', 은평구 신사동(新寺洞)의 '새절', 서대문구 아현동(兒峴洞)의 '애오개' 등이 유명하다.

① 성욱: '漢陽(한양)'이라 적고 '서울'로 읽었을 확률이 높겠군.
② 수연: '모래내'라는 지명이 많이 보이는데 그것을 석독하면 '사천(沙川)'이 되겠군.
③ 경아: '大田(대전)'이라 적고 '한밭'으로 읽는 것과 같은 이치인데, '한밭'이 바로 석독이군.
④ 재화: 광해군 때의 상궁 '김개시(金介屎)'가 있었는데 그 '개시'가 바로 '개똥'이야. '개똥'은 음독자로 이해해야 하는군.

난이도 (상) ● (하)

해설　'석독(釋讀)'은 한자를 해석하여 읽는다는 뜻으로, 한자의 의미를 통해 읽는 방식이다. 따라서 '大田(큰 대, 밭 전)'을 그 의미를 통해 읽으면 '큰밭'이 된다. '큰'은 과거에 '한'이라고 했다는 점에서, ③의 설명은 옳다.

오답분석　① '漢陽(한나라 한, 볕 양)'의 뜻을 해석했을 때, '서울'로 읽을 근거는 없다.
② '모래내'를 석독하면 '사천(沙川)'이 되는 것이 아니라, '사천(沙川: 모래 사, 내 천)'을 석독해야 '모래내'가 된다.
④ '개시'에서 '介(끼일 개)'는 음을, '屎(똥 시)'는 뜻을 취했다는 점에서, '개똥'을 음독자로 이해한 ④의 설명은 적절하지 않다.

정답 ③

밑줄 친 낱말의 차용 방식이 다른 것은?

(가) 赫居世王 蓋鄉言也 或作㉠弗矩內王 言光明理世也
　　　　　　　　　　　　　　　- 《삼국유사》 권 제1

(나) 東京明期月良
　　　夜㉡入伊遊行如㉢可
　　　入良沙寢矣見昆
　　　脚烏伊四是良㉣羅
　　　　　　　- 《삼국유사》 권 제2 〈처용가〉

① ㉠: 弗矩內　　　② ㉡: 入
③ ㉢: 可　　　　　④ ㉣: 羅

난이도 (상) ● (하)

TIP　'入 들 입, 可 옳을 가, 羅 그물 라' 중에서 '가, 라'만 음으로 읽었으므로 '入'은 음으로 읽은 글자가 아닌 훈차가 된다.

해설　'향찰'의 한자 차용 방식은 크게 '음차'와 '훈차'가 있다. '음차'는 한자의 소리(발음)를 빌리는 방식이고, '훈차'는 한자의 뜻(의미)을 빌리는 방식이다. ㉠~㉣ 중 ㉡만 '들다'란 '뜻'을 빌린 '훈차'의 방법이 쓰였다.

구분	夜	入	伊	遊	行	如	可
훈(뜻)	밤	들	저	놀	다닐(니다)	같을(다호)	옳을
음	야	입	이	유	행	여	가
해석	밤	들	이	노	니	다	가

오답분석　나머지는 '소리'를 빌린 '음차'의 방법이 쓰였다.

정답 ②

[현대어 풀이]

(가) 혁거세왕 개향언야 혹작불구내왕 언광명리세야 '혁거세왕(赫居世王)'은 대개 향언(신라어)인데 혹은 ㉠ 불구내왕(弗矩內王)이라고도 했는데 세상을 빛으로 다스린다 하여 (이러한 명칭이 붙었다).

(나) 동경 밝은 달에
　　　밤㉡들이 노니다㉢가
　　　들어 자리를 보니
　　　다리가 넷이어㉣라.

작품정보 〈처용가〉

연대	신라 헌강왕 때
작자	처용(處容)
갈래	8구체 향가
표현	풍자, 제유법
성격	축사(逐邪 - 사악함을 쫓음)의 노래, 주술적, 벽사진경(辟邪進慶)
주제	축신(逐神, 귀신을 쫓음.)
의의	① 벽사진경(辟邪進慶, 사악한 것을 물리치고 경사로운 것을 맞이함.)의 민속에서 형성된 무가 ② 고려와 조선조에 걸쳐 의식무 또는 연희로 계승됨. ③ 고려 가요 〈처용가〉가 한글로 기록되어 있기 때문에, 향찰 해독의 열쇠 역할을 함. ④ 두 편밖에 전하지 않은 8구체 향가 중 하나임. ⑤ 현전하는 신라 마지막 향가
특징	① 벽사진경의 민속에서 형성된 무가(巫歌)이며, 고려와 조선 시대에 걸쳐 의식(儀式)에 사용되는 무용 또는 연희로 계승됨. ② 불교적 설화의 무속적 전승 ③ 체념과 관용을 바탕으로 한 축사(逐邪)의 노래임. ④ 영탄을 통해 분노와 슬픔, 체념과 관용의 감정을 동시에 드러냄.

2016 경찰 2차

다음 중 밑줄 친 차자 표기의 방식이 다른 하나는?

善化公主主隱	善化公主니믄
他㉠密㉡只嫁良置古	놈 그스지 얼어 두고
薯童房乙	맛둥바올
夜㉢矣卯乙抱㉣遣去如	바믜 몰 안고 가다

① ㉠   ② ㉡   ③ ㉢   ④ ㉣

난이도 ○ 중 하

TIP '密 몰래 **밀**, 只 다만 **지**, 矣 어조사 **의**, 遣 보낼 **견**' 가운데 음과 전혀 관계가 없는 것은 '密' 자뿐이다.

해설 차자 표기의 방식은 크게 둘로 나뉜다.

한자의 '소리(음)'를 취하는 방식, 한자의 '뜻(훈)'을 취하는 방식이다. '그스지'는 현대어로 '몰래'란 의미이다. 따라서 ㉠은 '密(몰래 밀)'의 '뜻(훈)'을 취했다.

오답 분석 니머지는 모두 '소리(음)'을 취했다는 점에서, ㉠과 차이가 있다.

정답 ①

2008 지방직 7급

훈민정음 이전에 우리말을 적은 차자 표기(借字表記)에 대한 설 명으로 옳은 것은?

① 차자 표기의 원리는 훈민정음 창제의 이론적 바탕이 되었다.

② 차자 표기는 고려 초기에 불교의 영향을 받아 시작되었다.

③ 향찰(鄕札)은 대체로 훈주음종(訓主音從)의 원리가 적용되었다.

④ 구결(口訣)은 주로 실용 문서를 작성하는 데 사용되었다.

난이도 상 중 ○

해설 향찰(鄕札)은 종합적 표기 형태로 전문을 모두 표기했으며, 향가에만 쓰인 차자 문자였다. 그리고 표기 방법은 훈주음종(訓主音從)으로 실질적 의미(주로 어간)는 훈(訓)을, 형식적 부분(주로 어미, 조사)은 음(音)을 빌려 표기했다.

오답 분석 ① 차자 표기는 단순히 한문을 빌려 쓴 표기일 뿐이므로, 훈민정음 창제의 이론 바탕이 되었다고 볼 수 없다.

② 차자 표기는 삼국 시대부터 있어 왔다.

④ 실용 문서 작성에 사용되었던 것은 '이두'이다.

정답 ③

CHAPTER 1 고전 문법   **269**

PART 3 고전 문법 해커스공무원 해원국어 기출정해 1000제 1권 비문학·문학

출제 유형

'훈민정음'의 전반적 특징 파악	• '훈민정음'의 제자 원리와 운용 원리를 묻는 유형 • 관련 지식과 결합하여 묻는 유형
'훈민정음'의 세부 원리와 짝짓기	• 훈민정음 28 자모 체계를 아는지 묻는 유형 • 제자 원리(기본자, 가획자, 이체자)를 구별할 수 있는지 묻는 유형 • 운용 원리(연서법, 병서법, 부서법, 성음법, 성조)를 구별할 수 있는지 묻는 유형

핵심정리

• **'훈민정음'의 제자 원리**

(1) 자음

상형의 원리	기본자는 발음 기관의 모양을 본떠서 만들었다.
가획의 원리	기본자에 소리의 세기가 강해짐에 따라 획을 더해 만들었다.
이체의 원리	소리의 세기와 관계없이 획을 더해 만들었다.

기본자의 원리	오음(五音)	기본자	가획자	이체자
혀뿌리가 목구멍을 막는 모양을 본떴다.	아음(牙音)	ㄱ	ㅋ	ㆁ
혀끝이 윗잇몸에 닿는 모양을 본떴다.	설음(舌音)	ㄴ	ㄷ, ㅌ	ㄹ
입의 모양을 본떴다.	순음(脣音)	ㅁ	ㅂ, ㅍ	
이의 모양을 본떴다.	치음(齒音)	ㅅ	ㅈ, ㅊ	ㅿ
목구멍의 모양을 본떴다.	후음(喉音)	ㅇ	ㆆ, ㅎ	

(2) 모음

상형의 원리		기본자는 삼재(三才: 하늘, 땅, 사람)의 모양을 본떠서 만들었다.
합용(합성)의 원리	초출자	' · '를 한 번 써서 만들었다.
	재출자	' · '를 두 번 써서 만들었다.

기본자의 원리	기본자	초출자	재출자
하늘의 모양을 본떴다.[天]	·	ㅗ, ㅏ	ㅛ, ㅑ
사람의 모양을 본떴다.[地]	ㅣ		
땅의 모양을 본떴다.[人]	―	ㅜ, ㅓ	ㅠ, ㅕ

심화 Plus

• 《훈민정음해례본》에 나타난 자음 기본자 제자 원리 [13 지방직 9급/10 국회직 8급]

(1) 'ㄱ'은 혀뿌리가 목구멍을 막는 모양을 본떴다.

구분	象	舌	根	閉	喉	之	形
소리	상	설	근	폐	후	지	형
뜻	본뜨다	혀	뿌리	막다	목구멍	의	모양

(2) 'ㄴ'은 혀끝이 윗잇몸에 닿는 모양을 본떴다.

구분	象	舌	附	上	齶	之	形
소리	상	설	부	상	악	지	형
뜻	본뜨다	혀	닿다	위	잇몸	의	모양

(3) 'ㅁ'은 입의 모양을 본떴다.

구분	象	口	形
소리	상	구	형
뜻	본뜨다	입	모양

(4) 'ㅅ'은 이의 모양을 본떴다.

구분	象	齒	形
소리	상	치	형
뜻	본뜨다	이	모양

(5) 'ㅇ'은 목구멍의 모양을 본떴다.

구분	象	喉	形
소리	상	후	형
뜻	본뜨다	목구멍	모양

📈 출제 유형

훈민정음'의 전반적 특징 파악	'훈민정음'의 제자 원리와 운용 원리를 묻는 유형

---

007 ○○○   2021 국회직 8급

다음은 훈민정음의 제자 방법에 대한 설명이다. 이에 대한 예로 옳지 않은 것은?

> 훈민정음의 글자를 만드는 방법은 상형을 기본으로 하였다. 초성 글자의 경우 발음기관을 상형의 대상으로 삼아 ㄱ, ㄴ, ㅁ, ㅅ, ㅇ 기본 다섯 글자를 만들고 다른 글자들 중 일부는 '여(厲: 소리의 세기)'를 음성자질(音聲資質)로 삼아 기본 글자에 획을 더하여 만들었는데 이를 가획자라 한다.

① 아음 ㄱ에 획을 더해 가획자 ㅋ을 만들었다.

② 설음 ㄴ에 획을 더해 가획자 ㄷ을 만들었다.

③ 순음 ㅁ에 획을 더해 가획자 ㅂ을 만들었다.

④ 치음 ㅅ에 획을 더해 가획자 ㅈ을 만들었다.

⑤ 후음 ㅇ에 획을 더해 가획자 ㆁ(옛이응)을 만들었다.

난이도 상 ○ 하

TIP   ㆁ, ㄹ, ㅿ 는 가획자가 아니라 이체자이다.

해설   'ㆁ(옛이응)'은 가획자가 아니라 이체자이다. 따라서 'ㆁ(옛이응)'은 가획자의 예로 적절하지 않다. 'ㅇ'의 가획자는 'ㆆ(여린 히읗)'과 'ㅎ'이다.

오답 분석   ① 'ㅋ'은 'ㄱ'의 가획자이다.
② 'ㄷ'은 'ㄴ'의 가획자이다.
③ 'ㅂ'은 'ㅁ'의 가획자이다.
④ 'ㅈ'은 'ㅅ'의 가획자이다.

정답 ⑤

《훈민정음해례본》에 나오는 한글의 제자 원리로 가장 옳은 것은?

① 초성은 발음 기관을 본떠 만들었는데 'ㄱ'은 혀가 윗잇몸에 닿는 모양을 본뜬 것이다.

② 'ㄱ, ㄴ, ㅁ, ㅅ, ㅇ' 5개의 기본 문자에 가획의 원리로 'ㅋ, ㄷ, ㅌ, ㄹ, ㅂ, ㅈ, ㅊ, ㅎ' 총 8개의 문자를 만들었다.

③ 문자의 수는 초성 10자, 중성 10자, 종성 8자로 모두 28자이다.

④ 연서(連書)는 'ㅇ'을 이용한 것으로서 예로는 'ㅸ'이 있다.

난이도 ❸ ◐ ⓗ

TIP 연서는 운용 원리이지만 상대적으로 풀어야 한다.

해설 '연서'는 위아래 글자를 이어 쓰는 방법이다. 이는 순경음(ㅁ, ㅸ, ㆄ, ㅃ)을 만들기 위해 썼기 때문에 'ㅸ(순경음 비읍)'의 예는 올바르다.

오답분석
① 초성은 발음 기관을 본떠 만들었다는 설명은 옳다. 단, 'ㄱ'은 '혀 뿌리가 목구멍을 막는 모양'을 본뜬 것이다. 혀가 윗잇몸에 닿는 모양을 본뜬 것은 'ㄴ'이다.

② 'ㄱ, ㄴ, ㅁ, ㅅ, ㅇ' 5개가 기본 문자는 맞다. 다만, 가획의 원리로 만들었다는 문자 중 'ㄹ'은 '이체자'이다.

③ 문자의 수가 28자라는 설명은 옳다. 그러나 초성(자음) 17자, 중성(모음) 11자를 합쳐 28자이다. 종성의 글자는 따로 만들지 않고 '종성부용 초성(종성은 초성을 다시 사용한다)'의 원리만 제시했다.

정답 ④

'훈민정음'에 대한 설명으로 가장 바르지 못한 것은?

① 'ㄱ, ㄴ, ㅁ, ㅅ, ㅇ'은 각각 발음 기관을 상형하여 만들었다.

② 'ㄴ'에 가획(加劃)의 원리를 적용하여 'ㄷ, ㅌ, ㄸ'을 만들었다.

③ 모음 자모 'ㆍ, ㅡ, ㅣ'는 각각 하늘, 땅, 사람을 상형하여 만들었다.

④ 'ㄹ, ㅿ'을 살펴보면 다른 한글 자모에 쓰인 가획의 원리와 차이가 있다.

난이도 ❸ ◐ ⓗ

해설 기본자에 소리의 세기가 강해짐에 따라 획을 더해 만드는 것을 '가획의 원리'라고 한다. 'ㄷ, ㅌ, ㄸ' 중 'ㄷ'과 'ㅌ'은 'ㄴ'의 가획자가 맞다. 그런데 'ㄸ'은 가획자가 아니다. 'ㄸ'은 글자를 나란히 쓰는 '병서(각자병서: 같은 자음을 나란히)'의 원리가 적용된 글자이다.

오답분석
① 'ㄱ, ㄴ, ㅁ, ㅅ, ㅇ'은 각각 '발음 기관'을 상형하여 만든 기본자이다.

기본자	발음 기관 모양
ㄱ	혀뿌리가 목구멍을 막는 모양을 본뜸.
ㄴ	혀끝이 윗잇몸에 닿는 모양을 본뜸.
ㅁ	입의 모양을 본뜸.
ㅅ	이의 모양을 본뜸.
ㅇ	목구멍의 모양을 본뜸.

③ 모음의 기본자 'ㆍ, ㅡ, ㅣ'는 각각 하늘, 땅, 사람을 상형하여 만들었다.

④ 'ㄹ'과 'ㅿ'는 각각 'ㄴ'과 'ㅅ'에 획을 더하여 만든 글자이다. 그러나 가획자가 '소리의 세기를 더한다'는 가획 원리와는 무관한 글자이다. 그래서 'ㄹ, ㅿ'를 '이체자'라 한다.

정답 ②

---

010 ○○○

2016 사회복지직 9급

'훈민정음'에 대한 설명으로 옳지 않은 것은?

① '훈민정음(訓民正音)'이란 문자의 이름인 동시에 그 문자를 설명한 책의 이름이기도 하다.

② 문자로서의 '훈민정음'은 유네스코(UNESCO)에서 지정한 세계문화유산으로 등재되어 있다.

③ 《훈민정음해례본》은 한글의 음가와 제자 방법, 한글의 사용 방법 등을 한자로 적은 책이다.

④ 치두음(齒頭音)과 정치음(正齒音)에 대한 내용은 《훈민정음해례본》에 포함되어 있지 않다.

난이도 상 ○ 하

해설 문자로서의 '훈민정음'이 아닌, 문자 '훈민정음'의 설명서 격인 《훈민정음해례본》(한자로 기록된 《훈민정음》의 원본)이 세계 기록문화유산에 등재되어 있다.

오답 분석
① '훈민정음'은 세종이 창제한 문자 이름이면서, '훈민정음'을 설명한 책의 이름이기도 하다.

③ 《훈민정음해례본》은 '훈민정음'을 한자로 설명한 책(원서)이다. 그 속에는 한글의 음가와 제자 방법, 한글의 사용 방법 등이 한자로 적혀 있다.

④ '치두음'과 '정치음'은 중국어 발음에 있는 음이다. 《훈민정음해례본》은 우리말을 표기하기 위해 만든 책이므로, '치두음'과 '정치음'에 대한 내용은 당연히 포함되어 있지 않다.

| 치두음(齒頭音) | 중국어에서, 혀끝을 윗니 뒤에 가까이 하고 내는 치음 |
| 정치음(正齒音) | 중국어에서, 혀를 말아 아래 잇몸에 가까이 하고 내는 치음의 하나 |

정답 ②

011 ○○○

2017 서울시 9급

다음 중 한글 창제 당시 초성 17자에 포함되지 않는 글자가 쓰인 것은?

① 님금
② 늣거사
③ 바올
④ 가비야톤

난이도 상 중 ○

해설 한글 창제 당시 초성 17자에 'ㅸ(순경음 비읍)'은 포함되지 않았다. 'ㅸ'은 운용의 원리 중 '이어쓰기(연서)'에 의해 만들어진 '운용자'이다. 훈민정음 초성 17자는 다음과 같다.

기본자	ㄱ, ㄴ, ㅁ, ㅅ, ㅇ
가획자	ㅋ, ㄷ, ㅌ, ㅂ, ㅍ, ㅈ, ㅊ, ㆆ, ㅎ
이체자	ㆁ, ㄹ, ㅿ

정답 ④

'훈민정음'의 세부 원리와 짝짓기	제자 원리(기본자, 가획자, 이체자)를 구별할 수 있는지 묻는 유형

012 ◯◯◯　　　　　　　　　　2019 서울시 9급(6월)

〈보기〉의 밑줄 친 ㉠에 해당하는 글자가 아닌 것은?

───〈보기〉───

한글 중 초성자는 기본자, 가획자, 이체자로 구분된다. 기본자는 조음 기관의 모양을 상형한 글자이다. ㉠ 가획자는 기본자에 획을 더한 것으로, 획을 더할 때마다 그 글자가 나타내는 소리의 세기는 세어진다는 특징이 있다. 이체자는 획을 더한 것은 가획자와 같지만 가획을 해도 소리의 세기가 세어지지 않는다는 차이가 있다.

① ㄹ　　② ㄷ　　③ ㅂ　　④ ㅊ

───────────

난이도 상 중 **하**

해설　〈보기〉에서 '가획자'는 획을 더할 때마다 소리의 세기가 세진다는 특징이 있다고 했다. 그런데 'ㄹ'은 '가획은 있으나' '소리의 세기와 관련이 없기 때문에' '가획자'가 아니라 '이체자'이다.

오답분석　② 'ㄷ'은 'ㄴ'의 가획자이다.
③ 'ㅂ'은 'ㅁ'의 가획자이다.
④ 'ㅊ'은 'ㅅ-ㅈ'의 가획자이다.

정답 ①

013 ◯◯◯　　　　　　　　　　　2010 서울시 7급

다음은 훈민정음 초성자의 제자 원리다. ㉠~㉢에 해당하는 문자를 옳게 짝지은 것은?

훈민정음 초성자는 발음 위치에 따라 아음, 설음, 순음, 치음, 후음으로 나뉘는데 기본자는 발음 기관을 본떠서 만들었다. 기본자 중 ㉠ 아음은 혀뿌리가 목구멍을 막는 모양을, 설음은 혀끝이 윗잇몸에 닿는 모양을, 순음은 입술을 오므리는 모양, 치음은 치아의 모양, 후음은 목구멍의 모양을 상형했다. 여기에 소리의 센 정도에 따라 기본자에서 획을 더하는 방법으로 ㉡ 가획자를 만들었다. 그러나 이런 ㉢ 일반적인 제자 방식에서 벗어난 글자도 있었다.

	㉠	㉡	㉢		㉠	㉡	㉢
①	ㄱ	ㄷ	ㅈ	②	ㄷ	ㅌ	ㄹ
③	ㅁ	ㅍ	ㅇ	④	ㄱ	ㅈ	ㅿ
⑤	ㄷ	ㄹ	ㅈ				

해설　㉠ 기본자 중 '아음'은 'ㄱ'이다.
㉡ 가획자는 기본자 'ㄱ, ㄴ, ㅁ, ㅅ, ㅇ'에 획을 더한 글자이다.

위치	기본자	가획자	이체자
아음	ㄱ	ㅋ	ㆁ
설음	ㄴ	ㄷ, ㅌ	ㄹ
순음	ㅁ	ㅂ, ㅍ	
치음	ㅅ	ㅈ, ㅊ	ㅿ
후음	ㅇ	ㆆ, ㅎ	

㉢ 일반적인 제자 방식에서 벗어난 글자를 '이체자(가획의 원리로 설명 가능하나, 소리의 세기가 세지지 않음.)'라 한다. 국어의 이체자는 'ㆁ, ㄹ, ㅿ'이 있다.

정답 ④

'훈민정음'의 세부 원리와 짝짓기	운용 원리(연서법, 병서법, 부서법, 성음법)를 구별할 수 있는지 묻는 유형

014 ◯◯◯　　　　　　　　　　　2015 서울시 9급

다음에서 설명하는 훈민정음 제자 원리에 해당하는 것은?

'ㄱ, ㄷ, ㅂ, ㅅ, ㅈ, ㅎ' 등을 가로로 나란히 써서 'ㄲ, ㄸ, ㅃ, ㅆ, ㅉ, ㆅ'을 만드는 것인데, 필요한 경우에는 'ㅺ, ㅼ, ㅽ, ㅳ, ㅄ, ㅶ, ㅴ, ㅵ' 등도 만들어 썼다.

① 象形　　　　② 加畫
③ 竝書　　　　④ 連書

───────────

난이도 상 ◯ 하

해설　'가로로 나란히 써서'라는 부분과 예로 제시한 'ㄲ(각자 병서의 방식), ㅺ(합용 병서의 방식)' 등을 볼 때, 설명된 제자 원리는 '글자를 가로로 나란히 쓰는 방식'인 '竝書(나란히 병, 글 서)'이다.

오답분석　① 象形(본뜰 상, 모양 형): 모양을 본뜬다는 뜻으로, 자음과 모음의 기본자를 만든 원리이다.
② 加畫(더할 가, 그을 획=劃): 자음의 기본자에 획을 더하여 더 센소리가 나는 글자를 만드는 원리로, 'ㄷ, ㅌ' 등이 그 예이다.
④ 連書(이을 연, 글 서): 훈민정음에서 순경음(脣輕音)을 표기하기 위하여 순음자(脣音字, 입술소리) 밑에 'ㅇ'을 이어 쓰는 원리로, 'ㅱ', 'ㅸ', 'ㆄ', 'ㅹ' 등의 순경음이 그 사례가 된다.

정답 ③

Unit 03 중세 국어의 표기법과 음운 체계

📈 출제 유형

- 중세 국어 표기법을 묻는 유형
- 중세 국어 음운 체계를 묻는 유형

📖 핵심정리

• 연철(連綴), 분철(分綴)

연철(連綴) = 이어 적기	체언이나 용언의 어간을 밝히지 않고 소리 나는 대로 적는 방법 → 표음적 표기법 [예] 기픈, 브르매
분철(分綴) = 끊어 적기	체언과 용언의 어간을 밝혀 적는 방법 → 표의적 표기법 [예] 깊은, 브롬애

📈 출제 유형

중세 국어의 표기법과 음운 체계	중세 국어 표기법을 묻는 유형

015 ○○○ 2020 소방직

다음 글에서 알 수 있는 중세 국어의 특징으로 적절하지 않은
것은?

【중세 국어 문헌】
불·휘기·픈남·ᄀᆞᆫ보ᄅᆞ·매아·니:뮐·씨
곶:됴·코여·름·하ᄂᆞ·니
:시·미기·픈·므·른·ᄀᆞᄆᆞ·래아·니그·츨·씨
:내·히이·러바·ᄅᆞ·래·가ᄂᆞ·니

【현대 국어 풀이】
뿌리 깊은 나무는 바람에 움직이지 아니하므로,
꽃 좋고 열매 많습니다.
샘이 깊은 물은 가뭄에 그치지 아니하므로,
내[川]가 이루어져 바다에 갑니다.

① 이어 적기가 적용되었다.
② 모음 조화가 잘 지켜지지 않았다.
③ 주격 조사 '가'는 사용되지 않았다.
④ 소리의 높낮이를 나타내는 방점이 쓰였다.

난이도 ○ ⑧ ⑨

[해설] 현대 국어와 비교했을 때 중세 국어 시기에는 '모음 조화'가 더 철
저히 지켜졌다.
제시된 글의 '남ᄀᆞᆫ(나모ᄀ+ᄋᆞᆫ)', '므른(믈+은)', 'ᄀᆞᄆᆞ래(ᄀᆞᄆᆞᆯ+애)'
등을 볼 때도, '모음 조화'가 잘 지켜졌음을 알 수 있다.

[오답
분석]
① '깊은'이 아니라 '기픈'으로, '둏고'가 아니라 '됴코'가 쓰인 것을
볼 때, 이어적기(연철)가 적용되었음을 알 수 있다.
③ '불휘', '시미', '내히' 등을 볼 때, 주격 조사 '가'는 사용되지 않았
음을 알 수 있다.
  • 15C에는 주격 조사 '이'만 존재했고, 주격 조사 '가'는 17C
  근대 국어 시기에 등장했다.
④ 글자 왼쪽의 '·', ':' 등을 볼 때, 방점(좌가점=4성조)이 쓰였음을
알 수 있다.

[정답] ②

016 ○○○

〈보기〉는 중세 국어의 표기법에 대한 설명이다. 이에 따른 표기로 가장 옳지 않은 것은?

─── 〈보기〉 ───

　중세 국어 표기법의 일반적 원칙은 표음적 표기법으로, 이는 음운의 기본 형태를 밝혀 적지 않고 소리 나는 대로 적는 표기를 말한다. 이어적기는 이러한 원리에 따른 것으로 받침이 있는 체언이나 받침이 있는 용언 어간에 모음으로 시작하는 조사나 어미가 붙을 때 소리 나는 대로 이어 적는 표기를 말한다.

① 불휘 기픈　　　　② ᄇᆞᄅᆞ매 아니 뮐ᄊᆡ
③ 쟝긔판ᄂᆞᆯ 밍ᄀᆞᆯ어놀　④ 바ᄅᆞ래 가ᄂᆞ니

난이도 상 ○ 하

해설　〈보기〉는 '이어적기', 즉 '연철(連綴)'에 대한 설명이다. 그런데 ③의 '쟝긔판ᄂᆞᆯ(쟝긔판 + ᄋᆞᆯ)'은 '거듭적기', 즉 '중철(重綴)', '밍ᄀᆞᆯ어놀(밍ᄀᆞᆯ- + -어놀)'은 '끊어적기', 즉 '분철(分綴)' 표기의 예이므로 ③은 〈보기〉에서 설명한 '이어적기' 표기의 예로 볼 수 없다.

오답분석
① '기픈(깊- + -은)'은 이어적기의 예로 적절하다.
② 'ᄇᆞᄅᆞ매(ᄇᆞᄅᆞᆷ + 애)'는 이어적기의 예로 적절하다.
④ '바ᄅᆞ래(바ᄅᆞᆯ + 애)'는 이어적기의 예로 적절하다.

정답 ③

017 ○○○

다음 자료를 토대로 중세 국어의 특징을 설명한 것으로 가장 적절하지 않은 것은?

중세 국어의 자료	중세 국어의 특징
나·라·해, 불·휘 기·픈	⊙ 받침을 조사나 어미에 연달아 소리 나는 대로 이어적는 표기를 활용하고 있다.
:됴ᄒᆞᆫ, ·ᄑᆞ·디	ⓛ 구개음화가 일어나지 않고 있다.
:수·비 니·겨 ·날·로 ·ᄡᅮ·메	ⓒ 명사형 어미 '-움'이 사용되고 있다.
:내·히 이·러 ·바·ᄅᆞ래 ·가ᄂᆞ·니	ⓔ 주격 조사 '-히'가 사용되고 있다.

① ⊙　　② ⓛ　　③ ⓒ　　④ ⓔ

─────

난이도 상 ○ 하

해설　':내·히'는 분석하면 '내ㅎ(체언) + 이(주격 조사)'로, ⓔ에서 말한 주격 조사 '히'가 사용되었다는 설명은 옳지 않다. '내·이'가 아니라 '내·히'로 표기하는 것은 '내[川]'가 'ㅎ' 곡용 체언이기 때문이다. 중세 국어 시기에는 체언의 끝소리에 따라 주격 조사가 바뀌었는데, 자음으로 끝나는 체언 뒤에는 주격 조사 '이'를 사용하였다.

오답분석
① 이어적기, 연철에 대한 설명으로 '나·라·해(나라ㅎ + 애)', '기·픈(깊- + -은)'에서 확인할 수 있다.
② ':됴ᄒᆞᆫ'과 '·ᄑᆞ·디'는 각각 현대어로 '좋은'과 '파지'의 뜻이다. 중세 국어 당시에는 아직 구개음화가 일어나지 않았기 때문에 'ㅈ'이 아니라 'ㄷ'으로 표기한 것임을 확인할 수 있다.
③ '·ᄡᅮ·메'는 분석하면 'ᄡᅳ-(용언의 어간) + -움(명사형 어미) + 애(부사격 조사)'로 명사형 어미 '-움'이 사용되었음을 확인할 수 있다.

정답 ④

📊 **출제 유형**

중세 국어의 표기법과 음운 체계	중세 국어 음운 체계를 묻는 유형

018 ○○○

〈보기〉는 국어 단모음 체계의 변화를 보여 주고 있다. 〈보기〉에 대한 설명으로 적절하지 않은 것은?

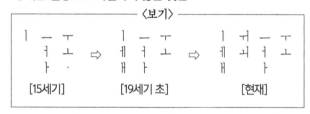

① 모음들이 연쇄적으로 조음 위치의 변화를 겪는 현상이 발견된다.
② 국어 역사에서 후설 저모음이 존재했던 것으로 추측된다.
③ 단모음의 개수는 점차 늘어난 것으로 보인다.
④ 모음 중에서 음소 자체가 소멸된 것이 있다.
⑤ 일부 이중모음의 단모음화가 발견된다.

─────

난이도 상 ○ 하

해설　〈보기〉에서 '모음'의 조음 위치의 변화는 확인할 수 없다.

오답분석
② 15세기에 후설 저모음 'ᆞ'가 존재했음을 확인할 수 있다.
③ 단모음의 개수는 '7개 → 8개 → 10개'로 점차 늘어났다.
④ 15세기에 존재했던 모음 'ᆞ'는 19세기 초와 현대에서는 확인되지 않는다. 이를 통해 소멸되었음을 알 수 있다.
⑤ 19세기 초에 이중 모음이었던 'ㅔ'와 'ㅐ'가 단모음이 되었고, 현재는 이중 모음이었던 'ㅟ'와 'ㅚ'까지 단모음이 되었다.

정답 ①

출제 유형

- 중세 국어의 주격 조사의 쓰임을 아는지 묻는 유형
- 중세 국어의 관형격 조사의 쓰임을 아는지 묻는 유형
- 중세 국어의 목적격 조사의 쓰임을 아는지 묻는 유형
- 중세 국어의 부사격 조사의 쓰임을 아는지 묻는 유형

📖 핵심정리

1. 중세 국어의 주격 조사

종류	조건	예
이	자음 아래	예 卜年·이(복년 + 이)
ㅣ	모음 아래	예 공지(공주 + ㅣ)
Ø	'ㅣ' 모음 아래	예 불휘(뿌리 + ø)

※ 17세기 이후 '모음' 아래에는 주격 조사 '가'가 나타났다.

2. 중세 국어의 부사격 조사

종류	조건	예
애	양성 모음 뒤	예 ㅂ ㄹ·매(ㅂ롬 + 애)
에	음성 모음 뒤	예 漢水北·에(한수북 + 에)
예	'ㅣ' 모음 뒤	예 洛水·예(낙수 + 예)
이	일부 체언의 양성 모음 뒤	예 아ᄎ미(아ᄎ + 이)
의	일부 체언의 음성 모음 뒤	예 우희(우ㅎ + 의)

💡 심화 Plus

- **'ㄱ' 곡용 체언**
'-모/무, 느'로 끝나는 체언이 모음의 조사와 결합하면 끝 모음이 떨어지고 'ㄱ'이 덧생긴다. 다만 조사 '와'와 결합할 때는 단독형으로 쓰인다.

단독형	주격	목적격	부사격(처소)	부사격(도구, 방향)	부사격(접속)	서술격	보조사(대조)	보조사(역시)
나모(나무)	남기	남글	남기	남ㄱ로	나모와	남기라	남근	나모도
구무(구멍)	굼기	굼글	굼긔	(굼그로)	구무와	굼기라	(굼근)	구무도
불무(풀무)	붊기	붊글	붊긔	(붊그로)	불무와	붊기라	(붊근)	(불무도)
녀느(남)	년기	년글	(년긔)	(년기라)	녀느와	(년기라)	(년근)	(녀느도)

중세 국어의 조사	중세 국어의 주격 조사의 쓰임을 아는지 묻는 유형

019 ○○○

ⓐ에 들어갈 내용으로 가장 적절하지 못한 것은?

> • 학습 목표: 중세 국어의 특징을 이해한다.
> • 학습 자료
>
> > ⊙ 孔子(공주)ㅣ 曾子(증주)ᄃ려 닐러 골ᄋ샤ᄃ 몸이며 얼굴이며 머리털이며 ⓛ 술훈 父母(부모)ᄭ ⓒ 받ᄌ온 거시라 敢(감)히 헐워 샹히오디 아니 홈이 효도이 비르소미오 몸을 셰워 道(도)를 行(ᄒ)ᄒ야 일홈을 後世(후세)예 베퍼 ⓔ 뻐 父母(부모)를 현며 케 홈이 효도이 ᄆᄎᆷ이니라.
> >
> > － 《소학언해》
>
> • 학습 자료의 활용 계획
>
> > ⓐ

① ⊙: 중세 국어 시기에도 주격 조사를 사용했다는 사례로 제시한다.

② ⓛ: 중세 국어 시기에는 'ㅎ'으로 끝나는 체언을 사용했다는 사례로 제시한다.

③ ⓒ: 중세 국어 시기에는 객체를 높이는 형태소로 '-ᄌᆸ-'이 있었다는 사례로 제시한다.

④ ⓔ: 중세 국어 시기에 어두에 두 개 자음을 하나의 자음처럼 발음했다는 사례로 제시한다.

난이도 상 ○ 하

해설 중세 국어 시기에는 어두에 두 개의 자음 즉 '어두자음군'이 가능했기 때문에 'ㅄ'는 각각 발음했을 것이다. 따라서 하나의 자음처럼 발음하는 사례로 제시한다는 설명은 적절하지 않다.

오답 분석
① 'ㅣ'는 주격 조사이다. 따라서 '공자(孔子)ㅣ'를 통해 중세 국어 시기에도 주격 조사를 사용했다는 사례로 제시한다는 설명은 옳다.

② 단독으로 쓰일 때는 '술(살)'로 표기하지만, 모음으로 시작하는 형태소가 이어질 때는 'ㅎ'이 나타나 '술훈(숧+ᄋᆫ)'으로 표기한다. 따라서 중세 국어 시기에는 'ㅎ'으로 끝나는 체언(ㅎ 종성 체언)을 사용했다는 사례로 제시한다는 설명은 옳다.

③ '-ᄌᆸ-'은 부사어 '부모(父母)ᄭ'를 높인 것이다. 따라서 중세 국어 시기에는 객체를 높이는 형태소로 '-ᄌᆸ-'이 있었다는 사례로 제시한다는 설명은 옳다.

정답 ④

---

020 ○○○

〈보기〉를 참고하여 ⊙~ⓒ에 들어갈 격 조사로 적절한 것은?

> 孟밍子ᄌ(⊙) ᄀᆞ르샤ᄃᆡ, 사ᄅᆞᆷ(ⓛ) 道도 (ⓒ) 이시매 먹기를 비브르 ᄒᆞ며 오슬 덥게 ᄒᆞ야 편안히 잇고, ᄀᆞ르치미 업스면 곧 즘승에 갓가오릴ᄉᆡ,…

────〈보기〉────

> 중세 국어의 주격 조사는 '이'가 사용되었는데, 환경에 따라 다음과 같이 세 가지 경우로 나타난다. 자음 아래에서는 '이', 모음 아래에서는 'ㅣ', 그리고 'ㅣ' 모음 아래에서는 생략되었다.

	⊙	ⓛ	ⓒ
①	이	ㅣ	생략
②	이	이	생략
③	ㅣ	ㅣ	이
④	ㅣ	이	ㅣ

난이도 상 ○ 하

해설 ⊙은 'ㆍ(아래 아)', 즉 모음 아래의 환경이므로 'ㅣ'를 써야 한다.
ⓛ은 'ㅁ', 즉 자음 아래의 환경이므로 '이'를 써야 한다.
ⓒ은 'ㅗ', 즉 모음 아래의 환경이므로, 'ㅣ'를 써야 한다.
따라서 모두 바른 것은 ④이다.

정답 ④

다음 자료에 대한 설명으로 바르지 않은 것은?

> 불·휘 기·픈 ㉠ 남·곤 부루·매 아·니 : 뮐·씨
> ㉡ 곶 : 됴·코 여·름 ·하느·니
> :시·미 기·픈 ·므·른 ㉢ ·ㄱᆞ무·래 아·니 그·츨·씨
> ㉣ :내·히 이·러 바·루·래 ·가느·니

① ㉠에는 주격 조사와 만나 형태가 변한 명사가 포함되어 있다.
② ㉡은 소리 나는 대로 적는 당시의 표기법에는 어긋난다.
③ ㉢에는 현대 국어의 명사 '가물'의 옛 형태가 포함되어 있다.
④ ㉣에서 조사가 생략되었다면 '내'의 형태로 쓰였을 것이다.

난이도 ○ 중 하

해설 '남곤'을 분석하면 '나모+온'으로 분석할 수 있다. 주격 조사가 아니라 보조사 '온'이 결합된 것이다. 즉 '나모'가 조사와 만나 '남ㄱ'으로 형태가 변한 것은 맞지만, 이때 조사 '온'은 '주격 조사'가 아니라 '보조사'이다.

※ '나모'는 주격 조사와 결합하는 경우에도 '남ㄱ'으로 형태가 변하는 'ㄱ 곡용어'이다. 뎔 남기(나모 + 이 → 남기)

오답 분석

② '8종성가족용법(八終聲可足用法)'에 따라 표기하면 종성에는 'ㄱ, ㄴ, ㄷ, ㄹ, ㅁ, ㅂ, ㅅ, ㅇ'만 올 수 있었다. 그런데 ㉡의 경우 종성에 'ㅈ'을 사용했기 때문에 소리대로 적는 8종성이 아닌 '종성부초성'이 적용되었다.

③ ㉢은 현대어로 '가뭄(가물)'에란 의미이다. 분석하면 'ㄱᆞ몰 + 애'로 분석할 수 있기 때문에 현대 국어 명사 '가물'의 옛 형태인 'ㄱᆞ몰'이 포함되어 있다는 설명은 옳다.

④ ㉣을 분석하면 '내ㅎ+ㅣ'이다. 주격 조사 'ㅣ'가 붙으면서 'ㅎ'이 덧생긴 것이므로, 조사가 생략되었다면 'ㅎ'이 붙지 않은 '내'의 형태로 쓰였을 것이란 추측은 옳다. '내'는 'ㅎ 종성 체언'이다.

정답 ①

중세 국어의 조사	중세 국어의 관형격 조사의 쓰임을 아는지 묻는 유형

A, B, C에 들어갈 중세 국어의 형태를 가장 올바르게 짝지은 것은?

> 현대 국어 관형격 조사 '의'에 해당하는 중세 국어 관형격 조사는 '이/의', 'ㅅ'이 있다. 선행 체언이 무정물일 때는 'ㅅ'이 쓰이고, 유정물일 때는 모음 조화에 따라 '이/의'가 쓰인다. 다만 유정물이라도 종교적으로 높은 대상 등 존칭의 대상일 때는 'ㅅ'이 쓰인다.
> - ☐ A ☐ 말쓰미 中國에 달아 (나라의 말이 중국과 달라)
> - ☐ B ☐ 뜨들 거스디 아니ᄒ노니 (사람의 뜻을 거스르지 않는데)
> - 世尊 ☐ C ☐ 神力으로 두외의 ᄒ샨 사루미라 (세존*의 신통력으로 되게 하신 사람이다.)
>
> * 세존: 석가모니의 다른 이름. 세상에서 가장 존귀한 존재라는 뜻

	A	B	C
①	나라이	사루미	의
②	나라의	사루믜	ㅅ
③	나랏	사루미	ㅅ
④	나랏	사루믜	ㅅ

난이도 상 ○ 하

해설	A	'나라'는 무정물이므로 'ㅅ'을 써 '나랏'으로 적는다.
	B	'사룸'은 유정물이므로 '이/의'를 쓴다. 양성 모음 아래이므로 '이'를 써 '사루미(사룸+이)'로 적는다.
	C	'세존'은 유정물이기는 하지만, 종교적으로 높은 대상이므로 'ㅅ'을 쓴다.

따라서 A~C에 들어갈 말을 올바르게 짝지은 것은 ③이다.

정답 ③

023 ○○○ 　　　　　　　　　　　　　　　　2021 법원직 9급

〈보기 1〉을 바탕으로 〈보기 2〉의 ㈀~㉣을 이해한 것으로 가장 적절하지 않은 것은?

──────〈보기 1〉──────

[중세 국어 문장에서 목적어의 실현]
- 체언에 목적격 조사(을/를, 올/롤, ㄹ)가 붙어서 실현됨.
- 체언에 목적격 조사 없이 체언 단독으로 실현됨.
- 체언에 목적격 조사 없이 보조사가 붙어서 실현됨.
- 명사구나 명사절에 목적격 조사가 붙어서 실현됨.

──────〈보기 2〉──────

㈀ 내 太子롤 셤기ᅀᆞᆸ보디 (내가 태자를 섬기되)
㈁ 곶 됴코 여름 하ᄂᆞ니 (꽃 좋고 열매 많으니)
㈂ 됴흔 고ᄌᆞ란 ᄑᆞ디 말오 (좋은 꽃일랑 팔지 말고)
㈃ 뎌 부텻 像올 밍ᄀᆞ라 (저 부처의 형상을 만들어)

① ㈀: 체언에 목적격 조사 '롤'이 붙어서 목적어가 실현되었군.
② ㈁: 체언에 목적격 조사 없이 단독으로 목적어가 실현되었군.
③ ㈂: 체언에 보조사 'ᄋᆞ란'이 붙어서 목적어가 실현되었군.
④ ㈃: 명사구에 목적격 조사 '올'이 붙어 목적어가 실현되었군.

　　　　　　　　　　　　　　　　난이도 ⊛ ◐ ㉕

해설 '여름 하ᄂᆞ니'는 '열매(가) 많으니'라는 의미이다. 따라서 생략된 격조사는 목적격 조사가 아니라 주격 조사이다. 그러므로 체언이 목적격 조사 없이 단독으로 목적어로 실현되었다는 이해는 적절하지 않다.

오답분석
① '태자(太子)'에 목적격 조사 '롤'이 붙어서 '太子롤'이 목적어가 되었다.
③ 현대어를 참고할 때, '좋은 꽃을 팔지 말고'로 해석할 수 있다. 따라서 '고ᄌᆞ란'은 보조사 'ᄋᆞ란'이 붙어서 목적격 조사가 생략된 채, 목적어가 실현된 것임을 알 수 있다.
④ '부텻 상(像)'에 목적격 조사 '올'이 붙어서 '부텻 像'이 목적어가 되었다.

　　　　　　　　　　　　　　　　정답 ②

024 ○○○ 　　　　　　　　　　　　　　　　2019 국회직 8급

다음 글에 따를 때, ㈀~㈂에 들어갈 말로 옳은 것은?

일반적으로 중세 국어에서는 체언에 처소를 나타내는 부사격 조사가 붙을 때 모음의 종류에 따라 그에 맞는 조사가 선택된다. 먼저 체언의 모음이 양성모음 'ㆍ, ㅗ, ㅏ' 중의 하나이면 '애'가 쓰였다. 체언의 모음이 음성모음 'ㅡ, ㅜ, ㅓ' 중의 하나이면 '에'가 쓰였다. 그리고 체언의 모음이 중성모음 'ㅣ'나 반모음 'ㅣ'일 때는 '예'가 쓰였다.

• 世尊이 象頭山애 (상두산 + 애) 가샤 (세존이 상두산에 가시어)

체언의 모음이 음성모음 'ㅡ, ㅜ, ㅓ' 중의 하나이면 '에'가 쓰였다.

• 기픈 굴형에 (굴형 + 에) ᄲᅡ디여 (깊은 구렁에 빠져)

그리고 체언의 모음이 중성모음 'ㅣ'나 반모음 'ㅣ'일 때는 '예'가 쓰였다.

• 齒頭ㅅ소리예(소리 + 예) 쓰고 (치두의 소리에 쓰고)
• 귀예(귀 + 예) 듣는가 너기ᅀᆞᆸ쇼 (귀로 듣는 것처럼 여기시옵서)

──────────────────

㈀ (브 + □) 몰뢰야 (불에 말리어)
㈁ (웃니머리 + □) 다ᄯᅳ니라 (윗니의 머리에 닿느니라)
㈂ (ᄆᆞ슴 + □) 사기며 (마음에 새기며)

	㈀	㈁	㈂
①	브래	웃니머리에	ᄆᆞ슴매
②	브레	웃닛머리예	ᄆᆞ슴매
③	브래	웃닛머리애	ᄆᆞ슴몌
④	브레	웃닛머리예	ᄆᆞ슴몌
⑤	브레	웃닛머리에	ᄆᆞ슴매

　　　　　　　　　　　　　　　　난이도 ⊛ ◐ ㉕

해설 ㈀ 체언의 모음이 음성인 'ㅡ'이므로 '에'가 쓰인다. 따라서 '브레'로 표기한다.

㈁ 체언의 모음이 'ㅣ'이므로 '예'가 쓰인다. 따라서 '웃닛머리예'로 표기한다.

㈂ 체언의 모음이 양성인 'ㆍ'이므로 '애'가 쓰인다. 따라서 'ᄆᆞ슴매'로 표기한다.

　　　　　　　　　　　　　　　　정답 ②

Unit 05 중세 국어 - 기타

 출제 유형

- 중세 국어 단어의 의미를 판별하는 유형
- 중세 국어로 쓰인 문학 작품을 현대어로 풀이하는 유형
- 중세 국어 의문문을 판별하는 유형
- 《훈민정음 어제 서문》의 이해를 묻는 유형

핵심정리

1. 의문형 어말 어미

(1) 1인칭·3인칭

설명 의문문	'-오/-고'형
판정 의문문	'-아/-어(여)/-가'형

(2) 2인칭: -ㄴ다 예 네 모ᄅᆞ던다(너는 몰랐던가?)

2. 《훈민정음 어제 서문》

우리나라 말이 중국과 달라 문자(한자)와 말(우리말)이 서로 통하지 않으니 이런 이유로 어리석은 백성들이 말하고자 하는 바가 있어도 능히 펴지 못하는 사람이 많다. 내 이를 불쌍히 여겨 새로 스물여덟 자를 만드니 모든 사람마다 이것을 쉽게 익혀 편히 사용하게 하고자 할 따름이니라.

(1) '쓰다'의 의미 [16 국회직 8급]

'날로 ᄡᅮ메'에서 '쓰다'는 '사용하다/이용하다'의 의미이다.

(2) 미루어 알 수 있는 내용 [07 법원직 9급]
① 문자 생활에서 실용화 추구
② 당시 의사소통의 어려움
③ 창제한 문자의 수

(3) 의미가 달라진 단어 [07 법원직 9급]
① 어엿비(불쌍하다 → 예쁘다)
② 놈(일반 남자 → 남자를 낮춰 이르는 말)
③ 어리다(어리석다 → 젊다)

심화 Plus

- **중세 국어의 '높임 선어말 어미'**

구분	높임 선어말 어미	환경	예
주체 높임법	-시-	자음 어미 앞에서	가시고, 니르시니
	-샤-	모음 어미 앞에서	가샤
객체 높임법	-ᄉᆞᆸ-/-ᄉᆞᇦ-	어간의 끝소리가 'ㄱ, ㅂ, ㅅ, ㅎ'일 때	막ᄉᆞᆸ거늘
	-ᄌᆞᆸ-/-ᄌᆞᇦ-	어간의 끝소리가 'ㄷ, ㅌ, ㅈ, ㅊ'일 때	듣ᄌᆞᆸ게
	-ᅀᆞᆸ-/-ᅀᆞᇦ-	어간의 끝소리가 'ㄴ, ㄹ, ㅁ'일 때	보ᅀᆞᆸ게
상대 높임법	-이-	평서형일 때	ᄒᆞ나이니
	-잇-	의문형일 때	ᄒᆞ나잇가

중세 국어 - 기타	중세 국어 단어의 의미를 판별하는 유형

025 ○○○　　　　　　　　　　　2017 국회직 9급

다음 중세 국어 짝의 의미 관계가 옳지 않은 것은?

① ┌ 됴타(좋다)
　└ 조타(깨끗하다)

② ┌ 디다(짊어지다)
　└ 지다(떨어지다)

③ ┌ 녀름(여름)
　└ 여름(열매)

④ ┌ 소(늪)
　└ 쇼(소)

⑤ ┌ 물(무리)
　└ 플(풀)

난이도 상 ○ 하

해설 　중세 국어 '디다'는 '(떨어)지다[落]'의 의미이고, '지다'는 '패하다[敗]'의 의미이다. 따라서 ②의 괄호 속 현대어는 연결이 옳지 않다.

정답 ②

중세 국어 - 기타	중세 국어로 쓰인 문학 작품을 현대어로 풀이하는 유형

026 ○○○　　　　　　　　　　　2023 군무원 9급

밑줄 친 ⊙~㉣에 대한 설명으로 가장 적절한 것은?

> 가시리 가시리잇고 ⊙ 나ᄂᆞᆫ
> 부리고 가시리잇고 나ᄂᆞᆫ
> 위 증즐가 大平盛代
>
> 날러는 엇디 살라 ᄒᆞ고
> 부리고 가시리잇고 나ᄂᆞᆫ
> 위 증즐가 大平盛代
>
> ⓒ 잡ᄉᆞ아 두어리마ᄂᆞ 눈
> ⓒ 선ᄒᆞ면 아니 올셰라
> 위 증즐가 大平盛代
>
> ㉣ 셜온 님 보내ᄋᆞᆸ노니 나ᄂᆞᆫ
> 가시ᄂᆞᆫ듯 도셔 오쇼셔 나ᄂᆞᆫ
> 위 증즐가 大平盛代

① ⊙: '나ᄂᆞᆫ'은 '나는'의 예전 표기이다.

② ⓒ: '잡ᄉᆞ아 두어리마ᄂᆞ 눈'의 뜻은 '(음식을) 잡수시고 가게 하고 싶다'는 의미이다.

③ ⓒ: '선ᄒᆞ면 아니 올셰라'의 뜻은 '선하게 살면 올 것이다'라는 믿음을 표현한 말이다.

④ ㉣: '셜온 님 보내ᄋᆞᆸ노니'의 뜻은 '서러운 님을 보내드린다'는 의미이다.

난이도 상 ○ 하

해설 　'셜온'은 '서러운'이라는 의미이다. 따라서 '서러운 님을 보내드린다'의 의미라는 설명은 적절하다.

오답 분석
① '나ᄂᆞᆫ'은 특별한 의미가 없이 악률을 맞추기 위한 여음이다. 따라서 '나는'의 예전 표기라는 설명은 적절하지 않다.

② '잡ᄉᆞ아'는 '잡다'라는 의미이다. 따라서 '잡수다'로 풀이한 것은 적절하지 않다.

③ '선ᄒᆞ면'은 '서운하면'의 의미이다. 또 '-ㄹ셰라'는 '-할까 두렵다'는 의미이다. 따라서 '서럽게 하면 아니 올까봐 두렵다'로 풀이해야 한다.

정답 ④

[현대어 풀이]

> 가시렵니까? 가시렵니까?
> (나를) 버리고 가시렵니까?
> 나는 어찌 살라 하고
> (나를) 버리고 가시렵니까?
> 붙잡아 둘 일이지마는
> 서운하면 아니 오실까 두렵습니다.
> 서러운 임을 보내 드리오니
> 가시자마자 곧 (떠날 때와 같이) 돌아서서 오소서.

027 ○○○

다음 시조에 대한 설명으로 옳지 않은 것은?

> 이화(梨花)에 월백(月白)하고 은한(銀漢)이 삼경(三更)인 제
> 일지춘심(一枝春心)을 자규(子規)야 알랴마는
> 다정(多情)도 병(病)인 양(樣)하여 잠 못 들어 하노라

① '이화'는 배나무 꽃을 말한다.
② '은한'은 은하수를 말한다.
③ '삼경'은 해 질 무렵의 시간을 말한다.
④ '일지'는 한 나뭇가지를 말한다.
⑤ '자규'는 소쩍새를 말한다.

난이도 ⓢ○ⓗ

해설 '삼경(三更)'은 하룻밤을 오경(五更)으로 나눈 셋째 부분으로, 밤 열한 시에서 새벽 한 시 사이를 의미한다. 따라서 해 질 무렵이 아닌, 야심한 밤의 시간을 의미한다.

오답
분석 ① '이화(梨花: 배나무 이(리), 꽃 화)'는 배나무 꽃을 의미한다.
② '은한(銀漢: 은 은, 한수 한)'은 '은하수'를 일상적으로 이르는 말이다.
④ '일지(一枝: 하나 일, 가지 지)'는 '하나의 나뭇가지'를 의미한다.
⑤ '자규(子規: 아들 자, 법 규)'는 소쩍새(귀촉도, 두견새, 불여귀)'를 의미한다.

정답 ③

[현대어 풀이]

> 배꽃에 달빛이 하얗게 비치고 은하수 가득한 자정인데
> 나뭇가지 하나에 어린 봄의 정서를 두견새가 알겠냐마는
> 정이 많은 것도 병인 듯하여 잠 못 이루는구나.

028 ○○○

㉠~㉣의 의미로 적절하지 않은 것은?

> 二月ㅅ 보로매 아으 노피 ㉠ 현 燈ㅅ블 다호라
> 萬人 비취실 즈시 샷다 아으 動動다리
> 三月 나며 開흔 아으 滿春 둘 윳고지여
> ᄂᆞ 미 브롤 ㉡ 즈슬 디녀 나샷다 아으 動動다리
> 四月 아니 ㉢ 니저 아으 오실셔 곳고리새여
> ㉣ 므슴다 錄事니믄 녯 나ᄅᆞᆯ 닛고신뎌 아으 動動다리
> 작자 미상, 〈動動〉

① ㉠은 '켠'을 의미한다.
② ㉡은 '모습을'을 의미한다.
③ ㉢은 '잊어'를 의미한다.
④ ㉣은 '무심하구나'를 의미한다.

난이도 ⓢ ○ ⓗ

해설 ㉣의 '므슴다'는 '무엇 때문에(어찌하여)'의 의미이다. 따라서 '무심하구나'를 의미한다는 설명은 옳지 않다.

정답 ④

[현대어 풀이]

> 2월 보름에 아아, 높이 켠 등불 같구나.
> 만인을 비추실 모습이로구나.
> 3월 지나며 핀 아아, 늦봄의 진달래꽃이여.
> 남이 부러워할 모습을 지니고 태어나셨구나.
> 4월을 아니 잊어 아아 오셨구나. 꾀꼬리새여.
> 무엇 때문에(어찌하여) 녹사님은 옛날의 나를 잊으셨는가?

029 ○○○

㉠~㉣에 대한 의미로 옳지 않은 것은?

> 돌하 노피곰 도두샤
> 어긔야 ㉠ 머리곰 비취오시라
> 어긔야 어강됴리 / 아으 다롱디리
> ㉡ 져재 녀러신고요
> 어긔야 즌 ᄃᆡ롤 드ᄃᆡ욜셰라
> 어긔야 어강됴리
> 어느이다 ㉢ 노코시라
> 어긔야 내 가논 ᄃᆡ ㉣ 졈그롤셰라
> 어긔야 어강됴리 / 아으 다롱디리
> 작자 미상, 〈정읍사(井邑詞)〉

① ㉠: '멀리멀리'라는 의미이다.
② ㉡: '전쟁터'라는 의미이다.
③ ㉢: '놓으십시오'라는 의미이다.
④ ㉣: '저물까 두렵다'라는 의미이다.

난이도 ⓢ ○ ⓗ

해설 '져재'는 '시장'이라는 의미이다. 따라서 '전쟁터'라는 풀이는 옳지 않다.

오답
분석 ① ' 곰'은 부사에 붙어 뜻을 강화하는 강세 접미사이다. 따라서 '머리곰'은 '멀리'를 강조한다는 의미에서 '멀리멀리'로 풀이할 수 있다.
③ '어느이다 노코시라'는 '어느 곳에서 (짐을) 놓으십시오.'로 해석할 수 있다. 따라서 '노코시라'를 '놓으십시오'로 풀이한 것은 옳다.
④ 'ㄹ셰라'는 '~할까 두렵다'라는 의미이다. 따라서 '졈그롤셰라'를 '저물까 두렵다'로 풀이한 것은 옳다.

정답 ②

[현대어 풀이]

> 달님이시여, 높이 높이 돋으시어 / 멀리멀리 비춰 주소서. / 시장에 가 계신가요? / 위험한 곳을 디딜까 두렵습니다. / 어느 곳에서나 놓으십시오. / 당신 가시는 곳에 저물까 두렵습니다.

030 ○○○ 　　　　　2022 법원직 9급

〈보기 1〉을 참고하여 〈보기 2〉의 ㉠~㉣에 대해 설명한 내용으로 가장 적절하지 않은 것은?

― 〈보기 1〉 ―

　중세 국어에서 의문문은 해당 의문문이 의문사에 대한 대답을 요구하는 설명 의문문인지, 가부(可否)에 대한 대답을 요구하는 판정 의문문인지, 의문문의 주어가 몇 인칭인지, 상대 높임 등급이 어떠한지 등에 따라 다양한 방법으로 실현되었다.

　예를 들어, 체언에 의문 보조사가 붙는 경우 설명 의문문이면 의문 보조사 '고'가, 판정 의문문이면 의문 보조사 '가'가 결합되었다. 청자가 주어가 되는 2인칭 주어 의문문에서는 어미 '-ㄴ다'가 사용되었으며, ᄒ라체 상대 높임 등급에서 설명 의문문은 '-뇨'가 사용되었다.

― 〈보기 2〉 ―

- ㉠: 이 ᄯᆞ리 너희 죵가 (이 딸이 너희의 종인가?)
- ㉡: 얻논 藥이 므스것고 (얻는 약이 무엇인가?)
- ㉢: 네 信ᄒᆞᆫ다 아니 ᄒᆞᆫ다 (네가 믿느냐 아니 믿느냐?)
- ㉣: 究羅帝가 이제 어듸 잇ᄂᆞ뇨 (구라제가 이제 어디 있느냐?)

① ㉠은 판정 의문문이므로 의문 보조사 '가'가 사용되었다.

② ㉡은 설명 의문문이므로 의문 보조사 '고'가 사용되었다.

③ ㉢의 주어는 2인칭 청자이므로 어미 '-ㄴ다'가 사용되었다.

④ ㉣은 판정 의문문이므로 어미 '-뇨'가 사용되었다.

난이도 ㊂ ㊨ ㊩

TIP 15세기 의문문! 암기!

　① 판정 의문문: 밥 무웠나?

　② 설명 의문문: 뭐 꼬?

　③ 너 ~ ㄴ다

해설 '판정 의문문'은 가부(可否)에 대한 대답을 요구하는 의문문이다. 그런데 ㉣은 '어디'라는 의문사가 있는 것을 볼 때, ㉣은 '판정 의문문'이 아니라 '설명 의문문'이다.

오답 분석 ① 의문사가 없는 것을 보아, ㉠은 가부(可否)에 대한 대답을 요구하는 '판정 의문문'이다. 따라서 의문 보조사 '가'를 쓴 것이다.

② 의문사가 있는 것을 보아, ㉡은 의문사에 대한 대답을 요구하는 '설명 의문문'이다. 따라서 의문 보조사 '고'를 쓴 것이다.

③ ㉢의 주어는 '너'로 2인칭이다. 따라서 어미 '-ㄴ다'를 쓴 것이다.

정답 ④

031 ○○○ 　　　　　2015 기상직 9급

〈보기〉와 관련하여, 중세 국어의 어법에 맞지 않는 것은?

― 〈보기〉 ―

　중세 국어에서 의문은 물음말의 존재 여부에 따라 '-ㄴ가', '-ㄹ가'와 같은 '아'형 어미와 '-ㄴ고', '-ㄹ고'와 같은 '오'형 어미를 구별하여 사용하였다. '아'형은 물음말이 없는 의문문에 사용되고, '오'형은 물음말이 있는 의문문에 사용되었다. 그리고 주어가 2인칭인 의문문에는 물음말의 존재와 관계없이 '-ㄴ다'가 사용되었다.

① 西京(서경)은 편안ᄒᆞᆫ가 몯ᄒᆞᆫ가

② 이도곤 ᄀᆞ좀 디 ᄯᅩ 어듸 잇닷 말고

③ 너는 천고 흥망을 아ᄂᆞᆫ다, 몰ᄋᆞᄂᆞᆫ다

④ 쇼양강 누린 믈이 어드러로 든단 말가

난이도 ㊂ ○ ㊩

해설 '아'형은 물음말(의문사)이 없는 의문문에 사용된다고 나와 있다. 그런데 ④의 경우 '어드러로(어디로)'란 물음말이 있음에도 '아(가)'형이 사용되었으므로 〈보기〉에서 설명한 어법과는 맞지 않다.

오답 분석 ① 물음말이 없으므로 '아(가)'형을 사용한 것이다.

② '어듸'라는 물음말이 있기 때문에 '오(고)'형을 사용한 것이다.

③ 2인칭 주어 '너'를 사용하였기 때문에 물음말 존재와 관계없이 '-ㄴ다'를 사용한 것이다.

정답 ④

다음 글의 설명에 어긋나는 문장은?

> 중세 국어의 의문문은 명사에 보조사가 통합되어 이루어
> 지기도 한다. 의문사가 없이 가부(可否)의 판단만을 묻는
> 판정 의문에는 '가'가 쓰이고, 의문사가 있어 상대방에게
> 설명을 요구하는 설명 의문에는 '고'가 쓰인다. 의문의 보
> 조사 '가, 고'는 'ㄹ'이나 'ㅣ' 모음 뒤에서는 'ㄱ'이 'ㅇ'으
> 로 약화되어 '아, 오'로 나타난다.

① 이 두 사ᄅᆞ미 眞實로 네 항것가

② 그 ᄠᅳ디 ᄒᆞᆫ가지오 아니오

③ 니르샤디 이 엇던 光明고

④ 法法이 므슴 얼굴오

난이도 ⑧ ○ ⑨

[해설] 제시문의 내용을 정리하면 아래와 같다.

> 1. 의문사가 없으면 '가'로 끝나고,
> 2. 의문사가 있으면 '고'로 끝나는데,
> 3. 다만 'ㄹ' 받침이나 'ㅣ' 모음 뒤에서는 '아, 오'로 변한다.

②의 문장은 의문사가 없는 의문문이고, 'ㅣ' 모음으로 끝났으므로
'그 ᄠᅳ디 ᄒᆞᆫ가지아 아니아'로 표기되어야 한다. 그런데 '-아'가 아
닌 'ᆞ오'를 취한다는 점에서 제시된 설명에 어긋난다.

오답 ① '이 두 사ᄅᆞ미 眞實로 네 항것가'에는 의문사가 없으므로 '가'가
분석   나타난다.

③ '니르샤디 이 엇던 光明고'에는 의문사 '엇던'이 있으므로 '고'
가 나타난다.

④ '法法이 므슴 얼굴오'에는 의문사 '므슴'이 있고, '얼굴'이 'ㄹ'
받침으로 끝났으므로 '오'로 나타난다.

정답 ②

중세 국어 - 기타	《훈민정음 어제 서문》의 이해를 묻는 유형

㉠~㉣에 대한 설명으로 옳지 않은 것은?

> 나·랏:말ᄊᆞ·미 ㉠ 中듕國·귁·에달·아文문字·ᄍᆞ·와·로서르
> ᄉᆞᄆᆞᆺ·디아·니홀·ᄊᆡ·이런젼·ᄎᆞ·로 ㉡ 어·린百·ᄇᆡᆨ姓·셩·이니
> 르·고·져·홇·배이·셔·도ᄆᆞ·ᄎᆞᆷ:내제·ᄠᅳ·들시·러펴·디:몯ᄒᆞᇙ·노·
> 미하·니·라·내·이·ᄅᆞᆯ爲·윙·ᄒᆞ·야 ㉢ :어엿·비너·겨·새·로·스·
> 믈여·듧字·ᄍᆞ·ᄅᆞᆯ밍·ᄀᆞ노·니:사ᄅᆞᆷ:마·다:ᄒᆡ·ᅇᅧ:수·ᄫᆡ니·겨·
> 날·로 ㉣ ·ᄡᅮ·메便뼌安ᅙᅡᆫ·킈ᄒᆞ·고·져ᄒᆞᇙᄯᆞᄅᆞ·미니·라

① ㉠: 처소 부사격 조사를 사용하였다.

② ㉡: '어리석다'는 의미로 사용하였다.

③ ㉢: '불쌍하다'는 의미로 사용하였다.

④ ㉣: 명사형 전성 어미를 사용하였다.

난이도 ⑧ ○ ⑨

[해설] '에'는 비교 부사격 조사이다. 따라서 처소 부사격 조사라는 설명
은 옳지 않다.

오답 ② 현대 국어에서 '어리다'는 '나이가 적다'라는 의미이다. 그러나
분석   중세 국어 시기에는 '어리석다'라는 의미로 쓰였다. 따라서 '어
리석다'라는 의미로 사용하였다는 설명은 옳다.

③ 현대 국어에서 '어여쁘다'는 '아름답다'라는 의미이다. 그러나
중세 국어 시기에는 '불쌍하다'라는 의미로 쓰였다. 따라서 '불
쌍하다'는 의미로 사용하였다는 설명은 옳다.

④ '사용하다'라는 의미를 가진 '쓰다'의 어간 '쓰-'에 명사형 전성
어미 '-움'이 결합한 말이다. 따라서 명사형 전성 어미를 사용
하였다는 설명은 옳다.

정답 ①

〈보기〉는 《훈민정음언해》의 한 부분이다. 이에 대한 설명으로 가장 옳은 것은?

――――――――― 〈보기〉 ―――――――――

　　나랏 말ᄊᆞ미 中國에 달아 文字와로 서르 ᄉᆞᄆᆞᆺ디 아니ᄒᆞᆯ씨 이런 젼ᄎᆞ로 어린 百姓이 니르고져 홂 배 이셔도 ᄆᆞᄎᆞᆷ내 제 ᄠᅳ들 시러 펴디 몯ᄒᆞᇙ 노미 하니라 내 이ᄅᆞᆯ 爲ᄒᆞ야 어엿비 너겨 새로 스믈여듧字ᄅᆞᆯ ᄆᆡᇰᄀᆞ노니 사ᄅᆞᆷ마다 ᄒᆡᅇᅧ 수ᄫᅵ 니겨 날로 ᄡᅮ메 便安킈 ᄒᆞ고져 홀 ᄯᆞᄅᆞ미니라

① 〈보기〉는 한 문장이다.

② 밑줄 친 '시러'는 한자 '載'에 해당한다.

③ 밑줄 친 '내'는 세종대왕이 자신을 가리키는 표현이다.

④ 'ㅏ'와 'ㆍ'는 발음이 같지만 단어들을 구별하기 위해 사용했다.

――――――――――――――――――――――――――――

난이도 상 ◐ 하

해설　'내'는 훈민정음을 만든 '세종대왕' 자신을 가리키는 표현이 맞다.

오답
분석　① 〈보기〉는 '나랏 말ᄊᆞ미 ~ 하니라'와 '내 이ᄅᆞᆯ ~ ᄯᆞᄅᆞ미니라' 두 문장으로 이루어져 있다.

　　② '시러'는 '능히(능력이 있어서 쉽게)'라는 의미로 해례본 원문의 '得(얻을 득)'에 해당한다. 따라서 한자 '載(실을 재)'에 해당한다는 설명은 적절하지 않다.

　　④ 'ㅏ'와 'ㆍ'의 발음은 동일하지 않았다.

　　　※ 'ㆍ(아래아)'의 발음은 'ㅏ'와 'ㅗ'의 중간 발음 정도로 추정된다.

정답 ③

해커스공무원학원·공무원인강

gosi.Hackers.com

해커스공무원
혜원국어
기출정해 1000제

1권 비문학·문학

초판 2쇄 발행 2024년 2월 1일
초판 1쇄 발행 2023년 10월 13일

지은이	고혜원
펴낸곳	해커스패스
펴낸이	해커스공무원 출판팀

주소	서울특별시 강남구 강남대로 428 해커스공무원
고객센터	1588-4055
교재 관련 문의	gosi@hackerspass.com
	해커스공무원 사이트(gosi.Hackers.com) 교재 Q&A 게시판
	카카오톡 플러스 친구 [해커스공무원 노량진캠퍼스]
학원 강의 및 동영상강의	gosi.Hackers.com

ISBN	1권: 979-11-6999-477-4 (14710)
	세트: 979-11-6999-476-7 (14710)
Serial Number	01-02-01

공무원 교육 1위,
해커스공무원 gosi.Hackers.com

 해커스공무원

· **해커스공무원 학원 및 인강**(교재 내 인강 할인쿠폰 수록)
· 정확한 성적 분석으로 약점 극복이 가능한 **합격예측 모의고사**(교재 내 응시권 및 해설강의 수강권 수록)
· 해커스 스타강사의 **공무원 국어 무료 동영상강의**
· '회독'의 방법과 공부 습관을 제시하는 **해커스 회독증강 콘텐츠**(교재 내 할인쿠폰 수록)

한경비즈니스 선정 2020 한국소비자만족지수 교육(공무원) 부문 1위